Les Plaisirs
de la
Bonne Table

Directrice de projet   Angela Rahaniotis

Conception graphique   Zapp

**Coordonnateur
culinaire**   Chef Yvan Bélisle

Photographie   Michel Bodson

Styliste   Murielle Bodson

Texte français   Dominique Chauveau

© 1991 par Les Éditions Tormont Inc.
338, rue Saint-Antoine est
Montréal, Québec, Canada H2Y 1A3
Tél. (514) 954-1441
Fax (514) 954-1443

ISBN 2-921171-72-4

Imprimé au Canada

RON KALENUIK

Les Plaisirs
de la
Bonne Table

TORMONT

Avant-propos

Si vous êtes une de ces personnes qui aimez bien manger sans pour cela passer des heures dans votre cuisine à préparer des plats compliqués, *Les plaisirs de la bonne table* est, sans aucun doute, le livre de cuisine qu'il vous faut.

Vous avez probablement remarqué que, même si vous possédez de nombreux livres de recettes, vous avez toujours tendance à consulter les mêmes ouvrages dès que le besoin s'en fait sentir.

J'espère sincèrement que *Les plaisirs de la bonne table* fera partie de ces quelques ouvrages. Chacune des recettes de ce livre a été choisie avec une attention toute particulière. Je tenais à m'assurer que vous n'hésiteriez pas à vous tourner vers ce livre, que vous ayez à préparer un repas rapide ou des plus raffinés.

Dans ma jeunesse, qui s'est déroulée à Niagara Falls, j'ai passé des heures à assister aux démonstrations sur la fabrication du chocolat. C'est sans doute là que j'ai appris à apprécier les bonnes choses de la table. Depuis, pendant plus de 15 ans, j'ai travaillé dans les meilleurs restaurants et hôtels d'Amérique du Nord, en tant que chef cuisinier.

J'ai alors appris à connaître les préférences des gens, et ce sont ces recettes que je vous dévoile dans *Les plaisirs de la bonne table*. De plus, ce livre renferme des grands classiques et des recettes qui ne se démodent jamais, comme le pouding au riz.

Vous découvrirez les plaisirs d'une maison qui embaume le bon pain chaud et des recettes d'autres pays ou d'autres régions, dont on entend si souvent parler de nos jours.

En fait, ce livre vous assure des années de délicieuse cuisine et des petits plats qui sauront vous tenter même les jours où vous n'avez pas vraiment envie de cuisiner.

Je vous invite à me suivre dans le merveilleux monde culinaire avec *Les plaisirs de la bonne table*.

Ron Kalenuik

TABLE DES MATIÈRES

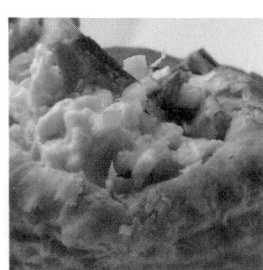
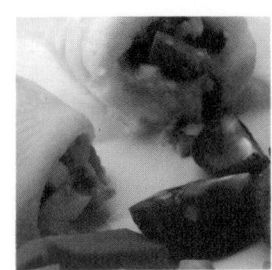

Les hors-d'oeuvre

Il n'y a pas si longtemps, les chefs cuisiniers français refusaient l'idée de servir des hors-d'œuvre, évoquant que cela couperait l'appétit. Les italiens avaient leur antipasto, les russes leur fameuse *zakuska*, mais un repas français qui se respecte devait commencer tout au plus avec une simple soupe, afin de rester en appétit pour la pièce de résistance.

De nos jours, fort heureusement, les bons cuisiniers, de quelque pays qu'ils soient, savent que des hors-d'œuvre bien choisis mettront en appétit et annonceront en quelque sorte le repas à venir.

Nous espérons que le choix de hors-d'œuvre présenté dans ce chapitre vous mettra l'eau à la bouche et piquera votre intérêt tant et si bien que vous aurez, par la suite, envie de consulter les autres chapitres.

Vous trouverez plusieurs suggestions de hors-d'œuvre, chauds ou froids, allant du traditionnel au «moderne». Nous avons même inclus quelques recettes de trempettes fabuleuses.

Souvenez-vous simplement que vous devez choisir vos hors-d'œuvre en fonction d'un menu équilibré, en termes de valeur nutritive, de texture et de saveur. Sachez «opposer» des hors-d'œuvre riches à un repas léger, ou alors l'exotisme du premier à la simplicité du second.

Il vous est également possible d'élaborer tout un repas, brunch ou repas de fête, autour d'un choix de recettes émanant de ce seul chapitre. Et vous voilà prêt pour les grands départs.

Barquettes au jambon et au fromage

4 portions

1	abaisse de pâte feuilletée, surgelée
1	jaune d'œuf
15 mL	(*1 c. à table*) lait
170 g	(*6 oz*) jambon Forêt Noire, tranché fin
30 mL	(*2 c. à table*) confiture de pêches
30 mL	(*2 c. à table*) moutarde préparée
180 mL	(*¾ tasse*) fromage havarti, râpé

Préchauffer le four à 180°C (*350°F*).

Faire dégeler la pâte feuilletée.

Mélanger le jaune d'œuf et le lait; en badigeonner les extrémités de la pâte feuilletée.

Replier dans le sens de la longueur. Souder les bords. Entailler légèrement le milieu et donner la forme d'une barque. Tapisser le fond et les côtés de jambon.

Mélanger la confiture de pêches avec la moutarde. En couvrir le jambon. Parsemer de fromage. Badigeonner les bords de la pâte avec le mélange d'œuf et de lait.

Faire cuire au four 10 à 12 minutes ou jusqu'à légère coloration.

Barquettes au jambon et au fromage

Mangues au prosciutto

6 portions

2	mangues moyennes
12	tranches de prosciutto
3	limes

Peler et trancher les mangues en 12 morceaux égaux.

Entourer chaque morceau d'une fine tranche de prosciutto.

Couper les limes en quartiers.

Disposer les mangues sur un plateau; répartir les quartiers de limes autour.

Roulés de fromage aux amandes

22 à 24 roulés

250 mL	(*1 tasse*)	amandes, blanchies
45 mL	(*3 c. à table*)	beurre
115 g	(*4 oz*)	fromage à la crème
115 g	(*4 oz*)	fromage havarti, râpé
30 mL	(*2 c. à table*)	piments rouges rôtis, en dés fins
10 mL	(*2 c. à thé*)	jus de citron
5 mL	(*1 c. à thé*)	sel
5 mL	(*1 c. à thé*)	sauce anglaise
3 mL	(*½ c. à thé*)	paprika

Faire revenir les amandes dans le beurre, puis les hacher finement. Au robot culinaire, mélanger les fromages et le reste des ingrédients.

Façonner en rouleau.

Répartir les amandes sur une feuille de papier ciré. Bien enrober le rouleau d'amandes tout en l'enveloppant dans le papier ciré.

Mettre 2 heures au réfrigérateur.

Retirer le papier ciré et trancher régulièrement.

Huîtres forestières

24 hors-d'œuvre

24		huîtres
60 mL	(*4 c. à table*)	jus de citron
5 mL	(*1 c. à thé*)	sel
3 mL	(*½ c. à thé*)	poivre
5 mL	(*1 c. à thé*)	persil, haché
12		tranches de bacon

Ouvrir les huîtres et les sortir de leurs coquilles.

Mélanger le jus de citron et les autres assaisonnements.

Verser le mélange au jus de citron sur les huîtres. Laisser mariner 15 minutes.

Enrouler chaque huître dans une demi-tranche de bacon. Fixer avec un cure-dents.

Mettre au four, sous le gril, jusqu'à ce que le bacon soit croustillant.

Bouchées de saucisses à l'ananas

8 portions

16		saucisses, cuites et coupées en deux
32		morceaux d'ananas, frais ou en conserve
10 mL	(*2 c. à thé*)	fécule de maïs
125 mL	(*½ tasse*)	jus d'ananas

Sur des cure-dents, enfiler une demi-saucisse et un morceau d'ananas; réserver.

Mélanger la fécule de maïs et le jus d'ananas.

Faire chauffer dans une casserole et laisser épaissir à feu doux.

Disposer les bouchées dans un plat et napper de sauce; poser sur un réchaud (*ou chauffe-plat*).

Roulés de fromage aux amandes et bouchées de saucisses à l'ananas

Friands au bœuf haché

24 hors-d'œuvre

8 mL	(*1½ c. à thé*)	sel
1 L	(*4 tasses*)	farine, tamisée
180 mL	(*¾ tasse*)	beurre
250 mL	(*1 tasse*)	eau
450 g	(*1 lb*)	bœuf maigre, haché
3		pommes de terre, émincées
1		oignon, émincé
1 mL	(*¼ c. à thé*)	poivre noir
15 mL	(*1 c. à table*)	eau

Préchauffer le four à 180°C (*350°F*).

Mélanger 3 mL (*½ c. à thé*) de sel à la farine. Amalgamer le beurre au mélange. Ajouter 250 mL (*1 tasse*) d'eau et pétrir en une pâte consistante.

Abaisser la pâte à 0,3 cm (*⅛ po*) d'épaisseur. Couper en rondelles de 15 cm (*6 po*) de diamètre.

Mélanger le bœuf haché, les pommes de terre, l'oignon, le reste de sel, le poivre et 15 mL (*1 c. à table*) d'eau.

Poser un peu de farce au centre de chaque rondelle.

Replier la pâte et bien souder les bords avec une fourchette. Faire cuire au four 1¼ heure.

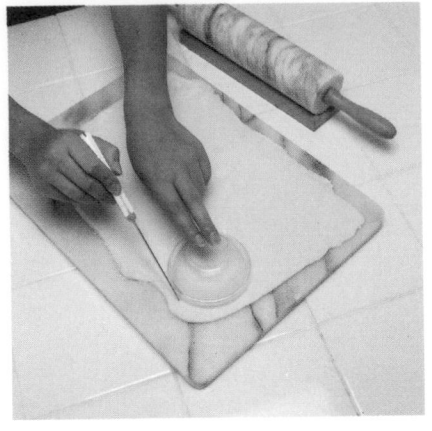

1

Abaisser la pâte et la découper en rondelles de 15 cm (*6 po*) de diamètre.

2

Poser un peu de farce sur chaque rondelle.

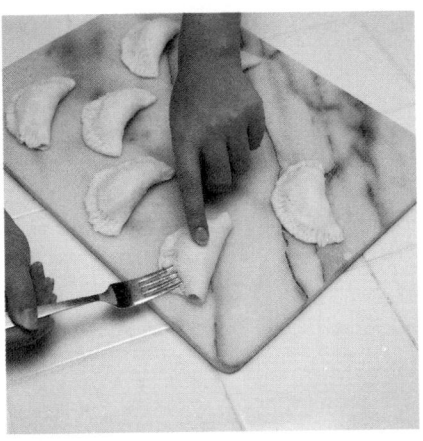

3

Replier la pâte et bien souder les bords avec une fourchette.

4

Faire cuire au four 1¼ heure.

Wontons au jambon et au fromage

24 hors-d'œuvre

170 g	(6 oz) jambon, haché
170 g	(6 oz) cheddar, en dés
24	pâtes wontons
1	œuf, battu
1 L	(4 tasses) huile

Mélanger le jambon et le fromage. Disposer 8 mL (½ c. à table) de ce mélange au centre de chaque feuille wonton. Badigeonner les bords avec l'œuf battu.

Replier la feuille en triangle et souder les bords.

Faire dorer les wontons dans l'huile chaude, à 190°C (375°F). Servir chauds avec une sauce au goût.

Wontons au poulet au curry

24 hors-d'œuvre

225 g	(½ lb) poulet, cuit et en dés
45 mL	(3 c. à table) oignon, haché fin
45 mL	(3 c. à table) céleri, haché fin
10 mL	(2 c. à thé) poudre de curry
60 mL	(¼ tasse) mayonnaise
24	pâtes wonton
1	œuf, battu
1 L	(4 tasses) huile

Mélanger le poulet avec l'oignon et le céleri; réserver. Additionner le curry à la mayonnaise. Y incorporer le poulet et les légumes.

Disposer 12 mL (¾ c. à table) de ce mélange au centre de chaque feuille.

Badigeonner les bords avec l'œuf battu. Replier la feuille en triangle et souder les bords.

Faire dorer les wontons dans l'huile chaude, à 190°C (375°F). Servir chauds avec une sauce au goût.

Wontons au poulet au curry

Crevettes aux fines herbes et aux épices

8 portions

1 kg	(*2¼ lb*) crevettes, crues, décortiquées et déveinées
1	recette de court-bouillon (voir *Soupes*)
60 mL	(*¼ tasse*) beurre
5 mL	(*1 c. à thé*) poudre d'ail
60 mL	(*¼ tasse*) purée de tomate
250 mL	(*1 tasse*) jus de tomate
180 mL	(*¾ tasse*) eau
1 mL	(*¼ c. à thé*) basilic
1 mL	(*¼ c. à thé*) origan
1 mL	(*¼ c. à thé*) thym
5 mL	(*1 c. à thé*) sel
3 mL	(*½ c. à thé*) poivre noir
1 mL	(*¼ c. à thé*) poivre de Cayenne
3 mL	(*½ c. à thé*) paprika
125 mL	(*½ tasse*) sherry

Faire cuire les crevettes dans le court-bouillon; retirer du liquide et laisser refroidir complètement.

Faire fondre le beurre dans une casserole. Ajouter la poudre d'ail, la purée et le jus de tomate et l'eau.

Laisser mijoter 5 minutes; ajouter le reste des ingrédients. Laisser mijoter de nouveau 5 minutes.

Verser dans un bol. Disposer les crevettes autour du bol.

La sauce fera office de trempette.

Huîtres à la Rockefeller

6 portions

1½	douzaine d'huîtres
284 g	(*10 oz*) épinards, nettoyés et hachés
60 mL	(*¼ tasse*) beurre
30 mL	(*2 c. à table*) persil en flocons
45 mL	(*3 c. à table*) oignons verts, hachés fin
30 mL	(*2 c. à table*) jus de citron
2	gousses d'ail, hachées fin
5 mL	(*1 c. à thé*) sel
10 mL	(*2 c. à thé*) poivre noir
250 mL	(*1 tasse*) chapelure

Préchauffer le four à 180°C (*350°F*).

Ouvrir les huîtres. Détacher la chair sans la sortir de sa coquille; réserver.

A petit feu, faire revenir les épinards dans le beurre chaud. Retirer du feu.

Ajouter le reste des ingrédients; bien mélanger. Disposer les huîtres dans un plat allant au four. Couvrir chacune de 15 mL (*1 c. à table*) de mélange.

Faire cuire au four 35 minutes. Servir chaud.

Crevettes glacées à la mayonnaise moutardée

6 portions

1	œuf
45 mL	(*3 c. à table*) jus de citron
45 mL	(*3 c. à table*) moutarde de Dijon
5 mL	(*1 c. à thé*) sucre
1	pincée de poivre
1 mL	(*¼ c. à thé*) sel
250 mL	(*1 tasse*) huile d'olive
1 kg	(*2¼ lb*) crevettes, pelées, déveinées, cuites et refroidies

Au mélangeur, combiner l'œuf, le jus de citron, la moutarde et les assaisonnements.

Ajouter lentement l'huile, tout en mélangeant.

Verser dans un bol; entourer de crevettes.

Champignons farcis

Friture de cuisses de grenouilles

6 portions

24	paires de cuisses de grenouilles
2	œufs, bien battus
1 mL	(¼ c. à thé) sel
1 mL	(¼ c. à thé) poivre de Cayenne
60 ml	(¼ tasse) crème épaisse
125 mL	(½ tasse) farine
250 mL	(1 tasse) chapelure
1 L	(4 tasses) huile
125 mL	(½ tasse) sauce moutardée au miel (voir *Sauces*)

Détacher les cuisses de grenouilles.

Mélanger dans un bol les œufs, le sel, le poivre de Cayenne et la crème.

Verser la farine et la chapelure dans des bols individuels.

Enrober les cuisses de grenouilles de farine, les tremper dans le mélange d'œufs et les rouler dans la chapelure.

Faire dorer les cuisses de grenouilles dans l'huile chaude, à 190°C (375°F) environ 5 minutes.

Disposer sur un plateau de service et servir avec la sauce.

Champignons farcis

36 hors-d'œuvre

36	gros chapeaux de champignons
60 mL	(¼ tasse) beurre
60 mL	(¼ tasse) fromage à la crème, à la température ambiante
60 mL	(¼ tasse) chair de crabe, hachée
60 mL	(¼ tasse) petites crevettes, hachées
1	pincée de muscade
	sel et poivre

Faire sauter les champignons dans du beurre, à feu vif, environ 3 minutes.

Battre le fromage à la crème jusqu'à consistance lisse. Y incorporer la chair de crabe, les crevettes, la muscade et les assaisonnements.

Remplir chaque chapeau avec le mélange et disposer sur une plaque à biscuits.

Mettre au four, sous le gril, jusqu'à bouillonnement.

Boulettes de viande cocktail

36 à 48 boulettes

225 g	(*½ lb*) bœuf maigre, haché
115 g	(*¼ lb*) porc, haché
115 g	(*¼ lb*) agneau, haché
125 mL	(*½ tasse*) chapelure
125 mL	(*½ tasse*) sherry
1	petit oignon, haché fin
1	œuf, battu
1	gousse d'ail, hachée
15 mL	(*1 c. à table*) persil en flocons
3 mL	(*½ c. à thé*) sel
3 mL	(*½ c. à thé*) poivre
3 mL	(*½ c. à thé*) origan
3 mL	(*½ c. à thé*) basilic
3 mL	(*½ c. à thé*) thym

Sauce

250 mL	(*1 tasse*) sauce chili
125 mL	(*½ tasse*) gelée de pomme
5 mL	(*1 c. à thé*) paprika
5 mL	(*1 c. à thé*) basilic

Préchauffer le four à 180°C (*350°F*).

Bien mélanger les viandes hachées. Incorporer tous les autres ingrédients.

Façonner en boulettes. Mettre au four 12 minutes ou jusqu'à ce qu'elles soient cuites.

Disposer sur un plat de service, napper de sauce et servir.

Sauce : dans une casserole, mélanger la sauce chili, la gelée de pomme et les assaisonnements.
Faire chauffer à feu doux, sans laisser bouillir.

Palourdes du Casino

24 hors-d'œuvre

2	douzaines de petites palourdes, nettoyées
1	œuf dur
60 mL	(*¼ tasse*) beurre
3	oignons, en petits dés
3 mL	(*½ c. à thé*) origan
3 mL	(*½ c. à thé*) sel
3 mL	(*½ c. à thé*) poivre
125 mL	(*½ tasse*) chapelure
4	tranches de bacon, en dés

Préchauffer le four à 200°C (*400°F*).

Sortir les palourdes de leurs coquilles. Réserver les coquilles. Hacher grossièrement la chair des palourdes et l'œuf avec le robot culinaire.

Faire fondre le beurre dans une casserole; y faire revenir les palourdes et les oignons jusqu'à tendres.

Incorporer les assaisonnements et la chapelure. Déposer à la cuillère dans les coquilles. Couvrir de dés de bacon.

Faire cuire au four environ 20 minutes, jusqu'à ce que la surface soit dorée.

Servir avec une sauce tomate épicée.

Escargots au prosciutto

24 hors-d'œuvre

24	gros escargots, en conserve
1	recette de court-bouillon (voir *Soupes*)
6	tranches de prosciutto
60 mL	(*¼ tasse*) beurre
5 mL	(*1 c. à thé*) ail, haché fin
3 mL	(*½ c. à thé*) persil
3 mL	(*½ c. à thé*) jus de citron

Préchauffer le four à 260°C (*500°F*).

Égoutter et laver les escargots.

Faire mijoter 10 minutes dans le court-bouillon.

Entre-temps, diviser chaque tranche de prosciutto en 4. Égoutter les escargots et laisser refroidir.

Faire ramollir le beurre; y incorporer l'ail, le persil et le jus de citron.

Enrouler chaque escargot d'une lanière de prosciutto. Y piquer un cure-dents et disposer dans un plat à escargots.

Couvrir chaque escargot d'une noisette de beurre à l'ail. Faire cuire au four 5 minutes.

Servir avec du pain au fromage et à l'ail (voir *Fromages*).

Mini-pizzas

6 portions

6	muffins anglais
1 mL	(*¼ c. à thé*) origan
1 mL	(*¼ c. à thé*) thym
1 mL	(*¼ c. à thé*) basilic
1 mL	(*¼ c. à thé*) sel
1 mL	(*¼ c. à thé*) poivre

Mini-pizzas

250 mL	(*1 tasse*) sauce tomate (voir *Sauces*)
12	tranches de salami
250 mL	(*1 tasse*) mozzarella, râpée.
12	tranches de tomate
½	poivron vert, en dés
24	morceaux d'ananas

Préchauffer le four à 200°C (*400°F*).

Couper les muffins anglais en deux.

Incorporer les assaisonnements à la sauce tomate.

Étendre 10 mL (*2 c. à thé*) de sauce sur chaque demi-muffin. Couvrir d'une tranche de salami. Parsemer de fromage.

Garnir d'une tranche de tomate, de poivron vert en dés et de deux morceaux d'ananas.

Faire cuire au four 5 à 7 minutes ou jusqu'à ce que le fromage soit fondu.

Brochettes de fruits de mer

6 portions

6	tranches de bacon
12	gros pétoncles
12	grosses crevettes, décortiquées et déveinées
12	champignons moyens, entiers
12	tomates cerise
250 mL	(*1 tasse*) de sauce Teriyaki (voir *Sauces*)

Couper les tranches de bacon en deux. Enrouler les pétoncles d'une lanière de bacon.

Sur chaque brochette, enfiler en alternant 2 crevettes, 2 pétoncles, 2 champignons et 2 tomates.

Faire cuire au four, sous le gril, 5 minutes de chaque côté, en badigeonnant avec la sauce Teriyaki.

Servir chaud.

Crevettes à la sauce aux bleuets

6 portions

675 g	(*1½ lb*) crevettes, décortiquées et déveinées
1	recette de court-bouillon (voir *Soupes*)
250 mL	(*1 tasse*) eau
15 mL	(*1 c. à table*) farine de maïs
0,5 mL	(*⅛ c. à thé*) sel
5 mL	(*1 c. à thé*) jus de citron
180 mL	(*¾ tasse*) sucre
500 mL	(*2 tasses*) bleuets

Faire cuire les crevettes dans le court-bouillon. Égoutter et laisser refroidir.

Incorporer à l'eau la farine de maïs, le sel, le jus de citron et le sucre. Porter à ébullition.

Ajouter les bleuets et laisser mijoter 10 minutes. Faire refroidir.

Verser la sauce dans un plat de service et disposer les crevettes dessus.

Escargots

4 portions

30 mL	(*2 c. à table*) beurre à l'ail
24	chapeaux de champignons
24	escargots
125 g	(*4 oz*) fromage à la crème
30 mL	(*2 c. à table*) beurre à l'ail
250 mL	(*1 tasse*) mozzarella, râpée
250 mL	(*1 tasse*) fromage suisse, râpé
250 mL	(*1 tasse*) cheddar fort, râpé
	pain au fromage à l'ail (voir *Fromages*)

Dans la première quantité de beurre, faire sauter à feu vif les champignons.

Disposer les escargots dans un plat à escargots. Couvrir chacun de 5 mL (*1 c. à thé*) de fromage à la crème, d'un chapeau de champignon, puis de 1 mL (*¼ c. à thé*) de beurre à l'ail. Mettre au four, sous le gril, jusqu'à ébullition.

Entre-temps, mélanger les fromages râpés. En parsemer les escargots et remettre au four jusqu'à ce que le fromage soit fondu.

Servir très chaud avec du pain au fromage à l'ail.

Huîtres remique

6 portions

125 mL	(*½ tasse*) sauce chili
125 mL	(*½ tasse*) raifort, chaud
250 mL	(*1 tasse*) cheddar fort, râpé
250 mL	(*1 tasse*) mozzarella, râpée
250 mL	(*1 tasse*) fromage brick, râpé
36	huîtres
500 mL	(*2 tasses*) chapelure

Préchauffer le four à 230°C (*450°F*).

Mélanger la sauce chili et le raifort. Y incorporer les fromages râpés.

Ouvrir les huîtres, les égoutter et détacher la chair sans la sortir de la coquille. Jeter la partie plate de la coquille.

Recouvrir chaque huître de 5 mL (*1 c. à thé*) de mélange de sauce chili; parsemer de fromage, puis de chapelure.

Faire gratiner au four.

1

Ouvrir et égoutter les huîtres.

2

Détacher la chair sans la sortir de la coquille. Jeter la partie plate de la coquille.

3

Recouvrir chaque huître de 5 mL (*1 c. à thé*) de mélange de sauce chili; parsemer de fromage.

4

Parsemer de chapelure et faire gratiner au four.

Moules à l'étuvée Mike Smith

8 à 10 portions

1 kg	(*2¼ lb*) moules
1	oignon, haché fin
1	carotte, en tranches
1	branche de céleri, en tranches
250 mL	(*1 tasse*) vin blanc
500 mL	(*2 tasses*) eau
8	grains de poivre
1	feuille de laurier
5 mL	(*1 c. à thé*) sel
2	brins de persil
250 mL	(*1 tasse*) miel liquide
15 mL	(*1 c. à table*) poudre d'ail

Brosser les moules et retirer le byssus.

Dans une grande casserole, mettre l'oignon, la carotte, le céleri, le vin, l'eau, les assaisonnements et le persil. Porter à ébullition.

Ajouter les moules et couvrir. Laisser mijoter 5 minutes ou jusqu'à ce que les moules soient ouvertes; jeter celles qui restent fermées.

Entre-temps, faire chauffer le miel dans une casserole. Incorporer la poudre d'ail en fouettant pour éliminer les grumeaux.

Bien égoutter les moules. Les arroser de miel; bien mélanger. Dresser dans un grand bol. Servir avec du pain croûté ou du pain au fromage à l'ail (voir *Fromages*).

Moules à l'étuvée Mike Smith

Œufs au thé

12 portions

12	gros œufs
125 mL	(*½ tasse*) sauce soja
115 g	(*4 oz*) thé en vrac
10 mL	(*2 c. à thé*) sel
1 mL	(*¼ c. à thé*) muscade
1 mL	(*¼ c. à thé*) clous de girofle, moulus
1 mL	(*¼ c. à thé*) cannelle

Faire bouillir les œufs 10 minutes dans suffisamment d'eau pour les recouvrir.

Mélanger la sauce soja, le thé, le sel, la muscade, les clous de girofle et la cannelle.

Sortir les œufs de l'eau. Fendiller les coquilles en les frappant doucement avec une cuillère, puis remettre les œufs dans l'eau.

Verser le mélange de sauce soja dans l'eau. Couvrir et laisser mijoter 45 à 60 minutes.

Faire refroidir les œufs dans le liquide. Laisser deux jours au réfrigérateur.

Écaler les œufs, couper en deux et servir.

Trempette à l'avocat

560 mL (2¼ tasses)

1	avocat, mûr
250 g	(*8 oz*) fromage à la crème ou ricotta
125 mL	(*½ tasse*) mayonnaise
15 mL	(*1 c. à table*) jus de citron
5 mL	(*1 c. à thé*) cerfeuil
5 mL	(*1 c. à thé*) basilic
5 mL	(*1 c. à thé*) ciboulette
3 mL	(*½ c. à thé*) sel

Peler l'avocat, le trancher et le réduire en purée.

Ajouter le fromage à la chair d'avocat et réduire en crème. Incorporer le reste des ingrédients. Servir avec des légumes, des croustilles, des crevettes, etc.

Trempette au curry

375 mL (1½ tasse)

250 mL	(*1 tasse*) mayonnaise
45 mL	(*3 c. à table*) sauce chili
15 mL	(*1 c. à table*) poudre de curry
15 mL	(*1 c. à table*) sauce anglaise
15 mL	(*1 c. à table*) oignon, haché fin
1 mL	(*¼ c. à thé*) sel
1 mL	(*¼ c. à thé*) poivre

Bien mélanger tous les ingrédients.

Servir avec des fruits de mer froids, des croustilles, des légumes ou des fritures.

Trempettes au roquefort et au curry

Trempette au roquefort

500 mL (2 tasses)

90 g	(*3 oz*) roquefort ou fromage bleu
250 g	(*8 oz*) fromage à la crème
125 mL	(*½ tasse*) crème sure
1 mL	(*¼ c. à thé*) oignon en poudre

Émietter le fromage.

Mélanger tous les ingrédients.

Servir avec des légumes qui accompagnent les ailes de poulet à la buffalo ou toute autre friture.

Trempette à l'oignon

500 mL (2 tasses)

250 g	(*8 oz*) fromage à la crème, à la température ambiante
250 mL	(*1 tasse*) crème sure
1	sachet de soupe à l'oignon déshydratée
30 mL	(*2 c à table*) ciboulette, hachée
5 mL	(*1 c. à thé*) cerfeuil, séché
5 mL	(*1 c. à thé*) paprika
5 mL	(*1 c. à thé*) sauce anglaise

Mélanger tous les ingrédients en battant jusqu'à consistance lisse.

Servir avec des légumes frais ou des croustilles.

Trempette mexicali

1,75 L (7 tasses)

500 mL	(*2 tasses*) crème sure
250 mL	(*1 tasse*) fromage à la crème
5 mL	(*1 c. à thé*) assaisonnement au chili
1 mL	(*¼ c. à thé*) thym
1 mL	(*¼ c. à thé*) basilic
1 mL	(*¼ c. à thé*) poivre
5 mL	(*1 c. à thé*) sel
2	oignons verts, hachés
500 mL	(*2 tasses*) sauce chili
375 mL	(*1½ tasse*) cheddar moyen, râpé
1	oignon, en dés
1	poivron vert, en dés

Mélanger la crème sure et le fromage à la crème jusqu'à consistance lisse.

Incorporer les assaisonnements et les oignons verts à la sauce chili et fouetter avec la crème sure.

Parsemer de cheddar râpé, puis d'oignon et de poivron vert.

Servir avec des croustilles de maïs.

Variante : faire frire 115 g (4 oz) de bacon en dés, jusqu'à ce qu'il soit croustillant; égoutter. Le parsemer sur le fromage.

Trempette pour légumes

500 mL (2 tasses)

60 mL	(*¼ tasse*) crème épaisse
250 g	(*8 oz*) fromage à la crème
60 mL	(*¼ tasse*) sherry
30 mL	(*2 c. à table*) oignon, haché fin
1 mL	(*¼ c. à thé*) sel
1 mL	(*¼ c. à thé*) moutarde, sèche
1 mL	(*¼ c. à thé*) cerfeuil
1 mL	(*¼ c. à thé*) basilic
1 mL	(*¼ c. à thé*) ciboulette
1 mL	(*¼ c. à thé*) paprika

Mélanger la crème, le fromage et le sherry. Bien incorporer l'oignon et les assaisonnements.

Servir avec des légumes crus.

Trempettes mexicali, à l'oignon et pour légumes

Les Pâtés

Les pâtés et les terrines sont, en résumé, un mélange de viande crue, d'assaisonnements et d'agents liants, cuits dans un moule.

Les mousses se rangent dans la même catégorie, mais sont plus délicates. On y incorpore en général du poisson ou des légumes, et de la gélatine.

Les pâtés peuvent aller du simple au très complexe, mais plus vous essaierez d'en faire, plus vous aurez envie d'expérimenter nos différentes recettes. Ne vous découragez pas devant ce qui vous semble compliqué. Prenez tout simplement votre temps et vous obtiendrez à coup sûr des résultats récompensant vos efforts.

Conseils afin de réussir vos pâtés

Lorsque la recette nécessite du bacon, placez-le entre deux feuilles de papier ciré et roulez-le serré, tout en prenant soin de ne pas le briser. Faites-le blanchir afin d'enlever le goût de fumé.

Si vous utilisez un robot culinaire, refroidissez le bol, les lames et les ingrédients avant de les utiliser, et traitez de petites quantités à la fois.

Si la recette demande une cuisson au bain-marie, placez le moule dans un grand récipient d'eau et gardez le niveau d'eau aux deux-tiers de la hauteur du moule.

Appliquez un poids sur le pâté après la cuisson; cela lui confère une texture plus dense. Déposez le poids 30 minutes après avoir sorti le moule du four.

Les pâtés doivent être recouverts d'une couche de gras, de préférence des bardes de lard, avant la cuisson.

Avant d'utiliser les foies, retirez toutes les membranes ou vaisseaux, de quelque sorte qu'ils soient.

Mousse aux crevettes et au saumon

10 portions

15 mL	(*1 c. à table*) gélatine, non aromatisée
60 mL	(*¼ tasse*) vin blanc
375 mL	(*1½ tasse*) bouillon de poisson ou de poulet
125 mL	(*½ tasse*) mayonnaise
5 mL	(*1 c. à thé*) sel
1 mL	(*¼ c. à thé*) muscade
5 mL	(*1 c. à thé*) paprika
3 mL	(*½ c. à thé*) poivre
15 mL	(*1 c. à table*) zeste de citron, râpé
15 mL	(*1 c. à table*) oignon, haché fin
125 mL	(*½ tasse*) céleri, haché fin
375 mL	(*1½ tasse*) crevettes cuites, hachées fin
125 mL	(*½ tasse*) biscuits salés, émiettés finement
250 mL	(*1 tasse*) crème épaisse
500 mL	(*2 tasses*) saumon cuit, en flocons

Mousse aux crevettes et au saumon

Dissoudre la gélatine dans le vin. Ajouter le bouillon et porter à ébullition.

Verser 180 mL (*¾ tasse*) de bouillon dans un moule à pain de 22 x 12 cm (*9 x 5 po*) légèrement graissé. Laisser prendre au réfrigérateur.

Dans un grand bol, combiner la mayonnaise, le sel, la muscade, le paprika, le poivre, le zeste de citron, l'oignon et le céleri. Ajouter à 180 mL (*¾ tasse*) de bouillon en repliant.

Incorporer les crevettes, les biscuits salés et la crème.

Dans un autre bol, mélanger le saumon et le reste du bouillon.

Verser la moitié du mélange aux crevettes dans le moule à pain; couvrir de saumon.

Étaler ce qui reste du mélange aux crevettes. Mettre au réfrigérateur 5 heures ou plus. Démouler et servir.

Terrine au poulet et aux pistaches

20 portions

150 g	(*⅓ lb*) pointes d'asperges
1 kg	(*2¼ lb*) poulet sans peau, désossé
2	œufs
500 mL	(*2 tasses*) crème épaisse
5 mL	(*1 c. à thé*) sel
3 mL	(*½ c. à thé*) poivre
250 mL	(*1 tasse*) pistaches, non salées et écalées

Préchauffer le four à 160°C (*325°F*).

Blanchir les asperges. Les égoutter et bien les assécher.

Au robot culinaire, déchiqueter le poulet jusqu'à consistance lisse. Ajouter les œufs, la crème, le sel et le poivre. Bien mélanger. Incorporer les pistaches à la main.

Tapisser un moule à pain de 22 x 12 cm (*9 x 5 po*) de papier d'aluminium. Laisser le papier dépasser un peu du moule. Beurrer le papier d'aluminium.

Verser la moitié du mélange au poulet dans le moule. Disposer les pointes d'asperges dessus. Verser le reste du mélange. Couvrir d'un morceau de papier ciré beurré, le côté beurré contre la mousse.

Déposer dans un grand plat contenant 4 cm (*1½ po*) d'eau. Faire cuire au four 40 minutes. Sortir du four. Déposer un léger poids dessus; attendre 2 heures. Mettre au réfrigérateur. Démouler et servir.

Pâté de champagne

20 portions

1 kg	(*2¼ lb*) foies de poulet
450 g	(*1 lb*) chair à saucisse
450 g	(*1 lb*) veau maigre
1	gousse d'ail, hachée fin
5 mL	(*1 c. à thé*) marjolaine
5 mL	(*1 c. à thé*) thym
5 mL	(*1 c. à thé*) sel
5 mL	(*1 c. à thé*) paprika
3	œufs, légèrement battus
125 mL	(*½ tasse*) champagne

Préchauffer le four à 190°C (*375°F*).

Au robot culinaire, hacher finement les viandes.

Incorporer l'ail et les fines herbes. Ajouter les œufs et le champagne. Graisser légèrement un moule à pain de 22 x 12 cm (*9 x 5 po*). Y verser le mélange.

Faire cuire au four 2 heures. Sortir le pâté; le couvrir d'un poids (2 briques). Mettre au réfrigérateur. Servir.

Terrine de canard à l'orange

20 portions

1 kg	(*2¼ lb*) chair de canard, en lanières de 2,5 cm (*1 po*)
225 g	(*½ lb*) poitrine de poulet, en lanières de 2,5 cm (*1 po*)
225 g	(*½ lb*) porc maigre, en lanières de 2,5 cm (*1 po*)
340 g	(*¾ lb*) bacon
1	foie de canard
2	oignons verts, hachés fin
310 mL	(*1¼ tasse*) jus d'orange
160 mL	(*⅔ tasse*) liqueur d'orange
10 mL	(*2 c. à thé*) sel
15 mL	(*1 c. à table*) poivre vert en grains
80 mL	(*⅓ tasse*) chapelure
3	œufs, battus
500 mL	(*2 tasses*) abricots, hachés
125 mL	(*½ tasse*) pistaches (facultatif)

Préchauffer le four à 180°C (*350°F*).

Au robot culinaire, mélanger progressivement le canard, le poulet et le porc jusqu'à consistance lisse.

Incorporer la moitié du bacon et le foie; mélanger jusqu'à consistance lisse.

Dans un grand bol, bien mélanger les viandes, les oignons verts, le jus d'orange, la liqueur, le sel, les grains de poivre, la chapelure et les œufs. Ajouter les abricots et les pistaches.

Tapisser un grand moule à pain avec le reste de bacon. Y déposer le mélange à la cuillère.

Couvrir d'une feuille de papier ciré beurré, côté beurré contre le mélange.

Faire cuire au bain-marie 1½ heure. Sortir du four et laisser reposer 30 minutes. Couvrir d'un poids toute la nuit. Laisser reposer au réfrigérateur 5 jours.

Démouler; enlever le bacon. Retirer l'excès de gras. Trancher et servir.

Pâté végétarien au fromage

16 à 20 portions

500 mL	(*2 tasses*) brocoli
500 mL	(*2 tasses*) carottes, pelées et coupées en dés
45 mL	(*3 c. à table*) beurre
1	oignon, haché fin
115 g	(*4 oz*) champignons, en tranches
30 mL	(*2 c. à table*) gélatine, non aromatisée
250 mL	(*1 tasse*) sherry
250 mL	(*1 tasse*) bouillon de poulet
500 mL	(*2 tasses*) fromage havarti, râpé
125 mL	(*½ tasse*) mayonnaise
250 mL	(*1 tasse*) crème épaisse
15 mL	(*1 c. à table*) zeste de citron, râpé
125 mL	(*½ tasse*) chapelure
5 mL	(*1 c. à thé*) sel
3 mL	(*½ c. à thé*) poivre
5 mL	(*1 c. à thé*) paprika

Faire bouillir le brocoli et les carottes jusqu'à tendres. Hacher finement au robot culinaire.

Faire fondre le beurre; y faire sauter l'oignon et les champignons. Verser dans un grand bol. Ajouter les carottes et le brocoli.

Dissoudre la gélatine dans le sherry. Ajouter le bouillon de poulet; porter à ébullition. Laisser refroidir sans faire prendre.

Incorporer le reste des ingrédients. Ajouter les légumes. Verser dans un moule à pain de 22 x 12 cm (*9 x 5 po*) légèrement beurré.

Laisser refroidir 4 heures ou plus au réfrigérateur. Démouler et servir.

1

Faire sauter l'oignon et les champignons dans le beurre et verser le mélange dans un grand bol avec les carottes et le brocoli.

2

Dissoudre la gélatine dans le sherry et ajouter le bouillon de poulet.

3

Verser le mélange dans un moule à pain légèrement beurré.

4

Laisser refroidir 4 heures ou plus; démouler et servir.

Timbale de saumon fumé à la crème de homard

4 portions

225 g	(*½ lb*) filet de saumon fumé
180 mL	(*¾ tasse*) crème fouettée
5 mL	(*1 c. à thé*) beurre
30 mL	(*2 c. à table*) d'échalotes, en dés
60 mL	(*¼ tasse*) crème épaisse
170 g	(*6 oz*) chair de homard, hachée, cuite
3 mL	(*½ c. à thé*) sel
1 mL	(*¼ c. à thé*) poivre
	grains de poivre vert

Préchauffer le four à 140°C (*275°F*).

Découper le saumon froid, puis le passer au robot culinaire. Incorporer à la crème fouettée en battant le mélange. Garder au froid.

Faire chauffer le beurre dans une casserole. Y faire fondre les échalotes.

Ajouter la crème et laisser épaissir. Passer au tamis.

Ajouter le homard, le sel et le poivre. Laisser refroidir. Graisser généreusement 4 ramequins. Couvrir le fond et les parois avec une partie du mélange au saumon. Ajouter le mélange au homard; recouvrir de ce qui reste du mélange au saumon.

Faire cuire au bain-marie, 15 minutes.

Servir avec une sauce Mornay (*voir Sauces*). Garnir de grains de poivre vert.

Terrine aux foies de poulet et aux pommes

16 à 20 portions

1 kg	(*2¼ lb*) foies de poulet
225 g	(*½ lb*) porc haché
5 mL	(*1 c. à thé*) sel
1 mL	(*¼ c. à thé*) poivre
450 g	(*1 lb*) pommes, évidées et coupées en dés fins
60 mL	(*¼ tasse*) calvados
250 mL	(*1 tasse*) crème épaisse
3	œufs, battus
125 mL	(*½ tasse*) chapelure
8	tranches de bacon

Préchauffer le four à 180°C (*350°F*).

Réduire au robot culinaire, les foies de poulet, le porc, le sel et le poivre, jusqu'à consistance lisse.

Dans un bol, mélanger les pommes, le calvados, la crème, les œufs et la chapelure. Ajouter la viande.

Tapisser un moule à pain de 22 x 12 cm (*9 x 5 po*) avec une feuille de papier d'aluminium graissée. Y disposer une couche de bacon et verser le mélange. Couvrir d'une feuille de papier ciré beurré, côté beurré sur la terrine.

Faire cuire au four 2 heures, au bain-marie. Sortir du four et couvrir d'un poids.

Laisser au réfrigérateur toute la nuit. Enlever le poids et laisser reposer au réfrigérateur 3 à 4 jours. Démouler. Enlever le bacon et retirer l'excès de gras. Trancher et servir.

Pâté au poivre noir et au cognac

Préchauffer le four à 180°C (*350°F*).

Parer les foies (*retirer les vaisseaux sanguins, la peau, etc*). Hacher finement ou réduire en purée les foies et le bacon. Hacher finement ou réduire en purée l'oignon.

Battre les œufs, incorporer les assaisonnements en repliant.

Faire chauffer le beurre, ajouter la farine et mélanger pour faire un roux. Laisser cuire 2 minutes, ne pas faire brunir. Ajouter la crème, le cognac et le bouillon de poulet. Laisser mijoter jusqu'à épaississement.

Laisser refroidir le mélange de crème; incorporer aux œufs en repliant.

Ajouter la purée de foies et bien mélanger en battant.

Tapisser un moule à pain avec la moitié du lard maigre.

Verser le mélange dans le moule. Couvrir du reste de lard maigre, puis de papier d'aluminium. Faire cuire au bain-marie 1½ heure. Enlever le papier d'aluminium et laisser complètement refroidir.

Démouler. Retirer le lard maigre et l'excès de gras. Enrober de grains de poivre.

Trancher et servir.

Pâté au poivre noir et au cognac

10 portions

280 g	(*10 oz*) foie de porc	
280 g	(*10 oz*) foie de veau	
340 g	(*¾ lb*) bacon	
1	petit oignon, haché fin	
2	œufs	
5 mL	(*1 c. à thé*) sel	
3 mL	(*½ c. à thé*) piment de la Jamaïque	
1 mL	(*¼ c. à thé*) cannelle	
1 mL	(*¼ c. à thé*) gingembre	
30 mL	(*2 c. à table*) beurre	
30 mL	(*2 c. à table*) farine	
250 mL	(*1 tasse*) crème épaisse	
60 mL	(*¼ tasse*) cognac	
125 mL	(*½ tasse*) bouillon de poulet	
340 g	(*¾ lb*) lard maigre, tranché fin	
500 mL	(*2 tasses*) poivre noir en grains, écrasé	

Les soupes

Il n'y a rien comme un bon bol de soupe maison pour donner à un repas une touche de bien-être, de chaleur familiale. La soupe reste un symbole particulier de toute l'attention que nous porte la personne qui fait la cuisine.

D'une autre façon, la soupe garde un caractère magique. Nous savons maintenant que le dicton de nos grand-mères, affirmant que la soupe est la meilleure alimentation pour les malades, a quelque chose de vrai. En effet, la soupe mijote et permet aux vitamines et nutriments de se dissoudre dans le bouillon et d'être ainsi beaucoup plus digestes.

Bouillons pour soupes et sauces

Le bouillon est l'essence même d'une bonne soupe ou sauce. Si le bouillon est faible, le produit final le sera aussi. Les meilleurs bouillons sont obtenus à partir d'ingrédients frais, mijotés doucement.

Ce chapitre incluera des recettes de bouillon à base de bœuf, de poulet, de poisson et de légumes, lesquels vous seront utiles pour votre répertoire de cuisine de base.

Soupes de base

Les crèmes peuvent être faites à partir d'un grand nombre d'ingrédients, incluant les légumes, le poisson ou la viande, lesquels sont épaissis avec de la fécule de maïs et adoucis avec du lait ou de la crème. La majorité des crèmes ont une consistance lisse, les ingrédients ayant été mis en purée.

Les bisques font en général référence à une crème faite à partir d'un bouillon de crustacés, agrémentée habituellement de vin ou de sherry.

Les chaudrées ressemblent à une crème dont les ingrédients ne seraient pas mis en purée.

Les purées sont en général à base de légumineuses (tels les fèves, les lentilles ou les pois). Les légumineuses sont également utilisées comme agent d'épaississement et sont souvent cuites dans un bouillon de jambon ou de mouton, bien relevé. On y ajoute quelquefois de la crème.

Les bouillons sont des potages bien relevés, parfois servis tels quels, ou le plus souvent utilisés comme bases pour d'autres soupes. Les plus usités sont les bouillons de bœuf, de poulet, de poisson, de tomate ou de légumes.

Les consommés sont des bouillons bien relevés qui ont été filtrés. Ils sont parfois utilisés pour accompagner les pâtes alimentaires, les légumes, la viande, ou toute autre suggestion laissant libre cours à l'imagination.

Crème de tomate et riz

8 portions

125 mL	(*½ tasse*) beurre
1	petit oignon, haché fin
1	grosse carotte, hachée fin
2	branches de céleri, hachées fin
1 L	(*4 tasses*) bouillon de poulet
750 mL	(*3 tasses*) purée de tomate
250 mL	(*1 tasse*) tomates, hachées
250 mL	(*1 tasse*) farine
1 L	(*4 tasses*) crème épaisse
250 mL	(*1 tasse*) riz, cuit
1 mL	(*¼ c. à thé*) poivre
5 mL	(*1 c. à thé*) sel

Dans une marmite, faire chauffer le beurre. Y faire revenir les légumes jusqu'à tendres.

Dans une casserole, faire chauffer le bouillon, la purée de tomate et les tomates.

Ajouter la farine aux légumes sautés. Faire cuire 2 minutes.

Ajouter la crème et laisser mijoter jusqu'à épaississement.

Au fouet, incorporer lentement le bouillon de tomate. Ajouter le riz et les assaisonnements.

Servir immédiatement.

Crème de tomate et riz

Bouillon de bœuf ou de poulet

1,5 L (6 à 7 tasses)

1 kg	(2¼ lb) d'os de bœuf ou de poulet
60 mL	(¼ tasse) margarine (pour le bouillon de bœuf *seulement*)
2,5 L	(10 tasses) eau froide
2	branches de céleri, grossièrement hachées
2	carottes, grossièrement hachées
1	oignon, grossièrement haché
3 mL	(½ c. à thé) sel
1 mL	(¼ c. à thé) poivre
1	pincée de thym
1	pincée d'origan séché
1	pincée de sauge

Dans une cocotte en fonte, faire brunir à feu doux les os de bœuf dans la margarine, environ 30 minutes. Remuer de temps en temps. (Les os de poulet n'ont pas besoin d'être revenus.)

Ajouter l'eau et le reste des ingrédients; amener à ébullition. Laisser mijoter non couvert pendant 3 à 4 heures. Dégraisser et écumer régulièrement.

Retirer la viande, les os et les légumes. Passer au tamis.

Laisser refroidir le bouillon et enlever le gras à la surface.

Les deux sortes de bouillon ont plus de goût après 24 heures de repos. Utiliser selon les besoins.

Bouillon de poisson

2 L (8 tasses)

2,2 kg	(5 lb) poisson, restes et arêtes
1	oignon, en dés
3	carottes, en dés
3	branches de céleri, en dés
2	feuilles de laurier
3	brins de persil
1	gousse d'ail
15 mL	(1 c. à table) sel
10	grains de poivre
3 L	(12 tasses) eau

Découper le poisson en petits morceaux. Déposer dans une grande marmite. Ajouter les légumes et les assaisonnements. Couvrir d'eau.

Faire chauffer doucement, sans faire bouillir. Laisser cuire à feu doux 2 heures en écumant de temps en temps.

Passer au tamis, puis à travers une gaze.

Utiliser selon les besoins.

Bouillon de légumes

1,5 à 2 L (6 à 8 tasses)

60 mL	(¼ tasse) beurre
2	oignons, en dés
6	carottes, en dés
4	branches de céleri, en dés
1	gousse d'ail, écrasée
450 g	(1 lb) tomates, hachées
30 mL	(2 c. à table) persil
10	grains de poivre
5 mL	(1 c. à thé) thym
2	feuilles de laurier
10 mL	(2 c. à thé) sel
3 L	(12 tasses) eau

Dans une marmite, faire fondre le beurre. Y faire revenir les oignons, les carottes, le céleri et l'ail jusqu'à tendres. Ajouter les tomates, les assaisonnements et l'eau.

Laisser mijoter doucement jusqu'à ce que l'eau ait réduit de moitié. Filtrer et utiliser selon les besoins.

Court-bouillon

4 L (16 tasses)

4 L	(16 tasses) eau
15 mL	(1 c. à table) poivre vert en grains
15 mL	(1 c. à table) sel
1	oignon, tranché
2	carottes, hachées
1	branche de céleri, hachée
1	citron, coupé en deux
250 mL	(1 tasse) vin blanc
1	bouquet garni

Mélanger tous les ingrédients.

Porter à ébullition. Laisser bouillir 10 minutes.

Passer à travers un linge; réserver le liquide.

Utiliser pour la cuisson des poissons et des fruits de mer.

Soupe aux petits pois

8 portions

80 mL	(*⅓ tasse*) beurre
60 mL	(*¼ tasse*) oignons, hachés fin
60 mL	(*¼ tasse*) céleri, haché fin
60 mL	(*¼ tasse*) carottes, hachées fin
80 mL	(*⅓ tasse*) farine
1 L	(*4 tasses*) bouillon de poulet
115 g	(*¼ lb*) jambon, cuit, en dés
500 mL	(*2 tasses*) petits pois, surgelés
500 mL	(*2 tasses*) crème légère

Dans une marmite, faire fondre le beurre. Y faire revenir oignons, céleri et carottes jusqu'à tendres.

Ajouter la farine et faire cuire 2 minutes.

Incorporer le bouillon de poulet, le jambon et les petits pois. Laisser mijoter 10 minutes. Ajouter la crème; poursuivre la cuisson à feu doux encore 10 minutes. Servir chaud.

Soupe aux pois cassés

8 portions

250 mL	(*1 tasse*) pois cassés jaunes
30 mL	(*2 c. à table*) beurre
1	oignon, haché fin
1	carotte, hachée fin
2	branches de céleri, hachées fin
1	os de jambon
1 L	(*4 tasses*) bouillon de poulet
500 mL	(*2 tasses*) eau
1 L	(*4 tasses*) tomates, hachées
1 mL	(*¼ c. à thé*) poivre
250 mL	(*1 tasse*) crème épaisse

Laisser tremper les pois cassés toute la nuit.

Faire fondre le beurre dans une marmite. Y faire sauter oignon, carotte et céleri.

Ajouter l'os de jambon, le bouillon de poulet, l'eau et les pois cassés. Faire cuire à feu doux jusqu'à ce que les pois soient tendres.

Retirer l'os de jambon. Ajouter les tomates et le poivre. Poursuivre la cuisson à feu doux 10 autres minutes.

Ajouter la crème, faire cuire encore 2 minutes.

Soupe aux petits pois

Vichyssoise

6 portions

4	poireaux
60 mL	(¼ *tasse*) beurre
375 mL	(1½ *tasse*) pommes de terre, pelées, en tranches fines
1 L	(*4 tasses*) bouillon de poulet
250 mL	(*1 tasse*) crème épaisse
3 mL	(½ *c. à thé*) sel
1 mL	(¼ *c. à thé*) poivre
15 mL	(*1 c. à table*) ciboulette, hachée fin

Parer les poireaux; jeter la base du pied et l'extrémité des tiges, en gardant 5 cm (*2 po*) au-dessus du blanc.

Trancher, laver et couper les poireaux en dés.

Faire fondre le beurre dans une casserole de 2 L (*8 tasses*).

Y faire sauter les poireaux 5 minutes. Ne pas laisser brunir. Ajouter les pommes de terre et le bouillon de poulet.

Couvrir et laisser mijoter à feu doux jusqu'à ce que les pommes de terre soient tendres. Presser à travers un tamis ou passer au moulin à légumes.

Faire réchauffer; ajouter la crème, le sel et le poivre. Garnir de ciboulette et servir.

La vichyssoise se sert habituellement froide.

Soupe aux bleuets et aux bananes

6 portions

4	bananes
45 mL	(*3 c. à table*) jus de citron
1,5 L	(*6 tasses*) jus de pomme
60 mL	(¼ *tasse*) sucre
20 mL	(1½ *c. à thé*) fécule de maïs
3 mL	(½ *c. à thé*) cannelle
625 mL	(2½ *tasses*) crème épaisse
500 mL	(*2 tasses*) bleuets

Au robot culinaire, réduire en purée les bananes et le jus de citron.

Verser dans une marmite et porter à ébullition avec 875 mL (3½ *tasses*) de jus de pomme. Ajouter le sucre. Réserver.

Diluer la fécule de maïs dans le reste de jus de pomme. Incorporer à la soupe. Laisser mijoter 2 minutes. Retirer du feu et laisser refroidir au réfrigérateur.

Entre-temps, ajouter la cannelle à la crème. Incorporer à la soupe en fouettant. Ajouter les bleuets.

Servir dans des bols à soupe glacés.

Gazpacho

6 portions

750 mL	(*3 tasses*) tomates, pelées, épépinées et hachées
2	gousses d'ail, hachées fin
2	poivrons verts, en petits dés
3	branches de céleri, en petits dés
1	oignon, en petits dés
750 mL	(*3 tasses*) bouillon de poulet
15 mL	(*1 c. à table*) sel
5 mL	(*1 c. à thé*) paprika
3 mL	(½ *c. à thé*) poivre noir, broyé grossièrement
15 mL	(*1 c. à table*) sauce anglaise
1	concombre, en dés
45 mL	(*3 c. à table*) jus de citron
45 mL	(*3 c. à table*) huile d'olive
½	concombre, émincé

Au robot culinaire, mélanger aux tomates l'ail, la moitié des poivrons, la moitié du céleri et la moitié des oignons.

Verser dans un grand bol. Incorporer le bouillon de poulet, les assaisonnements, le concombre en dés, le jus de citron et l'huile.

Ajouter le reste des poivrons verts, du céleri et des oignons. Laisser refroidir 24 heures au réfrigérateur. Verser dans des bols à soupe glacés.

Garnir de tranches de concombre.

Vichyssoise; Soupe aux bleuets et aux bananes

Ragoût d'huîtres

8 portions

115 g	(¼ lb) bacon, en dés
45 mL	(3 c. à table) beurre
4	pommes de terre, pelées et en dés
1	oignon, en dés
2	carottes, en dés
2	branches de céleri, en dés
45 mL	(3 c. à table) farine
1 L	(4 tasses) bouillon de poisson
500 mL	(2 tasses) crème épaisse
500 mL	(2 tasses) huîtres écalées

Dans une casserole, faire sauter le bacon, puis jeter l'excès de graisse.

Faire fondre le beurre et faire sauter les légumes. Ajouter la farine et mélanger pour obtenir un roux.

Incorporer le bouillon de poisson et la crème. Remuer et porter à ébullition.

Ajouter les huîtres et laisser mijoter 30 minutes.

Soupe d'antan au poulet et au riz

8 portions

30 mL	(2 c. à table) beurre
1	oignon, haché fin
2	branches de céleri, hachées fin
2	grosses carottes, hachées fin
750 mL	(3 tasses) poulet, cuit et en dés
2 L	(8 tasses) bouillon de poulet
375 mL	(1½ tasse) riz, cuit
30 mL	(2 c. à table) persil, haché

Dans une marmite, faire chauffer le beurre. Ajouter l'oignon, le céleri et les carottes. Faire revenir jusqu'à tendres. Y incorporer le poulet et le bouillon. Laisser mijoter 15 minutes.

Ajouter le riz et le persil. Laisser mijoter 5 minutes de plus. Servir très chaud.

Soupe aux tomates

6 portions

15 mL	(1 c. à table) huile
60 mL	(¼ tasse) oignons, hachés fin
60 mL	(¼ tasse) céleri, haché fin
60 mL	(¼ tasse) poivron vert, haché fin
1 L	(4 tasses) tomates, hachées
1	feuille de laurier
1 mL	(¼ c. à thé) thym
1 mL	(¼ c. à thé) marjolaine
1 mL	(¼ c. à thé) poivre, écrasé grossièrement
5 mL	(1 c. à thé) sel
5 mL	(1 c. à thé) persil, haché
1 L	(4 tasses) bouillon de poulet

Faire chauffer l'huile dans une casserole.

Ajouter les oignons, le céleri, le poivron vert, et faire sauter jusqu'à tendres. Ajouter les tomates, les assaisonnements et le bouillon de poulet.

Porter à ébullition; diminuer le feu, laisser mijoter 5 minutes. Retirer la feuille de laurier et servir.

Soupe à l'oignon gratinée

8 portions

1	baguette
45 mL	(*3 c. à table*) beurre
500 mL	(*2 tasses*) oignons, émincés
60 mL	(*¼ tasse*) farine tout usage
1,25 L	(*5 tasses*) bouillon de bœuf, léger
	sel et poivre
180 mL	(*¾ tasse*) cheddar moyen, râpé
180 mL	(*¾ tasse*) fromage suisse, râpé
60 mL	(*¼ tasse*) parmesan, râpé

Préchauffer le four à 160°C (*325°F*).

Couper la baguette en tranches d'environ 1,5 cm (*½ po*) d'épaisseur.

Faire griller au four 25 à 30 minutes ou jusqu'à ce que le pain soit sec et légèrement bruni. Réserver.

Faire fondre le beurre dans une casserole; y faire dorer les oignons à feu doux, en remuant de temps en temps, soit environ 30 minutes.

Saupoudrer les oignons de farine et faire cuire, en remuant, 2 minutes.

Ajouter le bouillon, le sel et le poivre; laisser mijoter environ 30 minutes.

Verser la soupe dans les bols; recouvrir d'une tranche de pain grillée. Mélanger les fromages; en parsemer le pain grillé.

Mettre au four, sous le gril, jusqu'à léger bouillonnement et coloration dorée.

1

Faire fondre le beurre dans une casserole; y faire dorer les oignons à feu doux, environ 30 minutes.

2

Ajouter le bouillon de bœuf, le sel et le poivre et laisser mijoter environ 30 minutes.

3

Verser la soupe dans les bols, recouvrir d'une tranche de pain grillé et parsemer de fromages.

4

Mettre au four, sous le gril, jusqu'à léger bouillonnement et coloration dorée.

Soupe aux poireaux

Crème au poulet et aux champignons

8 portions

80 mL	(*1/3 tasse*) beurre
115 g	(*4 oz*) champignons, en tranches
80 mL	(*1/3 tasse*) farine
375 mL	(*1 1/2 tasse*) poulet, cuit et en dés
750 mL	(*3 tasses*) bouillon de poulet
500 mL	(*2 tasses*) crème épaisse
1 mL	(*1/4 c. à thé*) poivre
5 mL	(*1 c. à thé*) sel
30 mL	(*2 c. à table*) persil, haché

Dans une marmite, faire chauffer le beurre. Y faire revenir les champignons jusqu'à tendres.

Incorporer la farine et faire cuire 2 minutes.

Ajouter le poulet, le bouillon, la crème, les assaisonnements et le persil.

Laisser mijoter 15 minutes. Servir chaud.

Soupe aux poireaux

8 portions

1 kg	(*2 1/4 lb*) poulet à bouillir
2 L	(*8 tasses*) bouillon de poulet
6 à 7	blancs de poireaux
30 mL	(*2 c. à table*) beurre

Faire mijoter à feu doux le poulet dans le bouillon de poulet 2 1/2 heures.

Ajouter de l'eau pour garder le niveau du liquide. Retirer le poulet et filtrer le bouillon.

Désosser le poulet. Découper la chair en cubes. Couper les poireaux en julienne.

Faire chauffer le beurre dans une marmite. Y faire sauter les poireaux jusqu'à tendres.

Ajouter la viande et le bouillon. Porter de nouveau à ébullition.

Servir très chaud.

Bouillabaisse (soupe de poisson à la provençale)

Bouillabaisse (soupe de poisson à la provençale)

8 portions

160 mL	(⅔ *tasse*) huile
1	carotte, hachée fin
2	oignons, hachés fin
450 g	(*1 lb*) poisson à chair blanche, sans arêtes
450 g	(*1 lb*) brochet, sans arêtes
450 g	(*1 lb*) goberge, sans arêtes
ou 1,4 kg	(*3 lb*) poisson à chair ferme
1	feuille de laurier
375 mL	(*1½ tasse*) tomates, pelées, épépinées et hachées
60 mL	(¼ *tasse*) sherry
1 L	(*4 tasses*) bouillon de poisson ou de poulet
1	douzaine de palourdes
1	douzaine de moules
2	douzaines de crevettes, décortiquées et déveinées
250 mL	(*1 tasse*) homard ou chair de crabe
2	piments doux rôtis, en dés
10 mL	(*2 c. à thé*) sel
3 mL	(½ *c. à thé*) paprika
3 mL	(½ *c. à thé*) safran

Faire chauffer l'huile dans une grande marmite ou dans une cocotte. Y faire revenir les carottes et les oignons jusqu'à tendres.

Découper le poisson en lanières de 2,5 cm (*1 po*) de largeur. Mettre dans la marmite et faire cuire 5 minutes. Ajouter la feuille de laurier, les tomates, le sherry et le bouillon de poisson. Couvrir et faire chauffer doucement 20 minutes, sans laisser bouillir.

Ajouter les fruits de mer, les piments doux rôtis et les assaisonnements.

Faire chauffer encore 10 minutes.

Salmagundi

8 portions

125 mL	(*½ tasse*) beurre
1	carotte, en dés
2	branches de céleri, en dés
1	oignon, en dés
3	grosses pommes de terre, pelées et en dés
80 mL	(*⅓ tasse*) farine
250 mL	(*1 tasse*) tomates, hachées
2 L	(*8 tasses*) bouillon de poisson
125 mL	(*½ tasse*) vin blanc
5 mL	(*1 c. à thé*) sel
3 mL	(*½ c. à thé*) poivre
5 mL	(*1 c. à table*) poudre de curry
450 g	(*1 lb*) poisson à chair blanche, cuit et en flocons

Dans une marmite ou dans une cocotte, faire chauffer le beurre. Y faire revenir la carotte, le céleri, l'oignon et les pommes de terre jusqu'à tendres.

Ajouter la farine et remuer pour obtenir un roux. Ne pas faire brunir.

Ajouter les tomates, le bouillon, le vin et les assaisonnements. Porter à ébullition et laisser bouillir 5 minutes.

Ajouter le poisson. Faire mijoter encore 5 minutes.

Soupe aux poivrons et au fromage à la crème

8 à 10 portions

2	gros poivrons verts, en dés
1	oignon espagnol, haché fin
3	branches de céleri, émincées
750 mL	(*3 tasses*) champignons, en tranches
60 mL	(*¼ tasse*) beurre
60 mL	(*¼ tasse*) farine tout usage
1,5 L	(*6 tasses*) bouillon de bœuf
250 g	(*8 oz*) de fromage à la crème
500 mL	(*2 tasses*) rôti de bœuf, cuit et tranché
250 mL	(*1 tasse*) fettuccine, cuits, grossièrement hachés
	sel et poivre

Faire sauter les légumes dans le beurre à feu moyen, jusqu'à tendres.

Saupoudrer de farine et faire cuire en remuant, 2 minutes. Incorporer graduellement le bouillon et laisser mijoter jusqu'à léger épaississement. Ajouter le fromage; mélanger jusqu'à ce qu'il soit fondu.

Ajouter les tranches de rôti de bœuf; laisser mijoter à feu doux 5 minutes, en remuant continuellement. Incorporer les pâtes. Assaisonner au goût et servir immédiatement.

Mulligatawny

8 à 10 portions

1	oignon moyen, haché fin
2	carottes moyennes, grossièrement râpées
2	branches de céleri, en tranches fines
375 mL	(*1½ tasse*) champignons, tranchés
3	pommes de terre moyennes, grossièrement râpées
60 mL	(*¼ tasse*) beurre
125 mL	(*½ tasse*) farine tout usage
1,5 L	(*6 tasses*) bouillon de poulet
500 mL	(*2 tasses*) lait
250 g	(*8 oz*) fromage à la crème
30 mL	(*2 c. à table*) poudre de curry
500 mL	(*2 tasses*) poulet, cuit et en dés
	sel et poivre

Faire sauter les légumes dans le beurre à feu moyen, en remuant souvent, jusqu'à tendres, sans les laisser brunir. Saupoudrer de farine et faire cuire, en remuant, 2 minutes. Incorporer graduellement le bouillon et le lait. Porter à ébullition.

Ajouter le fromage; mélanger jusqu'à ce qu'il soit fondu. Ajouter le curry et le poulet; laisser mijoter 5 minutes. Assaisonner au goût.

Soupe aux pétoncles et au marsala

8 portions

60 mL	(¼ *tasse*)	beurre
1		petit oignon, haché fin
2		carottes, hachées fin
2		branches de céleri, hachées fin
450 g	(*1 lb*)	petits pétoncles
125 mL	(½ *tasse*)	farine
750 mL	(*3 tasses*)	bouillon de poulet
750 mL	(*3 tasses*)	crème légère
250 mL	(*1 tasse*)	vin de marsala

Dans une marmite, faire chauffer le beurre. Faire sauter l'oignon, les carottes et le céleri, jusqu'à tendres.

Ajouter les pétoncles et faire revenir 3 minutes.

Saupoudrer de farine et faire cuire 2 minutes.

Ajouter le bouillon, la crème et le vin. Laisser mijoter 15 minutes. Servir chaud.

Soupe aux pétoncles et au marsala

Nelusko (Soupe à la crème de poulet et aux amandes)

8 portions

45 mL	(*3 c. à table*)	beurre
125 mL	(½ *tasse*)	céleri, haché fin
1		petit oignon, haché fin
45 mL	(*3 c. à table*)	farine
1 L	(*4 tasses*)	bouillon de poulet
250 mL	(*1 tasse*)	crème légère
60 mL	(¼ *tasse*)	amandes moulues
250 mL	(*1 tasse*)	poulet, cuit et en dés
80 mL	(⅓ *tasse*)	crème épaisse
1 mL	(¼ *c. à thé*)	paprika

Dans une casserole de 2 L (*2 pintes*), faire chauffer le beurre. Y faire revenir le céleri et l'oignon jusqu'à tendres.

Ajouter la farine et mélanger pour obtenir un roux. Ne pas faire brunir.

Ajouter le bouillon de poulet, la crème légère et laisser mijoter 15 minutes.

Incorporer les amandes, le poulet et la crème épaisse. Laisser mijoter encore 5 minutes.

Garnir de paprika.

Chaudrée aux palourdes de Nouvelle-Angleterre

10 à 12 portions

115 g	(*¼ lb*)	bacon, en dés
125 mL	(*½ tasse*)	beurre
250 mL	(*1 tasse*)	oignons, en dés
250 mL	(*1 tasse*)	céleri, en dés
250 mL	(*1 tasse*)	carottes, en dés
750 mL	(*3 tasses*)	pommes de terre, en dés
250 mL	(*1 tasse*)	farine
1 L	(*4 tasses*)	bouillon de poisson ou de palourde
750 mL	(*3 tasses*)	palourdes, hachées
750 mL	(*3 tasses*)	crème épaisse
1 mL	(*¼ c. à thé*)	poivre
3 mL	(*½ c. à thé*)	thym
5 mL	(*1 c. à thé*)	sel

Dans une grande marmite, faire revenir le bacon jusqu'à croustillant. Égoutter la graisse.

Ajouter le beurre et les légumes. Faire sauter jusqu'à tendres. Incorporer la farine. Faire cuire 2 minutes. Ajouter les autres ingrédients. Porter à ébullition.

Réduire le feu pour obtenir un faible bouillon. Laisser mijoter jusqu'à épaississement, environ 15 à 20 minutes. Remuer souvent.

Bisque de homard Harry Hatch

8 portions

60 mL	(*¼ tasse*)	beurre
125 mL	(*½ tasse*)	céleri, haché fin
125 mL	(*½ tasse*)	oignons, hachés fin
60 mL	(*¼ tasse*)	farine
500 mL	(*2 tasses*)	bouillon de poisson
750 mL	(*3 tasses*)	crème épaisse
5 mL	(*1 c. à thé*)	sel
1 mL	(*¼ c. à thé*)	poivre blanc
60 mL	(*¼ tasse*)	crème au sherry
450 g	(*1 lb*)	chair de homard, cuite
8		pinces de homard, cuites

Faire chauffer le beurre dans une casserole. Ajouter le céleri et les oignons. Faire sauter jusqu'à tendres.

Saupoudrer de farine et mélanger pour obtenir une pâte. Ne pas faire brunir.

Ajouter le bouillon de poisson et la crème. Laisser mijoter 15 minutes. Ajouter le sel, le poivre, le sherry et la chair de homard. Laisser encore mijoter 5 minutes.

Presser à travers un tamis ou passer au robot culinaire pour obtenir un mélange lisse.

Garnir de pinces de homard.

Chaudrée au maïs et au poulet

8 portions

60 mL	(*¼ tasse*)	beurre
1		oignon, en dés
4		pommes de terre, pelées et en dés
2		carottes, en dés
2		branches de céleri, en dés
250 mL	(*1 tasse*)	grains de maïs, surgelés
60 mL	(*¼ tasse*)	farine
1 L	(*4 tasses*)	bouillon de poulet
500 mL	(*2 tasses*)	crème épaisse
500 mL	(*2 tasses*)	poulet, cuit et en dés
15 mL	(*1 c. à table*)	persil en flocons

Faire fondre le beurre dans une casserole. Y faire revenir les légumes jusqu'à tendres.

Saupoudrer de farine, mélanger pour obtenir un roux.

Ajouter le bouillon et la crème. Laisser mijoter 20 minutes. Ajouter le poulet et laisser mijoter encore 5 minutes.

Parsemer de persil et servir.

Note : pour la bisque de crabe ou de crevette, remplacer le homard par la viande de votre choix; omettre le homard.

Soupe au fromage et à la ciboulette

4 portions

60 mL	(*¼ tasse*) beurre
60 mL	(*¼ tasse*) ciboulette, hachée fin
30 mL	(*2 c. à table*) persil, haché
60 mL	(*¼ tasse*) farine
500 mL	(*2 tasses*) bouillon de poulet
500 mL	(*2 tasses*) crème épaisse
125 mL	(*½ tasse*) fromage bleu, émietté

Dans une casserole, faire chauffer le beurre; y ajouter la ciboulette et le persil. Faire cuire doucement 2 minutes. Incorporer la farine, poursuivre la cuisson encore 2 minutes.

Ajouter le bouillon et la crème. Porter à ébullition. Amener à un faible bouillon; laisser mijoter 10 minutes.

Émietter le fromage dans la soupe. Laisser mijoter 5 minutes de plus.

Soupe au fromage et à la ciboulette

Soupe d'antan au bœuf et aux légumes

Soupe d'antan au bœuf et aux légumes

8 portions

450 g	(*1 lb*)	bœuf, en dés
30 mL	(*2 c. à table*)	orge
2 L	(*8 tasses*)	bouillon de bœuf
45 mL	(*3 c. à table*)	beurre
1		oignon, en dés
2		carottes, en tranches
3		branches de céleri, en dés
500 mL	(*2 tasses*)	tomates, épépinées et hachées
5 mL	(*1 c. à thé*)	sel
3 mL	(*½ c. à thé*)	poivre
5 mL	(*1 c. à thé*)	basilic
45 mL	(*3 c. à table*)	sauce soja
15 mL	(*1 c. à table*)	sauce anglaise
5 mL	(*1 c. à thé*)	paprika

Faire bouillir doucement le bœuf et l'orge dans le bouillon, 30 minutes. Écumer régulièrement.

Dans une autre casserole, faire fondre le beurre; y faire sauter les légumes.

Ajouter les tomates et les assaisonnements.

Verser ce mélange dans le bouillon et laisser mijoter encore 30 minutes.

Consommé

8 portions

500 mL	(*2 tasses*)	bouillon de bœuf
500 mL	(*2 tasses*)	bouillon de poulet
500 mL	(*2 tasses*)	tomates, épépinées et hachées
1		oignon, en dés
2		carottes, en dés
3		branches de céleri, en dés
1		bouquet garni
1		blanc d'œuf avec la coquille

Combiner tous les ingrédients, sauf le blanc d'œuf, et faire cuire doucement sans laisser bouillir.

Couvrir pendant 1 heure. Passer à travers une gaze ou un linge à fromage.

Fouetter les blancs d'œufs et incorporer à la soupe en fouettant. Ajouter la coquille d'œuf et laisser mijoter encore 10 minutes.

Passer de nouveau à travers une gaze ou un linge à fromage. Servir.

Soupe florentine au poulet et au riz

Soupe florentine au poulet et au riz

8 portions

22 mL	(1 1/2 c. à table) beurre
170 g	(6 oz) épinards, hachés
2 L	(8 tasses) bouillon de poulet
500 mL	(2 tasses) poulet, en dés
375 mL	(1 1/2 tasse) riz, cuit

Faire chauffer le beurre dans une marmite. Y faire sauter les épinards 2 minutes.

Ajouter le bouillon de poulet et le poulet. Laisser mijoter 10 minutes.

Ajouter le riz, laisser mijoter encore 5 minutes.

Servir chaud.

Soupe au brocoli et au cheddar

6 à 8 portions

1 L	(*4 tasses*) brocoli, en dés
45 mL	(*3 c. à table*) beurre
60 mL	(*¼ tasse*) farine tout usage
1,25 L	(*5 tasses*) bouillon de poulet
250 mL	(*1 tasse*) lait
250 mL	(*1 tasse*) crème à fouetter
250 mL	(*1 tasse*) fromage cheddar moyen, râpé
	sel et poivre

Faire sauter le brocoli dans le beurre à feu moyen, jusqu'à tendre.

Saupoudrer de farine et faire cuire, en remuant, 2 minutes. Ajouter graduellement, en remuant, le bouillon et le lait; porter à faible ébullition.

Incorporer la crème et le fromage. Laisser le fromage fondre dans la soupe; assaisonner au goût et servir avec des croûtons.

Soupe au brocoli et aux champignons : ajouter 750 mL (*3 tasses*) de champignons en tranches et remplacer le cheddar par du parmesan râpé.

Soupe aux œufs

8 portions

1,5 L	(*6 tasses*) bouillon de poulet
2	œufs
30 mL	(*2 c. à table*) eau
80 mL	(*⅓ tasse*) petits pois, surgelés

Porter le bouillon de poulet à ébullition.

Fouetter les œufs dans l'eau.

Ajouter les petits pois au bouillon. Incorporer les œufs en un mince filet.

Faire cuire 2 minutes.

Servir.

Crème de carottes et de citrouille

10 à 12 portions

80 mL	(*⅓ tasse*) beurre
500 mL	(*2 tasses*) carottes, râpées
80 mL	(*⅓ tasse*) farine
1 L	(*4 tasses*) bouillon de poulet
15 mL	(*1 c. à table*) jus de citron
500 mL	(*2 tasses*) citrouille, en purée
1 mL	(*¼ c. à thé*) gingembre
1 mL	(*¼ c. à thé*) muscade
750 mL	(*3 tasses*) crème épaisse

Dans une marmite, faire chauffer le beurre. Y faire revenir les carottes jusqu'à tendres.

Saupoudrer de farine et faire cuire 2 minutes.

Ajouter le bouillon, le jus de citron, la citrouille en purée et les assaisonnements.

Laisser mijoter 10 minutes. Ajouter la crème; laisser mijoter encore 15 minutes.

Servir immédiatement.

Soupe aux canneberges et aux framboises

8 portions

1 L	(*4 tasses*) canneberges
1 L	(*4 tasses*) jus de pomme
500 mL	(*2 tasses*) framboises
60 mL	(*¼ tasse*) sucre
30 mL	(*2 c. à table*) jus de citron
3 mL	(*½ c. à thé*) cannelle
500 mL	(*2 tasses*) crème légère
30 mL	(*2 c. à table*) fécule de maïs

Laver les canneberges. Les faire chauffer dans le jus de pomme; laisser mijoter 10 minutes. Presser à travers un tamis.

Presser les framboises à travers le même tamis. Jeter la pulpe qui est dans le tamis. Porter le jus à ébullition.

Incorporer le sucre, le jus de citron et la cannelle. Ajouter 375 mL (*1½ tasse*) de crème. Mélanger la fécule de maïs avec le reste de crème, puis incorporer à la soupe.

Laisser mijoter 5 minutes. Servir chaud ou froid.

Soupe aux canneberges et aux framboises

Soupe aux mûres

6 portions

1 L	(*4 tasses*) mûres
4	pommes, pelées, vidées et en dés
1 L	(*4 tasses*) jus de pomme
45 mL	(*3 c. à table*) sucre
1 mL	(*¼ c. à thé*) cannelle
15 mL	(*1 c. à table*) fécule de maïs
45 mL	(*3 c. à table*) eau

Trier les mûres, jeter les tiges et les mûres abîmées.

Mettre les mûres dans une marmite avec les pommes. Ajouter le jus de pomme. Laisser mijoter 20 minutes.

Écraser avec un pilon à pommes de terre. Passer à travers un tamis.

Incorporer le sucre et la cannelle.

Délayer la fécule de maïs dans l'eau. Ajouter à la soupe. Porter à ébullition. Servir chaud ou froid.

Note : ajouter un peu de crème à fouetter dans la soupe froide, si désiré.

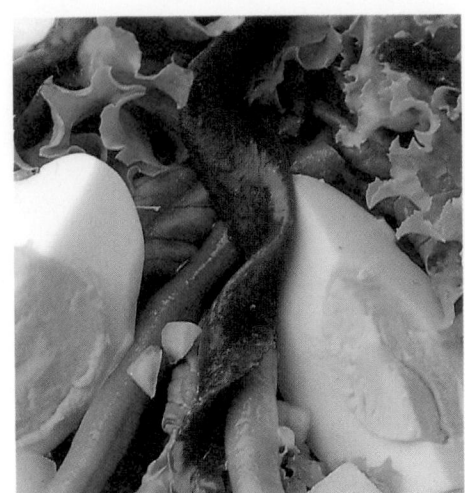

Les salades et vinaigrettes

Laissez libre cours à votre imagination en créant vos salades. Vous pouvez utiliser des légumes frais, y inclure quelques variétés exotiques que nous trouvons dans la plupart des marchés d'alimentation, et varier la présentation de telle sorte que chaque salade soit unique. Il vous est permis d'expérimenter plusieurs aromates différents, voire même de ces fleurs comestibles très populaires.

Quels que soient les ingrédients choisis, certaines règles doivent être appliquées. Choisissez vos laitues et légumes verts jeunes et frais. Portez attention aussi bien à la couleur, à la forme et à la texture qu'au goût.

Aussitôt achetés, lavez vos légumes et placez-les au réfrigérateur. Ne préparez vos salades qu'au dernier moment, afin que les ingrédients gardent leur fraîcheur, et ajoutez les assaisonnements au moment de servir. Utilisez-en juste assez pour humecter la salade.

Les assaisonnements de base pour les salades sont la mayonnaise et la vinaigrette. Les autres sont des variantes des deux premiers. L'huile doit être légère et savoureuse, et combinée avec du jus de citron, du vinaigre de framboises ou un autre vinaigre de votre choix. Les herbes et les épices devraient être fraîches et choisies de telle sorte que leur goût rehausse le produit final.

Servez les salades sur des assiettes bien fraîches que vous aurez pris soin de mettre au frais 30 minutes avant le service.

Les salades peuvent être subdivisées en 4 catégories de base :

Les salades hors-d'œuvre doivent être légères et tout juste suffisantes pour ouvrir l'appétit. Les ingrédients seront sélectionnés afin de ne pas nuire au reste du menu.

Les salades d'accompagnement sont servies avec l'entrée principale. Elles ne devraient pas être trop sucrées ni trop acides, afin de ne pas masquer la saveur du plat principal. Elles peuvent aussi, à la façon européenne, suivre ce plat principal, afin de reposer le palais en vue de ce qui va suivre.

Les salades repas devraient être consistantes et pleines de saveur. Ces salades devraient contenir plus que des laitues, avec suffisamment de variétés d'ingrédients pour satisfaire les appétits et les besoins nutritionnels.

Les salades desserts permettent de terminer un repas sur une note de douceur et comprennent, en général, des fruits et/ou de la gélatine.

Salade Niçoise

Salade niçoise

4 portions

180 mL	(¾ tasse) huile	
60 mL	(¼ tasse) vinaigre	
5 mL	(1 c. à thé) sel	
3 mL	(½ c. à thé) poivre	
3 mL	(½ c. à thé) moutarde sèche	
30 mL	(2 c. à table) jus de citron	
8	pommes de terre, pelées, cuites et en dés	
1	petit oignon, en petits dés	
225 g	(½ lb) haricots verts, blanchis	
4	feuilles de laitue	
4	tomates, pelées et en quartiers	
4	œufs durs, en quartiers	
10	olives noires, dénoyautées	
8	filets d'anchois	
15 mL	(1 c. à table) basilic, haché	

Combiner l'huile, le vinaigre, le sel, le poivre, la moutarde et le jus de citron.

Verser le quart de la vinaigrette sur les pommes de terre. Mettre 1 heure au réfrigérateur.

Mélanger l'oignon avec les haricots verts.

Arroser avec le quart de la vinaigrette. Mettre 1 heure au réfrigérateur.

Mélanger les haricots et les pommes de terre.

Disposer les feuilles de laitue sur les assiettes. Répartir également la salade sur les feuilles de laitue. Garnir de tomates, d'œufs durs, d'olives et de filets d'anchois.

Arroser de vinaigrette. Parsemer de basilic et servir.

Salade tiède de poulet et de tomates

4 portions

60 mL	(¼ tasse) jus de citron	
125 mL	(½ tasse) huile	
30 mL	(2 c. à table) persil, haché	
5 mL	(1 c. à thé) sel	
1 mL	(¼ c. à thé) thym	
1 mL	(¼ c. à thé) origan	
1 mL	(¼ c. à thé) poivre	
45 mL	(3 c. à table) huile d'olive	
2	gousses d'ail, hachées fin	
450 g	(1 lb) poulet, désossé, en lanières	
24	tomates cerise, en demies	
170 g	(6 oz) fromage feta, en dés	
1	pomme de laitue romaine, ciselée	

Mélanger le jus de citron, l'huile, le persil, le sel, le thym, l'origan et le poivre.

Faire chauffer l'huile d'olive dans une poêle. Ajouter l'ail et faire sauter 2 minutes.

Ajouter le poulet et faire dorer. Incorporer la vinaigrette et faire chauffer 1 minute.

Ajouter les tomates et le fromage. Faire chauffer encore 1 minute.

Disposer la laitue sur un plat de service. Garnir de salade au poulet.

Servir immédiatement.

Salade de légumes râpés, sauce aigre-douce

6 portions

500 mL	(*2 tasses*) chou, râpé
250 mL	(*1 tasse*) carottes, râpées
500 mL	(*2 tasses*) courgettes, râpées
1 L	(*4 tasses*) racines de bambou
125 mL	(*1/2 tasse*) oignons verts, hachés fin
125 mL	(*1/2 tasse*) mayonnaise
45 mL	(*3 c. à table*) vinaigre de cidre
5 mL	(*1 c. à thé*) sel
5 mL	(*1 c. à thé*) sucre
1 mL	(*1/4 c. à thé*) poivre

Mélanger tous les légumes dans un grand bol; réserver.

Combiner la mayonnaise, le vinaigre et les assaisonnements.

Verser sur les légumes.

Salade de légumes râpés, sauce aigre-douce

Petits champignons marinés aux fines herbes

6 portions

2	gousses d'ail, écrasées
15 mL	(*1 c. à table*) huile
80 mL	(*1/3 tasse*) huile
15 mL	(*1 c. à table*) jus de citron
30 mL	(*2 c. à table*) persil, haché
15 mL	(*1 c. à table*) origan
15 mL	(*1 c. à thé*) basilic sucré
1 kg	(*2 1/4 lb*) petits champignons

Faire revenir l'ail dans 15 mL (*1 c. à table*) d'huile, 1 minute. Incorporer le reste des ingrédients et verser sur les champignons.

Mettre au réfrigérateur 6 heures ou plus.

Salade de fruits de mer au curry

6 portions

250 mL	(*1 tasse*) mayonnaise
30 mL	(*2 c. à table*) jus de citron
10 mL	(*2 c. à thé*) poudre de curry
3 mL	(*1/2 c. à thé*) sel
125 mL	(*1/2 tasse*) céleri, haché fin
125 mL	(*1/2 tasse*) tomates, épépinées et hachées
125 mL	(*1/2 tasse*) poivron vert, haché fin
1 L	(*4 tasses*) vermicelles, brisés et cuits
250 mL	(*1 tasse*) saumon, cuit et en flocons
250 mL	(*1 tasse*) pétoncles, très petits
250 mL	(*1 tasse*) petites crevettes

Mélanger la mayonnaise, le jus de citron et les assaisonnements; réserver.

Combiner le céleri, les tomates, le poivron vert et les vermicelles. Incorporer au mélange de mayonnaise.

Dresser sur un plateau. Couvrir de saumon, de pétoncles et de crevettes.

Salade de pommes de terre au fromage fumé

6 portions

500 mL	(*2 tasses*) fromage fumé, en dés
750 mL	(*3 tasses*) pommes de terre, cuites et en dés
2	branches de céleri, en petits dés
3	oignons verts, hachés fin
2	œufs durs, râpés
250 mL	(*1 tasse*) jambon, cuit et en dés
30 mL	(*2 c. à table*) jus de citron
250 mL	(*1 tasse*) mayonnaise
3 mL	(*1/2 c. à thé*) sel
1 mL	(*1/4 c. à thé*) poivre

Mélanger le fromage, les pommes de terre, le céleri, les oignons, les œufs et le jambon; réserver.

Combiner le jus de citron, la mayonnaise et les assaisonnements. Verser sur la salade et bien mélanger.

Mettre 1 heure au réfrigérateur. Servir.

Salade de pissenlit

6 à 8 portions

2 L	(*8 tasses*) feuilles de pissenlits, lavées et apprêtées
375 mL	(*1 1/2 tasse*) champignons, en tranches
2	tomates, en quartiers
60 mL	(*1/4 tasse*) croûtons
60 mL	(*1/4 tasse*) amandes effilées, grillées
125 mL	(*1/2 tasse*) vinaigrette italienne
125 mL	(*1/2 tasse*) fromage havarti, grossièrement râpé

Mélanger les feuilles de pissenlits, les champignons, les tomates, les croûtons et les amandes.

Incorporer la vinaigrette italienne et parsemer de fromage.

Salade de fruits à la lime

6 portions

1	ananas, frais
60 mL	(¼ *tasse*) jus de lime frais
10 mL	(*2 c. à thé*) zeste de lime, râpé
180 mL	(¾ *tasse*) huile
5 mL	(*1 c. à thé*) sel
5 mL	(*1 c. à thé*) poivre concassé
30 mL	(*2 c. à table*) persil, haché
2	oranges
450 g	(*1 lb*) raisins frais, sans pépins
1	cantaloup
6	feuilles de laitue romaine

Peler, évider et couper l'ananas en dés.

Mélanger le jus et le zeste de lime, l'huile et les assaisonnements.

Incorporer l'ananas en dés.

Diviser les oranges en quartiers. Couper les raisins en deux. Évider le cantaloup avec une cuillère à melon.

Mélanger les fruits à l'ananas. Laisser mariner 30 minutes.

Disposer les feuilles de laitue dans les assiettes et y répartir la salade.

1

Peler, évider et couper l'ananas en dés.

2

Diviser les oranges en quartiers.

3

Évider le cantaloup avec une cuillère à melon.

4

Disposer les feuilles de laitue dans les assiettes et y répartir la salade.

Salade de poires Jennifer

8 portions

Vinaigrette

250 mL	(*1 tasse*)	mayonnaise
125 mL	(*½ tasse*)	crème sure
60 mL	(*¼ tasse*)	sucre à glacer

Salade

10	poires, non pelées, évidées et en dés
125 mL	(*½ tasse*) amandes, effilées et légèrement grillées
250 mL	(*1 tasse*) fromage cheddar doux, en dés
500 mL	(*2 tasses*) tomates, épépinées et en dés
	laitue déchiquetée

Bien mélanger tous les ingrédients de la vinaigrette et refroidir.

Combiner les poires, les amandes, le fromage et les tomates. Mélanger avec précaution à la sauce.

Servir dans des nids de laitue déchiquetée.

Salade de poires Jennifer

Salade de pâtes, sauce aigre-douce

6 portions

225 g	(*½ lb*)	rotini multicolores
3		oignons verts, en dés
125 mL	(*½ tasse*)	champignons, en tranches
1		poivron vert, en dés
60 mL	(*¼ tasse*)	amandes, grillées
4		tranches de bacon, en dés
30 mL	(*2 c. à table*)	oignon, haché fin
45 mL	(*3 c. à table*)	sucre
45 mL	(*3 c. à table*)	vinaigre
125 mL	(*½ tasse*)	eau
330 mL	(*1⅓ tasse*)	mayonnaise

Faire cuire les rotini al dente; les passer sous l'eau froide. Bien les égoutter.

Mélanger avec les oignons verts, les champignons, le poivron vert et les amandes.

Faire frire le bacon dans un poêlon. Ajouter l'oignon et faire cuire jusqu'à tendre.

Incorporer le sucre, le vinaigre et l'eau. Porter à ébullition et laisser réduire le liquide de la moitié. Incorporer, en fouettant, la mayonnaise et retirer du feu. Laisser refroidir.

Verser sur la salade; bien mélanger. Servir.

Salade de pâtes aux fruits de mer

6 portions

6	crevettes tigrées, en papillon
225 g	(*1/2 lb*) rotini multicolores
6	cœurs d'artichaut, marinés
30 mL	(*2 c. à table*) câpres
5 mL	(*1 c. à thé*) graines de céleri
45 mL	(*3 c. à table*) piments doux rôtis
1	poivron rouge, en petits dés
225 g	(*1/2 lb*) petites crevettes, cuites
213 g	(*7,5 oz*) saumon en conserve, égoutté
227 mL	(*8 oz*) épis de maïs miniatures, en conserve, égouttés
60 g	(*2 oz*) noix d'acajou

Préchauffer le four à 180°C (*350°F*).

Faire cuire les crevettes tigrées au four, 10 minutes. Laisser refroidir; réserver.

Faire cuire les rotini al dente, dans de l'eau salée.

Faire refroidir sous l'eau froide. Bien égoutter.

Disposer dans un grand saladier.

Ajouter les cœurs d'artichaut, les câpres, les graines de céleri, les piments doux rôtis et le poivron rouge; bien mélanger.

Incorporer la vinaigrette.

Garnir de petites crevettes, de saumon, d'épis de maïs miniatures, de noix d'acajou et de crevettes tigrées.

Vinaigrette

60 mL	(*1/4 tasse*) coulis de framboise (voir *Sauces*)
125 mL	(*1/2 tasse*) mayonnaise
125 mL	(*1/2 tasse*) crème épaisse
30 mL	(*2 c. à table*) sucre à glacer
5 mL	(*1 c. à thé*) poivre noir

Bien mélanger tous les ingrédients. Utiliser au goût.

Salade de pâtes aux fruits de mer

Salade Monte Cristo

6 portions

Vinaigrette

250 mL	(*1 tasse*) mayonnaise
5 mL	(*1 c. à thé*) moutarde de Dijon
3 mL	(*1/2 c. à thé*) estragon frais, haché

ou

1 mL	(*1/4 c. à thé*) estragon séché

Salade

250 mL	(*1 tasse*) chair de homard, cuit, en cubes
250 mL	(*1 tasse*) pommes de terre, cuites et en dés
250 mL	(*1 tasse*) champignons, en tranches
250 mL	(*1 tasse*) fromage suisse grossièrement râpé
4	œufs durs, grossièrement hachés
	feuilles de laitue romaine
1	tomate, en quartiers

Mélanger les ingrédients de la vinaigrette; bien remuer et mettre au réfrigérateur.

Combiner le homard, les pommes de terre, les champignons, le fromage et les œufs.

Incorporer la vinaigrette; remuer avec précaution. Disposer avec goût sur les feuilles de laitue.

Garnir de quartiers de tomates.

Salade suédoise de concombre à la crème sure

6 portions

15 mL	(*1 c. à table*) sucre
5 mL	(*1 c. à thé*) sel
250 mL	(*1 tasse*) crème sure
45 mL	(*3 c. à table*) oignons verts, hachés fin
30 mL	(*2 c. à table*) vinaigre
6	concombres, pelés et tranchés fin
1	petite laitue

Combiner le sucre, le sel, la crème sure, l'oignon vert et le vinaigre.

Mélanger aux concombres. Mettre au réfrigérateur plusieurs heures.

Servir dans un bol garni de feuilles de laitue.

Salade de carotte au miel

6 portions

1 L	(*4 tasses*) carottes, râpées
2	pommes, pelées, évidées et en dés
125 mL	(*1/2 tasse*) raisins secs
125 mL	(*1/2 tasse*) noix de pin
60 mL	(*1/4 tasse*) jus de citron
60 mL	(*1/4 tasse*) miel
1 mL	(*1/4 c. à thé*) cannelle

Combiner les carottes, les pommes, les raisins secs et les noix de pin dans un bol; réserver.

Mélanger le jus de citron, le miel et la cannelle.

Verser sur la salade. Servir froid.

Poulet fumé Véronique

Salade de cœurs de palmier

2 portions

227 mL	(*8 oz*) cœurs de palmier, égouttés
	feuilles de laitue au beurre
60 mL	(*¼ tasse*) huile
30 mL	(*2 c. à table*) jus de citron
10 mL	(*2 c. à thé*) oignon vert, haché fin
10 mL	(*2 c. à thé*) piments doux rôtis
5 mL	(*1 c. à thé*) poivre, fraîchement moulu
5 mL	(*1 c. à thé*) sucre brut

Disposer les cœurs de palmier sur les feuilles de laitue.

Mélanger l'huile, le jus de citron, l'oignon vert, les piments doux rôtis et le poivre.

Verser sur les cœurs de palmier.

Saupoudrer de sucre. Servir.

Poulet fumé Véronique

6 portions

750 mL	(*3 tasses*) poulet fumé, en dés
250 mL	(*1 tasse*) raisins verts, sans pépins
125 mL	(*½ tasse*) noix d'acajou
80 mL	(*⅓ tasse*) mayonnaise
80 mL	(*⅓ tasse*) yogourt, au citron
45 mL	(*3 c. à table*) miel
10 mL	(*2 c. à thé*) poivre noir, concassé
6	feuilles de laitue romaine
6	grappes de raisins

Combiner le poulet, les raisins et les noix d'acajou.

Mélanger la mayonnaise, le yogourt, le miel et le poivre. Incorporer la sauce au mélange de poulet.

Disposer les feuilles de laitue sur les assiettes.

Répartir la salade de poulet sur les feuilles de laitue et garnir de grappes de raisins.

Salade de pétoncles aux épinards

4 portions

8	tranches de bacon, en dés
225 g	(*½ lb*) pétoncles, très petits
60 mL	(*¼ tasse*) huile
45 mL	(*3 c. à table*) vinaigre de vin rouge
10 mL	(*2 c. à thé*) moutarde de Dijon
5 mL	(*1 c. à thé*) pâte d'anchois
1 mL	(*¼ c. à thé*) poivre noir concassé
90 g	(*3 oz*) champignons, en tranches
284 g	(*10 oz*) épinards

Faire sauter le bacon. Ajouter les pétoncles. Faire cuire jusqu'à tendres.

Ajouter l'huile, le vinaigre, la moutarde, la pâte d'anchois et le poivre.

Bien incorporer et faire réchauffer.

Mélanger les champignons aux épinards. Verser la sauce sur les épinards. Laisser les feuilles se flétrir et servir immédiatement.

Salade César

6 à 8 portions

3	grosses gousses d'ail
3	filets d'anchois, égouttés
5 mL	(*1 c. à thé*) sel assaisonné
1 mL	(*¼ c. à thé*) moutarde sèche
1	goutte de sauce aux piments forts
15 mL	(*1 c. à table*) sauce anglaise
20 mL	(*4 c. à thé*) vin rouge
30 mL	(*2 c. à table*) jus de citron
80 mL	(*⅓ tasse*) vinaigre blanc
2	jaunes d'œufs
250 mL	(*1 tasse*) huile végétale
2	têtes de laitue romaine
450 g	(*1 lb*) bacon cuit et émietté
250 mL	(*1 tasse*) croûtons
180 mL	(*¾ tasse*) fromage romano, râpé

Hacher finement l'ail et les filets d'anchois au robot culinaire. Laisser l'appareil tourner. Ajouter le sel, la moutarde, la sauce aux piments forts, la sauce anglaise, le vin rouge, le jus de citron et le vinaigre.

Incorporer les jaunes d'œufs et mélanger jusqu'à consistance lisse. Verser lentement l'huile.

Déchiqueter la laitue et la mélanger au bacon et aux croûtons. Incorporer la vinaigrette. Ajouter le fromage et remuer.

Crevettes et crabe à la vinaigrette à la tomate

6 portions

250 g	(*½ lb*) grosses crevettes, cuites
250 g	(*½ lb*) chair de crabe, cuite
4	tomates, pelées, épépinées et hachées
1	petit oignon, haché fin
1	gousse d'ail, hachée fin
3 mL	(*½ c. à thé*) sel
3 mL	(*½ c. à thé*) poivre
3 mL	(*½ c. à thé*) marjolaine
3 mL	(*½ c. à thé*) basilic
3 mL	(*½ c. à thé*) moutarde sèche
45 mL	(*3 c. à table*) jus de citron
60 mL	(*¼ tasse*) vinaigre
180 mL	(*¾ tasse*) huile
6	feuilles de laitue Bibb
30 mL	(*2 c. à table*) persil, haché

Mélanger les crevettes, le crabe, les tomates, l'oignon et l'ail; réserver.

Bien mélanger les fines herbes, les épices, le jus de citron, le vinaigre et l'huile.

Verser la vinaigrette sur le mélange de fruits de mer et de légumes. Couvrir et laisser 2 heures au réfrigérateur.

Dresser les feuilles de laitue sur des assiettes préalablement refroidies; garnir de salade. Parsemer de persil et servir.

Salade de saumon moulée

6 portions

15 mL	*(1 c. à table)* gélatine non aromatisée
60 mL	*(¼ tasse)* eau froide
180 mL	*(¾ tasse)* mayonnaise
45 mL	*(3 c. à table)* jus de citron
10 mL	*(2 c. à thé)* sel
5 mL	*(1 c. à thé)* poivre blanc
1	petit oignon, haché fin
1	carotte, hachée fin
1	branche de céleri, hachée fin
310 mL	*(1¼ tasse)* saumon cuit, en flocons
30 mL	*(2 c. à table)* beurre
12	grosses crevettes, pelées, déveinées et cuites

Faire ramollir la gélatine dans l'eau 10 minutes.

Mélanger la mayonnaise, le jus de citron et les assaisonnements. Y ajouter, en repliant, les légumes et le saumon. Verser dans un moule beurré.

Mettre au réfrigérateur 3 ½ à 4 heures. Démouler et garnir de crevettes. Servir.

Salade de saumon moulée

Salade aux cinq haricots

8 portions

450 g	*(1 lb)* haricots rouges, en conserve
450 g	*(1 lb)* fèves, en conserve
225 g	*(½ lb)* fèves blanches, trempées toute la nuit
450 g	*(1 lb)* haricots verts, frais
450 g	*(1 lb)* haricots jaunes, frais
125 mL	*(½ tasse)* crème sure
60 mL	*(¼ tasse)* persil, haché
125 mL	*(½ tasse)* huile
80 mL	*(⅓ tasse)* jus de citron
5 mL	*(1 c. à thé)* sel
1	pincée de poivre

Égoutter et rincer les haricots en conserve. Égoutter les fèves blanches.

Faire blanchir les haricots verts et jaunes 5 minutes.

Mélanger la crème sure, le persil, l'huile, le jus de citron, le sel et le poivre.

Y incorporer les fèves et laisser reposer au réfrigérateur 3 heures.

Salade tiède aux épinards

8 portions

Salade

450 g	(*1 lb*) bacon
2	sacs d'épinards de 284 g (*10 oz*)
1,1 L	(*4½ tasses*) champignons, en tranches
180 mL	(*¾ tasse*) parmesan, râpé
3	œufs durs, grossièrement hachés

Vinaigrette

45 mL	(*3 c. à table*) moutarde de Dijon
20 mL	(*4 c. à thé*) sucre granulé
125 mL	(*½ tasse*) vinaigre de vin blanc
30 mL	(*2 c. à table*) sauce anglaise
15 mL	(*1 c. à table*) sel assaisonné
250 mL	(*1 tasse*) huile d'olive
6	oignons verts, hachés

Salade tiède aux épinards

Couper le bacon en morceaux de 1 cm (*½ po*) et faire revenir jusqu'à croustillant. Garder 60 mL (*¼ tasse*) de graisse.

Laver les épinards, enlever les tiges et couper en morceaux. Mélanger les épinards au bacon, aux champignons, au fromage et aux œufs.

Pour préparer la vinaigrette, mélanger la graisse de bacon réservée, la moutarde et le sucre dans une petite casserole. Porter à ébullition en fouettant continuellement.

Sans cesser de fouetter, incorporer le vinaigre, la sauce anglaise et le sel.

Ajouter l'huile très lentement, en fouettant. Incorporer les oignons verts. Verser chaud sur la salade.

Mélanger et servir immédiatement.

Salade romaine avec oranges

8 portions

Vinaigrette

250 mL	(*1 tasse*)	vinaigrette à salade ou mayonnaise
60 mL	(*¼ tasse*)	jus d'orange concentré
60 mL	(*¼ tasse*)	jus de pêche ou de pomme concentré
1 mL	(*¼ c. à thé*)	cannelle

Salade

1	grosse tête de laitue romaine
8	champignons, en tranches
500 mL (*2 tasses*)	fromage suisse, râpé
250 mL (*1 tasse*)	raisins rouges, sans pépins
250 mL (*1 tasse*)	quartiers d'orange
125 mL (*½ tasse*)	amandes effilées, grillées

Bien mélanger tous les ingrédients de la vinaigrette et mettre au réfrigérateur.

Laver la laitue romaine, détacher les feuilles et les couper.
Incorporer les champignons, le fromage, les raisins et les oranges.
Parsemer d'amandes.
Servir la vinaigrette à part.

Mayonnaise

500 mL (2 tasses)

2		jaunes d'œufs
5 mL	(*1 c. à thé*)	moutarde sèche
5 mL	(*1 c. à thé*)	sel
10 mL	(*2 c. à thé*)	sucre
0,5 mL	(*⅛ c. à thé*)	poivre de Cayenne
375 mL	(*1½ tasse*)	huile
45 mL	(*3 c. à table*)	jus de citron
15 mL	(*1 c. à table*)	eau

Dans le bol du mélangeur, combiner les jaunes d'œufs, la moutarde et les assaisonnements.
Lorsque l'appareil tourne, verser lentement l'huile.
Mélanger le jus de citron et l'eau et les ajouter lentement à la sauce, en un filet régulier.
Utiliser au goût. Se garde 7 jours au réfrigérateur.

Sauce à l'ail et aux fines herbes

375 mL (1½ tasse)

250 mL	(*1 tasse*)	huile d'olive
2		gousses d'ail, hachées fin
15 mL	(*1 c. à table*)	persil, haché fin
1 mL	(*¼ c. à thé*)	basilic
1 mL	(*¼ c. à thé*)	origan
1 mL	(*¼ c. à thé*)	thym
1 mL	(*¼ c. à thé*)	sel
1 mL	(*¼ c. à thé*)	poivre
80 mL	(*⅓ tasse*)	vinaigre

Dand le bol du mélangeur, combiner l'huile, l'ail et les assaisonnements.
Lorsque l'appareil tourne, ajouter lentement le vinaigre. Utiliser comme vinaigrette ou marinade pour légumes.

Vinaigrette française

500 mL (2 tasses)

5 mL	(*1 c. à thé*)	sel
1 mL	(*¼ c. à thé*)	poivre
5 mL	(*1 c. à thé*)	sucre
5 mL	(*1 c.à thé*)	paprika
1		gousse d'ail, hachée fin
375 mL	(*1½ tasse*)	huile
125 mL	(*½ tasse*)	vinaigre

Mélanger les assaisonnements, l'ail et l'huile. Incorporer le vinaigre lentement, en fouettant.

Vinaigrette à la tomate

500 mL (2 tasses)

250 mL	(*1 tasse*)	tomates, épépinées, pelées et hachées
60 mL	(*¼ tasse*)	miel
5 mL	(*1 c. à thé*)	sauce anglaise
3 mL	(*½ c. à thé*)	moutarde sèche
5 mL	(*1 c. à thé*)	sel
10 mL	(*2 c. à thé*)	origan
3 mL	(*½ c. à thé*)	poivre noir, fraîchement moulu
45 mL	(*3 c. à table*)	jus de citron
60 mL	(*¼ tasse*)	vinaigre
180 mL	(*¾ tasse*)	huile de tournesol

Mélanger tous les ingrédients au mélangeur pendant 1 minute ou jusqu'à consistance lisse.

Utiliser au goût.

Vinaigrette déesse

625 mL (2 ½ tasses)

30 g	(*1 oz*)	pâte d'anchois
1		gousse d'ail, hachée fin
2		oignons verts, hachés fin
15 mL	(*1 c. à table*)	persil en flocons
15 mL	(*1 c. à table*)	estragon, haché
15 mL	(*1 c. à table*)	ciboulette, hachée
2		jaunes d'œufs
500 mL	(*2 tasses*)	huile
60 mL	(*¼ tasse*)	jus de citron

Dans le bol du mélangeur, combiner la pâte d'anchois, l'ail, les oignons verts, le persil, l'estragon et la ciboulette.

Ajouter les jaunes d'œufs. Lorsque l'appareil tourne, incorporer lentement l'huile. Ajouter le jus de citron.

Servir avec des salades, du poulet froid ou des fruits de mer.

Vinaigrette italienne

560 mL (2 ¼ tasses)

500 mL	(*2 tasses*)	vinaigrette française
5 mL	(*1 c. à thé*)	sel
30 mL	(*2 c. à table*)	sucre
5 mL	(*1 c. à thé*)	moutarde sèche
5 mL	(*1 c. à thé*)	paprika
3 mL	(*½ c. à thé*)	origan
3 mL	(*½ c. à thé*)	basilic
3 mL	(*½ c. à thé*)	cerfeuil
10 mL	(*2 c. à thé*)	sauce anglaise

Bien mélanger tous les ingrédients.

Utiliser au goût.

Vinaigrette russe

500 mL (2 tasses)

250 mL	(*1 tasse*)	mayonnaise
80 mL	(*⅓ tasse*)	sauce chili
45 mL	(*3 c. à table*)	oignons verts, hachés fin
30 mL	(*2 c. à table*)	betteraves marinées, hachées
15 mL	(*1 c. à table*)	persil, haché
30 mL	(*2 c. à table*)	olives noires, dénoyautées, hachées
30 mL	(*2 c. à table*)	caviar

Bien mélanger tous les ingrédients.

Garder au réfrigérateur. Utiliser au goût.

Vinaigrettes déesse, italienne et française

Vinaigrette crémeuse au basilic

250 mL (1 tasse)

2	échalottes, hachées fin
30 mL	(*2 c. à table*) basilic frais, haché fin
5 mL	(*1 c. à thé*) moutarde de Dijon
125 mL	(*½ tasse*) huile d'olive
1 mL	(*¼ c. à thé*) sel
1 mL	(*¼ c. à thé*) poivre
45 mL	(*3 c. à table*) jus de citron

Dans le bol du mélangeur, combiner les échalotes, le basilic, la moutarde, l'huile, le sel et le poivre.

Lorsque l'appareil tourne, ajouter lentement le jus de citron.

Servir comme marinade ou vinaigrette.

Vinaigrette piquante

500 mL (2 tasses)

60 mL	(*¼ tasse*) poivron rouge sucré
45 mL	(*3 c. à table*) oignon, haché fin
15 mL	(*1 c. à table*) câpres, hachées
30 mL	(*2 c. à table*) cornichons marinés, hachés fin
60 mL	(*¼ tasse*) sucre
5 mL	(*1 c. à thé*) sel
5 mL	(*1 c. à thé*) moutarde sèche
5 mL	(*1 c. à thé*) ail en poudre
10 mL	(*2 c. à thé*) feuilles de laurier
3 mL	(*½ c. à thé*) poivre noir, concassé
3 mL	(*½ c. à thé*) sauce anglaise
45 mL	(*3 c. à table*) jus de citron
60 mL	(*¼ tasse*) vinaigre
180 mL	(*¾ tasse*) huile de tournesol

Mélanger tous les ingrédients, sauf l'huile, au mélangeur à vitesse moyenne pendant 30 secondes.

Lorsque l'appareil tourne, ajouter l'huile lentement. Mélanger jusqu'à consistance lisse. Utiliser au goût.

Vinaigrette au miel et au citron

310 mL (1¼ tasse)

250 mL	(*1 tasse*) vinaigrette française
60 mL	(*¼ tasse*) miel
30 mL	(*2 c. à table*) jus de citron
5 mL	(*1 c. à thé*) cannelle, moulue

Bien mélanger la vinaigrette, le miel, le jus de citron et la cannelle.

Garder au réfrigérateur. Utiliser au goût.

Vinaigrette du ranch

500 mL (2 tasses)

125 mL	(*½ tasse*) babeurre
250 mL	(*1 tasse*) mayonnaise
30 mL	(*2 c. à table*) ciboulette, hachée fin
15 mL	(*1 c. à table*) jus de citron
1 mL	(*¼ c. à thé*) sel
1	pincée de poivre blanc

Incorporer le babeurre à la mayonnaise, en repliant. Ajouter le reste des ingrédients en fouettant.

Garder au réfrigérateur. Utiliser au goût.

Vinaigrettes Mille Iles et au fromage bleu

Vinaigrette Mille-Iles

500 mL (2 tasses)

250 mL	(*1 tasse*) mayonnaise
125 mL	(*1/2 tasse*) sauce chili
60 mL	(*1/4 tasse*) relish
3 mL	(*1/2 c. à thé*) moutarde sèche
3 mL	(*1/2 c. à thé*) basilic
15 mL	(*1 c. à table*) piments doux rôtis
2	œufs durs, râpés

Bien mélanger tous les ingrédients.

Garder au réfrigérateur. Utiliser au goût.

Vinaigrette aux graines de pavot

500 mL (2 tasses)

375 mL	(*1 1/2 tasse*) vinaigrette française
80 mL	(*1/3 tasse*) sucre
30 mL	(*2 c. à table*) graines de pavot

Bien mélanger tous les ingrédients.

Garder au réfrigérateur. Utiliser au goût.

Vinaigrette au fromage bleu

500 mL (2 tasses)

60 mL	(*1/4 tasse*) fromage bleu
375 mL	(*1 1/2 tasse*) mayonnaise
15 mL	(*1 c. à table*) jus de citron
3 mL	(*1/2 c. à thé*) sel
1 mL	(*1/4 c. à thé*) poivre blanc

Faire fondre le fromage au bain-marie. Retirer du feu.

Verser dans un bol. Incorporer la mayonnaise, le jus de citron et les assaisonnements, en repliant.

Garder au réfrigérateur. Utiliser au goût.

Si désiré, émietter 125 mL (*1/2 tasse*) de fromage bleu dans la vinaigrette.

Les œufs

Je trouve toujours étonnant que la majorité des gens considèrent les œufs comme faisant partie du petit déjeuner, ou alors comme ingrédient de cuisson. Malheureusement, plusieurs livres culinaires continuent à classer les œufs dans ces deux seules catégories.

En fait, les œufs se prêtent à de délicieuses recettes, pour le midi ou le soir. Même si votre réfrigérateur vous semble vide, vous pouvez préparer un merveilleux repas à base d'œufs, utilisant l'une des nombreuses techniques de cuisson traditionnelles : œufs brouillés, durs, au plat, bouillis, frits, pochés ou en omelette.

Les œufs devraient toujours être cuits à feu doux, mis à part les omelettes qui doivent être saisies à feu relativement chaud. En général, cuire les œufs à forte température les durcit. Faire bouillir les œufs à forte température engendre un cerne vert autour du jaune.

Comment faire bouillir les œufs

Les œufs doivent être à température ambiante avant la cuisson. Portez l'eau à ébullition, mettez-y les œufs, puis réduisez la température. Laissez cuire les œufs le temps requis, selon le tableau suivant :

Œufs à la coque : 3 à 5 minutes
Œufs semi-durs : 6 à 8 minutes
Œufs durs : 10 à 11 minutes

Œufs en coquilles

Œufs aux crevettes en ramequin

6 portions

6	œufs
60 mL	(¼ *tasse*) crème épaisse
1 mL	(¼ *c. à thé*) sel
1	pincée de poivre
250 mL	(*1 tasse*) petites crevettes
6	biscottes
250 mL	(*1 tasse*) sauce Mornay, chaude (voir *Sauce*)

Préchauffer le four à 180°C (*350°F*).

Mélanger les œufs avec la crème et les assaisonnements. Y incorporer les petites crevettes.

Graisser légèrement 6 ramequins de 125 mL (*4 oz*) chacun. Les remplir du mélange aux œufs.

Déposer les ramequins dans un bain-marie.

Faire cuire au four jusqu'à ce que les œufs soient pris, environ 25 minutes.

Démouler sur les biscottes.

Napper de sauce et servir.

Œufs en coquilles

8 portions

8	vol-au-vent
8	œufs
60 mL	(¼ *tasse*) crème épaisse
8	tranches de bacon, en dés
1	poivron vert, en petits dés
2	oignons verts, hachés fin
250 mL	(*1 tasse*) fromage havarti, râpé

Préchauffer le four à 200°C (*400°F*).

Faire cuire les vol-au-vent 15 minutes. Mélanger les œufs et la crème.

Faire frire le bacon, ajouter le poivron vert et faire revenir jusqu'à tendres. Jeter la moitié de la graisse.

Ajouter le mélange aux œufs et les oignons verts; mélanger jusqu'à ce qu'ils soient cuits. Retirer du feu.

Incorporer le fromage. Garnir chaque vol-au-vent. Servir immédiatement.

Œufs froids du carême

8 tartelettes

8	œufs
250 mL	(*1 tasse*) saumon fumé, en dés
80 mL	(*⅓ tasse*) mayonnaise
8	tartelettes de 7 cm (*3 po*), cuites
30 mL	(*2 c. à table*) caviar rouge

Faire pocher les œufs doucement, jusqu'à ce qu'ils soient durs. Faire refroidir au réfrigérateur.

Lier le saumon et la mayonnaise.

Disposer un peu de ce mélange dans chacune des tartelettes.

Couvrir d'un œuf et parsemer de caviar.

Œufs froids du carême

Œufs marinés

1 douzaine

12	œufs
500 mL	(*2 tasses*) vinaigre blanc
20 mL	(*1½ c. à table*) épices pour marinades
5 mL	(*1 c. à thé*) sel
3	clous de girofle
15 mL	(*1 c. à table*) zeste de citron
250 mL	(*1 tasse*) eau
1	oignon, en tranches

Faire cuire les œufs durs, laisser refroidir au réfrigérateur, puis les écaler.

Faire bouillir les autres ingrédients 10 minutes. Laisser refroidir.

Mettre les ouefs dans un grand bocal. Y verser le mélange de vinaigre assaisonné et fermer hermétiquement.

Garder au réfrigérateur 4 à 7 jours avant de servir.

Œufs à la hussarde

Œufs à la hussarde

4 portions

8	tranches de jambon de 60 g (*2 oz*) chacune
8	biscottes
250 mL	(*1 tasse*) sauce marchand de vin
8	tranches de tomate, grillées
8	œufs pochés, mous
250 mL	(*1 tasse*) sauce hollandaise (voir *Sauces*)

Faire cuire le jambon au four, sous le gril, 2 minutes. En déposer 1 tranche sur chacune des biscottes. Napper de sauce marchand de vin. Couvrir d'une tranche de tomate, puis d'un œuf poché. Garnir de sauce hollandaise.

Sauce marchand de vin

180 mL	(*¾ tasse*) beurre
125 mL	(*½ tasse*) champignons, en tranches
60 mL	(*¼ tasse*) oignons verts, hachés
125 mL	(*½ tasse*) oignons, hachés fin
3	gousses d'ail, hachées fin
115 g	(*4 oz*) jambon, haché fin
30 mL	(*2 c. à table*) farine
180 mL	(*¾ tasse*) bouillon de bœuf
250 mL	(*1 tasse*) sherry
3 mL	(*½ c. à thé*) sel
3 mL	(*½ c. à thé*) poivre
1 mL	(*¼ c. à thé*) poivre de Cayenne

Pour la sauce, faire sauter dans le beurre fondu les champignons, les oignons, l'ail et le jambon.

Ajouter la farine et mélanger. Ajouter le bouillon de bœuf, le sherry et les assaisonnements.

Laisser mijoter 40 minutes à feu doux.

Œufs pochés Oscar

6 portions

12	œufs
6	muffins anglais
250 mL	(*1 tasse*) chair de crabe
12	pointes d'asperges, blanchies 5 minutes
250 mL	(*1 tasse*) sauce hollandaise (voir *Sauces*)

Faire pocher les œufs dans une pocheuse ou de l'eau chaude avec quelques gouttes de vinaigre.

Diviser les muffins anglais en deux et les faire griller.

Garnir chaque demi-muffin d'un œuf, d'une cuillerée de chair de crabe, d'une pointe d'asperge et d'un peu de sauce hollandaise. Servir chaud.

Œufs au homard

8 portions

30 mL	(*2 c. à table*) beurre
60 g	(*2 oz*) champignons, en tranches
30 mL	(*2 c. à table*) farine
250 mL	(*1 tasse*) crème épaisse
1 mL	(*¼ c. à thé*) sel
1	pincée de poivre
3 mL	(*½ c. à thé*) basilic frais, haché
500 mL	(*2 tasses*) chair de homard
8	œufs
8	biscottes

Dans une poêle à frire, faire sauter les champignons dans du beurre chaud. Saupoudrer de farine et laisser cuire 2 minutes. Ajouter la crème, les assaisonnements et 125 mL (*½ tasse*) de chair de homard. Laisser mijoter jusqu'à épaississement.

Faire pocher les œufs au degré de cuisson désiré. Disposer le reste de la chair de homard sur les biscottes.

Couvrir d'un œuf. Napper de sauce.

Servir immédiatement.

Œufs parmentier

4 portions

4	pommes de terre moyennes, pelées
8	œufs
60 mL	(*¼ tasse*) crème épaisse
45 mL	(*3 c. à table*) beurre
1	petit oignon, en dés
225 g	(*½ lb*) jambon, en dés
1	tomate, en dés
250 mL	(*1 tasse*) fromage suisse, râpé

Préchauffer le four à 200°C (*400°F*).

Faire bouillir les pommes de terre; laisser refroidir, puis les trancher.

Mélanger les œufs et la crème.

Faire sauter les pommes de terre dans le beurre chaud. Ajouter l'oignon et le jambon; faire sauter jusqu'à tendres. Ajouter les tomates et les œufs. Couvrir de fromage et faire cuire au four 15 à 20 minutes, jusqu'à ce que les œufs soient cuits.

Œufs à la Nantua

Œufs à la Nantua

4 portions

4	tomates
8	œufs
250 mL	(*1 tasse*) langoustines ou crevettes, hachées
250 mL	(*1 tasse*) (voir *Sauces*)
250 mL	(*1 tasse*) fromage cheddar moyen, râpé
8	biscottes

Préchauffer le four à 180°C (*350°F*).

Couper les tomates en moitiés; enlever les pépins et la pulpe. Mettre au four 10 minutes. Entre-temps, faire pocher les œufs. Sortir les tomates du four. Déposer un œuf dans chaque demi-tomate.

Couvrir d'un peu de langoustines, de 15 mL (*1 c. à table*) de et parsemer de fromage.

Mettre au four, sous le gril, 2 minutes ou jusqu'à ce que le fromage soit fondu.

Servir avec les biscottes.

Œufs à la maharadja

4 portions

125 mL	(*½ tasse*) eau
125 mL	(*½ tasse*) vin blanc, ou bouillon de poulet
2	poitrines de poulet de 200 g (*7 oz*) chacune
8	œufs
15 mL	(*1 c. à table*) beurre
45 mL	(*3 c. à table*) poivron vert, en petits dés
15 mL	(*1 c. à table*) poudre de curry
500 mL	(*2 tasses*) sauce Mornay (voir *Sauces*), chaude
8	biscottes

Dans une casserole, faire frémir l'eau et le vin. Y faire doucement pocher les poitrines de poulet, environ 15 minutes. Réserver au chaud. Filtrer le liquide à travers une gaze fine. Faire pocher les œufs dans le liquide.

Dans un poêlon, faire chauffer le beurre. Y faire sauter le poivron vert jusqu'à tendre. Saupoudrer de poudre de curry.

Ajouter la sauce Mornay et bien mélanger.

Trancher les poitrines de poulet. Les disposer sur les biscottes. Couvrir d'un œuf.

Napper de sauce et servir immédiatement.

Œufs à la mexicaine

6 portions

6	œufs
60 mL	(*¼ tasse*) crème épaisse
1 mL	(*¼ c. à thé*) assaisonnement au chili
1 mL	(*¼ c. à thé*) sel
1	pincée de poivre
1	pincée de paprika
30 mL	(*2 c. à table*) beurre
125 mL	(*½ tasse*) sauce tomate
125 mL	(*½ tasse*) cheddar moyen, râpé

Dans un bol, bien mélanger les œufs, la crème et les assaisonnements.

Faire fondre le beurre dans une poêle. Ajouter les œufs et faire frire en remuant jusqu'à ce qu'ils soient cuits.

Disposer dans un plat allant au four.

Verser la sauce tomate sur les œufs. Ne pas incorporer. Parsemer de fromage. Mettre au four, sous le gril, 1 minute ou jusqu'à ce que le fromage soit fondu.

Servir immédiatement.

Œufs à la suisse

3 portions

250 mL	(*1 tasse*) fromage havarti, râpé
6	œufs
125 mL	(*½ tasse*) crème légère
1 mL	(*¼ c. à thé*) sel
1 mL	(*¼ c. à thé*) poivre

Préchauffer le four à 180°C (*350°F*). Beurrer un plat en faïence.

Étaler la moitié du fromage au fond du plat. Casser les œufs dans un petit bol et les laisser glisser sur le fromage (sans briser les jaunes).

Arroser de crème. Saler, poivrer et parsemer du reste de fromage.

Faire cuire au four 15 minutes. Servir immédiatement.

Omelette vingt-quatre heures

8 à 10 portions

1	petit pain français, détaillé en cubes de 2,5 cm (*1 po*)
45 mL	(*3 c. à table*) beurre, fondu
375 mL	(*1½ tasse*) fromage suisse, râpé
250 mL	(*1 tasse*) fromage colby, râpé
8	tranches de salami Genoa, grossièrement hachées
8	œufs
375 mL	(*1½ tasse*) lait
60 mL	(*¼ tasse*) vin blanc sec
30 mL	(*2 c. à table*) persil, haché
8 mL	(*1½ c. à thé*) moutarde de Dijon
	poivre
	sauce aux piments forts
180 mL	(*¾ tasse*) crème sure
125 mL	(*½ tasse*) fromage parmesan, râpé

Étaler les cubes de pain dans un moule graissé de 33 x 23 cm (*13 x 9 po*).

Arroser de beurre fondu. Parsemer de fromage et de salami.

Mélanger œufs, lait, vin, persil et moutarde.

Poivrer et ajouter de la sauce piquante au goût; bien mélanger en battant. Verser sur le mélange de fromage, couvrir d'un papier d'aluminium et mettre au réfrigérateur 12 à 24 heures.

Préchauffer le four à 160°C (*325°F*).

Sortir le moule du réfrigérateur 30 minutes avant la cuisson. Faire cuire couvert, au four, pendant 1 heure. Sortir le moule; enlever le couvercle.

Étendre une couche de crème et parsemer de parmesan. Remettre au four à 200°C (*400°F*), sans couvrir, 15 minutes ou jusqu'à ce que le plat soit doré.

Variante : utiliser différentes sortes de fromage, du jambon haché, du bacon émietté, des champignons sautés, des poivrons hachés ou du poulet cuit, en cubes.

Quiche lorraine

6 à 8 portions

Pâte

250 mL	(*1 tasse*) farine tout usage
3 mL	(*½ c. à thé*) sel
60 mL	(*¼ tasse*) beurre
1	œuf
45 mL	(*3 c. à table*) eau froide

Garniture

8	tranches de bacon, en morceaux de 1 cm (*½ po*)
1	oignon, haché fin
250 mL	(*1 tasse*) fromage suisse, râpé
6	œufs
375 mL	(*1½ tasse*) crème à fouetter

(Suite à la page suivante)

Préchauffer le four à 200°C (*400°F*).

Pâte : mélanger la farine et le sel. Incorporer le beurre en le coupant, jusqu'à ce que le mélange soit granuleux.

Dans une tasse graduée, bien mélanger l'œuf et l'eau à la fourchette.

Ajouter progressivement juste assez d'eau à la farine pour amalgamer la pâte. Façonner en une boule.

Abaisser la pâte à 0,5 cm (*⅛ po*) d'épaisseur et disposer dans un moule à flan de 23 cm (*9 po*). Couvrir de papier d'aluminium, remplir de fèves à cuisson ou de riz et faire cuire au four 10 minutes.

Enlever le papier d'aluminium et poursuivre la cuisson environ 10 minutes ou jusqu'à brun doré.

Garniture : faire frire légèrement le bacon. Garder juste un peu de graisse; y faire revenir les oignons jusqu'à tendres.

Disposer l'oignon et le bacon entre des essuie-tout pour absorber l'excès de gras.

Parsemer la pâte cuite de bacon, d'oignon et de fromage.

Battre au fouet les œufs et la crème. Verser sur la pâte.

Mettre au four 30 à 40 minutes ou jusqu'à ce que la pointe d'un couteau insérée dans la préparation en ressorte sèche.

Laisser reposer 5 minutes avant de servir.

1

Mettre la pâte dans un moule à flan, la tapisser d'un papier d'aluminium et la remplir de fèves à cuisson ou de riz. Mettre au four 10 minutes.

2

Faire frire légèrement le bacon, garder juste un peu de graisse et y faire revenir les oignons jusqu'à tendres.

3

Parsemer la pâte cuite de garnitures; fouetter les œufs et la crème et verser le mélange sur les garnitures.

4

Faire cuire au four 30 à 40 minutes ou jusqu'à ce que la pointe d'un couteau insérée dans la préparation en ressorte sèche.

Quiche au crabe sans croûte

6 à 8 portions

375 mL	(*1½ tasse*) champignons, en tranches
30 mL	(*2 c. à table*) beurre
4	œufs
250 mL	(*1 tasse*) crème sure
125 mL	(*½ tasse*) fromage cottage
60 mL	(*¼ tasse*) fromage parmesan, râpé
60 mL	(*¼ tasse*) farine tout usage
5 mL	(*1 c. à thé*) oignon en poudre
1 mL	(*¼ c. à thé*) sel
4	gouttes de sauce aux piments forts
125 mL	(*½ tasse*) chair de crabe, bien égouttée
500 mL	(*2 tasses*) fromage cheddar moyen, râpé

Quiche au crabe sans croûte

Préchauffer le four à 180°C (*350°F*).

Faire sauter les champignons dans du beurre à feu vif, jusqu'à tendres. Mettre sur un essuie-tout.

Au robot culinaire, bien mélanger les œufs, la crème sure, les fromages cottage et parmesan, la farine, l'oignon en poudre, le sel et la sauce aux piments forts.

Bien combiner le mélange d'œufs, les champignons, la chair de crabe et le fromage dans un grand bol.

Verser dans un plat à quiche de 25 cm (*10 po*) et faire cuire 45 minutes ou jusqu'à ce que le mélange soit pris et la surface brun doré.

Laisser reposer 5 minutes avant de couper.

Crêpes aux œufs et au bacon

8 portions

450 g	(*1 lb*) bacon, cuit et émietté
8	œufs
60 mL	(*¼ tasse*) crème à fouetter
60 mL	(*¼ tasse*) oignons verts hachés
	sel et poivre
250 mL	(*1 tasse*) fromage monterey jack, râpé
8	crêpes de 20 cm (*8 po*) (voir *Pains*)

Découper le bacon en morceaux et le faire revenir jusqu'à croustillant; bien égoutter.

Battre les œufs et la crème.

Incorporer le bacon, les oignons et les assaisonnements au goût. Verser dans une poêle beurrée, chaude.

Soulever délicatement pour permettre au mélange non cuit de couler au fond de la poêle. Éviter de remuer continuellement. Parsemer le fromage sur les œufs quand ces derniers sont presque cuits.

Déposer le mélange d'œuf dans les crêpes et rouler.

Servir avec des pommes de terre sautées et des raisins verts.

Crêpes aux œufs et au bacon

Œufs au four à la mode de Puerto Rico

4 portions

375 mL	(*1½ tasse*) sauce tomate (voir *Sauces*)
500 mL	(*2 tasses*) jambon, en petits dés
500 mL	(*2 tasses*) pointes d'asperges
8	œufs
375 mL	(*1½ tasse*) sauce Mornay (voir *Sauces*)

Préchauffer le four à 180°C (*350°F*).

Dans une petite casserole graissée, verser la sauce tomate. Ajouter le jambon et les asperges.

Casser les œufs dans un petit bol sans briser les jaunes, puis les faire glisser sur les asperges.

Verser la sauce Mornay autour des œufs. Faire cuire au four 20 minutes. Servir immédiatement.

Omelette espagnole

1 portion

15 mL	(*1 c. à table*) beurre
15 mL	(*1 c. à table*) oignon vert, en petits dés
15 mL	(*1 c. à table*) poivron vert, en petits dés
30 mL	(*2 c. à table*) champignons, en tranches
30 mL	(*2 c. à table*) crème épaisse
3	œufs
60 mL	(*¼ tasse*) sauce créole (voir *Sauces*)
60 mL	(*¼ tasse*) fromage cheddar moyen, râpé

Préchauffer le four à 230°C (*450°F*).

Dans une poêle à omelette ou une poêle à frire, faire chauffer le beurre.

Ajouter l'oignon, le poivron vert et les champignons. Faire revenir jusqu'à tendres; réserver.

Mélanger avec précaution la crème et les œufs.

Faire cuire les œufs jusqu'à consistance molle. Retourner avec précaution. Verser la sauce créole dessus et parsemer de fromage.

Mettre 2 à 3 minutes au four. Sortir du four. Plier en deux. Glisser sur une assiette et servir.

Œufs à la reine

4 portions

500 mL	(*2 tasses*) poulet, cuit et en petits dés
8	œufs
500 mL	(*2 tasses*) sauce Mornay (voir *Sauces*)
250 mL	(*1 tasse*) fromage suisse, râpé

Préchauffer le four à 180°C (*350°F*).

Beurrer légèrement une petite casserole. Disposer le poulet au fond.

Casser les œufs dans un petit bol sans briser les jaunes. Les faire glisser sur le poulet.

Verser la sauce Mornay autour des œufs. Parsemer de fromage. Faire cuire au four 15 minutes. Servir chaud.

Œufs à la florentine

4 portions

284 g	(*10 oz*) épinards
500 mL	(*2 tasses*) sauce Mornay (voir *Sauces*)
8	œufs
375 mL	(*1½ tasse*) fromage havarti, râpé

Préchauffer le four à 180°C (*350°F*).

Nettoyer et couper les épinards. Les faire blanchir 3 minutes.

Beurrer légèrement une petite cocotte, la tapisser d'une couche d'épinards.

Couvrir de sauce Mornay.

Casser les œufs dans un petit bol sans casser les jaunes. Les faire glisser dans la sauce. Parsemer de fromage.

Faire cuire au four 12 à 15 minutes. Servir immédiatement.

Œufs à la florentine et au four à la mode de Puerto Rico

Soufflé au fromage

4 portions

45 mL	(*3 c. à table*) beurre
45 mL	(*3 c. à table*) farine
250 mL	(*1 tasse*) lait chaud
5 mL	(*1 c. à thé*) sel
125 mL	(*½ tasse*) fromage cheddar, râpé
4	jaunes d'œufs
5	blancs d'œufs

Préchauffer le four à 190°C (*375°F*).

Faire fondre le beurre au bain-marie, à feu chaud, et y incorporer la farine.

Ajouter graduellement le lait, en remuant jusqu'à consistance lisse, et laisser cuire en remuant jusqu'à ce que la sauce soit épaisse et lisse. Ajouter le sel et le fromage; mélanger. Laisser refroidir légèrement.

Battre les jaunes d'œufs jusqu'à ce qu'ils soient légers et d'une teinte jaune. Y ajouter la sauce à la crème. Bien mélanger. Laisser refroidir le temps de battre les blancs d'œufs en neige ferme.

Bien incorporer à la sauce, en repliant, la moitié des blancs d'œufs, puis incorporer l'autre moitié très doucement.

Verser le mélange dans un moule à soufflé beurré de 1,5 L (*6 tasses*) et faire cuire au four jusqu'à ce qu'il soit gonflé et brun, environ 35 minutes.

Servir immédiatement.

Variantes

Soufflé au poulet : préparer la sauce à la crème de base en y ajoutant 15 mL (*1 c. à table*) de farine. (Le bouillon de poulet et le sherry peuvent remplacer le lait chaud dans la sauce.)

Mélanger 160 mL (*⅔ tasse*) de poulet en petits dés et 1 piment doux rôti haché fin.

Saler au goût et ajouter 3 mL (*½ c. à thé*) de poivre. Mélanger aux jaunes d'œufs. Incorporer les blancs d'œufs en repliant et faire cuire comme indiqué dans la recette.

Soufflé au jambon : suivre la recette du soufflé au poulet en remplaçant le poulet par 250 mL (*1 tasse*) de jambon mouliné fin. Ajouter 5 mL (*1 c. à thé*) de moutarde sèche aux assaisonnements.

Soufflé aux abricots avec une sauce au brandy chaude

4 portions

310 mL	(*1¼ tasse*) abricots séchés
375 mL	(*1½ tasse*) d'eau
30 mL	(*2 c. à table*) sucre
4	blancs d'œufs, battus
0,5 mL	(*⅛ c. à thé*) crème de tartre
1	pincée de sel
0,5 mL	(*⅛ c. à thé*) essence d'amande
60 mL	(*¼ tasse*) sucre
250 mL	(*1 tasse*) crème à fouetter, froide
15 mL	(*1 c. à table*) sucre tamisé
0,5 mL	(*⅛ c. à thé*) essence d'amande

Préchauffer le four à 160°C (*325°F*).

Faire mijoter les abricots dans l'eau, dans une casserole couverte, pendant ½ heure ou jusqu'à tendres. Presser ensuite le tout à travers un tamis.

Beurrer une cocotte de 1,5 L (*6 tasses*); la saupoudrer de 30 mL (*2 c. à table*) de sucre.

Battre les blancs d'œufs en mousse; ajouter la crème de tartre, le sel et l'essence d'amande. Battre pour obtenir des pics mous.

Ajouter graduellement 60 mL (*¼ tasse*) de sucre, 15 mL (*1 c. à table*) à la fois, en battant après chaque addition pour obtenir un mélange ferme.

Incorporer la purée d'abricots aux blancs d'œufs en repliant avec précaution.

Verser dans la cocotte et mettre la cocotte au four, dans un plat rempli d'eau chaude. Faire cuire environ 40 minutes ou jusqu'à ferme.

Fouetter la crème, puis ajouter le sucre tamisé et l'essence d'amande.

Servir le soufflé avec la crème fouettée et la sauce au brandy chaude.

Sauce au brandy chaude : réduire en crème 125 mL (*½ tasse*) de beurre ramolli et 250 mL (*1 tasse*) de sucre à glacer tamisé, jusqu'à ce que le mélange soit aéré.

Incorporer 1 œuf et 45 mL (*3 c. à table*) de brandy. Verser dans le haut d'un bain-marie et faire chauffer, en remuant, jusqu'à ce que le mélange soit chaud.

Soufflé au chocolat

5 à 6 portions

80 mL	(*⅓ tasse*) crème légère
1	paquet de 90 g (*3 oz*) de fromage à la crème
225 g	(*8 oz*) chocolat mi-sucré
3	jaunes d'œufs
1	pincée de sel
3	blancs d'œufs
45 mL	(*3 c. à table*) sucre

Préchauffer le four à 150°C (*300°F*).

Mélanger la crème et le fromage à la crème sur feu très doux. Ajouter le chocolat en morceaux; faire chauffer et mélanger jusqu'à ce que le chocolat soit fondu. Laisser refroidir.

Battre les jaunes d'œufs et le sel pour obtenir un mélange épais d'une teinte jaune.

Incorporer graduellement le mélange au chocolat.

Battre les blancs d'œufs en neige ferme, tout en y ajoutant progressivement le sucre. Y incorporer le mélange au chocolat en repliant.

Verser dans un moule à soufflé graissé de 1 L (*4 tasses*). Faire cuire au four 45 minutes ou jusqu'à ce que la pointe d'un couteau, insérée dans la préparation, en ressorte sèche.

Soufflé au chocolat

Le bœuf

La majorité des gens pensent à leur plat favori avec délectation. Et ce plat, presque invariablement, contient du bœuf, qu'il s'agisse du rosbif du dimanche servi avec sauce et pommes de terre, ou du bifteck délicieux servi dans le cadre intime d'un petit restaurant français.

Quels que soient vos préférences, il est important de s'assurer les services d'un bon boucher afin que la coupe et les morceaux de bœuf s'harmonisent avec votre recette. Puis, vous préparerez votre viande avec tous les égards qui lui sont dûs.

La viande tendre inclut les biftecks tels les biftecks d'aloyau, de côte d'aloyau, de filet, de surlonge et de filet mignon, aussi bien que les rôtis découpés dans le contre-filet, le surlonge ou la région des côtes, tels que le rôti de côte de bœuf et le chateaubriand.

Ces divers morceaux devraient être cuits sur le feu, c'est-à-dire grillés, rôtis, sautés à la poêle, au barbecue ou frits.

Les morceaux moins tendres sont réservés pour les recettes qui demandent un mode de cuisson avec chaleur humide tel que les plats braisés, les ragoûts et les plats à la cocotte. Pour ce faire, utilisez des coupes de viande telles que poitrine, palette, flanc, épaule.

Tableau de cuisson pour le rosbif Température du four 160°C (*325°F*)	Minutes par 450 g (*lb*)		
	Saignant	À point	Bien cuit
Rôti d'entrecôte de 3 à 4 kg (*6 à 8 lb*)	16	21	26
Rôti roulé de 3 à 4 kg (*6 à 8 lb*)	27	34	44
Bifteck grillé			
2,5 cm (*1 po*) d'épaisseur	12	15	20
3,5 cm (*1½ po*) d'épaisseur	15	20	25
5 cm (*2 po*) d'épaisseur	25	30	35

Biftecks au poivre

6 portions

6	biftecks d'aloyau de 280 g (*10 oz*)
60 mL	(*¼ tasse*) poivre noir en grains, concassé
60 mL	(*¼ tasse*) beurre
30 mL	(*2 c. à table*) brandy
250 mL	(*1 tasse*) sauce demi-glace (voir *Sauces*)
30 mL	(*2 c. à table*) sherry
60 mL	(*¼ tasse*) crème épaisse

Rouler les biftecks dans le poivre concassé.

Mettre le beurre à chauffer et faire cuire les biftecks selon le degré de cuisson désiré. Retirer du feu et garder au chaud. Verser le brandy dans la poêle et faire flamber. Ajouter le sherry et la sauce demi-glace.

Laisser mijoter 1 minute. Ajouter la crème et bien mélanger.

Verser la sauce sur les biftecks et servir immédiatement.

Biftecks au poivre

Biftecks aux fines herbes et aux épices

6 portions

125 mL	(*½ tasse*) huile
250 mL	(*1 tasse*) vinaigre de cidre
80 mL	(*⅓ tasse*) cassonade
2	gousses d'ail, hachées fin
180 mL	(*¾ tasse*) oignons, hachés fin
1 mL	(*¼ c. à thé*) poivre de Cayenne
1 mL	(*¼ c. à thé*) sel
3 mL	(*½ c. à thé*) marjolaine
3 mL	(*½ c. à thé*) romarin
6	biftecks d'aloyau de 225 g (*8 oz*)

Faire chauffer l'huile, le vinaigre, le sucre, l'ail, les oignons et les assaisonnements. Laisser bouillir 2 minutes. Retirer du feu et réserver jusqu'à refroidissement.

Dresser les biftecks dans un plat creux; arroser avec la marinade.

Mettre au réfrigérateur 6 heures ou plus. Retirer les biftecks et les faire cuire au four, sous le gril.

Biftecks Diane

8 portions

80 mL	(*1/3 tasse*) beurre
8	biftecks de flanc de 115 g (*4 oz*)
115 g	(*4 oz*) champignons, en tranches
2	oignons verts, hachés fin
60 mL	(*1/4 tasse*) brandy
375 mL	(*1 1/2 tasse*) sauce demi-glace (voir *Sauces*)
60 mL	(*1/4 tasse*) sherry
60 mL	(*1/4 tasse*) crème épaisse

Dans une grande poêle à frire, faire chauffer le beurre. Y faire revenir les biftecks environ 3 1/2 minutes de chaque côté. Les retirer du feu et les garder au chaud.

Faire sauter les champignons dans la poêle à frire jusqu'à tendres. Ajouter les oignons verts et faire sauter 1 minute. Flamber avec le brandy.

Ajouter la sauce demi-glace, le sherry et la crème. Laisser réduire aux trois quarts. Verser sur les biftecks. Servir.

Filets mignons Oscar

6 portions

45 mL	(*3 c. à table*) beurre
6	filets mignons de 170 g (*6 oz*)
225 g	(*8 oz*) chair de crabe
12	asperges, blanchies 5 minutes
90 mL	(*6 c. à table*) sauce béarnaise (voir *Sauces*)

Faire chauffer le beurre et y faire cuire les biftecks selon le degré de cuisson désiré. Disposer sur une plaque à biscuits; couvrir de chair de crabe et d'asperges.

Verser 15 mL (*1 c. à table*) de sauce sur chaque bifteck et mettre au four, sous le gril, environ 30 secondes, ou jusqu'à ce que la sauce brunisse.

Tournedos Rossini

6 portions

60 mL	(*1/4 tasse*) beurre
6	filets de bœuf de 115 g (*4 oz*)
340 g	(*12 oz*) pâté
60 mL	(*1/4 tasse*) farine
6	croûtons de 7 cm (*3 po*) de diamètre
250 mL	(*1 tasse*) sauce demi-glace (voir *Sauces*)
60 mL	(*1/4 tasse*) sherry
60 mL	(*1/4 tasse*) crème épaisse

Faire chauffer le beurre dans une poêle à frire. Y faire cuire les biftecks environ 3 1/2 minutes de chaque côté.

Disposer dans un plat chaud.

Trancher le pâté en rondelles plus petites que les biftecks. Saupoudrer de farine et faire revenir dans le beurre, 1 minute de chaque côté.

Disposer les biftecks sur les croûtons. Couvrir de rondelles de pâté.

Faire chauffer la sauce demi-glace dans une casserole.

Ajouter le sherry; laisser réduire de moitié.

Ajouter la crème; laisser mijoter 1 minute.

Verser sur les biftecks. Servir.

Note : le tournedos Rossini classique devrait être surmonté d'une tranche de truffe. Mais les truffes coûtent beaucoup trop cher en Amérique du Nord.

Hacher les épinards. Les mettre dans la poêle avec la chapelure, le basilic et le bouillon de poulet.

Étendre sur le bifteck. Parsemer de fromage et de noix d'acajou. Rouler comme un gâteau roulé. Attacher avec de la ficelle tous les 5 cm (*2 po*).

Faire cuire au four, couvert, 2 heures. Découper en tranches de 2,5 cm (*1 po*).

Bifteck à la suisse

6 portions

60 mL	(*¼ tasse*) huile
2	gousses d'ail, hachées fin
1	oignon, tranché
1	poivron vert, tranché
115 g	(*4 oz*) champignons, en tranches
125 mL	(*½ tasse*) farine
1 kg	(*2¼ lb*) bifteck de ronde, attendri
10 mL	(*2 c. à thé*) sel
1 mL	(*¼ c. à thé*) poivre
3 mL	(*½ c. à thé*) basilic
3 mL	(*½ c. à thé*) thym
500 mL	(*2 tasses*) purée de tomates
250 mL	(*1 tasse*) tomates, hachées et épépinées

Faire chauffer l'huile dans une grande poêle.

Y faire sauter l'ail, l'oignon, le poivron vert et les champignons jusqu'à tendres. Fariner la viande. La faire dorer dans l'huile avec les légumes. Ajouter les autres ingrédients. Couvrir et laisser mijoter à feu doux 1½ heure.

Biftecks de flanc à la florentine

Biftecks de flanc à la florentine

6 portions

1 kg	(*2¼ lb*) bifteck de flanc
45 mL	(*3 c. à table*) beurre
1	petit oignon, en dés
1	gousse d'ail, hachée fin
60 g	(*2 oz*) champignons, en tranches
284 g	(*10 oz*) épinards
375 mL	(*1½ tasse*) chapelure
5 mL	(*1 c. à thé*) basilic
125 mL	(*½ tasse*) bouillon de poulet ou vin blanc
375 mL	(*1½ tasse*) fromage cheddar, râpé
60 mL	(*¼ tasse*) noix d'acajou

Préchauffer le four à 180°C (*350°F*).

Attendrir les deux côtés de la viande avec un maillet.

Dans une grande poêle à frire, mettre le beurre à chauffer. Ajouter l'oignon, l'ail et les champignons. Faire sauter doucement 3 minutes.

Filet de bœuf Wellington

8 portions

Pâte

500 mL	(*2 tasses*)	farine
4 mL	(*¾ c. à thé*)	sel
225 g	(*½ lb*)	beurre
80 mL	(*⅓ tasse*)	eau glacée

Bœuf

2 kg	(*4½ lb*)	filet mignon
45 mL	(*3 c. à table*)	beurre
1		oignon, en dés
115 g	(*4 oz*)	champignons, en quartiers
450 g	(*1 lb*)	pâté de foie ou de campagne (voir *Pâtés*)

Sauce

500 mL	(*2 tasses*)	sauce demi-glace (voir *Sauces*)
60 mL	(*¼ tasse*)	sherry
125 mL	(*½ tasse*)	crème épaisse
10 mL	(*2 c. à thé*)	poivre vert en grains

Pâte : Tamiser la farine et le sel dans un bol. Incorporer les trois quarts du beurre en le coupant. Ajouter l'eau. Mélanger rapidement jusqu'à ce que la pâte présente des grumeaux de la grosseur d'une noix. Couvrir et mettre 20 minutes au réfrigérateur.

Abaisser la pâte sur une surface farinée. Parsemer du reste de beurre. Plier en trois. Couvrir et mettre au réfrigérateur 20 minutes.

1 Rassembler le filet de bœuf rôti, le pâté, et le mélange d'oignon et de champignons (duxelles). Abaisser la pâte.

2 Étaler le pâté sur la pâte, puis la duxelles sur le pâté.

3 Poser le filet sur la duxelles et enrouler avec précaution la pâte autour du filet.

4 Faire cuire au four 25 minutes ou jusqu'à ce que la pâte soit dorée.

(Suite à la page suivante)

Abaisser de nouveau la pâte. Plier en trois et mettre au réfrigérateur. Répéter cette opération trois autres fois. Garder au réfrigérateur jusqu'au moment de l'utilisation. On peut utiliser 450 g (*1 lb*) de pâte feuilletée vendue sur le commerce.

Préparation : Faire rôtir le filet 20 minutes, dans un four préchauffé à 220°C (*425°F*). Laisser refroidir.

Faire chauffer le beurre dans une poêle à frire. Ajouter l'oignon et les champignons et faire revenir jusqu'à évaporation complète du liquide. Réduire au mélangeur, à faible vitesse, 20 secondes pour obtenir la duxelles.

Abaisser la pâte. Étaler le pâté sur la pâte; couvrir de la duxelles, puis du filet.

Enrouler avec précaution la pâte autour du filet. Souder les bords. Décorer avec le reste de pâte.

Déposer le filet sur une plaque à biscuits, le côté soudé vers le bas. Faire cuire au four préchauffé à 220°C (*425°F*) 25 minutes ou jusqu'à ce que la pâte soit dorée. Laisser reposer 5 minutes avant de servir.

Sauce : Verser la sauce demi-glace dans une casserole. Ajouter le sherry et laisser réduire de moitié. Ajouter la crème et laisser mijoter 5 minutes. Ajouter le poivre vert en grains. Verser dans un bol; servir avec le bœuf.

Côte de bœuf rôtie

Côte de bœuf rôtie

8 portions

60 mL	(*¼ tasse*) farine
30 mL	(*2 c. à table*) moutarde sèche
5 mL	(*1 c. à thé*) origan
5 mL	(*1 c. à thé*) basilic
3 mL	(*½ c. à thé*) thym
3 mL	(*½ c. à thé*) sel
2 kg	(*4½ lb*) côte de bœuf

30 mL	(*2 c. à table*) sauce anglaise
1	oignon, haché fin
2	carottes, hachées fin
2	branches de céleri, hachées fin
1	feuille de laurier
250 mL	(*1 tasse*) vin rouge
250 mL	(*1 tasse*) eau

Préchauffer le four à 160°C (*325°F*).

Mélanger la farine, la moutarde et les assaisonnements.

En badigeonner le rôti.

Déposer ensuite le rôti dans une casserole. Arroser de sauce anglaise.

Disposer les légumes et la feuille de laurier autour du rôti. Ajouter le vin et l'eau.

Faire cuire au four selon le degré de cuisson désiré, en arrosant avec le jus. Utiliser le jus de cuisson pour faire une sauce au jus de viande.

Servir avec un pouding Yorkshire (voir *Pains*).

Pot au feu

6 portions

1 kg	(*2¼ lb*) rôti d'épaule
3 L	(*12 tasses*) eau
5 mL	(*1 c. à thé*) sel
1	carotte, tranchée
1	navet, en dés
1	oignon, tranché
1	panais, en dés
2	branches de céleri, en dés
2	petites courgettes, en dés
1	chou, en quartiers
1	bouquet garni*

Ficeler la viande. La déposer dans une grande marmite. Ajouter l'eau et le sel. Couvrir et laisser mijoter 2 heures.

Mettre les légumes (*sauf le chou*) et le bouquet garni autour du rôti.

Laisser encore mijoter pendant 1½ heure.

Ajouter le chou et poursuivre la cuisson ½ heure. Jeter le bouquet garni.

Servir la viande et les légumes avec un peu de bouillon.

*Un bouquet garni est un mélange de thym, de marjolaine, de poivre en grains, de feuille de laurier et de persil enveloppés dans un morceau de gaze.

Bœuf salé

8 portions

1 L	(*4 tasses*) eau
310 mL	(*1¼ tasse*) sel
45 mL	(*3 c. à table*) épices à marinades
5 mL	(*1 c. à thé*) salpêtre
5 mL	(*1 c. à thé*) sucre
6	feuilles de laurier
12	gousses d'ail
2 kg	(*4½ lb*) poitrine de bœuf
1	oignon
1	branche de céleri
1 L	(*4 tasses*) eau
15 mL	(*1 c. à table*) moutarde préparée
60 mL	(*¼ tasse*) cassonade

Ajouter les assaisonnements au litre (*4 tasses*) d'eau et porter à ébullition. Laisser refroidir.

Déposer la poitrine de bœuf dans un grand plat ou dans une casserole. Arroser d'eau assaisonnée (la poitrine de bœuf doit être entièrement recouverte). Couvrir de papier d'aluminium et laisser mariner au réfrigérateur 7 jours.

Égoutter et rincer la poitrine de bœuf. Mettre dans une grande casserole ou dans un faitout. Ajouter l'oignon, le céleri, puis 1 L (*4 tasses*) d'eau. Porter à ébullition.

Réduire le feu. Laisser mijoter 3 heures, puis refroidir 30 minutes dans le liquide.

Disposer la viande sur une plaque à biscuits. La badigeonner de moutarde, la saupoudrer de cassonade et la faire cuire 30 minutes dans un four préalablement chauffé à 180°C (*350°F*).

Trancher et servir.

Bœuf bouilli

6 portions

1 kg	(*2¼ lb*) poitrine de bœuf
2	poireaux, lavés et coupés
1	bouquet garni
1	carotte, épluchée et hachée
1	oignon, en demies
1	branche de céleri, hachée
5 mL	(*1 c. à thé*) sel
2 L	(*8 tasses*) eau bouillante
12	petites pommes de terre nouvelles
24	carottes miniatures

Dans une grande casserole ou un faitout, mettre la poitrine de bœuf, les poireaux, le bouquet garni, la carotte, l'oignon, le céleri et le sel.

Ajouter l'eau bouillante. Porter à ébullition. Laisser mijoter à feu doux 3 heures. Écumer ou enlever le gras qui flotte à la surface. Ajouter les légumes qui restent. Laisser mijoter encore 40 minutes.

Dresser la poitrine de bœuf sur un plat de service. Entourer de pommes de terre et de carottes. Servir avec du raifort, si désiré.

Chili du chef

8 portions

1 kg	(*2¼ lb*) bœuf maigre, désossé, en dés
60 mL	(*¼ tasse*) huile
1	oignon, émincé
1	poivron vert, en dés grossiers
115 g	(*4 oz*) champignons, en demies
2	gousses d'ail, hachées fin
1 L	(*4 tasses*) tomates, pelées, épépinées et hachées
10 mL	(*2 c. à thé*) sel
5 mL	(*1 c. à thé*) poivre de Cayenne
3 mL	(*½ c. à thé*) poivre noir
30 mL	(*2 c. à table*) assaisonnement au chili
2	boîtes de haricots rouges de 284 mL (*10 oz*) chacune

Enlever le gras de la viande. Faire chauffer l'huile dans une grande poêle à frire. Y faire sauter l'oignon, le poivron vert, les champignons et l'ail jusqu'à tendres. Ajouter le bœuf et laisser brunir à feu moyen.

Retirer l'excès de graisse. Ajouter les tomates. Incorporer les assaisonnements. Couvrir et laisser mijoter 1 heure. Ajouter les haricots et laisser mijoter encore 10 minutes. Servir.

Chili du chef

Ragoût de bœuf à l'ancienne

6 portions

1 kg	(*2¼ lb*) bœuf à ragoût
60 mL	(*¼ tasse*) huile
4	pommes de terre, épluchées et en dés
1	oignon, émincé
2	branches de céleri
2	carottes, en dés
225 g	(*8 oz*) petits champignons
750 mL	(*3 tasses*) bouillon de bœuf
60 mL	(*¼ tasse*) pâte de tomate
5 mL	(*1 c. à thé*) sel
3 mL	(*½ c. à thé*) poivre noir
3 mL	(*½ c. à thé*) basilic
3 mL	(*½ c. à thé*) paprika
5 mL	(*1 c. à thé*) sauce anglaise
15 mL	(*1 c. à table*) sauce soja

Enlever le gras du bœuf. Faire chauffer l'huile dans une casserole ou un faitout.

Ajouter les pommes de terre, l'oignon, le céleri, les carottes, les champignons et faire sauter 3 minutes. Ajouter le bœuf et faire dorer. Incorporer le reste des ingrédients. Porter à ébullition.

Laisser mijoter à feu doux 3 heures. Servir.

Tarte au bifteck et aux rognons

8 portions

Pâte

500 mL	(*2 tasses*) farine
4 mL	(*¾ c. à thé*) sel
225 g	(*½ lb*) beurre
80 mL	(*⅓ tasse*) eau glacée

Garniture

5 mL	(*1 c. à thé*) sel
1	pincée de poivre
5 mL	(*1 c. à thé*) thym
125 mL	(*½ tasse*) farine
1 kg	(*2¼ lb*) bifteck de croupe, en lanières de 4 cm (*1½ po*) de largeur
60 mL	(*¼ tasse*) bacon, haché
2	oignons, hachés
115 g	(*4 oz*) champignons, en tranches
625 mL	(*2½ tasses*) bouillon de bœuf
3	rognons de veau
2	jaunes d'œufs, battus

Pâte : Tamiser la farine et le sel dans un bol. Mélanger les trois quarts du beurre à la farine.

Ajouter l'eau; mélanger jusqu'à ce que la pâte présente des grumeaux de la grosseur d'une noix. Couvrir et mettre au réfrigérateur 20 minutes. Abaisser sur une surface farinée, à 0,3 cm (*⅛ po*) d'épaisseur. Parsemer du reste de beurre. Plier en trois.

Couvrir et mettre au réfrigérateur encore 20 minutes.

Abaisser la pâte, la plier en trois et la mettre au réfrigérateur 20 minutes. Répéter l'opération 3 fois. On peut également utiliser 450 g (*1 lb*) de pâte feuilletée vendue sur le commerce.

Garniture : Mélanger les épices à la farine. Saupoudrer le bœuf de farine épicée. Faire chauffer le bacon dans une poêle à frire. Y faire dorer le bœuf à feu vif. Ajouter les oignons et les champignons et faire sauter 3 minutes.

Verser le bouillon de bœuf dans la poêle. Couvrir et laisser mijoter 1½ heure.

Entre-temps, nettoyer les rognons. A l'aide d'un couteau à éplucher, en retirer les membranes avant de les trancher finement.

Préchauffer le four à 190°C (*375°F*).

Dans une grande cocotte de 23 cm x 30 cm (*9 x 12 po*), verser le mélange de bœuf. Incorporer les rognons. Humecter les bord du plat. Abaisser la pâte.

Déposer la pâte sur le plat et souder les bords. Découper un cercle de 1,2 cm (*½ po*) de diamètre au centre. Rouler un petit morceau de papier d'aluminium et l'insérer dans le trou.

Découper des motifs dans le reste de la pâte et en décorer la surface. Badigeonner de jaune d'œuf. Faire cuire au four 50 minutes ou jusqu'à brun doré.

Bœuf à la bordelaise

6 portions

80 mL	(*⅓ tasse*) beurre
1 kg	(*2¼ lb*) bifteck de ronde, en lanières de 2,5 cm (*1 po*) de largeur
115 g	(*4 oz*) petits champignons
60 mL	(*¼ tasse*) échalotes, hachées
125 mL	(*½ tasse*) bordeaux (*vin*)
500 mL	(*2 tasses*) sauce espagnole (voir *Sauces*)
30 mL	(*2 c. à table*) moelle de bœuf, hachée fin
15 mL	(*1 c. à table*) persil, haché

Dans une grande poêle, faire chauffer le beurre. Y faire frire rapidement le bœuf en lanières.

Retirer de la poêle et réserver. Faire sauter les champignons et les échalotes dans la poêle 3 minutes.

Ajouter le vin et laisser réduire au tiers. Ajouter la sauce, la moelle de bœuf, le persil et laisser mijoter 2 minutes.

Verser sur le bœuf en lanières. Servir.

Bifteck au poivron

Goulash au bœuf et au fromage

8 portions

675 g	(*1½ lb*) nouilles aux œufs
1 kg	(*2¼ lb*) bœuf cuit, en cubes de 2 cm (*¾ po*)
60 mL	(*¼ tasse*) beurre
3	oignons, hachés
750 mL	(*3 tasses*) sauce tomate (voir *Sauces*)
8 mL	(*1½ c. à thé*) paprika
5 mL	(*1 c. à thé*) sel
1 mL	(*¼ c. à thé*) poivre
15 mL	(*1 c. à table*) graines de carvi
250 mL	(*1 tasse*) fromage colby, râpé
250 mL	(*1 tasse*) fromage au carvi, râpé

Préchauffer le four à 190°C (*375°F*).

Faire cuire les nouilles dans une grande casserole d'eau bouillante salée, 8 à 10 minutes ou jusqu'à «al dente» (tendres, mais fermes). Bien égoutter. Disposer dans un grand plat graissé de 33 x 23 cm (*13 x 9 po*), allant au four. Couvrir de bœuf.

Faire fondre le beurre; y faire revenir les oignons à feu doux, jusqu'à tendres.

Ajouter la sauce tomate et les assaisonnements; laisser mijoter 15 minutes. Verser la sauce sur le bœuf.

Parsemer de graines de carvi et des fromages.

Faire cuire au four 30 minutes ou jusqu'à ce que le fromage soit fondu et légèrement doré.

Bifteck au poivron

4 portions

675 g	(*1½ lb*) bifteck de ronde, en fines lanières
125 mL	(*½ tasse*) farine
45 mL	(*3 c. à table*) huile
1	oignon, tranché
1	poivron vert, tranché
1	branche de céleri, tranchée
60 g	(*2 oz*) champignons, en tranches
2	tomates, en quartiers
125 mL	(*½ tasse*) bouillon de bœuf
60 mL	(*¼ tasse*) sherry
30 mL	(*2 c. à table*) sauce soja
5 mL	(*1 c. à thé*) sauce anglaise

Fariner le bœuf. Faire chauffer l'huile dans une grande poêle ou dans un wok.

Y faire saisir le bœuf. Ajouter l'oignon, le poivron vert, le céleri et les champignons. Faire frire 2 minutes.

Ajouter le reste des ingrédients. Laisser cuire encore 2 minutes. Servir avec du riz.

Bœuf aux champignons et au cheddar fort

8 portions

1 L	(*4 tasses*) riz cuit
1 kg	(*2¼ lb*) bœuf cuit, en fine julienne
450 g	(*1 lb*) petits champignons, sautés au beurre
60 mL	(*¼ tasse*) beurre
60 mL	(*¼ tasse*) farine tout usage
500 mL	(*2 tasses*) sauce espagnole (voir *Sauces*)
500 mL	(*2 tasses*) crème épaisse
15 mL	(*1 c. à table*) poivre vert, en grains
750 mL	(*3 tasses*) fromage cheddar fort, râpé
60 mL	(*¼ tasse*) chapelure

Préchauffer le four à 200°C (*400°F*). Étaler le riz au fond d'un plat graissé, de 33 x 23 cm (*13 x 9 po*), allant au four. Couvrir avec le bœuf et les champignons.

Laisser fondre le beurre à feu moyen; incorporer la farine. Ajouter la sauce espagnole et la crème; faire chauffer en remuant continuellement jusqu'à épaississement et ébullition. Ajouter le poivre vert. Verser sur le mélange de viande et de champignons. Mélanger fromage et chapelure et parsemer sur la sauce. Faire cuire au four 25 minutes ou jusqu'à bien chaud.

Bœuf stroganoff

8 portions

1 kg	(*2¼ lb*) bifteck de ronde
60 mL	(*¼ tasse*) huile
45 mL	(*3 c. à table*) beurre
1	branche de céleri, tranchée
1	oignon, tranché
225 g	(*½ lb*) champignons, en tranches
80 mL	(*⅓ tasse*) farine
310 mL	(*1¼ tasse*) bouillon de bœuf
180 mL	(*¾ tasse*) sherry
30 mL	(*2 c. à table*) sauce anglaise
30 mL	(*2 c. à table*) moutarde préparée
60 mL	(*¼ tasse*) pâte de tomate
1	feuille de laurier
10 mL	(*2 c.à thé*) paprika
3 mL	(*½ c. à thé*) thym
250 mL	(*1 tasse*) crème sure
1 L	(*4 tasses*) nouilles aux œufs, cuites et chaudes

Trancher le bifteck.

Faire chauffer l'huile et le beurre. Y saisir le bœuf, puis faire revenir les légumes jusqu'à tendres. Ajouter la farine et mélanger pendant 2 minutes.

Ajouter le bouillon de bœuf, le sherry, la sauce anglaise, la moutarde, la pâte de tomate et les assaisonnements.

Couvrir et laisser mijoter 1¼ heure.

Ajouter la crème sure et bien mélanger. Verser sur les nouilles et servir.

Bœuf bourguignon

8 à 10 portions

2 kg	(*4½ lb*) bœuf, en cubes
5 mL	(*1 c. à thé*) moutarde sèche
5 mL	(*1 c. à thé*) basilic
15 mL	(*1 c. à table*) sel
3 mL	(*½ c.à thé*) poivre
225 g	(*½ lb*) bacon
20	petits oignons blancs
500 mL	(*2 tasses*) vin rouge
250 mL	(*1 tasse*) sherry
1	feuille de laurier
60 mL	(*¼ tasse*) persil, haché
5 mL	(*1 c. à thé*) thym
450 g	(*1 lb*) champignons, en tranches
45 mL	(*3 c. à table*) farine
60 mL	(*¼ tasse*) eau

Assaisonner le bœuf avec la moutarde, le basilic, le sel et le poivre. Dans un faitout, faire sauter le bacon. Retirer et réserver.

Faire dorer le bœuf dans la graisse de bacon. Ajouter les oignons et faire revenir jusqu'à tendres. Ajouter le vin, le sherry, la feuille de laurier, le persil et le thym. Couvrir et laisser mijoter 2 heures.

Ajouter les champignons et laisser mijoter encore 30 minutes. Mélanger la farine et l'eau en une pâte très lisse.

Ajouter au bœuf et laisser mijoter tout en remuant pendant 5 minutes ou jusqu'à épaississement. Servir avec des pommes de terre nouvelles.

Bœuf stroganoff

Crêpes Oscar

8 portions

1	petit oignon, haché fin
	margarine
750 mL	(*3 tasses*) champignons, en tranches
450 g	(*1 lb*) filet mignon
	sel et poivre
16	pointes d'asperges
8	crêpes de 20 cm (*8 po*) (voir *Pains*)
250 mL	(*1 tasse*) fromage suisse, râpé
250 mL	(*1 tasse*) petites crevettes, cuites
250 mL	(*1 tasse*) sauce béarnaise (voir *Sauces*)

À feu moyen, faire revenir l'oignon jusqu'à tendre dans une petite quantité de margarine. Réserver.

Faire sauter les champignons dans un peu de margarine, à feu vif, jusqu'à tendres; réserver.

Découper le bœuf en petits morceaux et faire revenir selon le degré de cuisson désiré. Y ajouter l'oignon et les champignons, faire chauffer et assaisonner.

Entre-temps, faire cuire les asperges dans de l'eau bouillante salée, jusqu'à tendres, environ 3 minutes; égoutter.

Déposer le mélange de viande dans chaque crêpe, parsemer de fromage et rouler. Déposer sur une plaque à biscuits. Couvrir chaque crêpe de crevettes, de 2 pointes d'asperges et napper de sauce béarnaise.

Mettre au four, sous le gril, jusqu'à ce que la sauce soit légèrement colorée, environ 1 minute.

Crêpes Oscar

Côtes levées à la texanne

8 portions

2 kg	(*4½ lb*) côtes levées, de 7 cm (*3 po*)
45 mL	(*3 c. à table*) huile
80 mL	(*⅓ tasse*) farine
1	oignon, haché
10 mL	(*2 c. à thé*) sel
3 mL	(*½ c. à thé*) poivre
3 mL	(*½ c. à thé*) origan
3 mL	(*½ c. à thé*) thym
3 mL	(*½ c. à thé*) paprika
60 mL	(*¼ tasse*) eau bouillante
500 mL	(*2 tasses*) sauce chili
80 mL	(*⅓ tasse*) marinades, en dés

Enlever l'excès de gras des côtes levées. Faire chauffer de l'huile dans une grande casserole ou dans un faitout. Fariner les côtes levées, puis les faire dorer dans l'huile. Égoutter l'excès de graisse; en réserver environ 15 mL (*1 c. à table*). Ajouter l'oignon et faire dorer. Parsemer avec les assaisonnements. Ajouter l'eau et diminuer le feu. Couvrir et laisser mijoter 1½ heure.

Ajouter la sauce chili et les marinades. Laisser mijoter 1 heure de plus ou jusqu'à ce que les côtes levées soient très tendres. Servir avec un riz pilaf de votre choix.

Bifteck tartare

4 portions

450 g	(*1 lb*) filet mignon
125 g	(*½ tasse*) oignons verts, hachés fin
5 mL	(*1 c. à thé*) ail, haché fin
30 mL	(*2 c. à table*) sherry
3 mL	(*½ c. à thé*) poivre, concassé
5 mL	(*1 c. à thé*) persil, haché
5 mL	(*1 c. à thé*) sel
5 mL	(*1 c. à thé*) sauce anglaise
15 mL	(*1 c. à table*) brandy
5 mL	(*1 c. à thé*) câpres
4	jaunes d'œufs
1	pain de seigle noir

Hacher deux fois le filet mignon.

Mettre la viande dans un bol, ajouter les oignons et bien mélanger.

Incorporer l'ail, le sherry, le poivre, le persil, le sel, la sauce anglaise, le brandy et les câpres.

Diviser en quatre portions et disposer dans des assiettes. Creuser le centre, y verser un jaune d'œuf.

Servir avec du pain de seigle noir.

Mettre la viande hachée dans un bol, ajouter les oignons verts et bien mélanger.

Incorporer l'ail, le sherry, le poivre, le persil, le sel, la sauce anglaise, le brandy et les câpres.

Diviser le mélange en quatre portions. Disposer sur les assiettes; creuser le centre.

Mettre un jaune d'œuf au centre.

Soupe aux boulettes de viande

8 portions

Boulettes de viande

450 g	(*1 lb*) bœuf haché, très maigre
5 mL	(*1 c. à thé*) sauce anglaise
80 mL	(*1/3 tasse*) chapelure
60 mL	(*1/4 tasse*) lait
1	œuf, battu
1 mL	(*1/4 c.à thé*) poudre d'ail
1 mL	(*1/4 c. à thé*) origan
1 mL	(*1/4 c. à thé*) thym
1 mL	(*1/4 c. à thé*) basilic
1	pincée d'assaisonnement au chili
3 mL	(*1/2 c. à thé*) paprika
5 mL	(*1 c. à thé*) sel
1 mL	(*1/4 c. à thé*) poivre

Préchauffer le four à 180°C (*350°F*).

Mélanger le bœuf, la sauce anglaise et la chapelure.

Battre les œufs dans le lait et ajouter les assaisonnements. Incorporer au mélange de viande.

Faire cuire au four 12 à 15 minutes. Égoutter l'excès de graisse et réserver.

Soupe

60 mL	(*1/4 tasse*) huile
1	oignon, tranché
1	poivron vert, tranché
115 g	(*4 oz*) champignons, en tranches
2	gousses d'ail, hachées fin
2	branches de céleri, tranchées
1 L	(*4 tasses*) tomates, hachées
500 mL	(*2 tasses*) bouillon de poulet
125 mL	(*1/2 tasse*) vermicelles, en morceaux
5 mL	(*1 c. à thé*) sel
5 mL	(*1 c. à thé*) origan
1 mL	(*1/4 c. à thé*) poivre
60 mL	(*1/4 tasse*) sherry

Dans une casserole ou un faitout, faire chauffer l'huile. Ajouter l'oignon, le poivron vert, les champignons, l'ail et le céleri; faire revenir jusqu'à tendres.

Ajouter les tomates et le bouillon; porter à ébullition. Ajouter les vermicelles et amener à un légère ébullition.

Couvrir; laisser mijoter 15 minutes. Ajouter les assaisonnements, le sherry et les boulettes de viande.

Laisser mijoter encore 5 minutes. Servir.

Pâté chinois

4 portions

45 mL	(*3 c. à table*) huile
2	oignons, hachés fin
2	branches de céleri, hachées fin
2	carottes, en petits dés
450 g	(*1 lb*) bœuf haché, maigre
3 mL	(*1/2 c. à thé*) sarriette
5 mL	(*1 c. à thé*) sel
284 mL	(*10 oz*) maïs en crème
1 L	(*4 tasses*) pommes de terre en purée

Préchauffer le four à 190°C (*375°F*).

Faire chauffer l'huile dans une poêle.

Y faire sauter les oignons, le céleri et les carottes.

Ajouter le bœuf; le faire dorer. Assaisonner de sarriette et de sel. Égoutter l'excès de graisse. Mettre le mélange de viande dans une cocotte.

Verser le maïs en crème sur la viande. Couvrir de pommes de terre en purée.

Faire cuire au four 20 minutes.

Hamburger au fromage

8 portions

1 kg	*(2¼ lb)* bœuf maigre, haché
10 mL	*(2 c. à thé)* sel assaisonné
1	pincée de poivre
1	œuf
60 mL	*(¼ tasse)* chapelure
8	tranches de fromage havarti ou de cheddar moyen de 2,5 cm *(1 po)* de côté et 0,5 cm *(¼ po)* d'épaisseur

Bien mélanger le bœuf haché, les assaisonnements, l'œuf et la chapelure.

Diviser en 8 portions. Faire 2 boulettes avec chaque portion. Mettre le fromage en sandwich entre les 2 boulettes et sceller les bords en pinçant. Faire brunir sous le gril, environ 6 minutes de chaque côté. Servir sur des petits pains frais, garnir au goût.

Bœuf Wellington

Bœuf Wellington

8 portions

Pâte

625 mL	*(2½ tasses)* farine
5 mL	*(1 c. à thé)* sel
180 mL	*(¾ tasse)* beurre, froid et en dés
1	œuf
125 mL	*(½ tasse)* crème sure

Garniture

60 mL	*(¼ tasse)* beurre
115 g	*(4 oz)* champignons
60 mL	*(¼ tasse)* oignon, haché fin
1 kg	*(2¼ lb)* surlonge, haché deux fois
15 mL	*(1 c. à table)* persil, haché
15 mL	*(1 c. à table)* basilic
5 mL	*(1 c. à thé)* sel
5 mL	*(1 c. à thé)* poivre
2	œufs
225 g	*(8 oz)* pâté de foie

Pâte : Tamiser la farine et le sel. Incorporer le beurre jusqu'à la formation de gros grumeaux.

Mélanger l'œuf et la crème sure. Incorporer au mélange de farine jusqu'à l'obtention d'une pâte lisse. Façonner en boule; couvrir et mettre au réfrigérateur 1 heure.

Préchauffer le four à 180°C *(350°F)*.

Garniture : Dans le beurre fondu, faire sauter les champignons et les oignons. Laisser refroidir. Mélanger le surlonge avec les champignons, l'oignon, les assaisonnements et les œufs.

Abaisser la pâte. Couper en 8 rectangles de 20 x 12 cm *(8 x 5 po)*. Étaler le pâté de foie au centre et couvrir de garniture. Envelopper dans la pâte, souder les bords, badigeonner de beurre fondu.

Faire cuire au four une heure ou jusqu'à ce que la pâte soit dorée.

Bœuf à la javanaise

8 portions

30 mL	*(2 c. à table)* beurre
1	oignon, tranché
1	poivron vert, tranché
675 g	*(1½ lb)* bœuf maigre, haché
5 mL	*(1 c. à thé)* sel
15 mL	*(1 c. à table)* poudre de curry
125 mL	*(½ tasse)* raisins secs
125 mL	*(½ tasse)* abricots secs, hachés
250 mL	*(1 tasse)* noix d'acajou
250 mL	*(1 tasse)* bouillon de bœuf
500 mL	*(2 tasses)* petits pois, frais ou surgelés
125 mL	*(½ tasse)* piments doux rôtis, hachés

Dans le beurre fondu, faire sauter l'oignon et le poivron vert. Ajouter le bœuf, le sel et la poudre de curry; laisser dorer. Incorporer les raisins secs, les abricots et les noix d'acajou. Ajouter le bouillon de bœuf; laisser mijoter 20 minutes. Ajouter les petits pois et les piments doux rôtis. Laisser encore mijoter 10 minutes.

Servir avec du riz, accompagné de chutney.

Bœuf à la javanaise

Chili au fromage à l'ancienne

8 portions

2	gousses d'ail, hachées fin
1	oignon moyen, haché
30 mL	*(2 c. à table)* huile végétale
450 g	*(1 lb)* bœuf maigre, haché
1	boîte de tomates de 796 mL *(28 oz)*
625 mL	*(2½ tasses)* eau
2	tomates, pelées, épépinées et hachées
1	poivron vert, haché
30 mL	*(2 c. à table)* assaisonnement au chili
15 mL	*(1 c. à table)* paprika
5 mL	*(1 c. à thé)* thym
3 mL	*(½ c. à thé)* origan, séché
3 mL	*(½ c. à thé)* basilic, séché
3 mL	*(½ c. à thé)* poivre de Cayenne
5 mL	*(1 c. à thé)* sel
1	boîte de haricots rouges de 398 mL *(14 oz)*, rincés et égouttés
125 mL	*(½ tasse)* fromage cheddar fort, râpé
125 mL	*(½ tasse)* fromage suisse, râpé

(Suite à la page suivante)

Pain de viande avec sauce aux champignons

Faire sauter l'ail et l'oignon dans l'huile, jusqu'à tendres. Incorporer le bœuf haché et poursuivre la cuisson jusqu'à ce que la viande soit cuite; égoutter.

Incorporer les tomates en conserve, l'eau, les tomates fraîches, le poivron vert, les assaisonnements et les haricots rouges. Porter à ébullition; réduire le feu et laisser mijoter 2½ à 3 heures.

Servir dans des bols, parsemer de fromage et accompagner de pain à l'ail.

Pain de viande avec sauce aux champignons

6 portions

Pain

1 kg	(*2¼ lb*)	bœuf haché, extra maigre
2		œufs
160 mL	(*⅔ tasse*)	chapelure
60 mL	(*¼ tasse*)	persil, haché
5 mL	(*1 c. à thé*)	basilic
8 mL	(*1½ c. à thé*)	sel
3 mL	(*½ c. à thé*)	poivre
4		tranches de bacon

Préchauffer le four à 180°C (*350°F*).

Mélanger le bœuf avec les œufs, la chapelure et les assaisonnements. Façonner en pain de 22 x 12 cm (*9 x 5 po*). Étaler le bacon sur le dessus. Faire cuire au four 1¼ à 1½ heure.

Sauce

45 mL	(*3 c. à table*)	beurre
225 g	(*8 oz*)	champignons, en tranches
45 mL	(*3 c. à table*)	farine
250 mL	(*1 tasse*)	crème épaisse
500 mL	(*2 tasses*)	bouillon de bœuf
60 mL	(*¼ tasse*)	sherry
60 mL	(*¼ tasse*)	pâte de tomate

Dans une casserole, mettre le beurre à fondre.

Y faire sauter les champignons jusqu'à tendres.

Ajouter la farine et laisser cuire 2 minutes.

Y verser la crème, le bouillon et le sherry. Mélanger. Réduire le feu et laisser mijoter jusqu'à épaississement.

Incorporer la pâte de tomate en fouettant.

Verser sur le pain de viande.

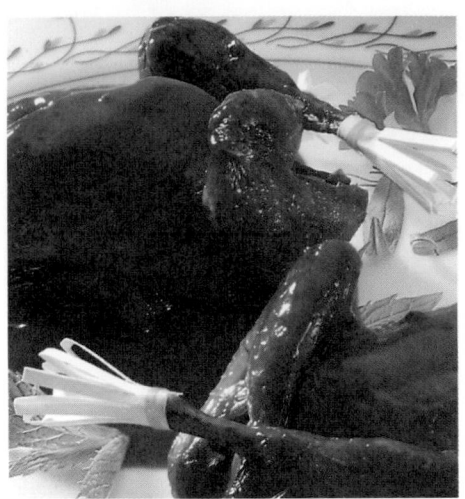

Les volaílles

Les souvenirs les plus inoubliables de mes clients en matière de cuisine sont les plats créés spécialement pour eux et, le plus souvent, ils sont à base de poulet. (Le poulet Rombough, que vous retrouverez dans ce chapitre, en est un exemple.)

En fait, le poulet est un aliment que l'on peut apprêter d'une infinité de façons. Même les os peuvent être réutilisés pour préparer des bouillons et des bases de soupes.

Il n'est pas étonnant alors que le nom donné à la plus grande école culinaire au monde soit, non pas le nom d'un grand chef, mais le titre d'une excellente recette de poulet : Cordon Bleu.

Le plus extraordinaire est que le poulet ne constitue qu'un élément de l'ensemble des volailles. En effet, cette catégorie regroupe tous les oiseaux domestiques propres à la consommation, incluant la dinde, le canard, l'oie et le poulet de Cornouailles. Nous pouvons également y ajouter les gibiers, tels que le faisan et la perdrix.

Les volailles peuvent être apprêtées de diverses façons. Expérimentez toutes les recettes et vous vous rendrez compte qu'avec seulement la volaille, vous ne serez jamais à court de menu!

Tableau de cuisson pour la volaille rôtie Température du four 160°C (*325°F*)		
	Poids	Temps
Poulet	1 kg (*2 à 3 lb*)	1¼ h à 1½ h
	2 kg (*4 à 5 lb*)	2 ¾ h à 3 ½ h
	3 kg (*5 à 6 lb*)	3 ½ h à 4 ½ h
	4 kg (*6 à 7 lb*)	4 ½ h à 5 h
Dinde	3 à 4 kg (*6 à 8 lb*)	3 h à 4 h
	4 à 6 kg (*8 à 12 lb*)	4 h à 5 h
	6 à 8 kg (*12 à 16 lb*)	5 h à 6 h
	8 à 9 kg (*16 à 20 lb*)	6 h à 7 ½ h

Test de cuisson : il est préférable d'utiliser un thermomètre à viande, planté dans la cuisse mais ne touchant pas l'os. La volaille est cuite à 190°C (*87°F*).

Sans thermomètre, vous pouvez savoir si la volaille est cuite lorsque vous pouvez bouger facilement les membres postérieurs et lorsque le jus qui s'écoule lorsque l'on pique la partie la plus épaisse de la cuisse est clair plutôt que rose.

Poulet aux pêches et aux mangues

Poulet aux pêches et aux mangues

4 à 6 portions

1,1 à 1,4 kg	(*2½ à 3 lb*) poulet à rôtir
60 mL	(*¼ tasse*) beurre
250 mL	(*1 tasse*) mangues, en dés
125 mL	(*½ tasse*) pêches, en dés
3	lanières de zeste de citron
310 mL	(*1¼ tasse*) bouillon de poulet
15 mL	(*1 c. à table*) jus de citron
125 mL	(*½ tasse*) crème épaisse
	sel et poivre

Préchauffer le four à 180°C (*350°F*).

Faire revenir le poulet dans du beurre sur toutes ses faces.

Ajouter les mangues, les pêches, le zeste de citron et le bouillon de poulet.

Couvrir et faire cuire au four 1 heure.

Enlever le poulet et le garder au chaud.

Retirer le zeste de citron. Ajouter le jus de citron et la crème. Assaisonner au goût.

Porter la sauce à ébulliton et laisser réduire jusqu'à épaississement.

Verser sur le poulet et servir.

Poulet rôti au romarin

4 portions

1 kg	(*2¼ lb*) poulet à rôtir
15 mL	(*1 c. à table*) beurre, fondu
1 mL	(*¼ c. à thé*) sel
1	pincée de poivre
1	pincée de paprika
15 mL	(*1 c. à table*) romarin

Préchauffer le four à 160°C (*325°F*).

Farcir le poulet avec une farce de votre choix, si désiré.

Disposer le poulet sur une plaque à rôtir. Badigeonner de beurre fondu. Assaisonner. Mettre au four 60 minutes. (Si le poulet est farci, le temps de cuisson peut être légèrement plus long.)

Poulet printanier bonne femme

4 portions

1	poulet à rôtir, en 8 morceaux
45 mL	(*3 c. à table*) huile
8	tranches de bacon, hachées
1	petit oignon, en dés
115 g	(*4 oz*) champignons, en tranches
500 mL	(*2 tasses*) sauce demi-glace (voir *Sauces*)

Faire sauter le poulet dans l'huile à feu vif. Diminuer le feu et laisser cuire, à moitié couvert, environ 15 minutes. Retirer et garder au chaud.

Jeter l'huile de la poêle, puis faire revenir le bacon jusqu'à tendre.

Ajouter l'oignon et faire dorer.

Ajouter les champignons et faire sauter.

Déglacer avec la sauce demi-glace, laisser mijoter 8 minutes; verser sur le poulet et servir immédiatement.

Poulet sauté à la niçoise

4 portions

80 mL	(*⅓ tasse*) huile
1 kg	(*2¼ lb*) poulet, en 8 morceaux
125 mL	(*½ tasse*) vin blanc
180 mL	(*¾ tasse*) sauce tomate (voir *Sauces*)
2	artichauts
8	pommes de terre, très petites
250 mL	(*1 tasse*) courgettes, en julienne
12	olives noires, dénoyautées
10 mL	(*2 c. à thé*) estragon

Dans une grande poêle à frire, faire chauffer l'huile. Y faire revenir le poulet.

Ajouter le vin et la sauce tomate. Diminuer l'intensité du feu, couvrir et laisser mijoter 50 minutes.

Nettoyer et parer les artichauts. Retirer le cœur.

Faire sauter les pommes de terre.

Une demi-heure avant la fin de la cuisson du poulet, ajouter les pommes de terre et les artichauts.

Dix minutes avant la fin de la cuisson, ajouter les courgettes et les olives.

Parsemer d'estragon juste avant de servir.

Poulet sauté petit duc

4 portions

80 mL	(*⅓ tasse*) beurre
1 kg	(*2¼ lb*) poulet, en 8 morceaux
115 g	(*4 oz*) petits champignons
60 mL	(*¼ tasse*) madère (*vin*)
625 mL	(*2½ tasses*) sauce demi-glace (voir *Sauces*)

Faire chauffer le beurre dans une grande poêle à frire.

Y faire revenir le poulet. Retirer et réserver.

Verser les champignons dans la poêle et faire sauter. Déglacer avec le vin.

Incorporer le poulet; napper de sauce demi-glace.

Couvrir et laisser mijoter à feu doux 50 à 55 minutes ou jusqu'à ce que le poulet soit tendre.

Poulet sauté petit duc, poulet sauté à la niçoise et poulet printanier bonne femme

Poulet à la sauce espagnole

4 portions

1,4 kg	(*3 lb*) poulet, en morceaux
60 mL	(*¼ tasse*) huile végétale
	sel et poivre
	paprika
	origan séché
	thym
60 mL	(*¼ tasse*) brandy
125 mL	(*½ tasse*) crème épaisse
60 mL	(*¼ tasse*) sherry
75 mL	(*5 c. à table*) farine tout usage
125 mL	(*½ tasse*) sauce espagnole (voir *Sauces*)
330 mL	(*1⅓ tasse*) fromage cheddar doux, râpé

Préchauffer le four à 180°C (*350°F*).

Faire revenir le poulet dans l'huile, environ 5 minutes, puis disposer dans un plat allant au four.

Assaisonner légèrement, faire bien cuire au four, environ 45 minutes.

Égoutter la graisse, verser le brandy et faire flamber.

Retirer le poulet du plat et garder au chaud.

Mélanger la crème et le cherry; incorporer la farine pour obtenir un mélange lisse.

Verser ce mélange et la sauce espagnole dans le jus du plat; faire cuire en remuant jusqu'à épaississement. Ajouter le fromage; mélanger jusqu'à ce qu'il soit fondu.

Disposer les morceaux de poulet dans un plat de service et napper de sauce.

Poulet maryland frit

8 portions

1 kg	(*2¼ lb*) poulet maryland*
15 mL	(*1 c. à table*) sel
15 mL	(*1 c. à table*) paprika
5 mL	(*1 c. à thé*) de chaque épice suivante : origan, thym, sauge, basilic, ail en poudre, poivre noir, oignon en poudre, marjolaine
1 L	(*4 tasses*) chapelure
4	œufs
125 mL	(*½ tasse*) lait
500 mL	(*2 tasses*) farine
750 mL	(*3 tasses*) huile

Préchauffer le four à 180°C (*350°F*).

Laver et assécher le poulet.

Mélanger les assaisonnements et la chapelure.

Incorporer le lait aux œufs battus.

Saupoudrer les morceaux de poulet de farine, les tremper dans le mélange d'œufs; les rouler dans la chapelure.

Faire chauffer l'huile à 160°C (*325°F*). Y faire frire le poulet jusqu'à brun doré. Sortir de l'huile; disposer sur un essuie-tout pour éliminer l'excès d'huile.

Dresser sur une plaque à biscuits et faire cuire au four 12 à 15 minutes.

Un poulet maryland est le pilon et la cuisse d'un poulet entier.

Poulet chasseur

4 portions

1	poulet à rôtir, en 8 morceaux
22 mL	(*1½ c. à table*) beurre
22 mL	(*1½ c. à table*) huile
60 mL	(*¼ tasse*) vin blanc, sucré
160 mL	(*⅔ tasse*) sauce chasseur (voir *Sauces*)
15 mL	(*1 c. à table*) persil, haché

Faire sauter le poulet dans le beurre et l'huile, laisser cuire, puis retirer du feu et garder au chaud.

Verser le vin dans le plat de cuisson et laisser réduire de moitié.

Ajouter la sauce chasseur, laisser mijoter 5 minutes. Verser sur le poulet, parsemer de persil et servir.

Poulet Véronique au sauternes

Poulet Véronique au sauternes

8 portions

2	poulets à rôtir, en quatre
30 mL	(*2 c. à table*) beurre
15 mL	(*1 c. à table*) sucre
	sel et poivre blanc

Sauce

45 mL	(*3 c. à table*) beurre
45 mL	(*3 c. à table*) farine
125 mL	(*½ tasse*) sauternes (*vin*)
125 mL	(*½ tasse*) bouillon de poulet
125 mL	(*½ tasse*) crème légère
500mL	(*2 tasses*) raisins verts, coupés en deux

Préchauffer le four à 180°C (*350°F*).

Badigeonner les poulets de beurre fondu. Les saupoudrer de sucre, de sel et de poivre.

Faire cuire au four 45 minutes.

Sauce : Dans une casserole, faire fondre le beurre; ajouter la farine; faire cuire 2 minutes sans laisser brunir.

Ajouter le vin et le bouillon de poulet. Laisser réduire de moitié.

Ajouter la crème et laisser mijoter jusqu'à épaississement. Ajouter les raisins.

Disposer le poulet cuit sur un plateau, napper de sauce et servir.

Poulet au paprika

8 portions

125 mL	(*½ tasse*)	farine
15 mL	(*1 c. à table*)	sel
15 mL	(*1 c. à table*)	paprika
5 mL	(*1 c. à thé*)	poivre
2		poulets à rôtir, en 8 morceaux
80 mL	(*⅓ tasse*)	huile
625 mL	(*2½ tasses*)	bouillon de poulet
250 mL	(*1 tasse*)	crème sure

Mélanger la farine et les assaisonnements.

Laver le poulet, l'assécher et l'enrober de farine assaisonnée. Mettre l'huile à chauffer dans une grande poêle à frire; y faire revenir le poulet.

Ajouter le bouillon de poulet, laisser mijoter 40 minutes. Retirer le poulet et garder au chaud.

Déglacer la sauce avec la crème sure et laisser mijoter 5 minutes.

Verser sur le poulet; servir avec des nouilles au beurre.

Poulet au paprika

Poulet à la polynésienne

4 portions

5 mL	(*1 c. à thé*)	sel
5 mL	(*1 c. à thé*)	paprika
125 mL	(*½ tasse*)	farine
1		poulet à rôtir de 1 kg (*2¼ lb*) en morceaux
125 mL	(*½ tasse*)	shortening
250 mL	(*1 tasse*)	jus d'orange
30 mL	(*2 c. à table*)	cassonade
30 mL	(*2 c. à table*)	vinaigre
5 mL	(*1 c. à thé*)	basilic
5 mL	(*1 c. à thé*)	muscade, moulue
310 mL	(*1¼ tasse*)	pêches, tranchées

Mélanger le sel, le paprika et la farine. En enrober le poulet. Faire chauffer le shortening dans une grande poêle à frire. Y faire dorer le poulet sur tous les côtés.

Dans un bol, mélanger le jus d'orange, la cassonade, le vinaigre, le basilic et la muscade.

Incorporer le mélange au poulet. Couvrir et laisser mijoter 35 à 40 minutes, jusqu'à ce que le poulet soit tendre.

Ajouter les pêches et laisser mijoter encore 5 minutes. Servir.

Coq au vin

8 portions

1	poulet de 1,8 kg (*4 lb*), en morceaux
45 mL	(*3 c. à table*) farine
60 mL	(*¼ tasse*) beurre
125 mL	(*½ tasse*) brandy
5 mL	(*1 c. à thé*) thym
5 mL	(*1 c. à thé*) paprika
10 mL	(*2 c. à thé*) sel
375 mL	(*1½ tasse*) vin rouge sec
375 mL	(*1½ tasse*) bouillon de poulet, concentré
4	tranches de bacon, en dés
250 mL	(*1 tasse*) petits oignons blancs
250 mL	(*1 tasse*) petits champignons

Enrober le poulet de farine. Le faire revenir dans le beurre à feu doux.

Flamber avec du brandy.

Ajouter les assaisonnements, le vin rouge et le bouillon de poulet. Couvrir et laisser mijoter jusqu'à ce que le poulet soit presque cuit, environ 40 minutes.

Dans une poêle à frire, faire dorer le bacon, les oignons et les champignons. Égoutter la graisse. Ajouter au poulet; terminer la cuisson, environ 5 minutes.

1

Flamber le poulet revenu avec du brandy.

2

Ajouter les assaisonnements, le vin rouge et le bouillon de poulet. Couvrir et laisser mijoter jusqu'à ce que le poulet soit cuit, environ 40 minutes.

3

Dans une poêle à rôtir, faire dorer le bacon, les oignons et les champignons.

4

Ajouter au poulet 5 minutes avant la fin de la cuisson.

Poulet à la suisse

8 portions

8	poitrines de poulet, désossées
	sel et poivre
	paprika
	huile végétale
225 g	(*8 oz*) de jambon Forêt Noire, tranché fin
16	pointes d'asperges, cuites
8	tranches de fromage suisse

Saupoudrer légèrement les poitrines de poulet de sel, de poivre et de paprika.

Faire sauter le poulet dans l'huile végétale à feu moyen ou mettre au four, sous le gril, jusqu'à bien cuit.

Couvrir chaque poitrine de poulet de jambon, de 2 pointes asperges et d'une tranche de fromage. Mettre sous le gril jusqu'à ce que le fromage soit fondu.

Servir immédiatement.

Poulet à la nantua

8 à 10 portions

8 à 10	poitrines de poulet, désossées
1,5 L	(*6 tasses*) bouillon de poulet ou eau
340 g	(*¾ lb*) petites crevettes, cuites
375 mL	(*1½ tasse*) chair de crabe
250 mL	(*1 tasse*) sauce veloutée (voir *Sauces*)
500 mL	(*2 tasses*) sauce suprême (voir *Sauces*)
80 mL	(*⅓ tasse*) fromage parmesan, râpé

Préchauffer le four à 180°C (*350°F*).

Mettre les poitrines de poulet dans le bouillon chaud; laisser mijoter jusqu'à ce qu'elles soient cuites, environ 10 minutes. Retirer du bouillon et couvrir hermétiquement.

Mélanger crevettes, chair de crabe et sauce veloutée; étendre dans un plat peu profond, graissé, allant au four. Disposer les poitrines de poulet dessus; couvrir de sauce suprême.

Parsemer de parmesan et faire cuire au four jusqu'à ce que le fromage soit fondu et doré, environ 15 minutes.

Poitrines de poulet aux trois poivres

6 portions

6	poitrines de poulet de 170 g (*6 oz*) chacune, désossées
15 mL	(*1 c. à table*) poivre noir en grain, fraîchement moulu
15 mL	(*1 c. à table*) poivre vert de Madagascar
15 mL	(*1 c. à table*) poivre blanc en grains, fraîchement moulu
45 mL	(*3 c. à table*) huile
500 mL	(*2 tasses*) sauce demi-glace (voir *Sauces*)
60 mL	(*¼ tasse*) crème épaisse
60 mL	(*¼ tasse*) sherry

Laver les poitrines de poulet.

Mélanger les grains de poivre et en enrober entièrement les poitrines de poulet.

Faire chauffer l'huile dans une poêle à frire. Y faire revenir les poitrines de poulet environ 2½ minutes de chaque côté. Retirer de l'huile et garder au chaud.

Ajouter la sauce demi-glace, la crème et le sherry. Laisser mijoter 5 minutes.

Verser sur le poulet et servir.

Poulet au citron

Mélanger la fécule de maïs avec 15 mL (*1 c. à table*) d'eau, ajouter à la sauce et porter de nouveau à ébullition. Verser sur le poulet.

Poitrines de poulet en papillote

6 portions

6	poitrines de poulet de 170 g (*6 oz*) chacune
45 mL	(*3 c. à table*) beurre
6	papillotes de papier ciré, beurrés
12	tranches de jambon Forêt Noire de 30 g (*1 oz*) chacune
180 mL	(*¾ tasse*) sauce italienne (voir *Sauces*)

Préchauffer le four à 220°C (*425°F*).

Faire revenir les poitrines de poulet dans le beurre. Retirer et laisser refroidir.

Sur une moitié de papillote de papier ciré, déposer une tranche de jambon, puis 15 mL (*1 c. à table*) de sauce.

Couvrir le jambon d'une poitrine de poulet. Ajouter 15 mL (*1 c. à table*) de sauce et une autre tranche de jambon.

Envelopper en joignant le papier ciré par-dessus. Rabattre les bords afin que l'air ne s'échappe pas pendant la cuisson.

Faire cuire au four jusqu'à ce que les papillotes soient gonflées d'air.

Servir immédiatement.

Poulet au citron

4 portions

45 mL	(*3 c. à table*) huile
4	poitrines de poulet de 170 g (*6 oz*) chacune, désossées
15 mL	(*1 c. à table*) graines de sésame
30 mL	(*2 c. à table*) beurre
60 mL	(*¼ tasse*) sucre
60 mL	(*¼ tasse*) eau
60 mL	(*¼ tasse*) jus de citron

10 mL	(*2 c. à thé*) fécule de maïs
15 mL	(*1 c. à table*) eau

Faire chauffer l'huile dans un plat à sauter.

Aplatir les poitrines de poulet et faire revenir 2½ minutes de chaque côté. Couvrir de graines de sésame. Retirer du plat et garder au chaud.

Faire fondre le beurre dans le plat à sauter. Ajouter le sucre. Remuer continuellement et faire cuire jusqu'à ce que le sucre caramélise.

Ajouter 60 mL (*¼ tasse*) d'eau et le jus de citron; porter à ébullition.

Poulet Washington

6 portions

30 mL	*(2 c. à table)* beurre
60 mL	*(¼ tasse)* champignons, hachés fin
30 mL	*(2 c. à table)* farine
125 mL	*(½ tasse)* crème légère
1 mL	*(¼ c. à thé)* sel
1	pincée de poivre de Cayenne
310 mL	*(1¼ tasse)* fromage cheddar fort, râpé
6	poitrines de poulet de 170 g *(6 oz)* chacune, désossées
60 mL	*(¼ tasse)* farine
2	œufs, légèrement battus
180 mL	*(¾ tasse)* chapelure
125 mL	*(½ tasse)* shortening

Dans une casserole, faire fondre le beurre. Y faire sauter les champignons jusqu'à tendres.

Verser la farine sur les champignons et mélanger jusqu'à consistance lisse. Ajouter la crème, le sel et le poivre, laisser mijoter jusqu'à épaississement. Incorporer le fromage et mélanger jusqu'à ce qu'il soit fondu. Retirer du feu; laisser refroidir 2 heures. Découper en 6 morceaux égaux.

Préchauffer le four à 180°C *(350°F)*. Pendant que le mélange refroidit, aplatir les poitrines de poulet, couvrir de garniture et replier en deux. Enrober de farine; tremper dans les œufs et rouler dans la chapelure. Faire chauffer le shortening; y faire revenir le poulet sur les deux côtés.

Disposer sur une plaque à biscuits et faire cuire au four 10 minutes.

Servir immédiatement.

Poulet sauté à la cumberland

6 portions

6	poitrines de poulet, désossées
30 mL	*(2 c. à table)* beurre
30 mL	*(2 c. à table)* huile

Sauce

250 mL	*(1 tasse)* gelée de groseille rouge
15 mL	*(1 c. à table)* zeste d'orange, râpé
15 mL	*(1 c. à table)* zeste de citron, râpé
250 mL	*(1 tasse)* jus d'orange
60 mL	*(¼ tasse)* jus de citron
8 mL	*(1½ c. à thé)* gingembre
60 mL	*(¼ tasse)* sherry
15 mL	*(1 c. à table)* moutarde de Dijon
15 mL	*(1 c. à table)* fécule de maïs
30 mL	*(2 c. à table)* eau

Faire sauter le poulet dans le beurre et l'huile à feu moyen-doux, jusqu'à ce que la viande soit tendre, environ 8 minutes de chaque côté. Retirer et garder au chaud.

Dans une casserole, mélanger la gelée, les zestes de citron et d'orange, les jus, le gingembre, le sherry et la moutarde. Porter à légère ébullition.

Mélanger la fécule de maïs et l'eau. Incorporer à la sauce et laisser mijoter 5 minutes ou jusqu'à épaississement.

Dresser le poulet sur un plateau et couvrir de sauce.

Poulet Rombough

4 portions

4	poitrines de poulet, désossées
170 g	*(6 oz)* fromage brie
16	crevettes, moyennes
60 mL	*(¼ tasse)* ananas broyé, égoutté
45 mL	*(3 c. à table)* noix d'acajou
45 mL	*(3 c. à table)* raisins secs sultana
30 mL	*(2 c. à table)* beurre, fondu
250 mL	*(1 tasse)* crème épaisse
15 mL	*(1 c. à table)* extrait de pêche
10 mL	*(2 c. à thé)* fécule de maïs
45 mL	*(3 c. à table)* schnaps aux pêches

Préchauffer le four à 180°C *(350°F)*.

Aplatir les poitrines de poulet. Sur chacune, disposer 45 g *(1½ oz)* de brie, 4 crevettes, 15 mL *(1 c. à table)* d'ananas, quelques noix d'acajou et raisins secs.

Bien enrober le poulet avec cette garniture. Badigeonner de beurre fondu. Faire cuire au four 15 à 20 minutes.

Mélanger la crème avec l'extrait de pêche et porter à ébullition. Combiner la fécule de maïs avec le schnaps aux pêches et ajouter à la crème. Laisser mijoter jusqu'à épaississement.

Retirer le poulet du four. Disposer dans les assiettes et napper de sauce.

Poulet melba

6 portions

6	poitrines de poulet, désossées
250 mL	(*1 tasse*) pêches, en tranches (bien égoutter les pêches en conserve)
170 g	(*6 oz*) fromage brie
30 mL	(*2 c. à table*) beurre, fondu
250 mL	(*1 tasse*) coulis de framboises (voir *Sauces*)
125 mL	(*½ tasse*) crème épaisse

Préchauffer le four à 180°C (*350°F*).

Aplatir chaque poitrine de poulet. Garnir de tranches de pêches et de brie et rouler.

Disposer sur une plaque à biscuits graissée, badigeonner de beurre. Faire cuire au four 15 minutes.

Verser le coulis de framboises dans une casserole, ajouter la crème, laisser mijoter 5 minutes.

Verser la sauce sur le poulet et servir.

Poulet melba

Poulet cordon bleu

6 portions

6	poitrines de poulet de 170 g (*6 oz*) chacune, désossées
170 g	(*6 oz*) jambon Forêt Noire
170 g	(*6 oz*) fromage suisse
2	œufs
60 mL	(*¼ tasse*) lait
60 mL	(*¼ tasse*) farine
500 mL	(*2 tasses*) chapelure
125 mL	(*½ tasse*) huile
250 mL	(*1 tasse*) sauce Mornay (voir *Sauces*)

Préchauffer le four à 180°C (*350°F*).

Aplatir les poitrines de poulet. Couper le jambon et le fromage en six.

Mettre un morceau de fromage et de jambon sur chaque poitrine de poulet et replier le poulet pour envelopper la garniture.

Mélanger les œufs et le lait.

Fariner chaque poitrine de poulet, les tremper dans le mélange d'œufs, puis les rouler dans la chapelure.

Faire frire dans l'huile chaude.

Faire cuire au four 8 à 10 minutes. Servir accompagné de sauce Mornay.

Ailes de poulet au gingembre et à l'ail

Ailes de poulet au gingembre et à l'ail

4 portions

60 mL	(*¼ tasse*) sauce soja
10 mL	(*2 c. à thé*) gingembre, moulu
45 mL	(*3 c. à table*) cassonade
5 mL	(*1 c. à thé*) ail en poudre
1 kg	(*2¼ lb*) ailes de poulet

Préchauffer le four à 180°C (*350°F*).

Mélanger la sauce soja, le gingembre, le sucre et l'ail en poudre.

Verser sur les ailes de poulet et laisser mariner 2 heures.

Faire cuire au four 1 heure.

Poulet aux champignons (Moo goo gai pan)

4 portions

30 mL	(*2 c. à table*) sauce soja
30 mL	(*2 c. à table*) vin blanc
3 mL	(*½ c. à thé*) sel
3 mL	(*½ c. à thé*) sucre
10 mL	(*2 c. à thé*) huile
5 mL	(*1 c. à thé*) vinaigre
450 g	(*1 lb*) poulet, en cubes
60 mL	(*¼ tasse*) huile
250 mL	(*1 tasse*) chou chinois '
115 g	(*4 oz*) champignons, en tranches
1	poivron vert, en dés
1	carotte, tranchée
225 g	(*8 oz*) racines de bambou
60 mL	(*¼ tasse*) châtaignes d'eau

Mélanger la sauce soja, le vin, le sel, le sucre, 10 mL (*2 c. à thé*) d'huile et le vinaigre.

Verser sur le poulet et laisser mariner 1 heure. Égoutter; jeter la marinade.

Faire chauffer 60 mL (*¼ tasse*) d'huile dans un wok ou une grande poêle à frire.

Y faire dorer le poulet.

Ajouter les légumes et laisser cuire 3 minutes.

Servir avec du riz pilaf.

Poulet à la king

6 portions

225 g	(*½ lb*) petits champignons
60 mL	(*¼ tasse*) poivron vert, en dés
1	petit oignon, en dés
2	branches de céleri, tranchées
60 mL	(*¼ tasse*) beurre
60 mL	(*¼ tasse*) farine
500 mL	(*2 tasses*) crème épaisse
675 g	(*1½ lb*) poulet, cuit, en cubes
3	jaunes d'œufs
3 mL	(*½ c à thé*) paprika
60 mL	(*¼ tasse*) sherry
60 mL	(*¼ tasse*) piments doux rôtis, en dés
	sel et poivre, au goût

Faire sauter les champignons, le poivron, l'oignon et le céleri dans du beurre, jusqu'à tendres.

Ajouter la farine et bien mélanger.

Incorporer la crème, le poulet et laisser mijoter jusqu'à léger épaississement.

Mélanger en fouettant les jaunes d'œufs, le paprika, le sherry et les piments doux rôtis.

Incorporer à la sauce en repliant. Laisser mijoter 5 minutes.

Assaisonner au goût et servir dans des vol-au-vent ou sur du pain grillé.

Poulet à la Newburg

4 portions

60 mL	(*¼ tasse*) beurre
60 g	(*2 oz*) champignons, en tranches
30 mL	(*2 c. à table*) oignon, haché fin
450 g	(*1 lb*) poulet, cuit et en cubes
60 mL	(*¼ tasse*) sherry
250 mL	(*1 tasse*) crème légère
3 mL	(*½ c. à thé*) sel
3 mL	(*½ c. à thé*) paprika
1	pincée de poivre blanc
3	jaunes d'œufs
2 L	(*8 tasses*) d'eau
500 mL	(*2 tasses*) riz, non cuit

Dans une casserole, faire fondre le beurre, puis faire revenir les champignons et l'oignon jusqu'à tendres.

Ajouter le poulet et le sherry. Laisser mijoter 5 minutes. Ajouter la crème et les assaisonnements et faire mijoter encore 5 minutes.

Prélever un peu de sauce chaude et la mélanger aux jaunes d'œufs. Verser dans la casserole et laisser mijoter jusqu'à épaississement de la sauce.

Dans une autre casserole, faire chauffer l'eau. Ajouter le riz, mélanger 2 minutes et laisser cuire.

À la fin de la cuisson, égoutter et disposer sur un plat de service. Verser le poulet Newburg sur le riz et servir.

Poulet au riz Pamela

8 à 10 portions

450 g	(*1 lb*) poulet désossé, en cubes
450 g	(*1 lb*) veau attendri, en tranches fines découpées en julienne
60 mL	(*¼ tasse*) beurre
2	carottes moyennes, grossièrement râpées
2	branches de céleri, hachées fin
4	oignons verts, émincés
60 mL	(*¼ tasse*) farine
500 mL	(*2 tasses*) bouillon de poulet (voir *Sauces*)
500 mL	(*2 tasses*) crème épaisse
750 mL	(*3 tasses*) riz cuit
375 mL	(*1½ tasse*) fromage suisse, grossièrement râpé
375 mL	(*1½ tasse*) fromage cheddar moyen, grossièrement râpé

Préchauffer le four à 230°C (*450°F*).

Dans une poêle en fonte, faire sauter le poulet et le veau dans du beurre, à feu moyen, jusqu'à ce qu'ils soient cuits. Incorporer les légumes et faire sauter jusqu'à tendres, 2 à 3 minutes. Ajouter la farine, le bouillon de poulet et la crème et laisser mijoter jusqu'à épaississement. Étaler le riz dans un plat graissé allant au four de 33 x 23 cm (*13 x 9 po*); couvrir du mélange de viande et de légumes; parsemer de fromage râpé.

Faire cuire au four 6 à 8 minutes ou jusqu'à ce que le fromage soit fondu.

1

Dans une poêle à frire, à feu moyen, faire revenir le poulet et le veau dans le beurre jusqu'à ce qu'ils soient cuits.

2

Ajouter la farine, le bouillon de poulet et la crème; laisser mijoter jusqu'à épaississement.

3

Étaler le riz dans un plat graissé allant au four et recouvrir du mélange de poulet.

4

Parsemer de fromages râpés et faire cuire au four 6 à 8 minutes ou jusqu'à ce que les fromages soient fondus.

Chili au poulet

Chili au poulet

8 portions

750 mL	(*3 tasses*) haricots rouges
60 mL	(*¼ tasse*) beurre
250 mL	(*1 tasse*) oignons, en dés
1	poivron vert, en dés
3	branches de céleri, en dés
115 g	(*4 oz*) champignons, en tranches
1 L	(*4 tasses*) poulet, cuit, en cubes
1 L	(*4 tasses*) tomates, épépinées et hachées

125 mL	(*½ tasse*) pâte de tomate
10 mL	(*2 c. à thé*) sel
5 mL	(*1 c. à thé*) basilic
5 mL	(*1 c. à thé*) origan
10 mL	(*2 c. à thé*) paprika
10 mL	(*2 c. à thé*) poivre
20 mL	(*1¼ c. à table*) assaisonnement au chili

Faire tremper les haricots toute la nuit.

Dans une grande marmite ou un faitout, faire fondre le beurre. Y faire sauter les oignons, le poivron vert, le céleri et les champignons jusqu'à tendres.

Incorporer le poulet. Ajouter les tomates, la pâte de tomate, les haricots et les assaisonnements. Laisser mijoter 40 minutes. Servir.

Poulet divan

4 portions

1 L	(*4 tasses*) bouquets de brocoli
500 mL	(*2 tasses*) pommes de terre dorées, en purée (voir *Légumes*)
450 g	(*1 lb*) poitrines de poulet, cuites, désossées, en cubes
330 mL	(*1⅓ tasse*) sauce Mornay (voir *Sauces*)
3	tranches de pain grillées, coupées en quatre, en diagonale

Préchauffer le four à 150°C (*300°F*).

Faire blanchir le brocoli jusqu'à «al dente».

Dans un plat peu profond, graissé et allant au four, étendre les pommes de terre uniformément.

Couvrir de brocoli et de poulet en cubes.

Napper de sauce Mornay et faire cuire sans couvrir 25 à 30 minutes ou jusqu'à bien chaud.

Disposer les tranches de pain grillées autour du plat, les pointes vers le haut.

Poulet au macis à la crème

6 portions

60 mL	(*¼ tasse*) beurre
60 mL	(*¼ tasse*) farine
250 mL	(*1 tasse*) bouillon de poulet
500 mL	(*2 tasses*) crème légère
5 mL	(*1 c. à thé*) sel
1 mL	(*¼ c. à thé*) macis
1 mL	(*¼ c. à thé*) poivre
1 L	(*4 tasses*) poulet, cuit, désossé, en cubes
2 L	(*8 tasses*) riz, cuit, chaud

Dans une casserole, faire fondre le beurre.

Ajouter la farine et faire cuire 2 minutes en remuant.

Ajouter le bouillon, la crème et les assaisonnements. Laisser mijoter jusqu'à épaississement, 10 à 12 minutes.

Incorporer le poulet et laisser mijoter 5 minutes de plus. Verser sur le riz et servir.

Poulets de Cornouailles farcis aux pruneaux

4 portions

Farce

500 mL	(*2 tasses*) bouillon de poulet
60 mL	(*¼ tasse*) beurre
250 mL	(*1 tasse*) riz à grains longs, non cuit
5 mL	(*1 c. à thé*) sel
250 mL	(*1 tasse*) pruneaux, hachés fin
125 mL	(*½ tasse*) noix de Grenoble

Poulets

4	poulets de Cornouailles de 450 g (*1 lb*) chacun
60 mL	(*¼ tasse*) beurre, fondu
15 mL	(*1 c. à table*) sel

Préchauffer le four à 200°C (*400°F*).

Dans une casserole, faire chauffer le bouillon de poulet et y faire fondre le beurre. Ajouter le riz et le sel et mélanger 2 minutes. Couvrir et laisser mijoter 18 à 20 minutes.

Rincer le riz cuit dans un tamis, le passer sous l'eau froide, puis le mélanger avec les pruneaux et les noix de Grenoble.

Avec précaution, farcir de ce mélange l'intérieur des poulets. Badigeonner chaque poulet avec le beurre fondu, puis saler.

Faire rôtir au four 35 à 50 minutes en les arrosant avec le jus de cuisson toutes les 10 à 15 minutes. Servir immédiatement.

Poulets de Cornouailles farcis et rôtis

Poulets de Cornouailles farcis et rôtis

6 portions

2 L	(*8 tasses*) bouillon de poulet
500 mL	(*2 tasses*) riz sauvage
5 mL	(*1 c. à thé*) sel
3 mL	(*½ c. a thé*) poivre
125 mL	(*½ tasse*) beurre
1 mL	(*¼ c. à thé*) cerfeuil
1 mL	(*¼ c. à thé*) basilic
5 mL	(*1 c. à thé*) ciboulette
15 mL	(*1 c. à table*) persil, haché
60 mL	(*¼ tasse*) céleri, haché fin
30 mL	(*2 c. à table*) oignon, haché fin
6	poulets de Cornouailles de 340 g (*12 oz*) chacun
10 mL	(*2 c. à thé*) paprika

Dans une grande marmite ou un faitout, mettre l'eau, le riz, le sel et le poivre, et porter à ébullition. Réduire le feu , couvrir et laisser mijoter 45 à 50 minutes.

Préchauffer le four à 180°C (*350°F*).

Égoutter le riz et le remuer.

Incorporer 60 mL (*¼ tasse*) de beurre, le cerfeuil, le basilic, la ciboulette, le persil, le céleri et l'oignon. Farcir l'intérieur des poulets avec ce mélange et les ficeler.

Disposer sur une plaque à rôtir.

Faire fondre le reste de beurre; en badigeonner les poulets. Saupoudrer de paprika.

Faire cuire au four 45 à 60 minutes ou jusqu'à tendres. Servir.

Note : La sauce chasseur (voir Sauces) accompagne très bien ce plat.

Poulet au curry

4 portions

30 mL	(*2 c. à table*) beurre
2	gousses d'ail, hachées fin
375 mL	(*1½ tasse*) pommes, hachées
125 mL	(*½ tasse*) oignons, hachés
5 mL	(*1 c. à thé*) sel
15 mL	(*1 c. à table*) poudre de curry
30 mL	(*2 c. à table*) farine
500 mL	(*2 tasses*) crème légère
500 mL	(*2 tasses*) poulet, cuit, en cubes

Dans une casserole, faire fondre le beurre; y faire sauter l'ail, les pommes et les oignons jusqu'à tendres.

Bien incorporer le sel, la poudre de curry et la farine.

Ajouter graduellement la crème et le poulet et laisser mijoter 5 minutes. Servir sur le riz.

Dinde de l'action de grâces

8 à 10 portions

Farce

125 mL	(*½ tasse*) céleri, en dés
1	gros oignon, en dés
2	petites carottes, en dés
250 mL	(*1 tasse*) beurre
5 mL	(*1 c. à thé*) sauge
5 mL	(*1 c. à thé*) basilic
5 mL	(*1 c. à thé*) origan
5 mL	(*1 c. à thé*) thym
5 mL	(*1 c. à thé*) poivre noir
10 mL	(*2 c. à thé*) sel
1 kg	(*2¼ lb*) chapelure
250 mL	(*1 tasse*) raisins secs sultana
2	œufs
125 mL	(*½ tasse*) noix d'acajou (*facultatif*)

Dinde

1	dinde de 5,4 à 6,3 kg (*12 à 14 lb*)
½	citron
1	gousse d'ail
10 mL	(*2 c. à thé*) sel

Préchauffer le four à 190°C (*375°F*).

Faire sauter le céleri, l'oignon et les carottes dans le beurre jusqu'à tendres. Ajouter les assaisonnements et faire revenir encore 1 minute.

Verser le mélange dans un bol; bien incorporer la chapelure, les raisins secs, les œufs et les noix d'acajou. En farcir la dinde.

Frotter la dinde avec l'ail et le citron. Saupoudrer de sel. Faire rôtir au four 4 à 5 heures en arrosant souvent.

Canard rôti au grand marnier

4 portions

1	canard, en 8 morceaux sel et poivre
60 mL	(*¼ tasse*) huile
500 mL	(*2 tasses*) jus d'orange
60 mL	(*¼ tasse*) grand marnier
250 mL	(*1 tasse*) abricots, dénoyautés et hachés
250 mL	(*1 tasse*) pruneaux, dénoyautés et hachés
30 mL	(*2 c. à table*) farine
30 mL	(*2 c. à table*) eau
1 L	(*4 tasses*) riz, cuit et chaud

Dégraisser le canard. Saler et poivrer.

Faire revenir dans l'huile chaude. Ajouter le jus d'orange et le grand marnier et laisser mijoter jusqu'à ce que la viande soit tendre.

Ajouter les abricots et les pruneaux et laisser mijoter 45 minutes de plus.

Faire une pâte avec la farine et l'eau.

Incorporer à la sauce et laisser mijoter jusqu'à épaississement. Verser sur le riz et servir.

Canard rôti bigarade

4 portions

1	canard de 2 kg (*4½ lb*)
15 mL	(*1 c. à table*) beurre
	sel et poivre
180 mL	(*¾ tasse*) vin blanc
1	citron
1	orange
15 mL	(*1 c. à table*) sucre
15 mL	(*1 c. à table*) sherry
250 mL	(*1 tasse*) jus d'orange
30 mL	(*2 c. à table*) brandy
15 mL	(*1 c. à table*) fécule de maïs

Préchauffer le four à 190°C (*375°F*).

Badigeonner le canard avec le beurre; saler et poivrer.

Disposer sur une plaque à rôtir et ajouter le vin. Faire rôtir au four 2 à 2½ heures. Arroser de vin toutes les 15 à 20 minutes.

Râper les zestes de l'orange et du citron; mettre dans un plat à sauter avec le sucre et le sherry et faire dorer en prenant soin de ne pas laisser brûler.

Ajouter le jus d'orange, le jus du citron et le brandy; laisse mijoter 5 minutes.

Couper l'orange en quartiers et l'incorporer à la sauce.

Sortir le canard du four lorsqu'il est cuit, le découper et le dresser sur un plat de service.

Dégraisser le jus de cuisson.

Mélanger la fécule de maïs dans un epu d'eau et l'ajouter à la sauce. Faire bouillir 2 minutes.

Verser sur le canard et servir.

Canard rôti bigarade

Préchauffer le four à 180°C (*350°F*).

A l'aide d'une fourchette, piquer la peau du canard sur toute sa surface. Disposer le canard sur une plaque à rôtir; l'entourer de légumes et ajouter 750 mL (*3 tasses*) d'eau.

Faire cuire au four, sans couvrir, 25 minutes par 450 g (*1 lb*) ou jusqu'à bien cuit.

Entre-temps, porter la sauce espagnole à ébullition et laisser réduire à 310 mL (*1¼ tasse*).

Égoutter les cerises en réservant 125 mL (*½ tasse*) de jus. Combiner la sauce espagnole réduite, le jus de cerise réservé, le sherry, le zeste d'orange et le jus d'orange.

Retirer le canard de la plaque; le garder au chaud.

Jeter les légumes et dégraisser le jus de cuisson.

Incorporer 250 mL (*1 tasse*) de jus de cuisson à la sauce espagnole.

Porter à ébullition et laisser réduire, en remuant continuellement, à environ 310 mL (*1¼ tasse*).

Ajouter le sucre à glacer, la cannelle et le fromage à la crème, jusqu'à consistance lisse.

Incorporer les cerises. Découper le canard et le servir avec de la sauce.

Canard rôti à la Montmorency

4 portions

1	canard de 2 à 2,5 kg (*4 à 5 lb*)
1	oignon moyen, en quartiers
2	carottes, hachées grossièrement
2	branches de céleri, hachées grossièrement
625 mL	(*2½ tasses*) sauce espagnole (voir *Sauces*)
1	boîte de cerises sucrées de 398 mL (*14 oz*)
125 mL	(*½ tasse*) crème de sherry
10 mL	(*2 c. à thé*) zeste d'orange râpé
60 mL	(*¼ tasse*) jus d'orange
45 mL	(*3 c. à table*) sucre à glacer
1	pincée de cannelle
1	paquet de fromage à la crème de 250 g (*8 oz*), en dés

Cailles sautées à la provençale

3 portions

6	cailles
60 mL	(¼ *tasse*) beurre
3	gousses d'ail, hachées fin
125 mL	(½ *tasse*) poivron vert, en dés
60 mL	(¼ *tasse*) oignon, en dés
750 mL	(*3 tasses*) tomates, pelées, épépinées et hachées
60 mL	(¼ *tasse*) sherry
5 mL	(*1 c. à thé*) paprika
	sel et poivre

Avec des ciseaux à volailles, inciser le dos des cailles sur la longueur.

Faire dorer dans du beurre fondu, environ 3 minutes de chaque côté. Retirer de la poêle et garder au chaud.

Faire sauter l'ail, le poivron et l'oignon dans la poêle, jusqu'à tendres.

Ajouter les tomates et porter à ébullition.

Ajouter le sherry et les cailles, et laisser mijoter jusqu'à évaporation presque complète du liquide.

Assaisonner de paprika, de sel et de poivre.

Verser la sauce dans un plat de service; disposer les cailles sur la sauce.

Cailles rôties Cumberland

5 portions

60 mL	(¼ *tasse*) beurre
	sel et poivre
10	cailles
45 mL	(*3 c. à table*) jus de citron
250 mL	(*1 tasse*) sherry

Sauce

180 mL	(¾ *tasse*) gelée de groseille rouge
180 mL	(¾ *tasse*) jus d'orange
60 mL	(¼ *tasse*) jus de citron
1 mL	(¼ *c. à thé*) gingembre, moulu
1	pincée de poivre de Cayenne
30 mL	(*2 c. à table*) fécule de maïs
30 mL	(*2 c. à table*) eau

Préchauffer le four à 180°C (*350°F*).

Beurrer et assaisonner les cailles. Disposer dans une poêle à frire.

Arroser avec le jus de citron et le sherry. Faire cuire au four 1 heure en arrosant toutes les 15 à 20 minutes.

Dans une petite casserole, faire fondre la gelée. Ajouter progressivement les jus d'orange et de citron. Incorporer les assaisonnements.

Mélanger la fécule de maïs et l'eau; verser dans la sauce. Porter à ébullition et retirer immédiatement du feu.

Dresser les cailles sur un plat de service; napper de sauce et servir.

Canard aux pommes

6 portions

1	canard de 1 kg (2¼ *lb*)
10 mL	(*2 c. à thé*) sel
250 mL	(*1 tasse*) jus de pomme
250 mL	(*1 tasse*) pommes, en dés
180 mL	(¾ *tasse*) noix d'acajou
1 mL	(¼ *c. à thé*) cannelle
500 mL	(*2 tasses*) riz sauvage, cuit
250 mL	(*1 tasse*) calvados
5 mL	(*1 c. à thé*) sucre

Préchauffer le four à 260°C (*500°F*).

Frotter le canard avec le sel. Faire rôtir au four 10 minutes. Réduire la température du four à 190°C (*375°F*). Arroser avec le jus de pomme. Retirer le canard après 20 minutes.

Mélanger les pommes, les noix d'acajou, la cannelle, le riz sauvage et la moitié du calvados. Farcir le canard; le remettre au four. Poursuivre la cuisson 40 minutes de plus.

Dresser le canard sur un plat de service; saupoudrer de sucre. Verser le reste de calvados sur le canard. Flamber et servir sans attendre.

Cailles sautées à la provençale et Cailles rôties Cumberland

Pintades aux cèpes

6 portions

45 mL	(*3 c. à table*) huile
6	poitrines de pintade de 170 g (*6 oz*) chacune
60 mL	(*¼ tasse*) échalotes, hachées fin
125 mL	(*½ tasse*) vin blanc
45 mL	(*3 c. à table*) beurre
250 mL	(*1 tasse*) huile
225 g	(*8 oz*) cèpes
1	pincée de sel
1	pincée de poivre
250 mL	(*1 tasse*) chapelure assaisonnée

Faire chauffer l'huile dans un plat à sauter. Y faire revenir les poitrines 2½ minutes de chaque côté. Retirer du feu et garder au chaud.

Vider l'huile du plat à sauter et faire blondir les échalotes. Ajouter le vin en fouettant et laisser réduire de moitié. Ajouter le beurre, retirer du feu.

Cèpes

Saler et poivrer les cèpes et les faire frire dans l'huile très chaude jusqu'à ce qu'elles soient très plissées. Mélanger avec la chapelure.

Dresser les poitrines de pintade dans un plat de service; les napper de sauce.

Garnir de cèpes et servir.

Pintades au champagne

6 portions

6	poitrines de pintade

Pintades au champagne

45 mL	(*3 c. à table*) huile
45 mL	(*3 c. à table*) beurre
4	carottes, en julienne
2	courgettes, en julienne
4	branches de céleri, en julienne
225 g	(*½ lb*) haricots jaunes
225 g	(*½ lb*) haricots verts
60 mL	(*¼ tasse*) beurre
10 mL	(*2 c. à thé*) graines de carvi
500 mL	(*2 tasses*) sauce au champagne (voir *Sauces*)

Faire sauter les poitrines de pintade dans l'huile additionnée de 45 mL (*3 c. à table*) de beurre, à feu moyen, 10 minutes de chaque côté.

Blanchir les légumes 5 minutes dans l'eau salée.

Faire sauter les légumes dans 60 mL (*¼ tasse*) de beurre et parsemer de graines de carvi.

Faire chauffer la sauce au champagne.

Dresser les légumes sur un plateau, disposer les poitrines dessus et napper de sauce.

Faisan à la sauce aux mandarines

45 mL	(*3 c. à table*) huile
6	poitrines de faisan de 170 g (*6 oz*) chacune
	sel et poivre, au goût
80 mL	(*⅓ tasse*) concentré de mandarine
125 mL	(*½ tasse*) bouillon de poulet
60 mL	(*¼ tasse*) crème épaisse
30 mL	(*2 c. à table*) beurre
5 mL	(*1 c. à thé*) jus de lime
	poivre noir, fraîchement moulu

Faire chauffer l'huile dans une grande poêle. Y faire sauter les poitrines de faisan 4 à 6 minutes de chaque côté. Saler et poivrer. Garder au chaud.

Dans une casserole, verser le concentré de mandarine et le bouillon de poulet. Porter à ébullition et réduire le feu. Ajouter la crème, laisser mijoter 6 minutes ou jusqu'à ce que la sauce nappe la cuillère.

Incorporer en fouettant, le beurre et le jus de lime. Ajouter un soupçon de poivre. Verser la sauce sur les poitrines de faisan et servir.

Faisan à la sauce aux mandarines

Ragoût de faisan

4 portions

125 mL	(*½ tasse*) beurre
2	oignons, émincés
4	carottes, épluchées et en julienne
2	faisans de 1 kg (*2¼ lb*) chacun, en 4 morceaux chacun
30 mL	(*2 c. à table*) farine
250 mL	(*1 tasse*) vin rouge
125 mL	(*½ tasse*) sherry
60 mL	(*¼ tasse*) brandy
125 mL	(*½ tasse*) bouillon de poulet
	sel et poivre
115 g	(*¼ lb*) bacon, en dés
12	petits oignons blancs
20	petits champignons

Préchauffer le four à 160°C (*325°F*).

Dans une grande casserole, faire chauffer la moitié du beurre. Y faire sauter les oignons émincés et les carottes jusqu'à tendres.

Y faire dorer les faisans. Saupoudrer de farine et mélanger jusqu'à ce que la farine ait absorbé le beurre.

Ajouter le vin, le sherry, le brandy, le bouillon, et un peu de sel et poivre. Porter à ébullition. Réduire le feu et laisser mijoter 20 minutes.

Dans une casserole, faire dorer le bacon, les petits oignons et les champignons.

Mettre le faisan dans la cocotte. Couvrir avec les oignons, le bacon et les champignons. Napper de sauce et couvrir.

Mettre au four 60 minutes.

Le porc

Le grand chef français Escoffier pensait, semble-t-il, le porc indigne de la grande cuisine, quoiqu'il gardait une haute considération pour le jambon.

Heureusement, les chefs actuels savent que le porc, qu'il soit frais, fumé ou salé, peut jouer un rôle important dans la planification des menus. En effet, le porc est la deuxième viande la plus populaire, juste après le bœuf.

Le porc frais provient en général de jeunes animaux; il est donc très tendre. Bien que certaines personnes le considèrent comme étant une viande grasse, certaines coupes (rôtis sans gras et filet) sont suffisamment maigres pour être utilisées dans la plupart des régimes où l'on surveille l'apport de kilocalories.

Le porc doit toujours être frais et, contrairement au bœuf, toujours jeune. Il doit aussi toujours être bien cuit pour éviter une contamination par la trichinose (ver solitaire).

Les rôtis de porc doivent être cuits à raison de 30 min/450 g (*lb*) à 160°C (*325°F*). Il est plus sécuritaire d'utiliser un thermomètre à viande, lequel indique 170°C (*76°F*) lorsque la viande est suffisamment cuite.

Les jambons sont disponibles frais, partiellement ou totalement fumés. Les jambons les meilleurs sont ceux de Parme (prosciutto), de Virginie (fumés plus de 2 ans), le Danois et le York.

Dans ce chapitre, vous trouverez plusieurs recettes de jambon et de saucisses de porc, aussi bien que de porc frais incluant les biftecks, les côtelettes et le porc sauté à feu vif.

Côtelettes de porc à la dijonnaise

Côtelettes de porc à la dijonnaise

6 portions

6	côtelettes de porc dans l'épaule
30 mL	(*2 c. à table*) beurre
5 mL	(*1 c. à thé*) huile
2	oignons verts, tranchés
2	gousses d'ail, hachées fin
12	cornichons, en julienne
125 mL	(*½ tasse*) sherry
125 mL	(*½ tasse*) crème épaisse
30 mL	(*2 c. à table*) moutarde de Dijon

Faire sauter les côtelettes de porc dans la moitié du beurre et l'huile, environ 8 à 10 minutes de chaque côté.

Dans une casserole, faire chauffer le reste de beurre. Y faire revonir les oignons et l'ail jusqu'à tendres.

Ajouter les cornichons et le sherry. Laisser mijoter jusqu'à évaporation presque complète du liquide.

Mélanger la crème avec la moutarde, ajouter à la sauce et laisser mijoter 2 minutes.

Verser sur les côtelettes de porc et servir.

Côtelettes de porc aux champignons à la crème

8 portions

8	côtelettes de porc de 2,5 cm (*1 po*) d'épaisseur
30 mL	(*2 c. à table*) huile
115 g	(*4 oz*) champignons, en tranches
30 mL	(*2 c. à table*) farine
250 mL	(*1 tasse*) crème épaisse
60 mL	(*¼ tasse*) sherry
10 mL	(*2 c. à thé*) paprika
5 mL	(*1 c. à thé*) sel
3 mL	(*½ c. à thé*) poivre noir

Préchauffer le four à 190°C (*375°F*).

Enlever l'excès de gras des côtelettes. Faire chauffer l'huile dans une poêle et y faire dorer les côtelettes de chaque côté. Les réserver dans une grande casserole.

Faire sauter les champignons dans la poêle jusqu'à tendres.

Saupoudrer de farine et faire cuire 2 minutes. Ajouter la crème, le sherry et les assaisonnements.

Mélanger et laisser mijoter doucement 5 minutes. Verser sur les côtelettes.

Faire cuire au four 30 minutes. Servir avec un riz pilaf.

Côtelettes de porc panées avec sauce aux raisins secs

4 portions

1	œuf
60 mL	(*¼ tasse*) lait
8	côtelettes de porc
80 mL	(*⅓ tasse*) farine
500 mL	(*2 tasses*) chapelure
60 mL	(*¼ tasse*) huile

Sauce

22 mL	(*1½ c. à table*) fécule de maïs
125 mL	(*½ tasse*) eau
45 mL	(*3 c. à table*) cassonade
310 mL	(*1¼ tasse*) jus d'orange
30 mL	(*2 c. à table*) jus de citron
3 mL	(*½ c. à thé*) cannelle
1	pincée de piment de la Jamaïque
125 mL	(*½ tasse*) raisins secs

Mélanger l'œuf avec le lait. Enrober les côtelettes de porc de farine, puis les tremper dans l'œuf. Rouler dans la chapelure. Faire chauffer l'huile dans une poêle. Y faire revenir les côtelettes de porc jusqu'à ce qu'elles soient cuites.

Sauce : Mélanger la fécule de maïs dans l'eau. Dissoudre le sucre dans le jus d'orange.

Faire chauffer le jus d'orange dans une casserole. Incorporer le jus de citron et les assaisonnements. Ajouter les raisins secs et laisser mijoter 5 minutes. Ajouter l'eau, mélanger et laisser mijoter jusqu'à épaississement. Verser la sauce sur les côtelettes de porc et servir.

Côtelettes de porc à l'orange et au thym

6 portions

6	côtelettes de porc dans l'épaule
5 mL	(*1 c. à thé*) thym
3 mL	(*½ c. à thé*) zeste d'orange, râpé
250 mL	(*1 tasse*) jus d'orange
30 mL	(*2 c. à table*) huile
1	pincée de sel et de poivre

Enlever l'excès de gras des côtelettes de porc.

Mélanger le thym, le zeste et le jus d'orange, et verser sur les côtelettes de porc.

Laisser mariner 1 heure à température ambiante. Égoutter les côtelettes de porc et réserver la marinade.

Préchauffer le four à 190°C (*375°F*).

Dans une poêle, faire chauffer l'huile, y faire dorer les côtelettes de porc puis les dresser dans un plat allant au four.

Arroser de marinade, assaisonner, couvrir et faire cuire au four 20 minutes. Ôter le couvercle et poursuivre la cuisson 5 minutes de plus.

Côtelettes de porc farcies

4 portions

60 mL	(¼ *tasse*) oignon, haché fin
30 mL	(*2 c. à table*) céleri, haché fin
250 mL	(*1 tasse*) chapelure
125 mL	(½ *tasse*) raisins secs
60 mL	(¼ *tasse*) noix de Grenoble, en morceaux
3 mL	(½ *c. à thé*) thym
3 mL	(½ *c. à thé*) basilic
15 mL	(*1 c. à table*) persil, haché
5 mL	(*1 c. à thé*) sel
80 mL	(⅓ *tasse*) crème épaisse
4	côtelettes de porc doubles
30 mL	(*2 c. à table*) huile
500 mL	(*2 tasses*) sauce Mornay (voir *Sauces*)

Préchauffer le four à 180°C (*350°F*).

Dans un bol, mélanger l'oignon, le céleri, la chapelure, les raisins secs, les noix de Grenoble et les assaisonnements. Incorporer la crème et bien mélanger.

Enlever l'excès de gras des côtelettes. Inciser entre les os afin de créer une poche. Farcir de garniture.

Faire chauffer l'huile dans une poêle. Y faire dorer les côtelettes de porc. Les mettre dans une cocotte.

Napper de sauce Mornay. Couvrir et faire cuire au four 45 minutes.

Dresser les côtelettes dans un plat de service; dégraisser la sauce et verser sur la viande.

1

Dans un bol, mélanger l'oignon, le céleri, la chapelure, les raisins secs, les noix de Grenoble et les assaisonnements. Incorporer la crème et bien mélanger.

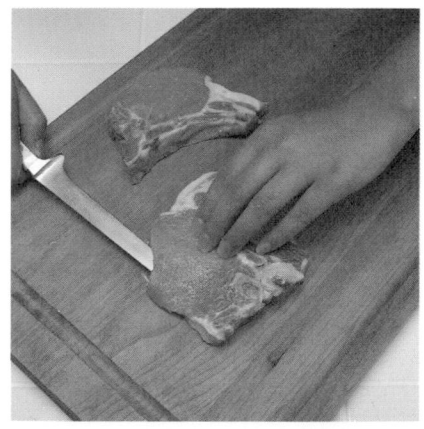

2

Enlever l'excès de gras des côtelettes. Inciser entre les os afin de créer une poche.

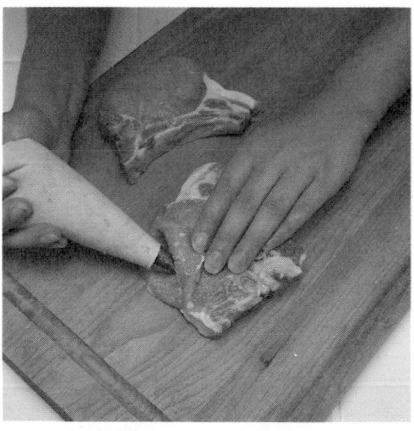

3

Farcir les poches de garniture.

4

Napper les côtelettes dorées de sauce Mornay.

Carré de porc en couronne

8 portions

1	carré de porc, coupé en 16
15 mL	(*1 c. à table*) sel
60 mL	(*¼ tasse*) céleri, en dés
60 mL	(*¼ tasse*) beurre
30 mL	(*2 c. à table*) sucre
250 mL	(*1 tasse*) canneberges, hachées
10 mL	(*2 c. à thé*) zeste d'orange, râpé
3 mL	(*½ c. à thé*) cannelle moulue
1 mL	(*¼ c. à thé*) piment de la Jamaïque, moulu
60 mL	(*¼ tasse*) jus d'orange
125 mL	(*½ tasse*) pacanes, hachées
1 L	(*4 tasses*) pain blanc, en cubes
60 mL	(*¼ tasse*) farine

Préchauffer le four à 180°C (*350°F*).

Saler le carré de porc; le disposer en couronne, les os vers le haut, sur un morceau de papier d'aluminium dans une plaque à rôtir peu profonde. (Le papier d'aluminium retiendra la farce au centre de la couronne lorsqu'on la sortira du plat). Enrouler le bout des côtes dans du papier d'aluminium pour ne pas qu'elles brûlent.)

Mettre au four 1 heure.

Entre-temps, dans une grande poêle, faire cuire le céleri dans le beurre jusqu'à tendre.

Incorporer le sucre et remuer afin qu'il se dissolve, puis ajouter les canneberges, le zeste d'orange, la cannelle et le piment de la Jamaïque; retirer du feu.

Incorporer le jus d'orange, les pacanes et les cubes de pain. Ces derniers doivent être imbibés de sauce.

Disposer au centre de la couronne et couvrir de papier d'aluminium pour éviter que le tout ne brûle.

Poursuivre la cuisson 1 heure ou jusqu'à ce que le porc soit tendre. Soulever le rôti du plat; retirer le papier d'aluminium. Garder au chaud.

Verser le jus de cuisson dans une tasse graduée de 500 mL (*2 tasses*). Laisser reposer quelques minutes jusqu'à ce que la graisse s'élève en surface, puis dégraisser.

Mesurer 60 mL (*¼ tasse*) de jus de cuisson et le verser dans le plat. Ajouter de l'eau pour obtenir 500 mL (*2 tasses*) de liquide.

Ajouter la farine en remuant et laisser épaissir. Utiliser comme sauce au jus de viande.

Filet de porc aux abricots

6 portions

900 g	(*2 lb*) filet de porc
45 mL	(*3 c. à table*) beurre
45 mL	(*3 c. à table*) huile
125 mL	(*½ tasse*) abricots séchés, grossièrement hachés
500 mL	(*2 tasses*) sauce demi-glace (voir *Sauces*)
60 mL	(*¼ tasse*) sherry

Enlever le gras et toute membrane du filet.

Faire revenir dans le beurre et l'huile jusqu'à bien cuit. Retirer du feu; garder au chaud dans le four.

Disposer les abricots dans la casserole et faire sauter 2 minutes à feu doux.

Ajouter la sauce demi-glace et le sherry; laisser mijoter 6 à 8 minutes.

Verser la sauce sur le filet et servir.

Filet de porc farci aux pruneaux et aux pommes

4 portions

2	filets de porc
5 mL	(*1 c. à thé*) sel
5 mL	(*1 c. à thé*) poivre
12	pruneaux dénoyautés
1	pomme, pelée, en cubes
5 mL	(*1 c. à thé*) jus de citron
45 mL	(*3 c. à table*) huile
45 mL	(*3 c. à table*) beurre
180 mL	(*¾ tasse*) vin blanc
180 mL	(*¾ tasse*) crème épaisse

Couvrir les pruneaux d'eau froide et porter à ébullition. Retirer du feu, laisser tremper 30 minutes. Égoutter.

Préchauffer le four à 180°C (*350°F*).

Pratiquer une incision le long de chaque filet pour former une pochette. Assaisonner.

Arroser les pommes de jus de citron. Farcir le porc de pruneaux et de pommes. Bien ficeler la viande.

Faire chauffer l'huile et le beurre dans un faitout. Faire dorer la viande sur tous les côtés. Dégraisser, puis ajouter le vin et la crème. Porter à ébullition, couvrir et mettre au four 15 minutes.

Disposer la viande dans un plat de service. Dégraisser le liquide, porter à ébullition et laisser mijoter. Servir avec la viande.

1

Pratiquer une incision le long de chaque filet pour former une pochette.

2

Farcir le porc de pruneaux et de pommes.

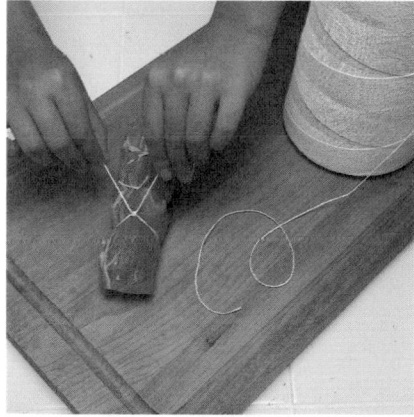

3

Bien ficeler la viande.

4

Faire dorer la viande sur tous les côtés. Dégraisser, puis ajouter le vin et la crème.

Rôti de filet de porc à la provençale

8 portions

60 mL	(*¼ tasse*) huile
3 kg	(*7 lb*) filet de porc, désossé, ficelé
60 mL	(*¼ tasse*) oignon, haché fin
60 mL	(*¼ tasse*) céleri, haché fin
60 mL	(*¼ tasse*) poivron vert, haché fin
3	gousses d'ail, hachées fin
250 mL	(*1 tasse*) eau
250 mL	(*1 tasse*) vin rouge
500 mL	(*2 tasses*) tomates, hachées
30 mL	(*2 c. à table*) persil, haché
3 mL	(*½ c. à thé*) thym
5 mL	(*1 c. à thé*) sel
3 mL	(*½ c. à thé*) poivre noir

Préchauffer le four à 180°C (*350°F*).

Faire chauffer l'huile dans une plaque à rôtir. Y faire dorer le rôti.

Ajouter l'oignon, le céleri, le poivron vert et l'ail.

Arroser d'eau et de vin.

Ajouter les tomates et les assaisonnements. Couvrir et faire cuire au four 2½ heures.

Sortir du four et garder au chaud.

Laisser mijoter doucement la sauce pour la faire réduire. Dégraisser.

Découper le rôti en tranches et servir avec la sauce.

Escalopes de porc aux champignons

Escalopes de porc aux champignons

8 portions

8	tranches de bacon
8	escalopes de porc très maigre
60 mL	(*¼ tasse*) beurre
30 mL	(*2 c. à table*) oignon, haché fin
45 mL	(*3 c. à table*) poivron vert, en dés
115 g	(*4 oz*) champignons, en tranches
45 mL	(*3 c. à table*) farine
500 mL	(*2 tasses*) sauce demi-glace (voir *Sauces*)
60 mL	(*¼ tasse*) sherry
125 mL	(*½ tasse*) crème épaisse
60 mL	(*¼ tasse*) oignons verts, hachés

Enrouler le bacon autour des escalopes. Faire griller les escalopes au charbon de bois ou au four jusqu'à ce qu'elles soient bien cuites.

Faire chauffer le beurre dans une poêle. Y faire sauter les légumes jusqu'à tendres. Saupoudrer de farine; laisser cuire 2 minutes. Ajouter la sauce demi-glace et le sherry et faire mijoter 5 minutes. Ajouter la crème. Laisser mijoter 1 minute. Ajouter les oignons verts et poursuivre la cuisson 3 minutes. Verser la sauce sur les escalopes. Servir immédiatement.

Porc Schnitzel à la milanaise

Couvrir chaque côtelette de 30 mL (*2 c. à table*) de sauce. Parsemer de fromage. Couvrir de poivrons verts et de champignons.

Faire dorer au four, sous le gril, 3 à 5 minutes. Servir chaud.

Escalopes de porc avec compote de pommes aux poivres

4 portions

4	escalopes de porc, petites
30 mL	(*2 c. à table*) poivre noir en grains, concassé
30 mL	(*2 c. à table*) farine
15 mL	(*1 c. à table*) cassonade
30 mL	(*2 c. à table*) beurre
10 mL	(*2 c. à thé*) poivre vert en grains
3 mL	(*½ c. à thé*) poivre blanc en grains, concassé
1	pincée de sel
30 mL	(*2 c. à table*) sherry
45 mL	(*3 c. à table*) compote de pommes

Enrober les escalopes de poivre noir. Mélanger 15 mL (*1 c. à table*) de farine avec le sucre. Rouler les escalopes dans la farine sucrée. Faire chauffer le beurre; y faire revenir les escalopes. Retirer du feu et garder au chaud.

Ajouter 15 mL (*1 c. à table*) de farine dans la casserole. Laisser brunir en remuant. Ajouter le poivre vert en grains, le poivre blanc, le sel, le sherry et la compote de pommes. Laisser mijoter jusqu'à épaississement.

Verser sur les escalopes de porc et servir.

Porc Schnitzel à la milanaise

6 portions

6	côtelettes de porc de 115 g (*4 oz*) chacune
1	œuf
60 mL	(*¼ tasse*) lait
125 mL	(*½ tasse*) farine
500 mL	(*2 tasses*) chapelure assaisonnée
60 mL	(*¼ tasse*) huile d'olive
375 mL	(*1½ tasse*) sauce tomate (voir *Sauces*)
500 mL	(*2 tasses*) fromage mozzarella, râpé
125 mL	(*½ tasse*) poivrons verts, tranchés
125 mL	(*½ tasse*) champignons, en tranches

Aplatir les côtelettes pour qu'elles soient très minces. Mélanger l'œuf avec le lait. Fariner les côtelettes, les tremper dans l'œuf et les rouler dans la chapelure.

Faire chauffer l'huile dans une grande poêle. Y faire revenir les côtelettes 2½ minutes de chaque côté.

Retirer de la poêle et disposer sur une plaque à biscuits.

Côtelettes de porc farcies

6 portions

6	côtelettes de porc de 170 g (*6 oz*) chacune
6	tranches de cheddar de 40 g (*1½ oz*) chacune
340 g	(*12 oz*) saucisses piquantes
125 mL	(*½ tasse*) farine
1	œuf
60 mL	(*¼ tasse*) lait
500 mL	(*2 tasses*) chapelure, assaisonnée
250 mL	(*1 tasse*) huile
30 mL	(*2 c. à table*) beurre
60 mL	(*¼ tasse*) oignon, haché fin
60 mL	(*¼ tasse*) poivron vert, haché fin
60 mL	(*¼ tasse*) céleri, haché fin
1	gousse d'ail, hachée fin
30 mL	(*2 c. à table*) farine
125 mL	(*½ tasse*) crème épaisse
60 mL	(*¼ tasse*) sherry
500 mL	(*2 tasses*) sauce tomate (voir *Sauces*)

Préchauffer le four à 220°C (*425°F*).

Aplatir les côtelettes de porc. Poser une tranche de fromage sur chacune, puis quelques dés de saucisses piquantes.

Enrouler les côtelettes de porc autour du fromage et des saucisses. Fariner.

Battre les œufs dans le lait. Tremper les côtelettes dans ce mélange; les rouler dans la chapelure.

Faire chauffer l'huile dans une grande poêle. Y faire dorer les côtelettes. Les disposer sur une plaque à biscuits. Faire cuire au four 15 minutes.

Entre-temps, faire chauffer le beurre dans une casserole.

Y faire revenir l'oignon, le poivron vert, le céleri et l'ail jusqu'à tendres. Saupoudrer de farine et laisser cuire 2 minutes.

Ajouter la crème et le sherry; laisser mijoter jusqu'à consistance très épaisse. Ajouter la sauce de tomate. Poursuivre la cuisson 7 minutes.

Verser sur les côtelettes et servir immédiatement.

Côtelettes de porc Robert

6 portions

6	côtelettes de porc de 115 g (*4 oz*) chacune
125 mL	(*½ tasse*) farine
1	œuf
60 mL	(*¼ tasse*) lait
500 mL	(*2 tasses*) chapelure, assaisonnée
80 mL	(*⅓ tasse*) huile

Sauce

60 mL	(*¼ tasse*) beurre
60 mL	(*¼ tasse*) oignon, haché fin
60 mL	(*¼ tasse*) vinaigre de vin rouge
375 mL	(*1½ tasse*) sauce espagnole (voir *Sauces*)
80 mL	(*⅓ tasse*) cornichons, hachés
10 mL	(*2 c. à thé*) moutarde préparée
45 mL	(*3 c. à table*) persil, haché

Bien aplatir les côtelettes; les fariner.

Mélanger l'œuf avec le lait. Tremper les côtelettes dans le lait; les rouler dans la chapelure.

Faire chauffer l'huile dans une grande poêle. Y faire dorer les côtelettes environ 2½ minutes de chaque côté.

Sauce : Faire chauffer le beurre dans une casserole. Y faire revenir les oignons 5 minutes. Incorporer le vinaigre et laisser réduire de moitié.

Ajouter la sauce espagnole; laisser mijoter à feu doux 15 minutes.

Ajouter les cornichons, la moutarde et le persil.

Verser sur les côtelettes avant de servir.

Filet de porc à l'italienne

Filet de porc à l'italienne

8 portions

60 mL	(¼ *tasse*) huile d'olive
1 kg	(2¼ *lb*) filet de porc, en cubes
1	gousse d'ail, hachée fin
1	oignon, en dés fins
1	poivron vert, en dés fins
2	branches de céleri, en dés fins
225 g	(½ *lb*) petits champignons
750 mL	(3 *tasses*) tomates, épépinées et hachées
5 mL	(1 *c. à thé*) thym
5 mL	(1 *c. à thé*) sel
3 mL	(½ *c. à thé*) poivre, concassé
3 mL	(½ *c. à thé*) origan
3 mL	(½ *c. à thé*) basilic
450 g	(1 *lb*) fettuccine

Faire chauffer l'huile dans une grande poêle. Y faire revenir le porc. Retirer du feu et garder au chaud.

Faire sauter dans la poêle l'ail, l'oignon, le poivron vert, le céleri et les champignons, jusqu'à tendres.

Incorporer les tomates et les assaisonnements. Laisser mijoter doucement 20 minutes.

Mettre le porc dans la poêle et poursuivre la cuisson jusqu'à ce qu'il soit bien cuit.

Pendant que la sauce réduit, faire bouillir de l'eau dans une casserole. Saler et ajouter les fettuccine. Faire cuire «al dente».

Égoutter; dresser dans un plat de service; couvrir de filet de porc.

Filet de porc stroganoff

8 portions

60 mL	(*¼ tasse*) beurre
1	oignon, émincé
115 g	(*4 oz*) champignons, en tranches
1 kg	(*2¼ lb*) filet de porc, en cubes
30 mL	(*2 c. à table*) farine
250 mL	(*1 tasse*) bouillon de bœuf
125 mL	(*½ tasse*) vin blanc
250 mL	(*1 tasse*) crème sure
10 mL	(*2 c. à thé*) sel
3 mL	(*½ c. à thé*) poivre, concassé
10 mL	(*2 c. à thé*) paprika
15 mL	(*1 c. à table*) moutarde préparée

Faire chauffer le beurre dans une grande poêle. Y faire sauter l'oignon et les champignons jusqu'à tendres.

Ajouter le porc; faire dorer. Saupoudrer de farine. Faire cuire 2 minutes.

Ajouter le bouillon, le vin et la crème sure. Mélanger et laisser mijoter 5 minutes.

Ajouter les assaisonnements et la moutarde. Poursuivre la cuisson 30 minutes de plus.

Servir sur des nouilles ou du riz.

Filet de porc à la sauce à la crème sure

8 portions

60 mL	(*¼ tasse*) huile
1,4 kg	(*3 lb*) filet de porc, en cubes
30 mL	(*2 c. à table*) beurre
60 mL	(*¼ tasse*) oignons, hachés fins
115 g	(*4 oz*) champignons, en tranches
1	gousse d'ail, hachée fin
45 mL	(*3 c. à table*) farine
250 mL	(*1 tasse*) bouillon de poulet
250 mL	(*1 tasse*) crème sure
5 mL	(*1 c. à thé*) paprika
3 mL	(*½ c. à thé*) poivre, concassé
5 mL	(*1 c. à thé*) sel

Faire chauffer l'huile dans une grande poêle. Y faire dorer le filet de porc. Retirer du feu et garder au chaud.

Mettre le beurre dans la poêle. Faire sauter les oignons, les champignons et l'ail jusqu'à tendres. Saupoudrer de farine. Faire cuire 2 minutes.

Ajouter le bouillon, la crème sure et les assaisonnements. Laisser mijoter 5 minutes. Mettre le porc dans la poêle. Laisser mijoter à feu doux 10 minutes.

Servir sur un lit de nouilles au beurre.

Filet de porc Diane

6 portions

60 mL	(*¼ tasse*) beurre
1 kg	(*2¼ lb*) filet de porc, en cubes
115 g	(*4 oz*) champignons, en tranches
6	oignons verts, émincés
60 mL	(*¼ tasse*) brandy
60 mL	(*¼ tasse*) sherry
500 mL	(*2 tasses*) sauce demi-glace (voir *Sauces*)
125 mL	(*½ tasse*) crème épaisse

Dans une poêle, faire chauffer le beurre. Y faire revenir les cubes de porc. Retirer du feu et garder au chaud.

Mettre les champignons et les oignons dans la poêle et faire cuire jusqu'à tendres.

Ajouter le brandy et flamber.

Ajouter le sherry et la sauce demi-glace. Laisser mijoter à feu doux 5 minutes.

Incorporer la crème en fouettant.

Mettre le porc dans la poêle et poursuivre la cuisson 3 minutes. Servir immédiatement.

Filet de porc Diane

Filet de porc et champignons Lucullus

6 portions

80 mL	(⅓ *tasse*) beurre
1 kg	(2¼ *lb*) filet de porc, en cubes
450 g	(1 *lb*) champignons, en tranches
30 mL	(2 *c. à table*) farine
250 mL	(1 *tasse*) sherry
500 mL	(2 *tasses*) crème épaisse
5 mL	(1 *c. à thé*) sel
5 mL	(1 *c. à thé*) paprika
1 mL	(¼ *c. à thé*) poivre

Préchauffer le four à 180°C (*350°F*).

Faire fondre le beurre dans une poêle. Y mettre le porc à dorer. Retirer du feu et garder au chaud dans une cocotte.

Faire sauter les champignons dans la poêle jusqu'à tendres. Saupoudrer de farine. Faire cuire 2 minutes.

Ajouter le sherry, la crème et les assaisonnements. Laisser mijoter 5 minutes.

Verser sur le porc. Couvrir et faire cuire au four 20 minutes. Servir.

Porc aux pommes

8 portions

900 g	(2 *lb*) jarret de porc, en cubes
3 mL	(½ *c. à thé*) sel
5 mL	(1 *c. à thé*) paprika
30 mL	(2 *c. à table*) huile
250 mL	(1 *tasse*) jus de pomme
250 mL	(1 *tasse*) sherry
4	pommes Granny Smith, pelées, évidées, tranchées
30 mL	(2 *c. à table*) farine
45 mL	(3 *c. à table*) eau
1 L	(4 *tasses*) riz, cuit et chaud

Enlever le gras de viande; assaisonner de sel et de paprika. Faire dorer dans l'huile.

Ajouter le jus de pomme et le sherry et laisser mijoter jusqu'à ce que la viande soit cuite.

Ajouter les pommes et poursuivre la cuisson 5 minutes de plus.

Faire une pâte avec la farine et l'eau. Incorporer à la sauce et laisser mijoter jusqu'à épaississement.

Verser sur le riz et servir.

Porc à la sauce aigre-douce

4 portions

1	œuf, battu
125 mL	(½ *tasse*) farine
3 mL	(½ *c. à thé*) sel
1 mL	(¼ *c. à thé*) poudre à pâte
310 mL	(1¼ *tasse*) eau
450 g	(1 *lb*) épaule de porc, en petits cubes
1 L	(4 *tasses*) huile
125 mL	(½ *tasse*) vinaigre
60 mL	(¼ *tasse*) cassonade
15 mL	(1 *c. à table*) mélasse
250 mL	(1 *tasse*) ananas en morceaux, égoutté
1	poivron vert, tranché
30 mL	(2 *c. à table*) fécule de maïs

Mélanger l'œuf avec la farine, le sel, la poudre à pâte et 60 mL (¼ *tasse*) d'eau.

Saler et poivrer légèrement le porc. Tremper les cubes de porc dans la pâte à frire et les faire dorer dans l'huile bouillante. Retirer et garder au chaud.

Dans une casserole, amener au point d'ébullition 180 mL (¾ *tasse*) d'eau, le vinaigre, la cassonade et la mélasse.

Ajouter l'ananas et le poivron vert; laisser mijoter 2 minutes.

Mélanger la fécule de maïs avec 60 mL (¼ *tasse*) d'eau. Incorporer à la sauce. Porter à ébullition et retirer du feu. Verser sur le porc en cubes et servir.

Porc aux pois mange-tout et aux amandes

Porc aux pois mange-tout et aux amandes

4 portions

60 mL	(¼ *tasse*) huile
450 g	(*1 lb*) porc maigre, en tranches fines
500 mL	(*2 tasses*) pois mange-tout
250 mL	(*1 tasse*) amandes, grillées
60 mL	(¼ *tasse*) sherry
15 mL	(*1 c. à table*) poudre de curry*
500 mL	(*2 tasses*) yogourt nature
1 L	(*4 tasses*) riz, cuit et chaud

Bien faire chauffer l'huile dans une grande poêle. Y faire frire rapidement le porc.

Ajouter les pois mange-tout et les amandes. Mélanger et faire cuire 1 minute.

Incorporer le sherry, la poudre de curry et le yogourt. Laisser mijoter 3 minutes. Servir sur du riz.

* Poudre de curry

15 mL	(*1 c. à table*) coriandre, moulu
15 mL	(*1 c. à table*) cumin, moulu
5 mL	(*1 c. à thé*) gingembre, moulu
10 mL	(*2 c. à thé*) curcuma
1 mL	(¼ *c. à thé*) poivre de Cayenne
1	pincée de poivre
8 mL	(1½ *c. à thé*) cardamome

Bien mélanger toutes les épices ensemble.

Boulettes de saucisse pour déjeuner

32 boulettes de 60 g (2 oz)

1,8 kg	(*4 lb*) porc haché
15 mL	(*1 c. à table*) sel
15 mL	(*1 c. à table*) de sauge, moulue
15 mL	(*1 c. à table*) poivre noir
10 mL	(*2 c. à thé*) origan, moulu
3 mL	(*1/2 c. à thé*) muscade
3 mL	(*1/2 c. à thé*) piment de la Jamaïque
3 mL	(*1/2 c. à thé*) gingembre
1 mL	(*1/4 c. à thé*) macis
15 mL	(*1 c. à table*) sucre
125 mL	(*1/2 tasse*) eau

Préchauffer le four à 230°C (*450°F*).

Bien combiner le porc et les assaisonnements au mélangeur.

Ajouter graduellement l'eau et mélanger après chaque addition. Façonner en boulettes.

Disposer sur une plaque à biscuits. Faire cuire au four 8 minutes ou jusqu'à bien cuit.

Côtes levées barbecue

8 portions

2,2 kg	(*5 lb*) côtes levées de porc
500 mL	(*2 tasses*) bière
2,5 L	(*10 tasses*) eau
1	oignon, en dés
2	carottes, en dés
2	branches de céleri, en dés
1	gousse d'ail, hachée fin
60 mL	(*1/4 tasse*) épices à marinade
10 mL	(*2 c. à thé*) sel
500 mL	(*2 tasses*) sauce barbecue (voir *Sauces*)

Dans une grande casserole, disposer les côtes levées. Couvrir de bière et d'eau.

Ajouter les légumes et les assaisonnements. Porter à ébullition, réduire le feu, laisser mijoter doucement 2 heures.

Préchauffer le four à 200°C (*400°F*).

Retirer les côtes levées et les passer sous l'eau froide. Lorsqu'il est possible de les tenir sans se brûler, retirer les membranes du dos. Disposer les côtes levées sur une plaque à biscuits.

Badigeonner de sauce barbecue et faire cuire au four 15 minutes ou faire cuire au barbecue en badigeonnant de sauce régulièrement. Servir chaud.

Côtes levées au gingembre et au miel

6 portions

1 kg	(*2 1/4 lb*) côtes levées
5 mL	(*1 c. à thé*) sel
5 mL	(*1 c. à thé*) gingembre, moulu
1 mL	(*1/4 c. à thé*) ail en poudre
60 mL	(*1/4 tasse*) sauce soja
250 mL	(*1 tasse*) miel liquide

Faire couper les côtes levées en portions individuelles.

Préchauffer le four à 180°C (*350°F*).

Saupoudrer les côtes levées de sel, de gingembre et d'ail en poudre.

Mélanger la sauce soja avec le miel. En badigeonner les côtes levées.

Faire cuire au four 1 1/2 heure ou jusqu'à très tendres, en arrosant souvent avec la sauce.

Cigares au chou

18 cigares ou 6 portions

1	chou
30 mL	(*2 c. à table*) graisse de bacon
250 mL	(*1 tasse*) oignons, en dés
2	gousses d'ail, hachées fin
450 g	(*1 lb*) porc maigre, haché
180 mL	(*¾ tasse*) riz, cuit
2	œufs, battus
30 mL	(*2 c. à table*) paprika
1 mL	(*¼ c. à thé*) origan
5 mL	(*1 c. à thé*) sel
5 mL	(*1 c. à thé*) poivre
450 g	(*1 lb*) choucroute
125 mL	(*½ tasse*) bouillon de poulet
125 mL	(*½ tasse*) purée de tomate
500 mL	(*2 tasses*) crème sure

Faire bouillir le chou jusqu'à ce que les feuilles soient suffisamment tendres pour être roulées.

Préchauffer le four à 180°C (*350°F*).

Faire chauffer la graisse de bacon et y faire revenir les oignons et l'ail. Mélanger le porc, les oignons et l'ail, le riz, les œufs et les assaisonnements.

Déposer de petites quantités de cette farce au milieu d'une feuille de chou et rouler.

Étendre la choucroute dans le fond d'une casserole. Couvrir avec les cigares au chou.

Mélanger le bouillon de poulet avec la purée de tomate. Verser sur les cigares.

Couvrir et faire cuire au four 1¾ heure. Servir avec de la crème sure.

1

Mélanger le porc haché, les oignons et l'ail dorés, le riz, les œufs et les assaisonnements.

2

Déposer de petites quantités de cette farce au milieu d'une feuille de chou et rouler.

3

Étendre la choucroute dans le fond d'une casserole et couvrir avec les cigares au chou.

4

Mélanger le bouillon de poulet et la purée de tomate et verser sur les cigares au chou.

Jambon Forêt Noire aux clous de girofle

8 portions

2,2 kg	(5 lb) jambon fumé Forêt Noire
20	clous de girofle
125 mL	(½ tasse) confiture d'abricots
125 mL	(½ tasse) gelée de raisin blanc ou de pomme
15 mL	(1 c. à table) moutarde de Dijon
375 mL	(1½ tasse) sucre brun cristallisé
1 mL	(¼ c. à thé) cannelle, moulue
1 mL	(¼ c. à thé) piment de la Jamaïque

Préchauffer le four à 160°C (325°F).

Pratiquer sur le jambon des incisions de 0,5 cm (⅛ po) de profondeur, entrecroisées. Piquer chaque losange d'un clou de girofle.

Dans une casserole, faire chauffer la confiture, la gelée, la moutarde, le sucre, la cannelle et le piment de la Jamaïque. Faire bouillir jusqu'à l'obtention d'une glace.

Laisser cuire le jambon au four 2¼ heures. Badigeonner avec la glace toutes les 5 minutes pendant la dernière demi-heure de cuisson. Servir.

Jambon Forêt Noire aux clous de girofle

Jambon glacé à l'abricot

8 portions

2,2 kg	(*5 lb*) jambon fumé, désossé
450 g	(*1 lb*) abricots, séchés
500 mL	(*2 tasses*) eau
125 mL	(*½ tasse*) cassonade
5 mL	(*1 c. à thé*) piment de la Jamaïque

Couvrir le jambon d'eau et le faire tremper toute la nuit au réfrigérateur (pour enlever l'excès de sel).

Dans une casserole, faire cuire les abricots, l'eau, la cassonade et le piment de Jamaïque. Réduire en purée. Laisser mijoter jusqu'à évaporation presque complète du liquide. Réserver.

Pratiquer sur le jambon des incisions de 0,5 cm (*⅛ po*) de profondeur, entrecroisées.

Disposer le jambon sur une plaque à rôtir et faire cuire au four 2¼ à 2½ heures.

Recouvrir de purée d'abricots une demi-heure avant la fin de la cuisson.

Jambon gratiné

Jambon gratiné

8 portions

8	tranches de jambon, non cuit, d'une épaisseur de 2,5 cm (*1 po*) chacune
	huile végétale
60 mL	(*¼ tasse*) beurre, ramolli
250 mL	(*1 tasse*) fromage cheddar fort, râpé
1	pincée de poivre de Cayenne
60 mL	(*¼ tasse*) ciboulette, hachée

Enduire les tranches de jambon d'huile. Mettre sous le gril 6 minutes de chaque côté ou jusqu'à bien cuit.

Mélanger le beurre, le fromage, le poivre de Cayenne et la ciboulette.

Étendre sur le jambon et faire légèrement dorer sous le gril.

Le veau, l'agneau et d'autres viandes

Les Nord-Américains n'ont jamais été aventureux dans la découverte des viandes. L'agneau, en particulier, est de loin le menu le plus populaire dans l'ensemble des autres pays du monde. Cependant, de plus en plus, nos meilleurs restaurants nous proposent des plats d'agneau qui sont bien appréciés. Et ces plats ne sont pas simplement le vieux refrain des côtelettes d'agneau, mais toute une variété de mets basés sur une gamme de coupes différentes : biftecks, gigot, rôti de longe, de selle, de couronne et d'épaule.

Cuisinez l'agneau comme vous le feriez pour le bœuf. Si vous préférez le bœuf saignant ou à point, il est fort possible que vous apprécierez l'agneau cuit de cette façon.

Le veau est une viande délicate, qui ne requiert que peu de cuisson. La viande de veau provient de jeunes qui n'ont pas plus de 14 semaines, mais en fait, elle est fort acceptable jusqu'à ce que l'animal atteigne l'âge d'un an.

Puisque le veau provient de jeunes animaux, ceux-ci n'ont pas eu le temps de développer beaucoup de graisse. La meilleure viande de veau est rose pâle. Plus foncée, elle provient d'animaux plus âgés.

Le veau est une viande relativement chère. Prenez donc garde aux côtelettes de veau à bas prix servies dans les restaurants de seconde classe. Il est fort possible que du porc ait été substitué à la place du veau.

Les viandes de gibier sont de plus en plus populaires et accessibles en Amérique du Nord. Elles varient agréablement vos plats de viande et ne sont pas compliquées à préparer. Consultez nos recettes à base de viandes de gibier lorsque vous voulez surprendre vos invités avec quelque chose de vraiment différent.

Médaillons de veau aux pleurotes avec sauce au brandy

Médaillons de veau aux pleurotes avec sauce au brandy

6 portions

900 g	(*2 lb*) filet de veau
60 mL	(*¼ tasse*) beurre
450 g	(*1 lb*) pleurotes
45 mL	(*3 c. à table*) brandy
45 mL	(*3 c. à table*) sherry
500 mL	(*2 tasses*) sauce demi-glace (voir *Sauces*)
125 mL	(*½ tasse*) crème épaisse

Découper le filet de veau en médaillons.

Faire sauter dans le beurre 2 minutes de chaque côté. Retirer du feu et garder au chaud dans le four.

Faire sauter les champignons dans le beurre jusqu'à tendres. Flamber avec le brandy.

Incorporer le sherry et la sauce demi-glace. Laisser mijoter 3 minutes.

Ajouter la crème et laisser mijoter 3 minutes de plus. Verser sur les médaillons; servir.

Médaillons de veau à la sauce aux crevettes

4 portions

30 mL	(*2 c. à table*) huile
30 mL	(*2 c. à table*) beurre
8	médaillons de veau de 90 g (*3 oz*) chacun
45 mL	(*3 c. à table*) farine
180 mL	(*¾ tasse*) bouillon de veau ou de poulet
125 mL	(*½ tasse*) crème épaisse
60 mL	(*¼ tasse*) sherry
3 mL	(*½ c. à thé*) sel
1 mL	(*¼ c. à thé*) poivre
180 mL	(*¾ tasse*) petites crevettes

Faire chauffer l'huile et le beurre dans une poêle à frire.

Y faire revenir le veau 3½ minutes de chaque côté. Disposer dans un plat allant au four et garder au chaud.

Verser la farine dans la poêle; faire cuire 2 minutes.

Ajouter le bouillon, la crème, le sherry et les assaisonnements. Laisser mijoter 2 minutes à feu doux.

Ajouter les crevettes et laisser mijoter 2 minutes de plus. Verser la sauce sur le veau. Servir immédiatement.

Piccata de veau

4 portions

4	escalopes de veau de 170 g (*6 oz*) chacune
30 mL	(*2 c. à table*) farine
60 mL	(*¼ tasse*) beurre
1	gousse d'ail, hachée fin
60 mL	(*¼ tasse*) sherry sec
15 mL	(*1 c. à table*) jus de citron
½	citron, tranché

Mettre les escalopes de veau entre deux feuilles de papier ciré; les aplatir très minces, puis les fariner.

Faire fondre le beurre et y faire revenir l'ail. Retirer l'ail et faire sauter le veau 2 ½ minutes de chaque côté. Retirer et garder au chaud.

Verser le sherry et le jus de citron dans la poêle; laisser mijoter 3 minutes.

Verser sur le veau. Garnir de tranches de citron et servir.

Escalopes de veau cordon bleu

8 portions

8	escalopes de veau d'environ 90 g (*3 oz*) chacune, aplaties à 0,5 cm (*⅛ po*) d'épaisseur
250 g	(*8 oz*) jambon Forêt Noire, en tranches fines
8	tranches de fromage suisse
125 mL	(*½ tasse*) farine tout usage
3	œufs, bien battus
30 mL	(*2 c. à table*) lait
500 mL	(*2 tasses*) chapelure
3 mL	(*½ c. à thé*) sel
3 mL	(*½ c. à thé*) poivre
	huile à friture
	sauce crémeuse aux champignons et au parmesan (voir *Sauces*)

Préchauffer le four à 200°C (*400°F*).

Sur chaque demi-escalope de veau, mettre 30 g (*1 oz*) de jambon et 1 tranche de fromage. Replier l'escalope et souder les bords en pinçant.

Fariner chaque escalope, les tremper dans le mélange d'œufs et de lait et les rouler dans la chapelure assaisonnée de sel et de poivre.

Mettre à frire dans 1 cm (*½ po*) d'huile chaude, environ 3 minutes de chaque côté.

Faire cuire au four environ 12 minutes, jusqu'à ce que l'extérieur soit croustillant.

Servir avec une sauce crémeuse aux champignons et au parmesan.

Escalopes de veau Velez

8 portions

8	escalopes de veau
125 mL	(*½ tasse*) farine tout usage
2	œufs, battus
180 mL	(*¾ tasse*) chapelure
5 mL	(*1 c. à thé*) sel
1	pincée de poivre
1	pincée de thym
1	pincée basilic séché
80 mL	(*⅓ tasse*) beurre
60 mL	(*¼ tasse*) huile végétale
450 g	(*1 lb*) jambon, en tranches fines
16	pointes d'asperge, cuites
500 mL	(*2 tasses*) fromage havarti, grossièrement râpé

Passer les escalopes dans la farine, puis dans les œufs battus, les rouler dans un mélange de chapelure, de sel, de poivre, de thym et de basilic.

Faire chauffer le beurre et l'huile dans une grande poêle. Y faire revenir les escalopes à feu vif, environ 2½ minutes de chaque côté.

Couvrir chaque escalope avec 60 g (*2 oz*) de jambon et 2 pointes d'asperges. Parsemer de fromage râpé; mettre sous le gril jusqu'à ce que le fromage soit fondu.

Escalopes de veau Velez

Veau John B. Hoyle

8 portions

8	escalopes de veau de 150 g (*5 oz*) chacune, aplaties à 0,5 cm (*⅛ po*) d'épaisseur
225 g	(*½ lb*) petites crevettes, cuites
2	pommes Granny Smith, pelées, évidées et hachées
500 mL	(*2 tasses*) fromage colby, râpé
	sel et poivre, au goût
60 mL	(*¼ tasse*) beurre, fondu
330 mL	(*1⅓ tasse*) sauce Mornay (voir *Sauces*)

Préchauffer le four à 180°C (*350°F*).

Couvrir chaque escalope de crevettes, de pommes hachées et de fromage. Rouler serré et disposer sur une plaque à biscuits peu profonde, pli en dessous. Assaisonner et badigeonner avec du beurre fondu.

Couvrir; faire cuire au four 15 à 20 minutes ou jusqu'à ce que le veau soit bien cuit.

Dresser les rouleaux sur un plat de service et napper de sauce Mornay.

Veau à la carte

6 portions

6	côtelettes de veau de 170 g (*6 oz*) chacune
2	œufs
125 mL	(*½ tasse*) lait
125 mL	(*½ tasse*) farine
500 mL	(*2 tasses*) chapelure assaisonnée
80 mL	(*⅓ tasse*) beurre
225 g	(*8 oz*) petites crevettes
250 mL	(*1 tasse*) asperges, blanchies 5 minutes
1	recette de sauce béarnaise (voir *Sauces*)

Aplatir les côtelettes de veau entre 2 feuilles de papier ciré.

Mélanger les œufs avec le lait.

Fariner les côtelettes, les tremper dans le mélange d'œufs et les rouler dans la chapelure.

Les faire revenir dans le beurre chaud, 2 ½ minutes de chaque côté.

Disposer sur une plaque à biscuits.

Couvrir chaque côtelette de crevettes, d'asperges et de sauce béarnaise. Mettre sous le gril et faire légèrement brunir, environ 30 secondes.

Côtelettes de veau en papillotes

4 portions

45 mL	(*3 c. à table*) beurre
250 mL	(*1 tasse*) oignons, hachés fin
170 g	(*6 oz*) champignons, en tranches
45 mL	(*3 c. à table*) farine
125 mL	(*½ tasse*) crème légère
1 mL	(*¼ c. à thé*) poivre
3 mL	(*½ c. à thé*) sel
60 mL	(*¼ tasse*) huile
4	côtelettes de veau de 170 g (*6 oz*) chacune
8	tranches de jambon de 30 g (*1 oz*) chacune
8	papillotes en papier ciré (un peu plus grandes que les côtelettes)

Préchauffer le four à 230°C (*450°F*).

Faire chauffer le beurre dans une casserole. Y faire revenir les oignons et les champignons jusqu'à ce que tout le liquide se soit évaporé.

Ajouter la farine et faire cuire 2 minutes.

Ajouter la crème et les assaisonnements. Laisser mijoter jusqu'à épaississement.

Mettre 45 mL (*3 c. à table*) d'huile dans une poêle. Y faire revenir les côtelettes.

Badigeonner 4 papillotes en papier ciré avec le reste d'huile. Disposer 1 tranche de jambon sur chacune des papillotes. Couvrir de sauce, puis d'une côtelette. Napper la côtelette de sauce et couvrir d'une autre tranche de jambon.

Poser les 4 autres papillotes de papier ciré sur le jambon et souder les bords en roulant le papier vers le haut. Faire cuire au four 10 minutes ou jusqu'à ce que les papillotes soient gonflées et dorées. Servir immédiatement.

Escalopes de veau Hélèna

6 portions

6	escalopes de veau
284 g	(*10 oz*) épinards
170 g	(*6 oz*) fromage havarti
170 g	(*6 oz*) saumon fumé
45 mL	(*3 c. à table*) beurre
500 mL	(*2 tasses*) sauce veloutée au poulet (voir *Sauces*)

Préchauffer le four à 180°C (*350°F*).

Aplatir le veau. Hacher finement les épinards.

Disposer 45 g (*1½ oz*) d'épinards, 30 g (*1 oz*) de fromage et 30 g (*1 oz*) de saumon sur chaque escalope.

Rouler les escalopes et les fixer avec des cure-dents. Les badigeonner avec le beurre, et faire cuire au four 18 minutes.

Découper les escalopes, les napper de sauce veloutée et servir.

Escalopes de veau Hélèna et Côtelettes de veau en papillotes

Veau sauvage

8 portions

1,3 kg	(*3 lb*) rôti d'épaule de veau, désossé et ficelé
	sel et poivre
225 g	(*½ lb*) pleurotes
225 g	(*½ lb*) morilles
225 g	(*½ lb*) chanterelles
60 mL	(*¼ tasse*) beurre
60 mL	(*¼ tasse*) sherry
500 mL	(*2 tasses*) sauce demi-glace (voir *Sauces*)
250 mL	(*1 tasse*) crème épaisse

Préchauffer le four à 180°C (*350°F*).

Frotter le rôti avec les assaisonnements et faire rôtir environ 1¼ heure.

Faire sauter les champignons dans du beurre et réserver.

Retirer le rôti du plat. Dégraisser le jus de cuisson; y verser le sherry, la sauce demi-glace et la crème et laisser mijoter 10 minutes.

Ajouter les champignons et poursuivre la cuisson 3 minutes.

Présenter le rôti accompagné de la sauce.

Servir avec des pommes de terre, des petits pois frais, du brocoli ou des légumes en julienne.

Veau sauvage

Veau pizzaïola

-8 portions

60 mL	(*¼ tasse*) huile
1 kg	(*2¼ lb*) veau, en lanières de 5 cm (*2 po*)
1	oignon, en petits dés
2	branches de céleri, en petits dés
1	petit poivron vert, en petits dés
750 mL	(*3 tasses*) tomates, pelées, épépinées et hachées
3	gousses d'ail, écrasées
30 mL	(*2 c. à table*) origan, haché
1 mL	(*¼ c. à thé*) sel
1	pincée de poivre

Faire chauffer l'huile dans une grande poêle à frire. Y faire revenir le veau.

Ajouter l'oignon, le céleri et le poivron vert. Faire sauter 2 minutes. Ajouter les tomates, l'ail et les assaisonnements. Réduire le feu et laisser mijoter 20 à 30 minutes.

Servir avec des linguine au beurre.

Blanquette de veau

Blanquette de veau

6 portions

675 g	(1½ lb) épaule de veau, en cubes
1 L	(4 tasses) bouillon de poulet (voir Soupes)
15 mL	(1 c. à table) sel
1 mL	(¼ c. à thé) thym
1	feuille de laurier
20	petits oignons blancs
4	carottes, en julienne
30 mL	(2 c. à table) beurre
30 mL	(2 c. à table) farine
30 mL	(2 c. à table) jus de citron
2	jaunes d'œufs
1	pincée de poivre de Cayenne
15 mL	(1 c. à table) persil, haché

Dans une cocotte, mettre le veau, le bouillon, le sel, le thym, la feuille de laurier.

Couvrir et laisser mijoter 1¼ heure. Ajouter les oignons et les carottes; faire cuire 15 minutes. Prélever 500 mL (2 tasses) de liquide.

Faire fondre le beurre dans une petite casserole. Ajouter la farine et faire cuire 3 minutes sans laisser brunir.

Ajouter lentement les 500 mL (2 tasses) de liquide en remuant, jusqu'à épaississement.

Fouetter le jus de citron dans les jaunes d'œufs. Incorporer à la sauce. NE PAS FAIRE BOUILLIR.

Ajouter la sauce au veau. Ne pas faire bouillir. Ajouter le poivre de Cayenne. Verser sur un plat de service; garnir de persil.

Servir avec des nouilles aux œufs.

Boulettes de veau

4 portions

2	tranches de bacon, hachées fin
1	oignon, haché fin
450 g	(*1 lb*) veau haché
1 mL	(*¼ c. à thé*) thym
1 mL	(*¼ c. à thé*) origan, séché
1 mL	(*¼ c. à thé*) basilic, séché
1 mL	(*¼ c. à thé*) ail en poudre
5 mL	(*1 c. à thé*) sel
1	œuf
125 mL	(*½ tasse*) chapelure
250 mL	(*1 tasse*) fromage parmesan râpé
30 mL	(*2 c. à table*) huile végétale
125 mL	(*½ tasse*) bouillon de bœuf (voir *Soupes*)
125 mL	(*½ tasse*) vin blanc
30 mL	(*2 c. à table*) persil, haché fin
	nouilles ou riz, cuits et chauds

Boulettes de veau

Dans une grande poêle, faire cuire le bacon jusqu'à tendre; réserver.

Dans la graisse de bacon, faire revenir l'oignon jusqu'à tendre.

Combiner le bacon, l'oignon, le veau, les assaisonnements, l'œuf, la chapelure et le fromage; bien mélanger avec les doigts.

Façonner en boulettes de 2,5 cm (*1 po*) de diamètre.

Faire dorer dans la graisse de bacon, en ajoutant de l'huile végétale au besoin, jusqu'à ce que la surface des boulettes soit croustillante; enlever le surplus de graisse.

Ajouter le bouillon de bœuf et le vin; laisser mijoter, sans couvrir, 15 à 20 minutes ou jusqu'à ce que les boulettes soient bien cuites.

Disposer sur les nouilles ou le riz chauds; arroser avec la moitié du bouillon et parsemer de persil.

Croquettes de veau

6 portions

675 g	(1½ lb) veau, haché
30 mL	(2 c. à table) huile
45 mL	(3 c. à table) beurre
3	champignons, hachés fin
45 mL	(3 c. à table) farine
250 mL	(1 tasse) crème épaisse
125 mL	(½ tasse) bouillon de bœuf (voir Soupes)
15 mL	(1 c. à table) persil frais
1 mL	(¼ c. à thé) muscade
1 mL	(¼ c. à thé) sel
1 mL	(¼ c. à thé) poivre
175 g	(6 oz) fromage suisse
1 mL	(¼ c. à thé) sel
1 mL	(¼ c. à thé) poivre
500 mL	(2 tasses) chapelure
60 mL	(¼ tasse) farine
2	œufs, bien battus
	huile pour friture

Faire revenir le veau dans l'huile et la moitié du beurre jusqu'à ce qu'il ne soit plus rose; enlever le surplus de graisse, égoutter et réserver la viande.

Faire sauter les champignons dans le reste de beurre et incorporer 45 mL (3 c. à table) de farine. Ajouter la crème, le bouillon, le persil, la muscade, le sel et le poivre; faire mijoter en remuant jusqu'à épaississement. Incorporer la viande; laisser refroidir complètement.

Couper le fromage en 6 bâtonnets. Serrer le mélange de viande autour de chaque bâtonnet. Rouler chaque croquette dans la farine, puis dans les œufs et dans la chapelure assaisonnée de sel et de poivre.

Faire dorer dans l'huile chaude, à 190°C (375°F).

Carré d'Agneau

Carré d'agneau

1 portion

1	carré d'agneau
30 mL	(2 c. à table) moutarde de Dijon
60 mL	(¼ tasse) noisettes, moulues
30 mL	(2 c. à table) chapelure
15 mL	(1 c. à table) fromage romano
15 mL	(1 c. à table) beurre fondu

Demander au boucher d'enlever l'os de dos du carré d'agneau.

Préchauffer le four à 200°C (400°F).

Enlever le gras du carré d'agneau. Couper la viande à partir du haut, entre chaque côte. Faire craquer les os aux jointures.

Badigeonner la viande avec la moutarde.

Mélanger les noix, la chapelure et le fromage. En couvrir entièrement la viande. Arroser de beurre fondu. Faire rôtir au four 30 minutes.

Servir avec de la gelée à la menthe ou une sauce béarnaise.

Carré d'agneau rôti

1 portion

1	carré d'agneau
30 mL	(*2 c. à table*) huile d'olive
3 mL	(*½ c. à thé*) romarin
3 mL	(*½ c. à thé*) poivre écrasé
1 mL	(*¼ c. à thé*) origan
1 mL	(*¼ c. à thé*) basilic
1 mL	(*¼ c. à thé*) paprika
5 mL	(*1 c. à thé*) gros sel

Compote de pommes à la menthe (*par portion*)

15 mL	(*1 c. à table*) beurre
30 mL	(*2 c. à table*) cassonade
125 mL	(*½ tasse*) pommes, épluchées, évidées et en dés
8 mL	(*1½ c. à thé*) menthe fraîche, hachée
60 mL	(*¼ tasse*) jus de pomme

Demander au boucher d'enlever l'os de dos du carré d'agneau.

Préchauffer le four à 200°C (*400°F*).

Enlever le gras du carré d'agneau. Couper la viande à partir du haut, entre chaque côte. Faire craquer les os aux jointures. Badigeonner la viande d'huile d'olive. Saupoudrer avec les assaisonnements et le sel.

Faire rôtir au four pendant 30 minutes. Servir avec la compote de pommes à la menthe.

Pour la compote de pommes à la menthe, faire chauffer le beurre dans une casserole. Ajouter le sucre et laisser caraméliser. Ajouter les pommes, la menthe et le jus de pomme. Laisser mijoter 5 à 6 minutes.

Servir avec le carré d'agneau rôti.

Pain d'agneau sauce chasseur

8 portions

1 kg	(*2¼ lb*) veau maigre, haché
125 mL	(*½ tasse*) chapelure
2	œufs
5 mL	(*1 c. à thé*) sel
3 mL	(*½ c. à thé*) poivre
15 mL	(*1 c. à table*) ciboulette, hachée
15 mL	(*1 c. à table*) persil, haché
3 mL	(*½ c. à thé*) basilic
5 mL	(*1 c. à thé*) zeste de citron, râpé
	sauce chasseur (voir *Sauces*)

Préchauffer le four à 180°C (*350°F*).

Dans un grand bol, mélanger l'agneau, la chapelure et les œufs. Ajouter les assaisonnements et le zeste de citron. Bien mélanger. Façonner en pain. Faire cuire au four 60 minutes. Sortir du four et servir avec une sauce chasseur.

Rôti d'agneau de Nouvelle-Zélande

8 portions

2,2 kg	(*5 lb*) épaule d'agneau, désossée, roulée et ficelée
60 mL	(*¼ tasse*) huile
10 mL	(*2 c. à thé*) sel
3 mL	(*½ c. à thé*) poivre noir
500 mL	(*2 tasses*) sauce moutardée au miel (voir *Sauces*)

Préchauffer le four à 180°C (*350°F*).

Frotter l'agneau avec l'huile. Saler et poivrer.

Faire rôtir au four 1 ½ heure. Pendant les 15 dernières minutes de cuisson, badigeonner de sauce toutes les 5 minutes, puis encore une fois juste avant de servir.

Servir le reste de sauce avec le rôti.

Brochettes flambées

6 portions

10 mL	(*2 c. à thé*) ail, en poudre
3 mL	(*½ c. à thé*) basilic
3 mL	(*½ c. à thé*) origan
10 mL	(*2 c. à thé*) sel
3 mL	(*½ c. à thé*) coriandre
3 mL	(*½ c. à thé*) cumin
1 mL	(*¼ c. à thé*) curcuma
1	pincée de gingembre
250 mL	(*1 tasse*) sherry
80 mL	(*⅓ tasse*) huile d'olive
15 mL	(*1 c. à table*) jus de citron
1 kg	(*2¼ lb*) agneau, en cubes de 4 cm (*1½ po*)
80 mL	(*⅓ tasse*) brandy

Mélanger tous les assaisonnements avec le sherry, l'huile et le jus de citron. Ajouter l'agneau en cubes.

Laisser mariner 8 heures ou plus. Enfiler la viande sur les brochettes. Laisser de petits espaces entre chaque morceau. Faire griller 3 minutes de chaque côté, de préférence sur un barbecue.

Disposer les brochettes sur un plat de service lorsqu'elles sont cuites. Arroser de brandy. Flamber et servir.

Escalopes d'agneau aux fines herbes et au fromage

6 portions

6	escalopes d'agneau de 115 g (*4 oz*) chacune
3 mL	(*½ c. à thé*) basilic
3 mL	(*½ c. à thé*) marjolaine
5 mL	(*1 c. à thé*) ciboulette, hachée
3 mL	(*½ c. à thé*) poivre, concassé
340 g	(*12 oz*) fromage à la crème
1	œuf
60 mL	(*¼ tasse*) lait
80 mL	(*⅓ tasse*) farine
500 mL	(*2 tasses*) chapelure
125 mL	(*½ tasse*) huile
500 mL	(*2 tasses*) sauce Mornay (voir *Sauces*)

Préchauffer le four à 180°C (*350°F*).

Aplatir les escalopes d'agneau très minces.

Mélanger les fines herbes et le poivre avec le fromage.

Déposer 60 g (*2 oz*) de ce mélange sur chaque côtelette. Enrouler la viande autour du fromage.

Mélanger l'œuf et le lait.

Fariner les escalopes; les tremper dans le lait et les rouler dans la chapelure.

Faire chauffer l'huile dans une poêle à frire. Y faire revenir les escalopes. Dresser sur une plaque à biscuits. Faire cuire au four 12 minutes.

Entre-temps, faire chauffer la sauce Mornay; servir avec les escalopes.

1

Aplatir les escalopes d'agneau très minces. Mélanger les fines herbes et le poivre au fromage à la crème.

2

Déposer 60 g (*2 oz*) de mélange au fromage sur chaque escalope.

3

Enrouler la viande autour du fromage.

4

Faire cuire les escalopes panées au four, 12 minutes.

Côtelettes d'agneau à la provençale

d'agneau 5 minutes de chaque côté.

Servir très chaud.

Côtelettes d'agneau à la crème aux champignons et aux amandes

4 portions

8	côtelettes d'agneau de 85 g (*3 oz*) chacune
1	pincée de sel et de poivre
60 mL	(*¼ tasse*) beurre
115 g	(*4 oz*) champignons, en tranches
45 mL	(*3 c. à table*) farine
250 mL	(*1 tasse*) bouillon de poulet (voir *Soupes*)
250 mL	(*1 tasse*) crème épaisse
60 mL	(*¼ tasse*) amandes, blanchies et moulues
3 mL	(*½ c. à thé*) extrait d'amande
125 mL	(*½ tasse*) amandes effilées, grillées

Faire revenir les côtelettes 3 minutes de chaque côté. Saler et poivrer. Réserver au chaud.

Faire chauffer le beurre dans une casserole. Y faire revenir les champignons jusqu'à tendres. Saupoudrer de farine. Faire cuire 2 minutes. Ajouter le bouillon de poulet et la crème. Laisser mijoter 5 minutes.

Ajouter l'extrait d'amande et les amandes moulues; laisser mijoter 10 autres minutes.

Parsemer d'amandes grillées.

Dresser les côtelettes sur un plat de service. Servir avec la sauce.

Côtelettes d'agneau à la provençale

3 portions

3 mL	(*½ c. à thé*) sel
1 mL	(*¼ c. à thé*) thym
1 mL	(*¼ c. à thé*) marjolaine
1 mL	(*¼ c. à thé*) poivre noir
6	côtelettes d'agneau dans le filet
60 mL	(*¼ tasse*) lait
1	œuf
60 mL	(*¼ tasse*) farine
250 mL	(*1 tasse*) chapelure
30 mL	(*2 c. à table*) huile d'olive
30 mL	(*2 c. à table*) beurre

Mélanger le sel et les assaisonnements. En frotter les côtelettes.

Mélanger le lait et l'œuf.

Fariner les côtelettes, les tremper dans l'œuf puis les rouler dans la chapelure.

Faire chauffer l'huile et le beurre. Y faire revenir les côtelettes

Biftecks de chevreuil Baden Baden

6 portions

6	biftecks de chevreuil dans le filet
45 mL	*(3 c. à table)* beurre
45 mL	*(3 c. à table)* huile
2	poires
125 mL	*(½ tasse)* canneberges
500 mL	*(2 tasses)* sauce chasseur (voir *Sauces*)

Faire revenir les biftecks dans le beurre et l'huile chauds, selon le degré de cuisson désiré.

Retirer du feu; garder le jus de cuisson et les biftecks au chaud.

Peler, vider et couper les poires en dés.

Faire sauter les poires et les canneberges dans le jus de cuisson jusqu'à tendres.

Ajouter la sauce chasseur et laisser mijoter 5 minutes. Verser sur les biftecks et servir.

Biftecks de chevreuil Baden Baden

Biftecks de chevreuil

4 portions

4	biftecks de chevreuil de 170 g *(6 oz)* chacun
45 mL	*(3 c. à table)* huile
10 mL	*(2 c. à thé)* sel
3 mL	*(½ c. à thé)* poivre
3 mL	*(½ c. à thé)* paprika

Sauce

30 mL	*(2 c. à table)* beurre
80 mL	*(⅓ tasse)* oignons, hachés fin
80 mL	*(⅓ tasse)* carottes, râpées
500 mL	*(2 tasses)* sauce espagnole (voir *Sauces*)
125 mL	*(½ tasse)* vin rouge
1	pincée de clous de girofle, moulus
15 mL	*(1 c. à table)* jus de citron
60 mL	*(¼ tasse)* confiture de groseilles rouges
80 mL	*(⅓ tasse)* crème légère
45 mL	*(3 c. à table)* persil, haché

Badigeonner les biftecks d'huile. Assaisonner; faire cuire selon le degré de cuisson désiré, puis garder au chaud.

Pour la sauce, faire fondre le beurre dans une casserole.

Y faire revenir les oignons et les carottes jusqu'à tendres. Ajouter la sauce espagnole, le vin, les clous de girofle et le jus de citron. Laisser réduire de la moitié.

Incorporer la confiture, ajouter la crème, parsemer de persil et servir avec le bifteck.

Filets de bison, sauce au poivre en grains

6 portions

6	filets de bison de 170 g (*6 oz*) chacun
250 mL	(*1 tasse*) sauce demi-glace (voir *Sauces*)
60 mL	(*¼ tasse*) sherry
80 mL	(*⅓ tasse*) crème épaisse
60 mL	(*¼ tasse*) confiture de groseilles rouges
15 mL	(*1 c. à table*) poivre vert en grains

Faire griller les filets au barbecue selon le degré de cuisson désiré.

Faire chauffer la sauce demi-glace dans une casserole. Ajouter le sherry et laisser réduire de moitié.

Ajouter la crème et la confiture et laisser mijoter 3 minutes.

Ajouter le poivre en grains. Verser sur les biftecks.

Hamburgers de bison

8 portions

1 kg	(*2¼ lb*) viande de bison, hachée
250 mL	(*1 tasse*) chapelure
2	œufs
5 mL	(*1 c. à thé*) sel
3 mL	(*½ c. à thé*) poivre
15 mL	(*1 c. à table*) sauce anglaise
5 mL	(*1 c. à table*) basilic
5 mL	(*1 c. à table*) paprika

Dans un grand bol, mélanger la viande de bison, la chapelure, les œufs et les assaisonnements. Façonner en boulettes.

Faire griller sur charbon de bois selon le degré de cuisson désiré.

Biftecks de bison braisés aux champignons

6 portions

1 kg	(*2¼ lb*) biftecks de bison dans la noix
1	œuf, légèrement battu
45 mL	(*3 c. à table*) lait
500 mL	(*2 tasses*) chapelure, assaisonnée
60 mL	(*¼ tasse*) huile, légère
284 mL	(*10 oz*) champignons, en conserve, avec le liquide
15 mL	(*1 c. à table*) farine

Découper des biftecks individuels de 2,5 cm (*1 po*) d'épaisseur.

Les tremper dans un mélange d'œuf et de lait, puis dans la chapelure.

Faire chauffer l'huile dans une grande poêle. Y faire revenir les biftecks 2½ minutes de chaque côté.

Verser les champignons sur les biftecks, avec le liquide. Couvrir et laisser mijoter 45 minutes.

Diluer la farine dans un peu d'eau; incorporer à la sauce petit à petit.

Laisser mijoter jusqu'à épaississement. Servir immédiatement.

Rôti d'orignal

6 à 8 portions

450 g	(*1 lb*) porc salé (facultatif)
1,8 kg	(*4 lb*) rôti de croupe d'orignal
15 mL	(*1 c. à table*) moutarde sèche
10 mL	(*2 c. à thé*) sel
5 mL	(*1 c. à thé*) poivre
2	oignons, en tranches
2	carottes, hachées
2	branches de céleri, hachées
500 mL	(*2 tasses*) tomates, épépinées, hachées et égouttées

Aplatir le porc salé très mince. L'utiliser pour envelopper le rôti. Mettre au réfrigérateur 10 heures ou plus.*

Préchauffer le four à 150°C (*300°F*).

Enlever et jeter le porc salé. Frotter le rôti avec la moutarde sèche, saler et poivrer.

Disposer sur une plaque à rôtir. Entourer avec les légumes. Mettre les tomates sur les légumes.

Couvrir et faire cuire au four 2 heures pour une viande cuite à point. Pour une viande bien cuite, poursuivre la cuisson 35 à 45 minutes.

Cela permet d'éliminer une odeur trop forte de gibier qui pourrait affecter le goût. Cette odeur est due à l'alimentation de l'animal et non à son âge.

Rôti d'orignal

Lapin aux pruneaux

3 portions

80 mL	(⅓ tasse) beurre
45 mL	(3 c. à table) huile
1	lapin de 1,5 kg (3½ lb)
3	grosses carottes, en gros dés
1	oignon moyen, en gros dés
750 g	(1½ lb) pruneaux, dénoyautés
375 mL	(1½ tasse) sherry
5 mL	(1 c. à thé) basilic
5 mL	(1 c. à thé) persil
1 mL	(¼ c. à thé) poivre noir
45 mL	(3 c. à table) farine

Dans une grande casserole ou dans un faitout, faire chauffer la moitié du beurre et l'huile.

Faire revenir le lapin sur tous les cotés. Retirer du feu et garder au chaud.

Ajouter les carottes et l'oignon; faire revenir jusqu'à tendres. Ajouter les pruneaux et le sherry. Remettre le lapin dans la casserole, ajouter les fines herbes et le poivre, couvrir et laisser mijoter 45 minutes.

Retirer le lapin de la casserole et garder au chaud.

Mélanger le reste de beurre avec la farine.

Incorporer progressivement au liquide de cuisson, en fouettant. Laisser mijoter jusqu'à épaississement.

Verser sur le lapin et servir.

Ragoût de lapin et d'huîtres

3 portions

1	lapin de 1,5 kg (3½ lb)
60 mL	(¼ tasse) farine
3 mL	(½ c. à thé) sel
250 mL	(1 tasse) bouillon de poulet, chaud (voir *Soupes*)
250 mL	(1 tasse) crème épaisse
500 mL	(2 tasses) huîtres
30 mL	(2 c. à table) beurre

Préchauffer le four à 180°C (*350°F*).

Fariner le lapin.

Disposer dans une grosse cocotte. Saler et arroser de bouillon. Couvrir et faire cuire au four 1 heure.

Ajouter la crème, les huîtres et des noisettes de beurre.

Couvrir et poursuivre la cuisson 15 minutes.

Lapin à la provençale

6 portions

2	lapins de 1,5 kg (3½ lb) chacun
22 mL	(1½ c. à table) huile
22 mL	(1½ c. à table) beurre
115 g	(¼ lb) bacon, en dés
1	gousse d'ail, hachée fin
1	gros oignon, en dés
2	poivrons verts, en dés
115 g	(¼ lb) champignons
450 g	(1 lb) tomates, pelées, épépinées et hachées
5 mL	(1 c. à thé) basilic
5 mL	(1 c. à thé) thym
5 mL	(1 c. à thé) marjolaine
15 mL	(1 c. à table) persil
15 mL	(1 c. à table) moutarde de Dijon

Préchauffer le four à 160°C (*325°F*).

Découper les lapins en portions. Faire chauffer l'huile et le beurre dans une grande poêle.

Y faire dorer l'un après l'autre le bacon, le lapin, puis les légumes. Disposer au fur et à mesure de leur cuisson dans la cocotte.

Couvrir de tomates. Parsemer de fines herbes; incorporer la moutarde. Faire cuire au four 1¼ à 1½ heure.

Lapin au paprika avec nouilles au carvi

Lapin au paprika avec nouilles au carvi

6 portions

10 mL	(*2 c. à thé*) sel
10 mL	(*2 c. à thé*) poivre
250 mL	(*1 tasse*) farine
2	lapins, chacun découpé en 6
125 mL	(*1/2 tasse*) beurre
15 mL	(*1 c. à table*) paprika
375 mL	(*1 1/2 tasse*) crème épaisse
60 mL	(*1/4 tasse*) sherry
750 mL	(*3 tasses*) nouilles aux oeufs
10 mL	(*2 c. à thé*) graines de carvi

Mélanger le sel, le poivre et la farine. Rouler le lapin dans la farine.

Faire chauffer la moitié du beurre dans une grosse poêle et y faire revenir le lapin.

Mélanger le paprika avec la crème. Arroser le lapin de sherry, puis ajouter la crème. Réduire le feu à doux; laisser mijoter 1 heure. Il peut être nécessaire d'ajouter un peu d'eau à mi-cuisson.

Faire cuire les nouilles aux oeufs «al dente» dans de l'eau salée bouillante. Égoutter.

Incorporer le reste de beurre et parsemer de graines de carvi. Servir avec le lapin.

Les poissons et les fruits de mer

De nos jours, nous consommons de plus en plus de poissons et de fruits de mer. Quel que soit l'endroit où nous vivons, grâce aux modes de transport modernisés, il nous est maintenant possible de nous procurer des poissons et des fruits de mer frais, à tout moment de l'année. Du reste, bien peu de gens n'aiment pas au moins le goût de quelques poissons. Même les végétariens l'apprécient souvent !

De plus, le poisson est excellent pour la santé; il est riche en protéines, et faible en kilocalories et en gras saturé.

Personnellement, j'apprécie tout particulièrement la saveur délicieuse du poisson qui sait si bien m'inspirer pour créer des nouvelles recettes.

Ce chapitre vous offre des recettes de poissons et de fruits de mer, toutes plus délicieuses les unes que les autres. Certaines se démarquent par leur richesse et leur élégance, d'autres par leur préparation qui est d'une simplicité surprenante.

Quelle que soit la recette que vous choisisiez, rappelez-vous qu'avant toute chose, votre poisson doit être d'une fraîcheur absolue. Si vous ne pouvez servir votre poisson le jour même, gardez-le dans la partie la plus froide de votre réfrigérateur. Rappelez-vous que les fruits de mer se conservent mieux sur un lit de glace concassée.

Comment choisir les poissons

Les pêcheurs vous diront, à juste titre, que le meilleur poisson est celui que l'on pêche et que l'on fait cuire aussitôt dans la poêle.

Ceux qui demeurent au bord de la mer ont la chance d'acheter leur poisson directement des pêcheurs, lorsque ceux-ci reviennent au port. Mais lorsque cela est impossible, voici quelques conseils à suivre pour vous assurer que votre poisson est bien frais :

1. Le poisson frais ne doit pas avoir une odeur forte ou désagréable.
2. La peau doit être brillante, les écailles serrées les unes contre les autres. Les yeux seront ronds et brillants et les ouïes bien rouge ou d'un rose soutenu.
3. La chair doit être ferme au toucher.

Conseils de base pour la cuisson du poisson

Quelle que soit la sorte de poisson ou la méthode de cuisson choisie, calculez 10 minutes de cuisson par 2,5 cm (*1 po*) d'épaisseur (en mesurant la partie la plus étroite du poisson). Il est préférable de faire cuire le poisson à la poêle, à la vapeur, au four ou en friture. Le poisson cuit dans l'eau a tendance à se dessécher.

Donc, si vous devez faire pocher votre poisson, utilisez un fumet de poisson ou un court-bouillon (voir *Soupes*).

Filets de saumon sauce aux framboises, aux kiwis et au poivre vert en grains

Filets de saumon, sauce aux framboises, aux kiwis et au poivre vert en grains

4 portions

4	filets de saumon
15 mL	(*1 c. à table*) beurre, fondu
125 mL	(*½ tasse*) crème épaisse
250 mL	(*1 tasse*) framboises
60 mL	(*¼ tasse*) sucre
15 mL	(*1 c. à table*) poivre vert en grains
2	kiwis

Préchauffer le four à 180°C (*350°F*).

Badigeonner le saumon de beurre fondu et le faire cuire au four 12 à 15 minutes.

Dans une casserole, faire chauffer la crème, les framboises, le sucre et le poivre vert en grains. Laisser mijoter 5 minutes. Éplucher les kiwis et les hacher; les ajouter à la sauce.

Sortir le saumon du four.

Dresser les filets dans les assiettes, napper de sauce et servir.

Pommes farcies au saumon fumé

6 portions

6	très grosses pommes
450 g	(*1 lb*) épinards, frais
125 mL	(*½ tasse*) beurre
45 mL	(*3 c. à table*) farine tout usage
15 mL	(*1 c. à table*) basilic, séché
625 mL	(*2 ½ tasses*) crème épaisse
2	jaunes d'œufs
125 mL	(*½ tasse*) fromage havarti, râpé
450 g	(*1 lb*) saumon fumé

Préchauffer le four à 180°C (*350°F*).

Découper une calotte de 1,5 cm (*½ po*) sur le dessus de chaque pomme et réserver. Évider la pomme en laissant 0,5 cm (*¼ po*) de pulpe contre la peau. Prendre soin de ne pas percer la peau. Disposer les pommes sur une plaque à biscuits.

Saisir rapidement les épinards à feu vif, dans 60 mL (*¼ tasse*) de beurre. Hacher et réserver. Faire fondre le reste de beurre et y incorporer la farine. Ajouter le basilic et 500 mL (*2 tasses*) de crème; laisser mijoter jusqu'à épaississement. Fouetter les jaunes d'œufs dans le reste de crème et incorporer à la sauce. Ajouter le fromage, mélanger et réserver.

Disposer la moitié du saumon au fond des pommes. Ajouter ensuite les épinards avec une cuillère, et couvrir avec le reste de saumon. Remplir avec la sauce.

Remettre la calotte sur les pommes et faire cuire au four jusqu'à ce que la peau soit tendre, 15 à 20 minutes.

Servir avec un mélange de riz pilaf, de maïs en grains et de piments doux rôtis ou avec des scones au fromage.

Saumon au crabe, sauce béarnaise

4 portions

1 L	(*4 tasses*) court-bouillon (voir *Soupes*)
2	filets de saumon de 170 g (*6 oz*) chacun
250 mL	(*1 tasse*) chair de crabe, cuite
250 mL	(*1 tasse*) sauce béarnaise (voir *Sauces*)

Faire chauffer le court-bouillon. Y faire doucement mijoter le saumon 10 à 12 minutes.

Égoutter et disposer dans un plat peu profond. Couvrir chaque filet de 60 mL (*¼ tasse*) de chair de crabe et de 30 mL (*2 c. à table*) de sauce béarnaise.

Faire dorer au four, sous le gril, environ 1 minute.

Servir le reste de la sauce à part.

Saumon farci au four

8 portions

2,2 kg	(*5 lb*) saumon, frais
225 g	(*½ lb*) bacon, en dés
1	oignon, haché fin
1	branche de céleri, hachée fin
2	carottes, hachées fin
500 mL	(*2 tasses*) biscuits salés, en miettes fines
250 mL	(*1 tasse*) chair de homard, de crevettes ou de crabe, cuite et hachée
5 mL	(*1 c. à thé*) paprika
1 mL	(*¼ c. à thé*) poivre
125 mL	(*½ tasse*) eau

Préchauffer le four à 190°C (*375°F*).

Bien nettoyer le saumon. Préparer la farce en faisant frire le bacon, jusqu'à tendre.

Ajouter l'oignon, le céleri et les carottes. Faire revenir jusqu'à tendres. Vider le surplus de graisse. Laisser refroidir.

Mélanger les biscuits salés avec les fruits de mer et les assaisonnements. Y ajouter le mélange frit.

Farcir les poissons, les ficeler et les disposer dans un plat graissé, allant au four. Ajouter 125 mL (*½ tasse*) d'eau, couvrir et faire cuire au four 40 à 45 minutes.

Saumon poché, sauce au fromage bleu

Saumon à l'orange et aux pacanes

6 portions

45 mL	(*3 c. à table*) beurre
6	filets de saumon de 170 g (*6 oz*)
30 mL	(*2 c. à table*) farine
250 mL	(*1 tasse*) crème épaisse
60 mL	(*¼ tasse*) sherry
1	orange
125 mL	(*½ tasse*) pacanes, hachées

Préchauffer le four à 180°C (*350°F*).

Faire fondre le beurre dans une casserole. Badigeonner le saumon avec 15 mL (*1 c. à table*) de beurre fondu. Faire cuire au four 12 à 15 minutes.

Incorporer la farine au reste de beurre et faire cuire 2 minutes en remuant.

Ajouter la crème et le sherry. Laisser mijoter jusqu'à épaississement.

Râper le zeste de l'orange et l'ajouter à la sauce. Incorporer les pacanes.

Sortir le poisson du four. Disposer sur un plat de service. Napper de sauce.

Garnir avec des tranches d'orange. Servir.

Saumon poché, sauce au fromage bleu

6 portions

6	filets de saumon
	court-bouillon (voir *Soupes*)

Sauce au fromage bleu

15 mL	(*1 c. à table*) relish
30 mL	(*2 c. à table*) persil, haché
30 mL	(*2 c. à table*) ciboulette, hachée
30 mL	(*2 c. à table*) crème épaisse
10 mL	(*2 c. à thé*) jus de citron
5 mL	(*1 c. à thé*) sauce anglaise
60 mL	(*¼ tasse*) fromage bleu, émietté
250 mL	(*1 tasse*) mayonnaise

Mettre les filets de saumon dans une grande poêle en fonte. Couvrir de court-bouillon.

Porter à ébullition à feu vif; réduire le feu et laisser mijoter jusqu'à ce que la chair du poisson se détache à la fourchette, environ 8 à 12 minutes selon la taille des filets.

Servir chaud ou froid, accompagnés d'une sauce au fromage bleu.

Sauce : bien mélanger tous les ingrédients. Mettre au réfrigérateur.

Filets de sole Olga

4 portions

4	grosses pommes de terre
4	filets de sole de 170 g (*6 oz*) chacun
1 L	(*4 tasses*) court-bouillon (voir *Soupes*)
250 mL	(*1 tasse*) petites crevettes
250 mL	(*1 tasse*) sauce au vin blanc (voir *Sauces*)
250 mL	(*1 tasse*) cheddar, râpé

Préchauffer le four à 200°C (*400°F*).

Laver et gratter les pommes de terre.

Faire cuire au four jusqu'à tendres.

Sortir du four, couper le dessus, retirer la chair pour ne garder que la peau.

Plier les filets en deux. Faire chauffer le court-bouillon et y faire pocher les filets à feu doux.

Mettre 30 mL (*2 c. à table*) de crevettes dans chaque pomme de terre. Y ajouter un filet de sole poché et 30 mL (*2 c. à table*) de sauce au vin blanc.

Parsemer de fromage. Faire gratiner au four, 8 à 10 minutes. Servir.

Sole meunière

4 portions

4	filets de sole
80 mL	(*1/3 tasse*) lait
125 mL	(*1/2 tasse*) farine
80 mL	(*1/3 tasse*) beurre
30 mL	(*2 c. à table*) persil, fraîchement haché
1	citron

Tremper les filets dans le lait et les rouler dans la farine.

Faire chauffer le beurre dans la poêle. Y faire revenir les filets 2½ à 3 minutes de chaque côté.

Disposer les filets dans un plat de service chaud.

Faire chauffer le persil et le jus de citron dans le beurre, 1 minute. Verser sur les filets et servir.

Sole walewaska

4 portions

1 L	(*4 tasses*) court-bouillon (voir *Soupes*)
4	filets de sole de 170 g (*6 oz*) chacun
250 mL	(*1 tasse*) sauce Mornay (voir *Sauces*)
225 g	(*8 oz*) chair de homard
250 mL	(*1 tasse*) fromage suisse, râpé

Faire chauffer le court-bouillon.

Y faire pocher les filets de sole, à feu doux, 8 à 10 minutes.

Faire chauffer la sauce Mornay dans une casserole.

Égoutter les filets et les disposer dans un plat allant au four.

Couvrir chaque filet de 30 g (*2 oz*) de chair de homard. Napper de sauce. Parsemer de fromage.

Faire dorer au four, sous le gril, environ 1 minute.

Filets de sole florentine

4 portions

4	filets de sole de 225 g (*8 oz*) chacun
225 g	(*8 oz*) épinards, hachés fin
1,5 L	(*6 tasses*) court-bouillon (voir *Soupes*)
125 mL	(*½ tasse*) sherry
375 mL	(*1½ tasse*) sauce Mornay (voir *Sauces*)

Couvrir chaque filet d'épinards; puis les rouler et fixer avec des cure-dents.

Porter le court-bouillon à légère ébullition et ajouter le sherry.

Faire cuire le poisson jusqu'à ce que la chair soit d'un blanc laiteux.

Disposer sur un plat de service; garder au chaud.

Faire chauffer la sauce Mornay. Verser sur le poisson et servir immédiatement.

1

Couvrir chaque filet d'épinards.

2

Rouler chaque filet et le fixer avec des cure-dents.

3

Faire bouillir le poisson dans le court-bouillon et le sherry jusqu'à ce que la chair soit d'un blanc laiteux.

4

Napper le poisson de sauce Mornay et servir immédiatement.

Filets de sole aux champignons

4 portions

225 g	(*8 oz*) champignons, en tranches
500 mL	(*2 tasses*) eau
250 mL	(*1 tasse*) vin blanc
4	filets de sole de 170 g (*6 oz*)
45 mL	(*3 c. à table*) beurre
45 mL	(*3 c. à table*) farine
250 mL	(*1 tasse*) crème épaisse
250 mL	(*1 tasse*) sauce Mornay (voir *Sauces*)
60 mL	(*¼ tasse*) chapelure

Préchauffer le four à 260°C (*500°F*).

Faire bouillir les champignons dans l'eau et le vin, 7 minutes. Égoutter les champignons et réserver le liquide.

Faire pocher les filets de poisson dans le liquide des champignons, puis garder au chaud dans un faitout.

Dans une casserole, faire fondre le beurre, ajouter la farine et faire un roux.

Ajouter la crème et les champignons. Laisser mijoter jusqu'à épaississement. Incorporer la sauce Mornay.

Verser ce mélange sur le poisson.

Parsemer de chapelure. Faire dorer au four et servir.

Filet de sole nantua

1 portion

1	filet de sole de 225 g (*8 oz*)
1,5 L	(*6 tasses*) court-bouillon (voir *Soupes*)
10 mL	(*2 c. à thé*) beurre
10 mL	(*2 c. à thé*) farine
45 mL	(*3 c. à table*) crème, épaisse
45 mL	(*3 c. à table*) bouillon de poisson (voir *Soupes*)
15 mL	(*1 c. à table*) chair d'écrevisse ou de homard, hachée
15 mL	(*1 c. à table*) crevettes, cuites et hachées
1	pincée de paprika
10 mL	(*2 c. à thé*) sherry

Faire pocher les filets de sole dans le court-bouillon, à feu doux.

Prélever 250 mL (*1 tasse*) de court-bouillon et faire mijoter pour qu'il n'en reste que 45 mL (*3 c. à table*).

Dans une casserole, faire fondre le beurre. Incorporer la farine et faire un roux.

Ajouter la crème et le bouillon. Laisser mijoter 1 minute.

Ajouter la chair d'écrevisse, les crevettes, le paprika et le sherry. Laisser mijoter 1 minute de plus.

Verser sur les filets de sole et servir.

Filets de sole à la normande

4 portions

4	pommes
250 mL	(*1 tasse*) sauce béchamel (voir *Sauces*)
250 mL	(*1 tasse*) petites crevettes
½	abaisse de pâte feuilletée
80 mL	(*⅓ tasse*) beurre
20 mL	(*4 c. à thé*) huile
4	filets de sole de 200 g (*7 oz*) chacun
5 mL	(*1 c. à thé*) persil
10 mL	(*2 c. à thé*) jus de citron

Préchauffer le four à 180°C (*350°F*).

Découper un chapeau sur le dessus des pommes. Retirer le cœur et la pulpe.

Mélanger la sauce béchamel avec les crevettes. Farcir les pommes de ce mélange. Faire cuire au four 20 à 25 minutes ou jusqu'à ce que les pommes soient tendres.

Découper la pâte feuilletée en rectangles de 2,5 x 7,5 cm (*1 x 3 po*). Faire cuire au four les rectangles de pâte et les pommes séparément, sur une grille différente.

Dans un poêlon, faire chauffer 20 mL (*4 c. à thé*) de beurre et l'huile. Réduire le feu. Faire revenir les filets à feu doux, 2½ à 3 minutes de chaque côté. Disposer les filets sur un plat de service chaud.

Ajouter dans la poêle le reste de beurre, le persil et le jus de citron. Faire cuire jusqu'à très chaud.

Verser sur le poisson. Dresser les pommes autour des filets et garnir avec les pâtisseries. Servir.

Filets de sole à la normande

Hoplostète orange au four

4 portions

4	filets d'hoplostète orange
375 mL	(1½ *tasse*) champignons, en tranches
125 mL	(½ *tasse*) fromage cheddar moyen, râpé
	sel et poivre

Préchauffer le four à 230°C (*450°F*).

Disposer chaque filet sur une feuille de papier d'aluminium épais.

Couvrir de champignons crus en tranches et de fromage. Saler et poivrer.

Bien envelopper les filets et les disposer sur une plaque à biscuits. Laisser cuire au four 10 à 12 minutes.

Hoplostète orange grillé au parmesan

4 portions

4	filets d'hoplostète orange
60 mL	(¼ *tasse*) beurre fondu
	sel et poivre
125 mL	(½ *tasse*) parmesan, râpé

Disposer les filets de poisson dans un plat peu profond, allant au four. Arroser avec la moitié du beurre fondu, saler et poivrer.

Mettre au four, sous le gril, 3 à 4 minutes.

Retourner les filets, arroser avec le reste de beurre, parsemer de fromage et remettre au four 3 à 4 minutes ou jusqu'à ce que le poisson se défasse à la fourchette.

Hoplostète orange au fenouil

4 portions

15 mL	(*1 c. à table*) graines de fenouil, écrasées
125 mL	(½ *tasse*) farine
60 mL	(¼ *tasse*) crème légère
45 mL	(*3 c. à table*) beurre
4	filets d'hoplostète orange

Mélanger les graines de fenouil et la farine.

Tremper les filets dans la crème, puis dans la farine.

Faire chauffer le beurre dans une poêle.

Y faire revenir les filets, 2½ minutes de chaque côté.

Hoplostète orange au poivre avec beurre à la lime

6 portions

6	filets d'hoplostète orange
30 mL	(*2 c. à table*) huile
30 mL	(*2 c. à table*) poivre vert en grains, séché et concassé
30 mL	(*2 c. à table*) poivre noir en grains, concassé
30 mL	(*2 c. à table*) poivre blanc en grains, concassé
60 mL	(*¼ tasse*) beurre

Beurre à la lime

125 mL	(*½ tasse*) beurre, ramolli
15 mL	(*1 c. à table*) zeste de lime, râpé
30 mL	(*2 c. à table*) jus de lime
1	gousse d'ail, hachée fin

Badigeonner le poisson d'huile. Mélanger les poivres et en enrober les filets.

Faire chauffer le beurre. Y faire revenir le poisson, à feu doux.

Pour préparer le beurre à la lime, amalgamer le beurre aux autres ingrédients.

Déposer sur une feuille de papier ciré et rouler. Mettre au réfrigérateur jusqu'à consistance ferme.

Lorsque le poisson est cuit, couper le beurre en rondelles et déposer une rondelle sur chaque filet.

Badigeonner les filets de poisson d'huile et les enrober du mélange de poivres.

Pour faire le beurre à la lime, mélanger le beurre avec le zeste et le jus de lime et l'ail.

Déposer sur une feuille de papier ciré, rouler et mettre au réfrigérateur jusqu'à consistance ferme.

Lorsque le poisson est cuit, couper le beurre en rondelles et déposer une rondelle sur chaque filet.

Darnes d'espadon grillées avec sauce aux noix de Grenoble

4 portions

4	darnes d'espadon de 170 g (*6 oz*) chacune
15 mL	(*1 c. à table*) beurre, fondu

Sauce

5 mL	(*1 c. à thé*) moutarde de Dijon
10 mL	(*2 c. à thé*) jus de citron
1	pincée de sel
1 mL	(*¼ c. à thé*) poivre, fraîchement moulu
30 mL	(*2 c. à table*) huile de noix de Grenoble
60 mL	(*¼ tasse*) huile d'olive

Badigeonner le poisson avec le beurre.

Faire griller 4 minutes de chaque côté au four, sous le gril, ou sur charbon de bois. Badigeonner de sauce et servir.

Pour préparer la sauce, bien mélanger la moutarde, le jus de citron, le sel, le poivre et les huiles.

Badigeonner les darnes avec la sauce et servir.

Darnes d'espadon grillées avec sauce aux noix de Grenoble

Darnes d'espadon à l'aneth

6 portions

6	darnes d'espadon
15 mL	(*1 c. à table*) huile
30 mL	(*2 c. à table*) graines d'aneth
60 mL	(*¼ tasse*) beurre
5 mL	(*1 c. à thé*) jus de citron

Badigeonner les darnes avec l'huile.

Faire griller 5 minutes de chaque côté pour chaque 2,5 cm (*1 po*) d'épaisseur, de préférence sur un feu de charbon de bois.

Mélanger l'aneth, le beurre et le jus de citron. En badigeonner les darnes pendant leur cuisson, puis juste avant de servir.

Rouleaux de poisson à chair blanche

Rouleaux de poisson à chair blanche

6 portions

3	tranches de bacon
1	carotte, en petits dés
1	branche de céleri, en petits dés
1	petit oignon, en petits dés
250 mL	(*1 tasse*) fromage havarti, râpé
6	filets de poisson à chair blanche
30 mL	(*2 c. à table*) beurre
500 mL	(*2 tasses*) sauce Mornay (voir *Sauces*)

Préchauffer le four à 180°C (*350°F*).

Couper le bacon en petits dés et le faire sauter.

Ajouter les légumes et faire revenir jusqu'à tendres. Laisser refroidir. Incorporer le fromage.

Étendre le mélange au fromage sur chaque filet et rouler. Faire cuire dans un plat beurré, allant au four, 15 à 20 minutes.

Sortir du four, disposer dans les assiettes et couvrir de sauce Mornay chaude.

Truites Jodée

2 portions

2	petites truites
45 mL	(*3 c. à table*) beurre
45 mL	(*3 c. à table*) huile
2	carottes, en julienne
1	courgette, en julienne
2	branches de céleri, en julienne
250 mL	(*1 tasse*) sauce aux huîtres, commerciale
225 g	(*½ lb*) pleurotes
60 mL	(*¼ tasse*) beurre

Faire cuire les truites dans la première quantité de beurre et l'huile, de 4 à 5 minutes de chaque côté. Retirer du feu, garder au chaud.

Faire blanchir 5 minutes les carottes, la courgette et le céleri. Faire chauffer la sauce aux huîtres.

Faire revenir les légumes et les pleurotes dans le beurre qui reste.

Disposer dans un plat, déposer les truites sur le dessus et napper de sauce.

Perche amandine

4 portions

60 mL	(¼ *tasse*) beurre
4	filets de perche de 170 g (*6 oz*) chacun
60 mL	(¼ *tasse*) lait
60 mL	(¼ *tasse*) farine
80 mL	(⅓ *tasse*) amandes, blanchies et effilées
1	citron

Faire chauffer le beurre dans une poêle.

Tremper les filets de perche dans le lait, puis dans la farine. Faire frire 2½ à 3 minutes de chaque côté. Disposer sur un plat chaud.

Faire dorer les amandes dans le beurre. Ajouter le jus du citron. Fouetter. Verser sur le poisson et servir.

Vivaneau au four farci au crabe

8 portions

60 mL	(¼ *tasse*) beurre
1	petit oignon, haché fin
3 mL	(½ *c. à thé*) basilic
15 mL	(*1 c. à table*) persil, haché
125 mL	(½ *tasse*) crème épaisse
225 g	(½ lb) chair de crabe
500 mL	(*2 tasses*) pain, en dés
45 mL	(*3 c. à table*) jus de citron
1	vivaneau de 2,2 kg (*5 lb*)

Préchauffer le four à 200°C (*400°F*).

Dans une casserole, faire chauffer le beurre.

Y faire revenir les oignons jusqu'à tendres.

Dans un bol, mélanger le reste des ingrédients de la farce.

Ajouter au beurre et aux oignons, bien mélanger.

Farcir le poisson de ce mélange; le ficeler. Disposer dans un plat allant au four. Couvrir la queue d'un morceau de papier d'aluminium pour ne pas qu'elle brûle.

Faire cuire au four 45 à 50 minutes.

Baudroie en brochette

4 portions

675 g	(1½ *lb*) filets de baudroie
45 mL	(*3 c. à table*) huile
3 mL	(½ *c. à thé*) basilic
3 mL	(½ *c. à thé*) thym
3 mL	(½ *c. à thé*) origan
3 mL	(½ *c. à thé*) sel
15 mL	(*1 c. à table*) ail, haché fin
5 mL	(*1 c. à thé*) persil, en flocons
8 mL	(1½ *c. à thé*) jus de citron
80 mL	(⅓ *tasse*) beurre, ramolli

Découper les filets en cubes de 2,5 cm (*1 po*).

Mélanger l'huile avec le basilic, le thym, l'origan et le sel. Ajouter le poisson.

Mélanger pour bien enrober le poisson d'huile.

Incorporer au beurre l'ail, le persil et le jus de citron.

Enfiler les cubes de poisson sur des brochettes en bois.

Faire cuire au four, sous le gril, 5 minutes de chaque côté, en badigeonnant de beurre. Servir avec du riz.

Darnes de flétan, sauce rémoulade

Darnes de flétan, sauce rémoulade

	4 portions
4	darnes de flétan de 170 g (*6 oz*) chacune
15 mL	(*1 c. à table*) beurre, fondu
3	jaunes d'œufs
180 mL	(*¾ tasse*) huile
30 mL	(*2 c. à table*) persil frais, haché
1	gousse d'ail, hachée
2	oignons verts, hachés
5 mL	(*1 c. à thé*) paprika
3	gouttes de sauce Tabasco

Faire chauffer le gril de la cuisinière électrique ou à gaz. Badigeonner les darnes de flétan avec le beurre.

Faire griller 4 minutes de chaque côté.

Dans un robot culinaire, avec des lames en métal, mélanger les œufs. Y incorporer lentement l'huile. Ajouter le persil, l'ail, les oignons et les assaisonnements; bien mélanger.

Disposer les darnes sur un plateau. Garnir le centre de chaque darne de 15 mL (*1 c. à table*) de sauce.

Servir accompagné du reste de la sauce.

Filets de morue à l'anglaise

8 portions

250 mL	(*1 tasse*) farine
3 mL	(*½ c. à thé*) poudre à pâte
0,5 mL	(*⅛ c. à thé*) bicarbonate de soude
4 mL	(*¾ c. à thé*) sel
1	pincée de poivre blanc
250 mL	(*1 tasse*) bière
1 L	(*4 tasses*) huile végétale
1	blanc d'œuf
900 g	(*2 lb*) filet de morue, en lanières de 2 cm (*¾ po*)

Dans un bol, tamiser tous les ingrédients secs.

Ajouter lentement la bière; fouetter vivement. Laisser reposer 1½ heure.

Faire chauffer l'huile à 190°C (*375°F*).

Fouetter le blanc d'œuf en neige ferme. Incorporer à la pâte en repliant.

Tremper le poisson dans la pâte. Avec une écumoire, laisser égoutter l'excès de pâte avant de mettre le poisson dans l'huile chaude.

Faire dorer 2½ à 3 minutes.

Retirer et garder au chaud dans un plateau tapissé de papier essuie-tout.

Soufflé de morue

4 portions

15 mL	(*1 c. à table*) farine
60 mL	(*¼ tasse*) crème épaisse
15 mL	(*1 c. à table*) beurre
1	œuf
1	blanc d'œuf
1	pincée de sel
0,5 mL	(*⅛ c. à thé*) crème de tartre
80 mL	(*⅓ tasse*) morue cuite, en flocons
125 mL	(*½ tasse*) fromage parmesan, râpé

Préchauffer le four à 180°C (*350°F*).

Mélanger en une pâte la farine et un peu de crème. Faire chauffer le reste de crème et le beurre jusqu'à ce que le beurre soit fondu.

Y verser la pâte. Mélanger jusqu'à ébullition. Retirer du feu. Battre l'œuf. Y incorporer un peu de crème chaude. Verser dans la sauce en mélangeant.

Battre le blanc d'œuf en neige ferme, avec le sel et le reste de crème de tartre. Incorporer le quart du blanc d'œuf dans la sauce. Ajouter le poisson en repliant.

Ajouter le reste du blanc d'œuf en repliant, tout en essayant de ne pas trop perdre de leur légèreté.

Parsemer le fond d'une cocotte graissée de fromage. Y verser le mélange. Faire dorer au four, au bain-marie, 35 minutes environ.

Brochet à la crème

4 portions

450 g	(*1 lb*) filet de brochet
45 mL	(*3 c. à table*) beurre
1	petit oignon, en dés
½	poivron vert, en dés
1	branche de céleri, en dés
125 mL	(*½ tasse*) tomates, pelées, épépinées et hachées
375 mL	(*1½ tasse*) crème épaisse
250 mL	(*1 tasse*) fromage suisse
125 mL	(*½ tasse*) chapelure
3 mL	(*½ c. à thé*) sel

Préchauffer le four à 180°C (*350°F*).

Laver et essuyer le poisson. Disposer dans un faitout graissé. Faire chauffer le beurre dans une casserole. Y faire revenir l'oignon, le poivron et le céleri jusqu'à tendres.

Ajouter les tomates et laisser mijoter jusqu'à évaporation du liquide. Verser sur le poisson.

Ajouter la crème, parsemer de fromage et de chapelure.

Faire cuire au four 30 minutes.

Filets de perche à la sauce aux crevettes

4 portions

450 g	(*1 lb*) filets de perche
250 mL	(*1 tasse*) farine
1	œuf
125 mL	(*1/2 tasse*) lait
375 mL	(*1 1/2 tasse*) chapelure
45 mL	(*3 c. à table*) beurre
45 mL	(*3 c. à table*) farine
250 mL	(*1 tasse*) crème épaisse
125 mL	(*1/2 tasse*) bouillon de poisson (voir *Soupes*)
60 mL	(*1/4 tasse*) sherry
3 mL	(*1/2 c. à thé*) sel
225 g	(*1/2 lb*) petites crevettes
250 mL	(*1 tasse*) huile

Laver, assécher, puis fariner les filets de perche.

Mélanger l'œuf avec le lait. Tremper les filets dans le mélange d'œuf; les rouler dans la chapelure et réserver.

Faire chauffer le beurre dans une casserole. Ajouter 45 mL (*3 c. à table*) de farine et mélanger pour obtenir un roux. Faire cuire 2 minutes. Ajouter la crème, le bouillon et le sherry. Laisser mijoter jusqu'à épaississement.

Ajouter le sel et les crevettes. Laisser mijoter 5 minutes de plus.

Faire chauffer l'huile dans une grande poêle.

Y faire frire le poisson 1 1/2 à 2 minutes de chaque côté. Disposer sur un plat de service. Verser la moitié de la sauce sur le poisson. Servir le reste de la sauce à part.

Filets de perche au beurre brun et aux oeufs

Filets de perche au beurre brun et aux œufs

3 portions

1 L	(*4 tasses*) court-bouillon (voir *Soupes*)
450 g	(*1 lb*) filets de perche
80 mL	(*1/3 tasse*) beurre
5 mL	(*1 c. à thé*) persil en flocons
8 mL	(*1 1/2 c. à thé*) jus de citron
2	œufs durs, râpés

Faire chauffer le court-bouillon. Y laisser doucement mijoter le poisson pendant 6 minutes.

Dans une casserole, faire brunir le beurre (couleur noisette). Ajouter le persil et le jus de citron.

Disposer le poisson dans un plat de service. Verser le beurre sur le poisson.

Parsemer d'œufs hachés.

Crevettes aux trois poivres

Crevettes aux trois poivres

8 portions

30 mL	(*2 c. à table*) huile
60 mL	(*¼ tasse*) beurre
2	gousses d'ail, écrasées
30 mL	(*2 c. à table*) poivre vert, en grains
30 mL	(*2 c. à table*) poivre noir, concassé
5 mL	(*1 c. à thé*) poivre de Cayenne
1,3 kg	(*3 lb*) crevettes roses, décortiquées et déveinées
125 mL	(*½ tasse*) piments doux rôtis
5 mL	(*1 c. à thé*) sucre
30 mL	(*2 c. à table*) brandy

Dans une grande poêle à frire, faire chauffer l'huile et le beurre.

Y faire sauter l'ail et les trois sortes de poivre, 2 minutes.

Ajouter les crevettes et faire revenir jusqu'à tendres. Incorporer les piments doux rôtis.

Saupoudrer de sucre et flamber avec le brandy. Servir immédiatement.

Crevettes à l'aïoli

4 portions

1 L	(*4 tasses*) court-bouillon (voir *Soupes*)
450 g	(*1 lb*) crevettes roses, décortiquées et déveinées
4	gousses d'ail, écrasées
8 mL	(*1½ c. à thé*) vinaigre
30 mL	(*2 c. à table*) chapelure
1	pincée de sel
1	jaune d'œuf
180 mL	(*¾ tasse*) huile d'olive

Porter le court-bouillon à ébullition. Y faire cuire les crevettes 3 à 4 minutes. Égoutter et laisser refroidir.

Mettre l'ail dans le bol du mélangeur. Ajouter le vinaigre et la chapelure. Mélanger pendant 30 secondes.

Ajouter le sel et le jaune d'œuf et mélanger jusqu'à consistance lisse. Sans éteindre l'appareil, incorporer lentement l'huile jusqu'à l'obtention d'une sauce épaisse.

Disposer les crevettes sur un plat de service avec la sauce au milieu.

Crevettes à l'étouffée

Crevettes à l'étouffée

	6 portions
125 mL	(*1/2 tasse*) beurre
1	oignon, en dés
1	poivron vert, en dés
1 kg	(*2 1/4 lb*) crevettes, décortiquées et déveinées
500 mL	(*2 tasses*) sauce tomate
5 mL	(*1 c. à thé*) sel
5 mL	(*1 c. à thé*) poivre
5 mL	(*1 c. à thé*) paprika
3 mL	(*1/2 c. à thé*) origan

3 mL	(*1/2 c. à thé*) thym
3 mL	(*1/2 c. à thé*) poivre de Cayenne
3 mL	(*1/2 c. à thé*) poudre d'ail
3 mL	(*1/2 c. à thé*) poivre blanc
45 mL	(*3 c. à table*) oignons verts, hachés
15 mL	(*1 c. à table*) persil, en flocons

Faire revenir l'oignon et le poivron vert dans le beurre. Ajouter les crevettes et faire cuire à feu doux.

Incorporer la sauce tomate et les assaisonnements. Laisser mijoter, à demi-couvert, 20 minutes.

Incorporer les oignons verts et le persil en flocon.

Servir sur des nouilles ou du riz.

Crevettes Tempura

6 portions

125 mL	(½ *tasse*)	lait
680 mL	(2¾ *tasses*)	farine
30 mL	(2 *c. à table*)	fécule de maïs
5 mL	(1 *c. à thé*)	poudre à pâte
5 mL	(1 *c. à thé*)	sel
2		œufs, battus
1 L	(4 *tasses*)	huile
1 kg	(2¼ *lb*)	crevettes roses, décortiquées et déveinées

Mélanger le lait, 180 mL (¾ *tasse*) de farine, la fécule de maïs, la poudre à pâte, le sel, les œufs et 30 mL (2 *c. à table*) d'huile, jusqu'à consistance lisse.

Faire chauffer le reste d'huile à 190°C (375°F).

Tremper les crevettes dans le reste de farine, puis dans la pâte. Faire cuire dans l'huile 2½ à 3 minutes. Servir chaud.

Crevettes-papillon frites

8 portions

1 kg	(2¼ *lb*)	grosses crevettes, décortiquées et déveinées
500 mL	(2 *tasses*)	farine
125 mL	(½ *tasse*)	farine de maïs
5 mL	(1 *c. à thé*)	poudre à pâte
5 mL	(1 *c. à thé*)	sel
3 mL	(½ *c. à thé*)	origan
3 mL	(½ *c. à thé*)	thym
3 mL	(½ *c. à thé*)	basilic
5 mL	(1 *c. à thé*)	paprika
3 mL	(½ *c. à thé*)	poivre
2		œufs
250 mL	(1 *tasse*)	crème épaisse
1 L	(4 *tasses*)	huile

Diviser partiellement les crevettes en deux sur la longueur. Tamiser 250 mL (1 *tasse*) de farine; en ajouter à la farine de maïs.

Ajouter la poudre à pâte et les assaisonnements.

Battre les œufs dans la crème. Incorporer à la farine assaisonnée.

Fariner les crevettes avec le reste de farine. Les tremper dans la pâte.

Faire frire dans l'huile chaude, à 190°C (375°F). Servir immédiatement.

Crevettes barbecue

8 portions

1,4 kg	(3 *lb*)	grosses crevettes
60 mL	(¼ *tasse*)	beurre
125 mL	(½ *tasse*)	huile d'olive
15 mL	(1 *c. à table*)	sauce anglaise
4		gousses d'ail, hachées fin
20 mL	(4 *c. à thé*)	jus de citron
10 mL	(2 *c. à thé*)	persil, haché
3 mL	(½ *c. à thé*)	paprika
3 mL	(½ *c. à thé*)	basilic
3 mL	(½ *c. à thé*)	thym
3 mL	(½ *c. à thé*)	origan
3 mL	(1 *c. à thé*)	poivre de Cayenne
3 mL	(½ *c. à thé*)	sauce aux piments forts
3 mL	(½ *c. à thé*)	sel

Mettre les crevettes dans un grand bol. Ajouter le reste des ingrédients dans une casserole.

Bien mélanger et faire chauffer sans bouillir, puis laisser refroidir. Verser sur les crevettes. Laisser mariner 30 minutes en remuant de temps en temps.

Préchauffer le four à 160°C (325°F).

Disposer les crevettes et la sauce sur une plaque à biscuits. Faire cuire au four 8 à 10 minutes.

Servir immédiatement.

Crevettes géantes farcies

4 portions

30 mL	(*2 c. à table*) beurre
15 mL	(*1 c. à table*) oignons verts, hachés fin
15 mL	(*1 c. à table*) moutarde de Dijon
5 mL	(*1 c. à thé*) sauge, hachée
250 mL	(*1 tasse*) chapelure
250 mL	(*1 tasse*) chair de crabe
1	œuf
60 mL	(*¼ tasse*) crème épaisse
24	grosses crevettes, fendues partiellement en deux sur la longueur

Préchauffer le four à 220°C (*425°F*).

Faire sauter les oignons dans 10 mL (*2 c. à thé*) de beurre. Y incorporer la moutarde et la sauge. Retirer du feu.

Dans un bol, mélanger la chapelure, la chair de crabe, l'œuf, la crème, le mélange de sauge et le reste de beurre. Mettre 30 mL (*2 c. à table*) de ce mélange sur chaque crevette.

Disposer sur une plaque à biscuits légèrement graissée.

Faire dorer au four environ 8 à 10 minutes. Servir chaud.

1

Faire sauter les oignons verts dans 10 mL (*2 c. à thé*) de beurre.

2

Mélanger la chapelure, la chair de crabe, l'œuf, la crème, le mélange de sauge et le reste de beurre.

3

Mettre 30 mL (*2 c. à table*) de mélange sur chaque crevette.

4

Faire dorer au four, 8 à 10 minutes.

Gratin de crevettes à la créole

4 à 6 portions

750 mL	(*3 tasses*)	court-bouillon (voir *Soupes*)
675 g	(*1½ lb*)	grosses crevettes fraîches
500 mL	(*2 tasses*)	fettuccine, cuits et égouttés
375 mL	(*1½ tasse*)	sauce Créole (voir *Sauces*)
125 mL	(*½ tasse*)	fromage cheddar moyen, grossièrement râpé
125 mL	(*½ tasse*)	fromage cheddar fort, grossièrement râpé
125 mL	(*½ tasse*)	fromage suisse ou havarti, grossièrement râpé

Préchauffer le four à 200°C (*400°F*).

Porter le court-bouillon à ébullition. Y faire cuire les crevettes, 3 à 5 minutes. Laisser refroidir, décortiquer et déveiner.

Mettre les nouilles dans un plat allant au four peu profond et graissé. Étendre les crevettes sur les nouilles et napper de sauce.

Mélanger les fromages et parsemer sur la sauce.

Faire gratiner au four 25 à 30 minutes.

Coquilles Saint-Jacques à l'indienne

4 portions

250 mL	(*1 tasse*)	vin blanc
450 g	(*1 lb*)	pétoncles
60 mL	(*¼ tasse*)	beurre
1		petit oignon, en dés
1		poivron vert, en dés
1		branche de céleri, en dés
45 mL	(*3 c. à table*)	farine
250 mL	(*1 tasse*)	crème épaisse
80 mL	(*⅓ tasse*)	sherry
3 mL	(*½ c. à thé*)	sel
10 mL	(*2 c. à thé*)	poudre de curry
250 mL	(*1 tasse*)	tomates, pelées, épépinées et hachées
1		recette Risi e Bisi (voir *Riz*)

Faire chauffer le vin. Y faire cuire les pétoncles, 6 minutes. Réserver.

Dans une casserole, faire chauffer le beurre. Y faire revenir les légumes jusqu'à tendres.

Ajouter la farine et mélanger. Faire cuire 2 minutes.

Ajouter la crème, le sherry et les assaisonnements. Laisser mijoter jusqu'à épaississement.

Ajouter les tomates et les pétoncles. Laisser mijoter 5 minutes de plus.

Servir avec du Risi e Bisi.

Coquilles Saint-Jacques à la florentine

2 portions

284 g	(*10 oz*)	épinards
15 mL	(*1 c. à table*)	beurre
250 mL	(*1 tasse*)	vin blanc
225 g	(*½ lb*)	pétoncles
250 mL	(*1 tasse*)	sauce Mornay (voir *Sauces*)
60 mL	(*¼ tasse*)	fromage parmesan, râpé

Préchauffer le four à 230°C (*450°F*).

Bien laver et équeuter les épinards. Faire cuire dans de l'eau bouillante salée 5 minutes. Égoutter, laisser refroidir, puis hacher grossièrement.

Faire chauffer le beurre dans une poêle. Y faire revenir les épinards 3 minutes.

Disposer les épinards dans une petite cocotte graissée.

Faire chauffer le vin. Y faire cuire les pétoncles 6 minutes. Égoutter et disposer sur les épinards.

Couvrir de sauce Mornay. Parsemer de parmesan.

Faire dorer au four environ 3 à 5 minutes.

Coquilles Saint-Jacques à l'indienne et Coquilles Saint-Jacques à la florentine

Coquilles Saint-Jacques meunières

8 portions

900 g	*(2 lb)*	pétoncles
5 mL	*(1 c. à thé)*	sel
3 mL	*(½ c. à thé)*	poivre
3 mL	*(½ c. à thé)*	paprika
500 mL	*(2 tasses)*	farine
375 mL	*(1½ tasse)*	lait
1 L	*(4 tasses)*	huile
125 mL	*(½ tasse)*	beurre
15 mL	*(1 c. à table)*	persil
10 mL	*(2 c. à thé)*	jus de citron

Laver et assécher les pétoncles. Mélanger les assaisonnements à la farine.

Faire chauffer l'huile à 190°C *(375°F)*. Plonger les pétoncles dans le lait, puis dans la farine assaisonnée. Faire cuire dans l'huile chaude.

Dresser sur un plat de service.

Faire brunir le beurre à feu doux (couleur noisette). Ajouter le persil haché et quelques gouttes de jus de citron.

Verser sur les pétoncles. Servir.

Pétoncles au paprika

Pétoncles au paprika

4 portions

45 mL	*(3 c. à table)*	beurre
450 g	*(1 lb)*	pétoncles
45 mL	*(3 c. à table)*	farine
250 mL	*(1 tasse)*	crème épaisse
60 mL	*(¼ tasse)*	sherry
15 mL	*(1 c. à table)*	paprika hongrois
3		oignons verts, hachés fin

Faire chauffer le beurre dans une grande poêle. Y faire sauter les pétoncles 5 minutes.

Saupoudrer de farine. Faire cuire 2 minutes.

Ajouter la crème, le sherry et le paprika. Réduire le feu et laisser mijoter jusqu'à épaississement, soit 8 à 10 minutes. Parsemer d'oignons verts. Servir sur du riz ou des fettuccine.

Gratin de pétoncles

4 portions

450 g	(*1 lb*)	pétoncles
		court-bouillon (voir *Soupes*) ou eau salée
375 mL	(*1 1/2 tasse*)	champignons, en tranches
30 mL	(*2 c. à table*)	beurre
125 mL	(*1/2 tasse*)	petites crevettes, cuites
500 mL	(*2 tasses*)	sauce Mornay (voir *Sauces*)
125 mL	(*1/2 tasse*)	fromage cheddar doux, râpé
125 mL	(*1/2 tasse*)	fromage mozzarella, râpé
180 mL	(*3/4 tasse*)	fromage parmesan, râpé

Plonger les pétoncles dans le court-bouillon ou l'eau. Faire bouillir doucement 3 à 5 minutes ou jusqu'à bien cuits; égoutter.

Entre-temps, à feu vif, faire sauter les champignons dans le beurre.

Incorporer les champignons et les crevettes à la sauce Mornay.

Répartir les pétoncles dans 4 coquilles ou dans des plats individuels allant au four. Couvrir de sauce et parsemer de fromage râpé.

Faire gratiner au four, sous le gril.

Gratin de pétoncles

Pétoncles à la kentucky

8 portions

900 g	(*2 lb*)	pétoncles
3 mL	(*1/2 c. à thé*)	origan
3 mL	(*1/2 c. à thé*)	thym
3 mL	(*1/2 c. à thé*)	basilic
3 mL	(*1/2 c. à thé*)	ail, en poudre
3 mL	(*1/2 c. à thé*)	oignon, en poudre
3 mL	(*1/2 c. à thé*)	paprika
3 mL	(*1/2 c. à thé*)	poivre
5 mL	(*1 c. à thé*)	sel
500 mL	(*2 tasses*)	farine
1 L	(*4 tasses*)	huile
375 mL	(*1 1/2 tasse*)	lait

Laver les pétoncles puis les assécher. Mélanger tous les assaisonnements à la farine.

Faire chauffer l'huile à 190°C (*375°F*).

Tremper les pétoncles dans le lait, puis les enrober de farine assaisonnée. Les plonger dans l'huile chaude 2 à 3 minutes ou jusqu'à ce qu'ils soient dorés.

Pinces de crabe Sylvia

8 portions

30 mL	*(2 c. à table)*	beurre
560 mL	*(2¼ tasse)*	farine
250 mL	*(1 tasse)*	lait
1 L	*(4 tasses)*	chair de crabe, cuite
3 mL	*(½ c. à thé)*	thym
3 mL	*(½ c. à thé)*	basilic
3 mL	*(½ c. à thé)*	origan
3 mL	*(½ c. à thé)*	poivre
5 mL	*(1 c. à thé)*	paprika
5 mL	*(1 c. à thé)*	sel
2		œufs
250 mL	*(1 tasse)*	lait
750 mL	*(3 tasses)*	chapelure
1 L	*(4 tasses)*	huile

Faire chauffer le beurre dans une casserole. Y ajouter 60 mL *(¼ tasse)* de farine et mélanger. Faire cuire 2 minutes. Ajouter 250 mL *(1 tasse)* de lait et faire cuire à feu doux, jusqu'à épaississement. Laisser refroidir.

Bien incorporer la chair de crabe.

Façonner en 8 pinces de crabe. Disposer sur une plaque à biscuits tapissée d'une feuille de papier ciré.

Laisser refroidir 2 heures au réfrigérateur.

Mélanger les assaisonnements avec le reste de farine. Battre les œufs dans le lait. Enrober les pinces de crabe de farine assaisonnée, les tremper dans le mélange d'œufs et de lait et les tourner dans la chapelure.

Faire dorer les pinces dans l'huile à 180°C *(375°F)* une ou deux à la fois.

Servir immédiatement.

1

Faire épaissir le lait, le laisser refroidir, puis bien incorporer la chair de crabe.

2

Façonner en 8 pinces de crabe.

3

Enrober les pinces de crabe de farine assaisonnée, les tremper dans le mélange d'œufs et de lait et les tourner dans la chapelure.

4

Faire dorer une ou deux pinces à la fois dans de l'huile chaude.

Crabe Louis

Gratin de crabe au four

6 à 8 portions

1	oignon moyen, haché
1	poivron vert, haché
1	poivron rouge, haché
8	gros champignons, en tranches
2	grosses tomates, pelées, épépinées et en dés
60 mL	(*1/4 tasse*) beurre
60 mL	(*1/4 tasse*) farine tout usage
310 mL	(*1 1/4 tasse*) crème épaisse
1 kg	(*2 1/4 lb*) chair de crabe, cuite
	sel et poivre
60 mL	(*1/4 tasse*) amandes, effilées
500 mL	(*2 tasses*) fromage cheddar moyen, râpé

Préchauffer le four à 230°C (*450°F*).

Faire sauter les légumes dans le beurre jusqu'à tendres. Saupoudrer de farine; bien mélanger.

Ajouter la crème et laisser mijoter, en remuant, jusqu'à épaississement. Incorporer la chair de crabe et assaisonner au goût.

Disposer le mélange chaud dans un plat peu profond et graissé, allant au four. Parsemer d'amandes et de fromage.

Faire légèrement gratiner au four.

Crabe Louis

4 portions

450 g	(*1 lb*) de chair de crabe
2	têtes de laitue, au beurre
3	tomates, tranchées
4	œufs durs, en quartiers
16	olives vertes

Sauce

180 mL	(*3/4 tasse*) sauce chili
125 mL	(*1/2 tasse*) mayonnaise
5 mL	(*1 c. à thé*) oignon, haché fin
3 mL	(*1/2 c. à thé*) sucre
1 mL	(*1/4 c. à thé*) sauce anglaise
1 mL	(*1/4 c. à thé*) sel
1	pincée de poivre

Nettoyer la chair de crabe de tout cartilage. Tapisser 4 assiettes de feuilles de laitue. Disposer 115 g (*4 oz*) de chair de crabe au centre. Entourer de 4 tranches de tomate et de quartiers d'œufs durs. Napper de 30 mL (*2 c. à table*) de sauce. Garnir d'olives. Servir le reste de la sauce à part.

Sauce : bien mélanger tous les ingrédients de la sauce. Mettre 30 minutes au réfrigérateur avant de servir.

Homard à la sauce Mornay

4 portions

4	homards vivants, d'environ 675 g (*1½ lb*) chacun
	court-bouillon (voir *Soupes*)
45 mL	(*3 c. à table*) oignon, haché fin
45 mL	(*3 c. à table*) céleri, haché fin
45 mL	(*3 c. à table*) carotte, hachée fin
8	gros champignons, en tranches
30 mL	(*2 c. à table*) beurre
250 mL	(*1 tasse*) poulet, cuit, en dés
430 mL	(*1¾ tasse*) sauce Mornay (voir *Sauces*)
250 mL	(*1 tasse*) fromage suisse, râpé

Saisir les homards par le dos et les plonger la tête la première dans une grande marmite de court-bouillon bouillant. Laisser mijoter 12 à 15 minutes ou jusqu'à ce que les homards remontent à la surface. Égoutter.

Faire sauter les légumes dans du beurre. Incorporer le poulet et la sauce Mornay chaude. Laisser mijoter à feu doux jusqu'à épaississement.

Découper les homards en deux, sur la longueur. Briser les pinces et prélever toute la chair, les œufs et la substance verte. Jeter les pinces.

Trancher la chair de homard, l'incorporer à la sauce Mornay, mélangée au préalable avec les œufs et la substance verte.

Disposer ce mélange dans les demi-carapaces.

Parsemer de fromage et faire dorer au four, sous le gril.

Homard thermidor

6 portions

3	homards de 675 g (*1½ lb*) chacun
60 mL	(*¼ tasse*) beurre
30 mL	(*2 c. à table*) huile
3	échalotes, hachées
60 mL	(*¼ tasse*) vin blanc
60 mL	(*¼ tasse*) sherry
500 mL	(*2 tasses*) sauce Mornay (voir *Sauces*)
15 mL	(*1 c. à table*) persil
5 mL	(*1 c. à thé*) moutarde sèche
15 mL	(*1 c. à table*) crème épaisse
125 mL	(*½ tasse*) fromage parmesan, râpé

Préchauffer le four à 200°C (*400°F*).

Diviser les homards en deux. Retirer les pinces et les briser. Faire fondre 30 mL (*2 c. à table*) de beurre et le verser sur les homards. Huiler une grande plaque à biscuits. Y disposer les homards et les pinces. Faire cuire au four 10 minutes.

Entre-temps, faire chauffer le reste de beurre dans une casserole. Y faire sauter les échalotes jusqu'à tendres. Ajouter le vin et le sherry et laisser diminuer à 60 mL (*¼ tasse*). Ajouter la sauce Mornay, le persil et la moutarde sèche. Faire cuire 3 minutes à feu vif en remuant continuellement avec un fouet.

Sortir les homards du four. Prélever la chair des carapaces; garder les carapaces.

Découper la chair en dés et mettre dans un bol. Ajouter les ⅔ de la sauce. Bien mélanger. Verser un peu de sauce dans les carapaces avant de les remplir avec le mélange au homard.

Verser le reste de sauce et la crème sur le mélange au homard. Parsemer de fromage. Faire dorer au four et servir.

Médaillons de homard à la crème au pernod

6 portions

6	queues de homard
1	petit oignon, en dés
1	gousse d'ail, hachée fin
15 mL	(*1 c. à table*) beurre
500 mL	(*2 tasses*) tomates, écrasées
5 mL	(*1 c. à thé*) graines d'aneth
60 mL	(*¼ tasse*) pernod
125 mL	(*½ tasse*) crème épaisse

Découper les queues de homard en médaillons.

Faire sauter l'oignon et l'ail dans le beurre jusqu'à tendres. Ajouter les tomates, les graines d'aneth et le pernod; laisser mijoter 12 minutes.

Ajouter la crème et le homard et laisser mijoter encore 10 minutes. Servir immédiatement.

Homard Henri Duvernois

Homard Henri Duvernois

6 portions

1 kg	(*2¼ lb*) chair de homard
60 mL	(*¼ tasse*) beurre
125 mL	(*½ tasse*) poireaux, en julienne
160 mL	(*⅔ tasse*) sherry
30 mL	(*2 c. à table*) brandy
500 mL	(*2 tasses*) crème épaisse
1 L	(*4 tasses*) riz, cuit et chaud

Faire sauter la chair de homard dans le beurre. Ajouter les poireaux et faire cuire jusqu'à tendres.

Incorporer le sherry et le brandy; laisser mijoter 5 minutes. Retirer le homard de la sauce et garder au chaud.

Ajouter la crème, laisser réduire de moitié.

Disposer le homard sur le riz, napper de sauce et servir.

Sandwichs aux fruits de mer Pamela

6 portions

60 mL	(*¼ tasse*) d'huile
2	gousses d'ail, hachées fin
1	petit oignon, en petits dés
1	poivron vert, en petits dés
115 g	(*4 oz*) champignons, en tranches
2	branches de céleri, hachées fin
450 g	(*1 lb*) petites crevettes, décortiquées et déveinées
500 mL	(*2 tasses*) purée de tomate
1 mL	(*¼ c. à thé*) origan
1 mL	(*¼ c. à thé*) thym
1 mL	(*¼ c. à thé*) basilic
1 mL	(*¼ c. à thé*) assaisonnement au chili
1 mL	(*¼ c. à thé*) paprika
1 mL	(*¼ c. à thé*) poivre
5 mL	(*1 c. à thé*) sel
450 g	(*1 lb*) chair de crabe, cuite
1	pain croûté, en 6 tranches épaisses
500 mL	(*2 tasses*) fromage cheddar, râpé

Faire chauffer l'huile dans une grande poêle. Y faire sauter l'ail, l'oignon, le poivre, les champignons et le céleri jusqu'à tendres.

Ajouter les crevettes; faire cuire jusqu'à ce qu'elles deviennent roses. Ajouter la purée de tomate et les assaisonnements; mélanger. Faire cuire 10 minutes à feu doux. Incorporer la chair de crabe et laisser mijoter 5 minutes de plus.

Retirer la mie du centre des tranches de pain, puis les faire dorer au four. Remplir le milieu avec le mélange aux fruits de mer.

Parsemer de fromage et faire gratiner au four.

Crêpes aux fruits de mer à la sauce Mornay

8 portions

Crêpes

3	œufs
1 mL	(*¼ c. à thé*) sel
250 mL	(*1 tasse*) lait
180 mL	(*¾ tasse*) farine
45 mL	(*3 c. à table*) beurre

Farce

60 mL	(*¼ tasse*) beurre
250 mL	(*1 tasse*) petits pétoncles
250 mL	(*1 tasse*) petites crevettes
250 mL	(*1 tasse*) chair de crabe, cuite
500 mL	(*2 tasses*) sauce Mornay (voir *Sauces*)
500 mL	(*2 tasses*) fromage cheddar, râpé

Crêpes : battre les œufs en un mélange léger. Ajouter le sel et le lait. Ajouter la farine un petit peu à la fois, en repliant.

Graisser légèrement une poêle chaude avec du beurre. Y verser la pâte à l'aide d'une louche, en faisant tourner la poêle afin qu'une mince couche de pâte en couvre le fond. Laisser cuire la crêpe jusqu'à ce qu'elle soit brun doré. Retourner et faire dorer l'autre côté 30 secondes. Déposer dans une assiette.

Farce : préchauffer le four à 180°C (*350°F*).

Faire chauffer le beurre dans une casserole. Y faire sauter les pétoncles.

Ajouter les crevettes et la chair de crabe. Laisser cuire 3 minutes.

Incorporer la sauce. Laisser mijoter 5 minutes. Mettre 45 mL (*3 c. à table*) de farce sur chaque crêpe et rouler. Disposer dans un plat peu profond et graissé, allant au four.

Parsemer de fromage. Faire cuire au four 15 minutes.

Crêpes aux fruits de mer à la sauce Mornay

Ragoût de crabe et de homard

4 portions

250 mL	(*1 tasse*) chair de crabe, cuite
250 mL	(*1 tasse*) chair de homard, cuite
125 mL	(*1/2 tasse*) céleri, en petits dés
1	poivron vert, en petits dés
1	oignon, en petits dés
180 mL	(*3/4 tasse*) mayonnaise
3 mL	(*1/2 c. à thé*) sel
1 mL	(*1/4 c. à thé*) poivre
3 mL	(*1/2 c. à thé*) paprika
5 mL	(*1 c. à thé*) sauce anglaise
125 mL	(*1/2 tasse*) chapelure
125 mL	(*1/2 tasse*) fromage cheddar, râpé

Préchauffer le four à 180°C (*350°F*).

Mélanger les fruits de mer et les légumes. Incorporer la mayonnaise et les assaisonnements.

Disposer le mélange dans un faitout graissé. Parsemer de chapelure et de fromage.

Faire cuire au four 30 minutes.

Escargots à la bourguignonne

8 portions

48	escargots, en conserve
750 mL	(*3 tasses*) court-bouillon (voir *Soupes*)
430 mL	(*1 3/4 tasse*) beurre, ramolli
3	gousses d'ail, écrasées
250 mL	(*1 tasse*) persil, frais et haché
10 mL	(*2 c. à thé*) poivre noir
15 mL	(*1 c. à table*) brandy
48	coquilles d'escargots

Préchauffer le four à 200°C (*400°F*).

A feu doux, faire mijoter les escargots 30 minutes dans le court-bouillon.

Entre-temps, mélanger le beurre, l'ail, le persil, le poivre et le brandy.

Égoutter les escargots et en farcir les coquilles. Remplir les coquilles du mélange au beurre. Laisser cuire au four 5 minutes.

Servir avec du pain à l'ail.

Huîtres à la John Hoyle

3 à 6 portions

36	huîtres fraîches de la Nouvelle-Orléans
2	oignons verts, hachés fin
80 mL	(*1/3 tasse*) vinaigre de vin rouge
5 mL	(*1 c. à thé*) jus de citron
3	citrons, en quartiers

Nettoyer et ouvrir les huîtres. Détacher la chair de leurs coquilles. Jeter la moitié de coquille la plus petite.

Mélanger les oignons verts, le vinaigre et le jus de citron.

Disposer les huîtres sur un plat de service. Arroser chacune d'elles de 3 mL (*1/2 c. à thé*) de sauce.

Servir accompagnées de quartiers de citron.

Huîtres Bienville

Huîtres Bienville

4 portions

30 mL	(*2 c. à table*) beurre
90 g	(*3 oz*) champignons, en tranches
3	oignons verts, hachés
30 mL	(*2 c. à table*) farine
160 mL	(*⅔ tasse*) bouillon de poisson (voir *Soupes*)
80 mL	(*⅓ tasse*) sherry
3 mL	(*½ c. à thé*) sel
1	pincée de poivre de Cayenne
1	jaune d'œuf

24	huîtres dans leur demi-coquille
125 mL	(*½ tasse*) chapelure
30 mL	(*2 c. à table*) fromage parmesan, râpé

Préchauffer le four à 200°C (*400°F*).

Faire chauffer le beurre dans une casserole. Y faire sauter les champignons et les oignons verts.

Ajouter la farine, mélanger et faire cuire 2 minutes. Ajouter le bouillon de poisson, le sherry et les assaisonnements. Laisser mijoter 5 minutes.

Fouetter le jaune d'œuf et incorporer à la sauce. Faire cuire 5 minutes à feu doux.

Disposer les huîtres sur une plaque à biscuits. Faire cuire au four 5 minutes.

Sortir du four et napper de sauce. Parsemer de chapelure et de fromage.

Faire dorer au four. Servir immédiatement.

La cuisine internationale

La cuisine des autres pays et de certaines régions bien spécifiques gagne en popularité. Cela n'a rien d'étonnant puisqu'il nous est de plus en plus facile de déguster ces spécialités sans devoir nous déplacer à l'étranger.

Pendant des années, plusieurs Nord-Américains ont limité leur horizon culinaire et la plupart d'entre nous ne prend même plus le temps de penser que des repas de tous les jours, par exemple le spaghetti, ont déjà été considérés comme des plats exotiques.

Les recettes de ce chapitre, qui proviennent de pays aussi lointains que le Mexique, la Russie, la Pologne et le Japon, vous offrent un peu plus d'exotisme. Lorsque vous les aurez essayées, vous ne pourrez plus vous en passer.

Je dois avouer que j'ai un faible pour les cuisines cajun et créole, cuisines ayant des racines françaises. Ce sont les Acadiens qui les ont apportées avec eux lorsqu'ils ont été bannis de la côte est du Canada. Mais d'autres facteurs ont aussi contribué au développement de ce merveilleux art culinaire : les colonisateurs espagnols, les esclaves africains, les autochtones et les conditions climatiques (chaleur et humidité).

Ne croyez surtout pas que la cuisine cajun est toujours piquante et épicée. Les épices font partie de la magie de ces plats, certes, mais elles ne doivent jamais enterrer les autres saveurs.

Pour moi, il n'y a rien de mieux qu'un repas ethnique et régional accompagné d'une musique de circonstance, comme un délicieux repas cajun avec, comme musique de fond, Bourbon Street, joué par le clarinettiste Pete Fountain.

Poulet et crevettes aux gombos

Poulet et crevettes aux gombos

8 portions

60 mL	(*1/4 tasse*) huile
565 g	(*1 1/4 lb*) crevettes, pelées et déveinées
565 g	(*1 1/4 lb*) poulet désossé, en dés
1	oignon, en gros dés
2	poivrons verts, en gros dés
3	branches de céleri, en gros dés
225 g	(*1/2 lb*) saucisse forte, en tranches
500 mL	(*2 tasses*) tomates, pelées, épépinées et hachées
375 mL	(*1 1/2 tasse*) eau
250 mL	(*1 tasse*) riz, cru
10 mL	(*2 c. à thé*) sel
5 mL	(*1 c. à thé*) origan
5 mL	(*1 c. à thé*) poivre de Cayenne
5 mL	(*1 c. à thé*) thym
5 mL	(*1 c. à thé*) paprika
5 mL	(*1 c. à thé*) poivre
10 mL	(*2 c. à thé*) ail, en poudre
450 g	(*1 lb*) gombos
45 mL	(*3 c. à table*) feuilles de sassafras moulues (*facultatif*)

Dans une grande casserole, faire chauffer l'huile. Y faire sauter les crevettes et le poulet.

Ajouter les légumes et la saucisse forte; faire revenir jusqu'à tendres. Ajouter les tomates, l'eau, le riz et les assaisonnements. Laisser mijoter 30 minutes.

Entre-temps, trancher les gombos et laisser mijoter 15 minutes dans de l'eau. Égoutter et ajouter au plat.

Juste avant de servir, ajouter le sassafras. Servir immédiatement.

Côtes levées à la Bayou

8 portions

45 mL	(*3 c. à table*)	huile
1 kg	(*2 ¼ lb*)	côtes levées, coupées
250 mL	(*1 tasse*)	farine
1		oignon, en dés
4		gousses d'ail, hachées fin
2		branches de céleri, en dés
1		poivron vert, en dés
250 mL	(*1 tasse*)	tomates, écrasées
30 mL	(*2 c. à table*)	pâte de tomate
250 mL	(*1 tasse*)	eau
10 mL	(*2 c. à thé*)	sel
5 mL	(*1 c. à thé*)	poivre
1 mL	(*¼ c. à thé*)	origan
3 mL	(*½ c. à thé*)	thym
3 mL	(*½ c. à thé*)	poivre de Cayenne
3 mL	(*½ c. à thé*)	basilic
3		feuilles de laurier
30 mL	(*2 c. à table*)	cassonade

Fariner les côtes levées. Faire chauffer l'huile dans une grande poêle. Y faire revenir les côtes levées, l'oignon, l'ail, le céleri et le poivron jusqu'à tendres.

Bien incorporer les tomates, la pâte de tomate et l'eau. Ajouter les assaisonnements, les feuilles de laurier et la cassonade.

Réduire le feu et laisser mijoter 3 heures en ajoutant de l'eau au besoin.

Soupe aux haricots noirs

8 portions

375 mL	(*1½ tasse*)	haricots noirs
1,6 L	(*6⅔ tasses*)	bouillon de bœuf (voir *Soupes*)
20 mL	(*1⅓ c. à table*)	beurre
1		oignon espagnol, haché fin
1		branche de céleri, hachée fin
15 mL	(*1 c. à table*)	farine
15 mL	(*1 c. à table*)	persil, fraîchement haché
10 mL	(*2 c. à thé*)	coriandre, fraîchement hachée
1		petit os de jambon
170 g	(*6 oz*)	couenne de jambon, en gros morceaux
1		poireau, émincé
1		feuille de laurier
3 mL	(*½ c. à thé*)	poivre
1 mL	(*¼ c. à thé*)	poivre de Cayenne
80 mL	(*⅓ tasse*)	madère (vin)
160 mL	(*⅔ tasse*)	crème sure

Laver les haricots. Laisser tremper 6 heures ou plus.

Égoutter et faire mijoter dans le bouillon de bœuf 1½ heure.

Dans une grande casserole, faire fondre le beurre. Y faire revenir l'oignon et le céleri jusqu'à tendres.

Incorporer la farine, le persil et la coriandre. Faire cuire 2 minutes.

Ajouter les haricots et le bouillon; bien mélanger.

Ajouter l'os de jambon et la couenne, la feuille de laurier, les poivres et le poireau. Laisser mijoter à feu doux 1 à 1½ heure.

Sortir l'os de jambon, la couenne et la feuille de laurier.

Presser à travers un tamis à larges mailles ou mélanger au robot culinaire jusqu'à consistance lisse.

Ajouter le madère, porter à ébullition. Servir avec de la crème sure à part.

Haricots rouges et riz

8 portions

375 mL	(*1½ tasse*) haricots rouges
1,5 L	(*6 tasses*) eau
45 mL	(*3 c. à table*) huile
1	oignon, en dés
6	oignons verts, hachés
3	gousses d'ail, écrasées
1	poivron vert, en dés
3	branches de céleri, en dés
450 g	(*1 lb*) saucisse forte
450 g	(*1 lb*) jambon, en dés
750 mL	(*3 tasses*) tomates, hachées
5 mL	(*1 c. à thé*) paprika
5 mL	(*1 c. à thé*) assaisonnement au chili
3 mL	(*½ c. à thé*) poivre de Cayenne
5 mL	(*1 c. à thé*) thym
1 mL	(*¼ c. à thé*) poivre
5 mL	(*1 c. à thé*) origan
2 L	(*8 tasses*) riz, cuit et chaud

Faire tremper les haricots dans l'eau toute la nuit. Laisser mijoter 1 heure.

Faire chauffer l'huile. Y faire revenir les oignons, l'ail, le poivron vert, le céleri, la saucisse et le jambon pendant 2 minutes.

Ajouter les tomates et les assaisonnements. Mélanger avec les haricots rouges.

Laisser mijoter jusqu'à épaississement, environ 2 heures.

Disposer le riz chaud sur un plat de service. Couvrir avec les haricots rouges. Servir immédiatement.

Haricots rouges et riz

Bouillabaisse de la Nouvelle-Orléans

8 portions

45 mL	(*3 c. à table*) beurre
45 mL	(*3 c. à table*) oignon, haché fin
45 mL	(*3 c. à table*) poivron vert, haché fin
1	branche de céleri, hachée fin
1	gousse d'ail, hachée fin
5 mL	(*1 c. à thé*) persil, haché
160 mL	(*⅔ tasse*) tomates, hachées
410 mL	(*1⅔ tasse*) bouillon de poisson (voir *Soupes*)
170 g	(*6 oz*) crevettes, décortiquées et déveinées
170 g	(*6 oz*) chair d'huître
170 g	(*6 oz*) chair de crabe
170 g	(*6 oz*) queues d'écrevisse
3 mL	(*½ c. à thé*) thym
3 mL	(*½ c. à thé*) basilic
3 mL	(*½ c. à thé*) marjolaine
3 mL	(*½ c. à thé*) paprika
80 mL	(*⅓ tasse*) sherry
300 g	(*10 oz*) vivaneau, en lanières de 5 cm (*2 po*)

Dans une grande casserole ou un faitout, faire chauffer le beurre.

Y faire revenir l'oignon, le poivron vert, le céleri, l'ail et le persil. Ajouter les tomates et le bouillon de poisson. Laisser mijoter 15 minutes.

Ajouter les fruits de mer, les assaisonnements et le sherry. Laisser mijoter encore 10 minutes.

Ajouter le vivaneau et laisser mijoter encore 5 minutes. Servir.

Crevettes jambalaya

6 portions

225 g	(*½ lb*) saucisse italienne forte, en dés
30 mL	(*2 c. à table*) huile
125 mL	(*½ tasse*) oignons verts, hachés
2	gousses d'ail, hachées fin
2	poivrons verts, en dés
30 mL	(*2 c. à table*) persil, en flocons
500 mL	(*2 tasses*) tomates, pelées, épépinées et écrasées
10 mL	(*2 c. à thé*) sel
5 mL	(*1 c. à thé*) poivre
3 mL	(*½ c. à thé*) origan
3 mL	(*½ c. à thé*) thym
3 mL	(*½ c. à thé*) basilic
375 mL	(*1½ tasse*) d'eau
250 mL	(*1 tasse*) riz, cru
1 kg	(*2¼ lb*) grosses crevettes, décortiquées et déveinées

Faire revenir les saucisses dans l'huile. Ajouter les oignons, l'ail et les poivrons verts. Faire sauter jusqu'à tendres.

Ajouter le persil, les tomates, les assaisonnements, l'eau et le riz. Bien mélanger.

Incorporer les crevettes. Porter à ébullition, puis réduire à feu doux.

Couvrir et laisser mijoter 30 minutes.

Goûter, rectifier l'assaisonnement et servir.

Cuisses de grenouilles à la créole

6 portions

60 mL	(¼ *tasse*) beurre
1	oignon, en petits dés
1	poivron vert, en petits dés
2	branches de céleri, en petits dés
750 mL	(*3 tasses*) tomates, hachées
3 mL	(½ *c. à thé*) origan
3 mL	(½ *c. à thé*) thym
3 mL	(½ *c. à thé*) basilic
5 mL	(*1 c. à thé*) paprika
5 mL	(*1 c. à thé*) sel
3 mL	(½ *c. à thé*) poivre de Cayenne
3 mL	(½ *c. à thé*) poivre noir
4	oignons verts, hachés
30 mL	(*2 c. à table*) persil, haché
60 mL	(¼ *tasse*) beurre à l'ail
24	paires de cuisses de grenouille

Faire chauffer le beurre dans une casserole. Y faire revenir les légumes. Ajouter les tomates et les assaisonnements. Laisser mijoter 20 minutes.

Ajouter les oignons verts et le persil.

Faire chauffer le beurre à l'ail dans une grande poêle. Y faire revenir les cuisses de grenouilles 5 minutes.

Couvrir de sauce, laisser mijoter encore 8 minutes. Servir.

1

Faire revenir les légumes dans une casserole. Ajouter les tomates et les assaisonnements et laisser mijoter 20 minutes.

2

Ajouter les oignons verts et le persil.

3

Dans une grande poêle, faire revenir les cuisses de grenouille dans du beurre à l'ail pendant 5 minutes.

4

Verser la sauce sur les cuisses de grenouille; laisser mijoter 8 minutes et servir.

Crevettes à la créole

6 portions

1 kg	(*2 ¼ lb*) crevettes, décortiquées et déveinées
60 mL	(*¼ tasse*) huile
60 mL	(*¼ tasse*) farine
1	oignon espagnol, en petits dés
2	poivrons verts, en petits dés
3	branches de céleri, en petits dés
500 mL	(*2 tasses*) tomates, pelées, épépinées et hachées
10 mL	(*2 c. à thé*) sel
5 mL	(*1 c. à thé*) ail, en poudre
5 mL	(*1 c. à thé*) poivre
5 mL	(*1 c. à thé*) poivre blanc
3 mL	(*½ c. à thé*) poivre de Cayenne
5 mL	(*1 c. à thé*) origan
5 mL	(*1 c. à thé*) thym
5 mL	(*1 c. à thé*) basilic
375 mL	(*1½ tasse*) eau
15 mL	(*1 c. à table*) cassonade
60 mL	(*¼ tasse*) oignon vert, haché fin
45 mL	(*3 c. à table*) persil, haché

Faire sauter les crevettes dans l'huile chaude. Égoutter; réserver.

Ajouter la farine et faire un roux léger.

Ajouter l'oignon, les poivrons et le céleri et faire revenir jusqu'à tendres en remuant continuellement.

Incorporer les tomates, les assaisonnements, l'eau et le sucre. Couvrir et laisser mijoter 20 minutes.

Remettre les crevettes dans la sauce, ajouter les oignons verts et le persil.

Laisser mijoter 7 minutes et servir sur du riz cuit.

Bananes Foster

6 portions

80 mL	(*⅓ tasse*) beurre
180 mL	(*¾ tasse*) cassonade
5 mL	(*1 c. à thé*) cannelle
90 mL	(*3 oz*) liqueur de banane
180 mL	(*6 oz*) rhum brun
6	bananes
1,5 L	(*6 tasses*) crème glacée à la vanille

Dans une poêle, faire fondre le beurre.

Ajouter la cassonade et laisser caraméliser.

Ajouter la cannelle. Flamber avec la liqueur de banane et le rhum.

Ajouter les bananes, faire chauffer 2 minutes. Verser sur la crème glacée.

Servir une banane par personne.

Poulets de Cornouailles à la rochambeau

6 portions

3	poulets de Cornouailles, coupés en deux et désossés
45 mL	(*3 c. à table*) huile
5 mL	(*1 c. à thé*) sel
5 mL	(*1 c. à thé*) paprika
5 mL	(*1 c. à thé*) poivre
5 mL	(*1 c. à thé*) origan
6	tranches de jambon de 60 g (*2 oz*) chacune
125 mL	(*½ tasse*) beurre
45 mL	(*3 c. à table*) farine
250 mL	(*1 tasse*) jus d'ananas
15 mL	(*1 c. à table*) cassonade
125 mL	(*½ tasse*) sherry
6	biscottes
125 mL	(*½ tasse*) sauce béarnaise (voir *Sauces*)

Préchauffer le four à 180°C (*350°F*).

Badigeonner les poulets avec l'huile. Assaisonner. Faire rôtir 40 minutes au four.

Faire griller les tranches de jambon au four pendant 2 minutes.

Faire fondre le beurre, y ajouter la farine et faire un roux.

Ajouter le jus d'ananas, la cassonade et le sherry. Laisser mijoter jusqu'à épaississement.

Disposer la moitié d'un poulet de Cornouailles sur une biscotte. Couvrir de jambon. Napper de sauce à l'ananas, puis de sauce béarnaise chaude et servir.

Daube de bœuf provençale

8 portions

1 kg	(*2¼ lb*) bifteck de ronde, en fines lanières
5 mL	(*1 c. à thé*) sel
3 mL	(*½ c. à thé*) poivre
3 mL	(*½ c. à thé*) basilic
2	feuilles de laurier, écrasées
500 mL	(*2 tasses*) vin rouge ou blanc
22 mL	(*1½ c. à table*) huile d'olive
6	tranches de bacon, en morceaux
4	carottes, tranchées
115 g	(*4 oz*) champignons, en tranches
500 mL	(*2 tasses*) tomates, épépinées et hachées
2	gousses d'ail, hachées fin
8	olives noires dénoyautées, en tranches
1	bouquet garni
1,5 L	(*6 tasses*) riz cuit, chaud

Assaisonner le bœuf avec le sel, le poivre, le basilic et les feuilles de laurier.

Arroser de vin et d'huile d'olive; laisser mariner 2 heures. Mélanger le bacon, les carottes, les champignons, les tomates, l'ail et les olives. Égoutter le bœuf et réserver le liquide.

Dans une casserole graissée, alterner les couches de bœuf et de légumes. Mettre le bouquet garni au milieu. Arroser avec le reste de liquide. Faire refroidir au réfrigérateur 2 heures. Faire cuire au four préalablement chauffé à 160°C (*325°F*) pendant 4 heures. Servir avec du riz.

Poulet normandie

Poulet normandie

4 portions

1	poulet à frire, en 8 morceaux
45 mL	(*3 c. à table*) beurre
450 g	(*1 lb*) pommes, pelées et tranchées
60 mL	(*¼ tasse*) calvados (brandy de pommes)

Préchauffer le four à 180°C (*350°F*).

Faire sauter le poulet dans le beurre jusqu'à ce qu'il soit à moitié cuit.

Mettre les pommes dans une cocotte. Recouvrir avec les morceaux de poulet. Verser, en remuant, le calvados dans la poêle chaude puis en arroser le poulet.

Couvrir et faire cuire au four 25 à 30 minutes.

Rouladen

8 portions

1 kg	(*2¼ lb*) bifteck de ronde
450 g	(*1 lb*) veau maigre, haché
250 mL	(*1 tasse*) oignons, hachés fin
125 mL	(*½ tasse*) chapelure
1	œuf, battu
250 mL	(*1 tasse*) sauce chili
1	pincée de poivre de Cayenne
5	cornichons, en éventail
125 mL	(*½ tasse*) farine assaisonnée
80 mL	(*⅓ tasse*) huile
250 mL	(*1 tasse*) bouillon de bœuf (voir *Soupes*)

Préchauffer le four à 190°C (*375°F*).

Enlever l'excès de gras du bifteck. Aplatir très mince.

Mélanger le veau, les oignons, la chapelure, l'œuf, la sauce chili et le poivre de Cayenne. Étendre sur le bœuf.

Disposer les cornichons sur la viande, rouler et ficeler. Saupoudrer de farine.

Faire chauffer l'huile dans une grande poêle. Y faire dorer la viande.

Disposer sur une plaque à rôtir. Ajouter le bouillon et faire cuire au four 1½ heure.

Épaissir le bouillon pour obtenir une sauce brune et verser sur le Rouladen.

Sauerbraten

6 portions

45 mL	(*3 c. à table*) vinaigre
125 mL	(*½ tasse*) vin rouge ou blanc
341 mL	(*12 oz*) bière
375 mL	(*1½ tasse*) eau
1	carotte, tranchée
1	oignon, tranché
1	branche de céleri, émincée
5 mL	(*1 c. à thé*) sel
45 mL	(*3 c. à thé*) épices à marinade
1 kg	(*2¼ lb*) rôti de ronde

Dans une casserole, faire chauffer le vinaigre, le vin, la bière, l'eau, la carotte, l'oignon, le céleri et les assaisonnements. Porter à ébullition et laisser mijoter 15 minutes. Laisser refroidir complètement.

Disposer le rôti dans un grand bol. Ajouter le mélange refroidi. Couvrir et mettre au réfrigérateur 24 heures.

Préchauffer le four à 180°C (*350°F*).

Égoutter le rôti et jeter le liquide et les légumes. Disposer le rôti sur une plaque à rôtir. Faire cuire au four 2½ heures ou jusqu'au degré de cuisson désiré.

Dresser sur un plat de service, découper et servir.

Tourte Sacher

8 à 10 portions

15 mL	(*1 c. à table*) cacao, en poudre
160 mL	(*⅔ tasse*) farine à pâtisserie, tamisée
340 g	(*12 oz*) chocolat mi-sucré
80 mL	(*⅓ tasse*) beurre
80 mL	(*⅓ tasse*) sucre
4	jaunes d'œufs
5	blancs d'œufs
60 mL	(*¼ tasse*) confiture d'abricots
340 g	(*¾ lb*) pâte d'amande*
8 mL	(*1½ c. à thé*) huile

Préchauffer le four à 160°C (*325°F*).

Tamiser ensemble le cacao et la farine. Faire fondre le chocolat au bain-marie.

Réduire le beurre en crème; mélanger avec le sucre jusqu'à consistance légère. Y ajouter lentement 125 mL (*½ tasse*) de chocolat fondu.

Ajouter les jaunes d'œufs, un à la fois. Verser lentement le mélange de farine. Incorporer sans trop mélanger.

Battre les blancs d'œufs en neige ferme. Ajouter au mélange en repliant avec précaution. Verser la pâte dans un moule de 20 cm (*8 po*) de diamètre, profond, en forme de couronne, légèrement graissé.

Faire cuire au four 1¼ heure. Sortir du four et laisser refroidir 10 minutes.

Faire chauffer la confiture et en badigeonner le gâteau. Sur une surface légèrement saupoudrée de sucre à glacer, abaisser la pâte d'amande en une feuille mince.

En couvrir le gâteau et découper les bords qui dépassent. Ajouter l'huile au reste de chocolat. Verser sur le gâteau. Mettre au réfrigérateur 1 heure. Servir.

Cette recette, spécialité de l'hôtel Sacher à Vienne, y est servie avec une grande quantité de crème fouettée non sucrée.

La pâte d'amande se trouve dans les magasins où l'on vend des décorations pour gâteaux ou dans les pâtisseries.

Rôti de longe de porc et chou rouge

Rôti de longe de porc et chou rouge

	8 portions
2,2 kg	(*5 lb*) rôti de longe de porc, ficelé
60 mL	(*¼ tasse*) huile
5 mL	(*1 c. à thé*) sel
3 mL	(*½ c. à thé*) poivre
3 mL	(*½ c. à thé*) paprika
1 mL	(*¼ c. à thé*) cannelle
115 g	(*4 oz*) bacon, en dés
1 kg	(*2¼ lb*) chou rouge, râpé
5 mL	(*1 c. à thé*) graines de carvi
30 mL	(*2 c. à table*) sucre
125 mL	(*½ tasse*) sherry

Préchauffer le four à 180°C (*350°F*).

Badigeonner le rôti avec l'huile. Saupoudrer de sel, de poivre, de paprika et de cannelle.

Disposer sur une plaque à rôtir. Faire cuire au four 2 heures.

Entre-temps, faire cuire le bacon dans une grande poêle. Égoutter et réserver. Garder 60 mL (*¼ tasse*) de graisse de bacon.

Mettre le chou dans la poêle. Faire revenir 3 minutes dans la graisse de bacon réservée. Ajouter les graines de carvi, le sucre, le bacon et le sherry.

Couvrir et laisser mijoter 15 minutes ou jusqu'à tendres. Disposer sur un plat de service. Sortir le rôti du four, le découper et le servir sur le chou.

Moussaka

8 portions

30 mL	(*2 c. à table*) beurre
1	oignon, haché fin
1	gousse d'ail, hachée fin
675 g	(*1½ lb*) agneau, haché
500 mL	(*2 tasses*) tomates, écrasées
15 mL	(*1 c. à table*) sel
3 mL	(*½ c. à thé*) origan
3 mL	(*½ c. à thé*) thym
5 mL	(*1 c. à thé*) paprika
5 mL	(*1 c. à thé*) basilic
3 mL	(*½ c. à thé*) poivre
3 mL	(*½ c. à thé*) cannelle
15 mL	(*1 c. à table*) fécule de maïs
45 mL	(*3 c. à table*) vin rouge
2	aubergines de 565 g (*1¼ lb*) chacune
125 mL	(*½ tasse*) beurre fondu
250 mL	(*1 tasse*) fromage cheddar, râpé
750 mL	(*3 tasses*) sauce Mornay (voir *Sauces*)

Faire fondre le beurre dans une cocotte. Y faire revenir l'oignon et l'ail jusqu'à tendres.

Y faire dorer l'agneau. Ajouter les tomates, 8 mL (*1½ c. à thé*) de sel et les assaisonnements.

Réduire le feu et laisser mijoter 30 minutes. Mélanger la fécule de maïs avec le vin. Incorporer à la sauce et laisser mijoter jusqu'à épaississement.

Couper les aubergines en deux sur la longueur, puis les trancher dans le sens de la largeur, à 1 cm (*½ po*) d'intervalle.

Badigeonner de beurre et saupoudrer avec le reste du sel. Faire griller 4 minutes. Sortir du four.

Dans un plat de 30 x 18 x 5 cm (*12 x 7 x 2 po*) allant au four, étendre une couche d'aubergine et une couche de sauce à la viande. Parsemer de fromage. Recommencer.

Couvrir de sauce Mornay. Faire cuire 35 minutes au four à 180°C (*350°F*). Servir.

Gigot d'agneau à la grecque

8 portions

2	gousses d'ail, hachées fin
60 mL	(*¼ tasse*) jus de citron
3 mL	(*½ c. à thé*) poivre noir
1 mL	(*¼ c. à thé*) graines de fenouil, écrasées
250 mL	(*1 tasse*) yogourt nature
2,7 kg	(*6 lb*) gigot d'agneau papillon (*désossé, paré*)

Mélanger l'ail, le jus de citron, le poivre, l'aneth et le yogourt.

Badigeonner le gigot de ce mélange et mettre au réfrigérateur 12 heures.

Préchauffer le four à 200°C (*400°F*).

Disposer le gigot sur une plaque à rôtir peu profonde. Faire rôtir 40 minutes, retourner, arroser et poursuivre la cuisson 20 minutes de plus. Servir.

Brochettes d'agneau

6 portions

60 mL	(*¼ tasse*) huile d'olive
5 mL	(*1 c. à thé*) origan
3 mL	(*½ c. à thé*) sel
1 mL	(*¼ c. à thé*) poivre
15 mL	(*1 c. à table*) jus de citron
1 kg	(*2¼ lb*) agneau maigre, désossé, découpé en 48 petits cubes
48	chapeaux de champignons
48	morceaux de poivrons verts

Mélanger l'huile, les assaisonnements et le jus de citron. Y faire mariner l'agneau pendant 8 heures, couvert.

Enfiler les morceaux d'agneau, les champignons et le poivron, en alternant viande et légumes.

Faire griller à feu très vif ou sur un barbecue 5 à 6 minutes. Badigeonner de marinade pendant la cuisson.

Servir avec un riz pilaf.

Salade grecque

8 portions

Vinaigrette

125 mL	(*½ tasse*)	huile d'olive
30 mL	(*2 c. à table*)	vinaigre blanc
15 mL	(*1 c. à table*)	jus de citron
7 mL	(*½ c. à table*)	sauce anglaise
7 mL	(*½ c. à table*)	basilic séché
15 mL	(*1 c. à table*)	origan séché
15 mL	(*1 c. à table*)	sel assaisonné

Salade

2	grosses tomates, épépinées
1	oignon espagnol
1	poivron vert
1	concombre sans pépins
225 g	(*½ lb*) petits champignons
125 mL	(*½ tasse*) olives noires
250 mL	(*1 tasse*) fromage feta, émietté

Au robot culinaire ou dans un bocal qui ferme hermétiquement, préparer la vinaigrette en mélangeant tous les ingrédients.

Couper les tomates, les oignons, les poivrons et les concombres en bouchées.

Incorporer les champignons, les olives et le fromage.

Couvrir de vinaigrette et mélanger avec précaution.

Riz pilaf au poulet à la grecque

4 portions

450 g	(*1 lb*)	poulet, en cubes
45 mL	(*3 c. à table*)	beurre
1		petit oignon, haché fin
1		petit poivron vert, en dés
30 mL	(*2 c. à table*)	farine
500 mL	(*2 tasses*)	bouillon de poulet
60 mL	(*¼ tasse*)	raisins secs sultana
750 mL	(*3 tasses*)	riz cuit, chaud

Faire sauter le poulet dans le beurre. Ajouter l'oignon et le poivron vert et faire revenir jusqu'à tendres. Ajouter la farine et mélanger. Incorporer le bouillon et laisser mijoter 10 minutes.

Ajouter les raisins secs; poursuivre la cuisson 3 minutes de plus. Verser sur le riz et servir immédiatement.

Riz pilaf au poulet à la grecque

Goulasch

Goulasch

8 portions

30 mL	*(2 c. à table)* beurre	
125 mL	*(½ tasse)* oignon, en petits dés	
3	gousses d'ail, hachées fin	
45 mL	*(3 c. à table)* paprika	
1 kg	*(2¼ lb)* bœuf à ragoût, en cubes	
5 mL	*(1 c. à thé)* graines de carvi	
1 L	*(4 tasses)* bouillon de bœuf	
5 mL	*(1 c. à thé)* sel	
3 mL	*(½ c. à thé)* poivre noir	
500 mL	*(2 tasses)* tomates, pelées, épépinées et hachées	
225 g	*(8 oz)* petits champignons	
3 mL	*(½ c. à thé)* origan	
15 mL	*(1 c. à table)* fécule de maïs	

Dans une casserole de 4 L *(16 tasses)*, faire chauffer le beurre. Y faire légèrement dorer les oignons et l'ail.

Ajouter le paprika et bien mélanger.

Ajouter le bœuf, les graines de carvi, le bouillon de bœuf, le sel et le poivre. Laisser mijoter 1 heure.

Incorporer les tomates, les champignons et l'origan et laisser mijoter encore 40 minutes, sans couvrir.

Mélanger la fécule de maïs dans un peu d'eau, incorporer à la goulasch et porter à ébullition.

Laisser mijoter jusqu'à léger épaississement.

Pommes de terre au paprika à la hongroise

6 portions

30 mL	(*2 c. à table*) huile
80 mL	(*⅓ tasse*) beurre
1 kg	(*2¼ lb*) grosses pommes de terre, en dés
375 mL	(*1½ tasse*) crème sure
375 mL	(*1½ tasse*) crème épaisse
15 mL	(*1 c. à table*) paprika
8 mL	(*1½ c. à thé*) sel
1 mL	(*¼ c. à thé*) poivre
3	oignons verts, hachés

Préchauffer le four à 180°C (*350°F*).

Faire chauffer l'huile et le beurre dans une grande poêle.

Y faire sauter les pommes de terre, 5 minutes.

Entre-temps, mélanger la crème sure, la crème et les assaisonnements.

Disposer les pommes de terre dans une cocotte. Couvrir de crème. Parsemer d'oignons verts. Couvrir et faire cuire au four 1 heure.

Enlever le couvercle et poursuivre la cuisson 10 minutes de plus. Servir.

1

Faire sauter les pommes de terre dans l'huile et le beurre pendant 5 minutes.

2

Mélanger la crème sure, la crème et les assaisonnements.

3

Disposer les pommes de terre dans une cocotte, arroser de crème et parsemer d'oignons verts.

4

Couvrir et faire cuire au four pendant 1 heure; ôter le couvercle et poursuivre la cuisson encore 10 minutes.

Paprikache hongrois

6 portions

30 mL	(*2 c. à table*) huile
2	oignons, hachés
30 mL	(*2 c. à table*) paprika
125 mL	(*1/2 tasse*) vin rouge
250 mL	(*1 tasse*) bouillon de bœuf (voir *Soupes*)
3 mL	(*1/2 c. à thé*) sel
1 kg	(*2 1/4 lb*) bifteck de ronde, en dés
5	pommes de terre, épluchées et émincées

Faire chauffer l'huile et y faire dorer les oignons.

Ajouter le paprika et mélanger.

Ajouter le vin, le bouillon de bœuf et le sel.

Incorporer le bœuf et laisser mijoter 40 minutes. Étaler les pommes de terre sur le bœuf, couvrir, laisser mijoter 20 minutes. Servir.

Gulyassuppe

6 portions

60 mL	(*1/4 tasse*) huile
450 g	(*1 lb*) bœuf maigre, en dés
2	pommes de terre, épluchées et en dés
1	oignon, haché
3	branches de céleri, hachées
1	poivron vert, haché
1,5 L	(*6 tasses*) bouillon de bœuf (voir *Soupes*)
1	gousse d'ail, hachée fin
10 mL	(*2 c. à thé*) paprika
3 mL	(*1/2 c. à thé*) graines de carvi
5 mL	(*1 c. à thé*) sel
750 mL	(*3 tasses*) tomates, épépinées et hachées
3	saucisses, en dés
180 mL	(*3/4 tasse*) eau
80 mL	(*1/3 tasse*) farine

Faire chauffer l'huile dans une marmite. Y faire dorer le bœuf. Ajouter les légumes et les faire sauter jusqu'à tendres.

Ajouter le bouillon de bœuf, l'ail et les assaisonnements. Laisser mijoter 30 minutes.

Ajouter les tomates et les saucisses. Poursuivre la cuisson 10 minutes de plus.

Mélanger l'eau et la farine. Incorporer à la soupe, laisser mijoter jusqu'à épaississement, environ 10 minutes.

Gnocchi au bœuf et à la crème sure

8 portions

60 mL	(*1/4 tasse*) huile
1 kg	(*2 1/4 lb*) bœuf maigre, en dés
2 L	(*8 tasses*) bouillon de bœuf (voir *Soupes*)
500 mL	(*2 tasses*) tomates, écrasées
5 mL	(*1 c. à thé*) sauce anglaise
5 mL	(*1 c. à thé*) sel
250 mL	(*1 tasse*) crème sure
1	recette de gnocchi (voir *Pâtes alimentaires*)

Faire chauffer l'huile dans une grande casserole. Y faire revenir le bœuf.

Ajouter le bouillon et porter à ébullition. Réduire le feu et laisser mijoter 45 minutes.

Enlever la viande, faire réduire le bouillon à 500 mL (*2 tasses*). Ajouter les tomates et laisser mijoter pour obtenir 750 mL (*3 tasses*) de liquide.

Incorporer les assaisonnements et la crème sure, laisser mijoter pour réduire la sauce à 625 mL (*2 1/2 tasses*). Remettre le bœuf dans la casserole.

Faire cuire les gnocchi selon le mode d'emploi; égoutter.

Dresser sur un plat de service; couvrir du mélange de bœuf et servir.

Curry d'agneau

Curry d'agneau

8 portions

80 mL	(*⅓ tasse*) beurre
1 kg	(*2¼ lb*) agneau, désossé, en lanières de 5 cm (*2 po*)
1	gros oignon, en dés
500 mL	(*2 tasses*) de céleri, en dés
45 mL	(*3 c. à table*) farine
250 mL	(*1 tasse*) sauce tomate
250 mL	(*1 tasse*) bouillon de poulet
250 mL	(*1 tasse*) yogourt nature
5 mL	(*1 c. à thé*) sel
30 mL	(*2 c. à table*) poudre de curry

Dans une grande poêle, faire chauffer le beurre.

Y faire sauter l'agneau, l'oignon et le céleri pendant 5 minutes. Saupoudrer de farine et poursuivre la cuisson 3 minutes.

Ajouter la sauce tomate, le bouillon, le yogourt et les assaisonnements.

Réduire le feu et laisser mijoter doucement jusqu'à ce que l'agneau soit tendre, 30 à 40 minutes environ.

Servir avec des nouilles ou du riz.

Kedgeree

6 portions

500 mL	(*2 tasses*) riz, cuit
4	œufs, durs et hachés
450 g	(*1 lb*) saumon, cuit et en flocons
30 mL	(*2 c. à table*) beurre
125 mL	(*1/2 tasse*) oignons, hachés fin
60 mL	(*1/4 tasse*) céleri, haché fin
15 mL	(*1 c. à table*) farine
125 mL	(*1/2 tasse*) crème épaisse
60 mL	(*1/4 tasse*) persil, haché
1 mL	(*1/4 c. à thé*) sel
1 mL	(*1/4 c. à thé*) poivre
3 mL	(*1/2 c. à thé*) poudre de curry
500 mL	(*2 tasses*) fromage cheddar, râpé

Préchauffer le four à 180°C (*350°F*).

Dans un bol, mélanger le riz, les œufs et le saumon.

Faire chauffer le beurre dans une casserole.

Y faire sauter les oignons et le céleri, jusqu'à tendres. Ajouter la farine et mélanger. Faire cuire 2 minutes sans laisser brunir.

Ajouter la crème et les assaisonnements. Faire cuire jusqu'à épaississement. Bien incorporer au poisson.

Verser le mélange dans une cocotte graissée. Couvrir de fromage et faire cuire au four 25 à 30 minutes. Servir.

Omelette indienne

1 portion

3	œufs
30 mL	(*2 c. à table*) crème épaisse
30 mL	(*2 c. à table*) beurre
45 mL	(*3 c. à table*) jambon, en petits dés
45 mL	(*3 c. à table*) poulet, en petits dés
15 mL	(*1 c. à table*) oignons verts, hachés fin
60 mL	(*1/4 tasse*) sauce au curry, chaude (voir *Sauces*)
30 mL	(*2 c. à table*) tomates, hachées

Battre les œufs avec la crème.

Faire chauffer le beurre dans une poêle. Y faire sauter le jambon, le poulet et les oignons verts jusqu'à ce que ces derniers soient tendres.

Ajouter les œufs. Lorsque les œufs sont pris, retourner l'omelette et poursuivre la cuisson 1 1/2 à 2 minutes. Plier en deux. Disposer sur un plat de service.

Napper de sauce au curry, parsemer de tomates et servir immédiatement.

Omelette indienne

Poulet cacciatore

6 portions

1 kg	(*2¼ lb*) poulet à frire, en 8 morceaux
60 mL	(*¼ tasse*) farine
125 mL	(*½ tasse*) huile
1	petit oignon, en petits dés
1	petit poivron vert, en dés
2	gousses d'ail, hachées fin
3 mL	(*½ c. à thé*) origan
3 mL	(*½ c. à thé*) thym
5 mL	(*1 c. à thé*) sel
5 mL	(*1 c. à thé*) poivre
5 mL	(*1c. à thé*) paprika
875 mL	(*3½ tasses*) tomates, épépinées et hachées
125 mL	(*½ tasse*) vin rouge ou sherry

Fariner le poulet. Le faire dorer dans l'huile chaude sur tous les côtés.

Ajouter l'oignon, le poivron vert et l'ail. Faire sauter jusqu'à tendres. Égoutter l'huile. Ajouter les assaisonnements, les tomates et le vin.

Couvrir et laisser mijoter à feu doux 45 à 50 minutes.

Servir avec du pain à l'ail italien.

Poulet cacciatore

Poulet parmigiana

6 portions

6	poitrines de poulet, désossées
2	œufs
60 mL	(*¼ tasse*) lait
125 mL	(*½ tasse*) farine
250 mL	(*1 tasse*) chapelure
45 mL	(*3 c. à table*) huile
45 mL	(*3 c. à table*) beurre
250 mL	(*1 tasse*) sauce tomate (voir *Sauces*)
250 mL	(*1 tasse*) fromage mozzarella, râpé

Bien aplatir les poitrines de poulet en escalopes.

Mélanger les œufs et le lait. Fariner les escalopes de poulet, puis les tremper dans le mélange d'œufs et les rouler dans la chapelure.

Faire revenir dans l'huile et le beurre chauds 3 minutes de chaque côté.

Disposer sur un plat graissé allant au four; napper de sauce, parsemer de fromage et faire gratiner.

Poulet tetrazzini

6 portions

450 g	(*1 lb*) spaghetti
1	oignon, en petits dés
250 mL	(*1 tasse*) céleri, en dés
80 mL	(*1/3 tasse*) poivron vert, en dés
80 mL	(*1/3 tasse*) poivron rouge, en dés
80 mL	(*1/3 tasse*) poivron jaune, en dés
300 g	(*10 oz*) champignons, en tranches
60 mL	(*1/4 tasse*) beurre
60 mL	(*1/4 tasse*) farine
500 mL	(*2 tasses*) crème légère
500 mL	(*2 tasses*) fromage havarti, râpé
5 mL	(*1 c. à thé*) sel
3 mL	(*1/2 c. à thé*) poivre
5 mL	(*1 c. à thé*) basilic
3 mL	(*1/2 c. à thé*) origan
3 mL	(*1/2 c. à thé*) marjolaine
750 mL	(*3 tasses*) poulet, cuit, en dés
60 mL	(*1/4 tasse*) vin blanc, sucré
180 mL	(*3/4 tasse*) fromage parmesan, râpé

Faire cuire les spaghetti «al dente» dans une grande casserole d'eau bouillante. Égoutter et garder au chaud.

Faire sauter l'oignon, le céleri, les poivrons et les champignons dans du beurre jusqu'à tendres.

Incorporer la farine au mélange jusqu'à consistance lisse. Ajouter la crème et mélanger jusqu'à épaississement.

Ajouter le fromage havarti, les assaisonnements, le poulet et le vin; laisser mijoter 8 minutes.

Verser les spaghetti dans un grand plat allant au four. Napper de sauce.

Parsemer de parmesan et faire dorer rapidement sous le gril.

Escalopes de veau parmigiana

6 portions

6	escalopes de veau
2	œufs
60 mL	(*1/4 tasse*) lait
125 mL	(*1/2 tassse*) farine
250 mL	(*1 tasse*) chapelure
45 mL	(*3 c. à table*) huile
45 mL	(*3 c. à table*) beurre
250 mL	(*1 tasse*) sauce tomate (voir *Sauces*)
250 mL	(*1 tasse*) fromage mozzarella, râpé

Bien aplatir les escalopes.

Mélanger les œufs avec le lait. Fariner les escalopes, les tremper dans le mélange d'œufs et les rouler dans la chapelure.

Faire sauter les escalopes dans l'huile et le beurre chauds, 3 minutes de chaque côté.

Couvrir de sauce tomate et de fromage. Faire gratiner au four.

Boulettes de viande à l'italienne pour spaghetti

4 portions

340 g	(*3/4 lb*) bœuf maigre, haché
115 g	(*1/4 lb*) chair à saucisse italienne, hachée fin
125 mL	(*1/2 tasse*) chapelure
125 mL	(*1/2 tasse*) fromage parmesan, râpé
15 mL	(*1 c. à table*) persil, haché
30 mL	(*2 c. à table*) huile
2	gousses d'ail, hachées fin
125 mL	(*1/2 tasse*) lait
1	œuf, battu
5 mL	(*1 c. à thé*) sel
1 mL	(*1/4 c. à thé*) origan
1 mL	(*1/4 c. à thé*) thym
1 mL	(*1/4 c. à thé*) basilic
3 mL	(*1/2 c. à thé*) poivre
3 mL	(*1/2 c. à thé*) paprika

Préchauffer le four à 190°C (*375°F*).

Mélanger le bœuf et la chair à saucisse.

Incorporer la chapelure, le parmesan, le persil et l'huile.

Ajouter le reste des ingrédients et bien mélanger.

Façonner en boulettes. Faire cuire au four 12 minutes.

Servir avec des spaghetti à la sauce tomate.

Escalopes de veau parmigiana

Guadalajara spéciale

6 portions

30 mL	(*2 c. à table*) beurre
1	oignon, en petits dés
1	poivron vert, en petits dés
250 mL	(*1 tasse*) tomates, hachées
500 mL	(*2 tasses*) sauce tomate (voir *Sauces*)
5 mL	(*1 c. à thé*) sel
5 mL	(*1 c. à thé*) assaisonnements au chili
1 mL	(*¼ c. à thé*) poivre
1 mL	(*¼ c. à thé*) paprika
500 mL	(*2 tasses*) poulet, cuit, en cubes
250 mL	(*1 tasse*) chair de crevettes
250 mL	(*1 tasse*) chair de crabe
6	tortillas
500 mL	(*2 tasses*) fromage cheddar, râpé

Préchauffer le four à 180°C (*350°F*).

Faire chauffer le beurre dans une poêle. Y faire sauter l'oignon et le poivron vert.

Ajouter les tomates, la sauce tomate et les assaisonnements. Réduire le feu à doux et laisser mijoter 15 minutes.

Farcir les tortillas de poulet, de chair de crevettes et de chair de crabe.

Disposer dans un plat allant au four. Napper de sauce, parsemer de fromage.

Faire cuire au four 12 minutes.

Enchiladas

6 portions

450 g	(*1 lb*) bœuf maigre, haché
30 mL	(*2 c. à table*) huile
1	gousse d'ail, hachée fin
1	oignon moyen, en petits dés
5 mL	(*1 c. à thé*) sel
5 mL	(*1 c. à thé*) paprika
5 mL	(*1 c. à thé*) poivre
10 mL	(*2 c. à thé*) assaisonnement au chili
6	tortillas
250 mL	(*1 tasse*) crème sure
500 mL	(*2 tasses*) fromage cheddar fort, émietté

Préchauffer le four à 180°C (*350°F*).

Faire sauter le bœuf haché dans l'huile chaude. A mi-cuisson, ajouter l'ail et l'oignon. Faire sauter jusqu'à tendres.

Égoutter l'excès de graisse et ajouter les assaisonnements. Mélanger. Remplir les tortillas de farce.

Napper avec environ 30 mL (*2 c. à table*) de crème sure.

Rouler les tortillas et les disposer dans un plat allant au four, pli en-dessous.

Couvrir de sauce, parsemer de fromage et faire cuire au four 20 minutes.

Sauce

1	oignon moyen, en petits dés
2	gousses d'ail, hachées fin
1	poivron vert, en petits dés
60 mL	(*¼ tasse*) huile
250 mL	(*1 tasse*) tomates, pelées et en dés
250 mL	(*1 tasse*) eau
125 mL	(*½ tasse*) pâte de tomate
15 mL	(*1 c. à table*) assaisonnement au chili
5 mL	(*1 c. à thé*) sel
5 mL	(*1 c. à thé*) poivre
3 mL	(*½ c. à thé*) poivre de Cayenne
5 mL	(*1 c. à thé*) paprika
5 mL	(*1 c. à thé*) vinaigre
3 mL	(*½ c. à thé*) origan
3 mL	(*½ c. à thé*) thym
10 mL	(*2 c. à thé*) cassonade

Faire sauter l'oignon, l'ail et le poivron vert dans l'huile chaude jusqu'à tendres.

Ajouter les tomates, l'eau et la pâte de tomate. Laisser mijoter 3 minutes.

Réduire le feu et ajouter le reste des ingrédients.

Laisser mijoter 15 minutes de plus.

Ragoût irlandais

6 à 8 portions

1 kg	*(2¼ lb)* pommes de terre
1 kg	*(2¼ lb)* agneau, désossé, en cubes de 4 cm *(1½ po)*
2	gros oignons, tranchés
10 mL	*(2 c. à thé)* sel
3 mL	*(½ c. à thé)* poivre
3 mL	*(½ c. à thé)* thym
2	branches de céleri, en dés
30 mL	*(2 c. à table)* persil, haché
1 L	*(4 tasses)* bouillon de poulet ou de bœuf (voir *Soupes*)

Préchauffer le four à 180°C *(350°F)*.

Éplucher les pommes de terre et les couper en quatre.

Dans un grand faitout, disposer par couches l'agneau, les pommes de terre et les oignons.

Parsemer d'assaisonnements, de céleri et de persil. Arroser de bouillon.

Couvrir et faire cuire au four 2½ heures. Servir immédiatement.

Guacamole

Guacamole

310 mL (1¼ tasse)

1	avocat, en purée
60 mL	*(¼ tasse)* mayonnaise
15 mL	*(1 c. à table)* jus de citron
5 mL	*(1 c. à thé)* oignon, haché fin
3 mL	*(½ c. à thé)* sel
1 mL	*(¼ c. à thé)* ail, en poudre
1 mL	*(¼ c. à thé)* assaisonnements au chili
1 mL	*(¼ c. à thé)* paprika

Mélanger l'avocat, la mayonnaise, le jus de citron et l'oignon. Incorporer les assaisonnements.

Servir avec des nachos, des tacos, des enchiladas ou des tortillas (voir *Sandwichs*).

Riz sushi

500 mL (2 tasses) de riz

250 mL	(*1 tasse*) eau
180 mL	(*¾ tasse*) riz à grains courts
22 mL	(*1½ c. à table*) vinaigre
22 mL	(*1½ c. à table*) jus de citron
30 mL	(*2 c. à table*) sucre
3 mL	(*½ c. à thé*) sel

Porter l'eau à ébullition. Y ajouter le riz. Réduire le feu, couvrir et laisser cuire jusqu'à absorption complète du liquide.

Dans une autre casserole, faire chauffer le vinaigre, le jus de citron, le sucre et le sel.

Porter à ébullition. Mélanger jusqu'à dissolution complète du sucre.

Retirer du feu. Incorporer le riz. Laisser reposer jusqu'à ce que le liquide soit absorbé.

Sushi 1

8 sushis

1	feuille de nori *, de 18 x 20 cm (*7 x 8 po*)
375 mL	(*1½ tasse*) riz sushi
60 g	(*2 oz*) chair de crabe en bâtonnets
60 g	(*2 oz*) petites crevettes

Mettre le nori sur un linge humide. Couvrir de riz; bien le tasser.

Sur une des extrémités étroites, étaler une bande de chair de crabe et, à côté, une de crevettes. Rouler comme pour un gâteau roulé.

Avec un couteau bien affilé, couper des tranches de 2,5 cm (*1 po*). Servir avec une sauce au goût.

*Le nori est une algue séchée et rôtie disponible dans la plupart des boutiques d'aliments asiatiques et dans les supermarchés au rayon des spécialités.

Sushi 2

8 sushis

1	feuille de nori
250 mL	(*1 tasse*) riz sushi
90 g	(*3 oz*) saumon fumé, en tranches fines
125 mL	(*½ tasse*) beurre aux pommes (voir *Légumes*)
10 mL	(*2 c. à thé*) menthe fraîche

Mettre le nori sur un linge humide. Disposer le riz dessus, bien le tasser.

A environ 2,5 cm (*1 po*) de l'extrémité étroite, mettre le saumon. Rouler comme pour un gâteau roulé. Trancher avec un couteau affilé.

Mélanger le beurre aux pommes et la menthe. Servir à part comme sauce.

Sushi 3

8 sushis

1	feuille de nori
375 mL	(*1½ tasse*) riz sushi
115 g	(*4 oz*) jambon, en tranches très minces
115 g	(*4 oz*) chair de homard, hachée fin

Mettre le nori sur un linge humide. Couvrir d'une mince couche de riz; bien tasser. Disposer une mince couche de jambon sur le riz.

Ajouter une autre couche de riz. Couvrir de chair de homard. Rouler comme pour un gâteau roulé. Trancher avec un couteau affilé.

Servir avec une sauce au goût.

Sushi 1, Sushi 2 et Sushi 3

Foo yong aux œufs et aux crevettes

	2 portions
30 mL	(*2 c. à table*) huile
125 mL	(*½ tasse*) chair de crevettes
30 mL	(*2 c. à table*) oignon, haché fin
4	œufs, battus

Sauce

1 mL	(*¼ c. à thé*) sel
1 mL	(*¼ c. à thé*) poivre noir
45 mL	(*3 c. à table*) sauce soja
5 mL	(*1 c. à thé*) oignon vert, haché fin
1 mL	(*¼ c. à thé*) ail, en poudre
1	pincée de gingembre, moulu
10 mL	(*2 c. à thé*) cassonade
15 mL	(*1 c. à table*) eau

Faire chauffer l'huile dans un wok. Y faire sauter les crevettes jusqu'à ce qu'elles soient roses. Retirer du wok.

Faire revenir l'oignon jusqu'à tendre. Remettre les crevettes dans le wok et y incorporer les œufs. Faire frire.

Retirer et servir accompagné de sauce.

Pour préparer la sauce, mélanger tous les ingrédients en fouettant.

Foo yong aux œufs et aux crevettes

Sandacz na winie

4 portions

250 mL	(*1 tasse*) vin blanc sec
1	oignon moyen, haché
1	carotte, hachée
1	branche de céleri, hachée
4	filets de perche de 225 g (*8 oz*) chacun
30 mL	(*2 c. à table*) beurre
30 mL	(*2 c. à table*) farine
125 mL	(*½ tasse*) bouillon de poisson (voir *Soupes*)
10 mL	(*2 c. à thé*) persil, haché

Faire chauffer le vin et les légumes dans une casserole.

Y faire pocher les filets de poisson 5 minutes ou plus, selon l'épaisseur des filets. Retirer et garder au chaud.

Filtrer le vin.

Faire chauffer le beurre dans une casserole. Ajouter la farine et laisser cuire 1½ à 2 minutes.

Ajouter le vin et le bouillon de poisson.

Laisser mijoter 5 minutes ou jusqu'à épaississement. Verser sur le poisson, parsemer de persil et servir.

Saucisses polonaises en pâte

Saucisses polonaises en pâte

8 tranches

1	abaisse de pâte feuilletée surgelée de 18 x 20 cm (*7 x 8 po*)
450 g	(*1 lb*) saucisse polonaise
1	œuf, légèrement battu

Préchauffer le four à 220°C (*425°F*).

Faire dégeler la pâte. Retirer l'enveloppe de la saucisse. Envelopper la saucisse dans la pâte.

Badigeonner d'œuf. Faire dorer au four, environ 20 à 25 minutes.

Sortir du four, trancher et servir avec une sauce au goût.

Paella

8 portions

225 g	(*½ lb*) palourdes
225 g	(*½ lb*) moules
125 mL	(*½ tasse*) huile
1 kg	(*2¼ lb*) poulet, en 12 morceaux
1	oignon, haché fin
1	poivron vert, haché fin
3	branches de céleri, hachées fin
2	gousses d'ail, hachées fin
3 mL	(*½ c. à thé*) safran, moulu
5 mL	(*1 c. à thé*) thym
5 mL	(*1 c. à thé*) origan
2 L	(*8 tasses*) bouillon de poulet (voir *Soupes*)
500 mL	(*2 tasses*) tomates, écrasées
1 L	(*4 tasses*) riz étuvé, à grains longs
450 g	(*1 lb*) crabe, pattes et pinces coupées
450 g	(*1 lb*) crevettes, décortiquées et déveinées
225 g	(*½ lb*) jambon, en dés
225 g	(*½ lb*) petits pois

Préchauffer le four à 190°C (*375°F*).

Nettoyer les palourdes et les moules.

Dans une grande casserole, faire chauffer l'huile. Y faire dorer le poulet.

Ajouter l'oignon, le poivron vert, le céleri et l'ail; les faire revenir jusqu'à tendres. Retirer le poulet. Enlever l'excès d'huile.

Ajouter le safran, le thym et l'origan. Faire cuire 1 minute.

Ajouter le bouillon de poulet et les tomates. Porter à ébullition.

Mettre le riz dans une grande casserole. Couvrir de poulet, de palourdes, de moules, de crabe, de crevettes, de jambon et de petits pois.

Arroser de bouillon. Faire cuire au four 30 minutes ou jusqu'à ce que le riz soit tendre. Ne pas remuer.

Retirer du four, couvrir, laisser reposer 5 minutes et servir.

Arroz con pollo

6 portions

60 mL	(*¼ tasse*) farine
3 mL	(*½ c. à thé*) origan
3 mL	(*½ c. à thé*) thym
3 mL	(*½ c. à thé*) basilic
5 mL	(*1 c. à thé*) sel
5 mL	(*1 c. à thé*) poivre
1 kg	(*2¼ lb*) poulet à frire, en 8 morceaux
125 mL	(*½ tasse*) huile d'olive
1	poivron vert, en dés
250 mL	(*1 tasse*) oignons, en dés
500 mL	(*2 tasses*) tomates, épépinées et hachées
115 g	(*4 oz*) champignons, en tranches
375 mL	(*1½ tasse*) riz, non cuit
1 L	(*4 tasses*) bouillon de poulet (voir *Soupes*)
15 mL	(*1 c. à table*) piments doux rôtis, en dés
1	gousse d'ail, hachée fin
1	feuille de laurier
1 mL	(*¼ c. à thé*) poivre de Cayenne
1 mL	(*¼ c. à thé*) poivre noir, concassé
1 mL	(*¼ c. à thé*) safran
125 mL	(*½ tasse*) sherry
250 mL	(*1 tasse*) petits pois, surgelés

Préchauffer le four à 180°C (*350°F*).

Assaisonner la farine avec l'origan, le thym, le basilic, le sel et le poivre.

Laver et assécher le poulet, puis le fariner.

Faire chauffer l'huile. Y faire dorer le poulet sur tous les côtés. Disposer dans une grande cocotte.

Faire sauter le poivron vert et les oignons dans l'huile jusqu'à tendres. Ajouter les tomates, les champignons, le riz, le bouillon, les piments doux rôtis, les assaisonnements et le sherry.

Laisser mijoter 3 minutes et verser sur le poulet. Couvrir et faire cuire au four 55 à 60 minutes.

Ajouter les petits pois et poursuivre la cuisson 15 minutes de plus.

Gravlax

Ajouter le bouillon de bœuf, couvrir et laisser mijoter 15 à 20 minutes.

Servir chaud sur des nouilles, accompagné de crème sure.

Gravlax

8 portions

675 g	(1 1/2 lb) saumon frais
225 g	(8 oz) aneth frais
125 mL	(1/2 tasse) sucre
60 mL	(1/4 tasse) sel de mer
15 mL	(1 c. à table) poivre noir en grains, concassé
15 mL	(1 c. à table) poivre blanc en grains, concassé
1	citron, en tranches

Détacher les filets des arêtes avec beaucoup de soin. Hacher l'aneth grossièrement.

Écraser ensemble le sucre, le sel et les poivres en grains avec un pilon.

Disposer un filet sur un plateau, côté peau en dessous. Étaler dessus, par couches, la moitié du mélange de sel, l'aneth, le reste du mélange de sel et couvrir de l'autre filet.

Envelopper dans une pellicule de plastique.

Déposer une brique dessus et mettre au réfrigérateur 3 jours. (Toutes les 12 heures, jeter toute accumulation de liquide dans l'emballage, envelopper de nouveau et remettre au réfrigérateur). Après le temps requis, sortir le poisson, jeter la marinade (mélange de sel et d'aneth). Étaler les filets, côté peau vers le bas.

Trancher très finement, contre le grain et en biais, avec un couteau affilé. Jeter la peau.

Disposer sur un plat de service et garnir de tranches de citron.

Boulettes de viande à la suédoise

6 portions

125 mL	(1/2 tasse) chapelure
60 mL	(1/4 tasse) crème épaisse
450 g	(1 lb) veau, haché
1	œuf
15 mL	(1 c. à table) oignon, haché fin
1 mL	(1/4 c. à thé) paprika
1 mL	(1/4 c. à thé) oignon, en poudre
1	pincée de piment de la Jamaïque
3 mL	(1/2 c. à thé) poivre noir
1 mL	(1/4 c. à thé) ail, en poudre
60 mL	(1/4 tasse) huile
60 mL	(1/4 tasse) bouillon de bœuf (voir Soupes)
250 mL	(1 tasse) crème sure (facultatif)

Faire tremper la chapelure dans la crème. Incorporer le veau, l'œuf et les assaisonnements. Façonner en boulettes.

Faire chauffer l'huile. Y faire dorer les boulettes de viande. Égoutter l'huile.

Saumon kulebyaka à la russe

10 à 12 portions

900 g	(*2 lb*) filets de saumon, sans peau
10 mL	(*2 c. à thé*) sel
45 mL	(*3 c. à table*) persil, haché
125 mL	(*½ tasse*) beurre
1	gros oignon, haché fin
180 mL	(*¾ tasse*) riz, non cuit
500 mL	(*2 tasses*) bouillon de poulet (voir *Soupes*)
115 g	(*¼ lb*) champignons, cuits et hachés
3	œufs durs, hachés
3 mL	(*½ c. à thé*) cerfeuil
3 mL	(*½ c. à thé*) basilic
180 mL	(*¾ tasse*) velouté de poulet (voir *Sauces*)
1	recette de pâte à brioche (voir *Pains*)
1	jaune d'œuf
30 mL	(*2 c. à table*) crème légère

Découper le saumon en lanières de 2 cm (*¾ po*). Saler et parsemer de 15 mL (*1 c. à table*) de persil. Mettre au réfrigérateur.

Faire chauffer la moitié du beurre dans une casserole. Y faire revenir le ¼ des oignons jusqu'à tendres.

Ajouter le riz et incorporer le beurre en remuant pour glacer le riz.

Ajouter le bouillon de poulet et faire cuire le riz jusqu'à tendre. Laisser refroidir.

Dans une autre casserole, faire chauffer le reste de beurre et y faire revenir ce qu'il reste d'oignons; laisser refroidir.

Mélanger le riz cuit, les oignons revenus, le reste de persil, les champignons, les œufs hachés, les assaisonnements et le velouté.

Préchauffer le four à 200°C (*400°F*).

Abaisser la moitié de la pâte à brioche en un rectangle. Disposer le quart du mélange de riz, en évitant de couvrir le pourtour de la pâte sur 2 cm (*¾ po*).

Étendre des lanières de saumon sur le riz. Alterner ainsi riz et saumon jusqu'à avoir 4 couches de riz et 3 couches de saumon.

Abaisser le reste de la pâte à brioche en un rectangle légèrement plus grand que le premier.

Mélanger le jaune d'œuf et la crème. En badigeonner les bords de la pâte contenant le saumon et le riz. Couvrir d'une abaisse; appuyer fermement pour souder les bords; découper l'excès de pâte.

Badigeonner la pâte avec le mélange d'œuf. Pratiquer une incision au centre pour permettre à la vapeur de s'échapper. Garnir avec le reste de pâte. Badigeonner de nouveau d'œuf.

Faire cuire au four 45 minutes.

Sortir du four et servir chaud, tiède ou froid.

Borscht

10 portions

6	grosses betteraves
60 mL	(*¼ tasse*) beurre
450 g	(*1 lb*) bœuf, en dés
1	oignon, haché fin
¼	chou, émincé
2 L	(*8 tasses*) bouillon de poulet (voir *Soupes*)
5 mL	(*1 c. à thé*) sucre
10 mL	(*2 c. à thé*) sel
5 mL	(*1 c. à thé*) poivre
375 mL	(*1½ tasse*) crème sure

Blanchir les betteraves 5 minutes dans de l'eau bouillante. Égoutter et éplucher. Découper en dés.

Faire chauffer le beurre dans une grande casserole. Y faire dorer le bœuf. Ajouter l'oignon et les betteraves; faire revenir 5 minutes.

Ajouter le chou et le bouillon; laisser mijoter 2 heures ou jusqu'à ce que le bœuf soit tendre.

Ajouter le sucre, le sel et le poivre.

Servir chaque portion avec 15 mL (*1 c. à table*) de crème sure.

Poulet à la kiev

6 portions

125 mL	(*½ tasse*) beurre, ramolli
2	gousses d'ail, hachées fin
30 mL	(*2 c. à table*) ciboulette, hachée fin
30 mL	(*2 c. à table*) persil, en flocons
6	poitrines de poulet, désossées de 170 g (*6 oz*) chacune
60 mL	(*¼ tasse*) farine
2	œufs battus
250 mL	(*1 tasse*) chapelure
750 mL	(*3 tasses*) huile

Mélanger le beurre avec l'ail, la ciboulette et le persil en flocons.

Envelopper le beurre dans du papier d'aluminium et faire congeler 2½ à 3 heures.

Préchauffer le four à 180°C (*350°F*).

Mettre le poulet entre deux pellicules de plastique et l'aplatir. Diviser le beurre en six. Déposer une rondelle de beurre sur chaque poitrine de poulet. Replier pour envelopper complètement le beurre.

Fariner, tremper dans l'œuf et rouler dans la chapelure.

Faire dorer sur tous les côtés dans de l'huile chaude. Terminer la cuisson au four 8 à 10 minutes.

1

Mélanger le beurre ramolli avec l'ail, la ciboulette et le persil en flocons. Envelopper dans du papier ciré et faire congeler.

2

Mettre le poulet entre deux pellicules de plastique et l'aplatir.

3

Déposer un morceau de beurre sur chaque poitrine de poulet et replier le poulet pour bien enrober le beurre.

4

Faire dorer le poulet pané dans de l'huile chaude et terminer la cuisson au four 8 à 10 minutes.

Holubsti (Rouleaux au chou)

8 à 10 portions

1	gros chou
45 mL	(*3 c. à table*) huile
1	oignon, haché fin
1	branche de céleri, hachée fin
1	carotte, hachée fin
225 g	(*½ lb*) porc, haché
225 g	(*½ lb*) bœuf maigre, haché
750 mL	(*3 tasses*) riz, cuit
3 mL	(*½ c. à thé*) basilic
3 mL	(*½ c. à thé*) thym
3 mL	(*½ c. à thé*) marjolaine
1	œuf
375 mL	(*1½ tasse*) jus de tomate
125 mL	(*½ tasse*) crème sure

Préchauffer le four à 180°C (*350°F*).

Retirer le cœur du chou; plonger le chou dans l'eau bouillante. Laisser cuire jusqu'à ce que les feuilles soient tendres.

Retirer le chou sans déchirer les feuilles et ôter la côte au centre. Couper les feuilles en 2 ou 3.

Tapisser de quelques feuilles le fond d'un grand plat allant au four.

Faire chauffer l'huile dans une grande poêle. Y faire revenir les légumes et les viandes jusqu'à bien cuit. Laisser refroidir. Incorporer le riz, les fines herbes et les œufs.

Mettre 30 mL (*2 c. à table*) ou plus de mélange sur chaque feuille; replier les extrémités et rouler.

Disposer les rouleaux par couches sur les feuilles de chou dans le plat.

Fouetter le jus de tomate avec la crème sure et verser sur les rouleaux.

Couvrir de feuilles de chou. Couvrir hermétiquement avec un couvercle ou du papier d'aluminium. Faire cuire au four 1½ à 2 heures.

Varenyky aux fruits

24 morceaux

500 mL	(*2 tasses*) farine
5 mL	(*1 c. à thé*) sel
1	œuf
125 mL	(*½ tasse*) eau froide

Mélanger la farine avec le sel. Ajouter l'œuf et suffisamment d'eau pour obtenir une pâte pas trop ferme.

Pétrir jusqu'à ce que la pâte soit lisse. Couvrir et laisser reposer.

Diviser en deux. Abaisser en un couche très mince. Couper en carrés de 6 cm (*2½ à 3 po*). Badigeonner avec l'eau.

Disposer 5 mL (*1 c. à thé*) de garniture sur chaque carré de pâte, c'est-à-dire 1 pruneau. Replier la pâte par-dessus et souder les bords.

Glisser quelques varenyky à la fois dans une casserole d'eau bouillante et les laisser cuire 3 à 4 minutes. Servir avec une sauce aux fruits.

Garniture

24	pruneaux
80 mL	(*⅓ tasse*) sucre
15 mL	(*1 c. à table*) cannelle

Dénoyauter les pruneaux.

Mélanger le sucre avec la cannelle. Farcir l'emplacement du noyau avec ce sucre.

Poulet kasha au four

6 à 8 portions

250 mL	(*1 tasse*) gruau de sarrasin	5 mL	(*1 c. à thé*) marjolaine
1	œuf	5 mL	(*1 c. à thé*) thym
30 mL	(*2 c. à table*) huile	5 mL	(*1 c. à thé*) sel
500 mL	(*2 tasses*) eau bouillante	3 mL	(*½ c. à thé*) poivre
115 g	(*¼ lb*) jambon, en dés	1	poulet de 1,8 kg (*4 lb*)
115 g	(*¼ lb*) champignons, en tranches		
1	oignon moyen, en dés		
15 mL	(*1 c. à table*) persil, haché		

Préchauffer le four à 180°C (*350°F*).

Étaler le gruau dans un plat peu profond.

Y incorporer l'œuf. Faire légèrement dorer au four.

Mettre dans une casserole avec l'huile et l'eau. Faire bouillir jusqu'à absorption presque complète du liquide.

Incorporer le jambon, les champignons, l'oignon et les assaisonnements.

Farcir le poulet avec ce mélange. Le disposer sur une plaque à rôtir et le faire cuire au four, environ 1½ heure, en l'arrosant souvent.

Poulet kasha au four

Les légumes

Dans toutes les familles, on entend souvent le même refrain : « *Mange tes légumes !* »

Malheureusement, on accorde souvent bien peu d'attention à la présentation et à la cuisson des légumes, tant à la maison qu'au restaurant.

Pourtant, les légumes cuits convenablement sont un plaisir, tant pour les yeux que pour le palais. Les bons cuisiniers savent, du reste, que les légumes apportent beaucoup plus que des vitamines et des minéraux à un repas; leur couleur et leur texture ajoutent une note esthétique des plus importantes.

Lorsque vous planifiez un repas, considérez les légumes comme partie intégrante et tenez compte des points suivants :

La couleur : Tout un repas, si bon soit-il, ne suscitera aucun intérêt s'il n'est pas agréable à regarder. Les légumes offrent une telle variété de couleur qu'ils peuvent rehausser la présentation des plats ternes.

La saveur : Il est important de toujours choisir des légumes très frais. Les légumes les plus jeunes sont ceux qui ont le plus de saveur.

La forme : Choisissez des légumes de formes variées qui s'harmonisent entre eux. Un plat de boulettes de viande, servi avec des petites pommes de terre rondes et des tomates cerise, ferait piètre figure. Agrémentez vos plat en façonnant vos légumes de différentes façons : dés, bâtonnets, ovales, boules, etc.

La texture : Pour ce qui concerne la texture, la variété est de nouveau le mot-clé. Un repas où tout ne serait que purée est impensable.

Conseils pour la cuisson des légumes

Lorsque vous faites bouillir des légumes, n'utilisez que la quantité d'eau nécessaire pour les couvrir et faites-les cuire par petites quantités. Si vous utilisez des légumes surgelés, faites-les d'abord dégeler et diminuez légèrement le temps de cuisson recommandé pour les légumes frais.

Feuilletés au brocoli

Feuilletés au brocoli

8 portions

375 mL	(1½ *tasse*) champignons, en tranches
30 mL	(2 c. à table) beurre
500 mL	(2 tasses) brocoli, haché
1	paquet de pâte feuilletée de 398 g (14 oz) surgelée, dégelée
250 mL	(1 tasse) fromage suisse, râpé
1	œuf, battu
30 mL	(2 c. à table) lait

Préchauffer le four à 220°C (425°F).

Faire sauter les champignons dans le beurre, à feu vif, 3 minutes ou jusqu'à ce qu'ils soient tendres; réserver

Faire cuire le brocoli «al dente» dans de l'eau bouillante salée. Égoutter; réserver. Abaisser la pâte feuilletée en un rectangle de 40 x 20 cm (16 x 8 po).

Découper en 8 carrés de 10 cm (4 po) de côté.

Disposer un peu de champignons, de brocoli et de fromage sur chaque carré.

Humecter les bords avec de l'eau, replier en diagonale et souder les bords en pinçant.

Mélanger l'œuf et le lait; en badigeonner les feuilletés. Faire dorer au four 12 à 15 minutes.

Crevettes et asperges à la béarnaise

4 portions

1	botte d'asperges
1 L	(*4 tasses*) eau
10 mL	(*2 c. à thé*) sel
250 mL	(*1 tasse*) petites crevettes, hachées fin
250 mL	(*1 tasse*) sauce béarnaise (voir *Sauces*)

Faire cuire les asperges «al dente» dans de l'eau bouillante salée. Bien égoutter.

Disposer sur un plat de service à l'épreuve de la chaleur. Parsemer de crevettes, napper de sauce.

Mettre au four, sous le gril, 30 secondes. Servir.

Asperges à la cocotte

8 portions

1 kg	(*2¼ lb*) asperges fraîches, en morceaux de 2,5 cm (*1 po*)
1	boîte de crème de champignons de 284 mL (*10 oz*)
500 mL	(*2 tasses*) craquelins nature, écrasés
125 mL	(*½ tasse*) beurre, fondu
500 mL	(*2 tasses*) fromage cheddar fort, râpé
250 mL	(*1 tasse*) noix d'acajou

Préchauffer le four à 180°C (*350°F*).

Plonger les asperges dans de l'eau bouillante salée, couvrir et faire cuire jusqu'à «al dente», 3 à 5 minutes.

Égoutter; réserver 310 mL (*1¼ tasse*) de liquide de cuisson. Mélanger la crème de champignons avec le liquide réservé, jusqu'à consistance lisse.

Bien combiner les craquelins, le beurre et le fromage.

Parsemer la moitié de ce dernier mélange dans un plat graissé de 33 x 23 cm (*13 x 9 po*) allant au four.

Couvrir avec la moitié des asperges, la moitié des noix d'acajou et la moitié de la soupe aux champignons. Répéter ces couches.
Faire cuire au four 30 à 40 minutes.

Gratin d'artichauts

6 portions

6	artichauts
500 mL	(*2 tasses*) sauce Mornay (voir *Sauces*)
5 mL	(*1 c. à thé*) sel
1 mL	(*¼ c. à thé*) poivre
125 mL	(*½ tasse*) fromage parmesan, râpé
30 mL	(*2 c. à table*) beurre

Préchauffer le four à 190°C (*375°F*).

Enlever le fond des artichauts et les feuilles extérieures. Faire bouillir dans de l'eau salée jusqu'à tendres. Disposer dans une cocotte.

Couvrir de sauce, saler et poivrer. Parsemer de fromage, puis de noisettes de beurre.

Faire gratiner au four.

Crevettes et asperges à la béarnaise et Gratin d'artichauts

Haricots verts à la provençale

6 portions

450 g	(*1 lb*) haricots verts	
45 mL	(*3 c. à table*) beurre ou huile	
1	oignon, en petits dés	
3	gousses d'ail, hachées fin	
500 mL	(*2 tasses*) tomates, épépinées et hachées	
5 mL	(*1 c. à thé*) sel	
1 mL	(*¼ c. à thé*) poivre	
5 mL	(*1 c. à thé*) thym	

Éplucher les haricots. Faire cuire 10 minutes dans de l'eau bouillante salée. Égoutter et garder au chaud.

Faire chauffer le beurre dans une poêle. Y faire revenir l'oignon et l'ail jusqu'à tendres.

Ajouter les tomates et les assaisonnements. Laisser mijoter 5 minutes. Incorporer aux haricots. Servir chaud.

Haricots barbecue au four

10 portions

675 g	(*1½ lb*) haricots blancs	
375 mL	(*1½ tasse*) cassonade foncée	
250 mL	(*1 tasse*) mélasse	
1 L	(*4 tasses*) jus de tomate	
1 mL	(*¼ c. à thé*) piment de la Jamaïque	
8 mL	(*1½ c. à thé*) moutarde sèche	
5 mL	(*1 c. à thé*) sel	
1 mL	(*¼ c. à thé*) poivre	
15 mL	(*1 c. à table*) assaisonnement au chili	
5 mL	(*1 c. à thé*) paprika	
30 mL	(*2 c. à table*) beurre	
1	oignon, haché fin	
115 g	(*4 oz*) bacon, en dés	

Recouvrir les haricots d'eau et les laisser tremper toute la nuit.

Égoutter puis couvrir d'eau fraîche. Porter à ébullition et laisser mijoter jusqu'à tendres.

Préchauffer le four à 150°C (*300°F*).

Égoutter les haricots et les rincer sous l'eau froide. Mettre dans un bol.

Combiner la cassonade, la mélasse, le jus de tomate et les assaisonnements. Verser sur les haricots et mélanger.

Faire chauffer le beurre dans une poêle. Y faire revenir l'oignon jusqu'à tendre. Incorporer les haricots et le bacon. Verser dans une grande marmite. Couvrir et faire cuire au four 3 heures. Ôter le couvercle et poursuivre la cuisson 30 minutes de plus. Ajouter un peu d'eau pendant la cuisson, au besoin. Servir chaud ou froid.

Haricots verts amandine

4 portions

450 g	(*1 lb*) haricots verts	
60 mL	(*¼ tasse*) beurre	
375 mL	(*1½ tasse*) amandes, en lamelles	
30 mL	(*2 c. à table*) jus de citron	

Éplucher les haricots. Faire cuire 8 à 10 minutes dans de l'eau bouillante salée. Garder au chaud.

Dans une grande poêle, faire chauffer le beurre. Réduire le feu. Ajouter les amandes et faire dorer.

Ajouter le jus de citron et les haricots. Faire sauter 3 minutes. Servir chaud.

Haricots verts à la lyonnaise et Haricots verts amandine

Pain au brocoli

8 portions

500 mL	(*2 tasses*) brocoli, surtout les tiges
4	œufs, battus
125 mL	(*1/2 tasse*) farine
3 mL	(*1/2 c. à thé*) poudre à pâte
125 mL	(*1/2 tasse*) lait
3 mL	(*1/2 c. à thé*) muscade
5 mL	(*1 c. à thé*) sel
3 mL	(*1/2 c. à thé*) poivre

Préchauffer le four à 180°C (*350°F*).

Au robot culinaire, hacher finement le brocoli. Ajouter les œufs et mélanger.

Tamiser la farine et la poudre à pâte. Les ajouter au premier mélange.

Incorporer lentement le lait. Ajouter les assaisonnements. Verser dans un moule à pain bien graissé.

Faire cuire au four 30 à 35 minutes.

Vérifier la cuisson.

Haricots verts à la lyonnaise

4 portions

450 g	(*1 lb*) haricots verts
115 g	(*4 oz*) bacon, en dés
30 mL	(*2 c. à table*) beurre
1	oignon, en petits dés
60 mL	(*1/4 tasse*) piments doux rôtis, en petits dés
5 mL	(*1 c. à thé*) sel
1 mL	(*1/4 c. à thé*) poivre

Éplucher les haricots. Les blanchir 6 minutes dans de l'eau bouillante.

Faire frire le bacon dans une poêle. Égoutter la graisse.

Ajouter le beurre, y faire revenir les piments doux rôtis et l'oignon jusqu'à tendres. Ajouter les haricots. Faire revenir à feu vif, 3 minutes.

Saler, poivrer et servir.

Brocoli surprise

Brocoli et chou-fleur dans une sauce à l'orange aux amandes

8 portions

340 g	(*¾ lb*)	brocoli, en bouquets
340 g	(*¾ lb*)	chou-fleur, en bouquets
30 mL	(*2 c. à table*)	beurre
30 mL	(*2 c. à table*)	farine
310 mL	(*1¼ tasse*)	jus d'orange
60 mL	(*¼ tasse*)	cassonade
80 mL	(*⅓ tasse*)	amandes, effilées, grillées

Faire cuire le brocoli et le chou-fleur «al dente» dans de l'eau bouillante salée.

Faire chauffer le beurre dans une casserole. Incorporer la farine et faire cuire 2 minutes. Ajouter le jus d'orange et le sucre et mélanger. Laisser mijoter jusqu'à épaississement. Ajouter les amandes.

Disposer les légumes sur un plat de service.

Napper de sauce et servir.

Brocoli surprise

6 portions

500 mL	(*2 tasses*)	brocoli, cuit
375 mL	(*1½ tasse*)	crème épaisse
250 mL	(*1 tasse*)	fromage havarti, râpé
4		œufs, battus

Préchauffer le four à 180°C (*350°F*).

Au robot culinaire, réduire le brocoli en purée. Ajouter la crème et le fromage. Mélanger 30 secondes.

Ajouter les œufs; mélanger encore 30 secondes.

Graisser généreusement un moule à muffins; y verser la pâte. Déposer le moule dans un plat rempli d'eau chaude et faire cuire au four 40 à 45 minutes.

Sortir du four, démouler et servir.

Choux de Bruxelles au paprika

6 portions

675 g	(*1½ lb*) choux de Bruxelles	
1 L	(*4 tasses*) bouillon de poulet (voir *Soupes*)	
60 mL	(*¼ tasse*) beurre	
60 mL	(*¼ tasse*) farine	
250 mL	(*1 tasse*) lait	
5 mL	(*1 c. à thé*) sel	
1 mL	(*¼ c. à thé*) poivre blanc	
10 mL	(*2 c. à thé*) paprika	

Laver et apprêter les choux de Bruxelles.

Faire chauffer le bouillon de poulet. Faire cuire les choux de Bruxelles dans 750 mL (*3 tasses*) de bouillon. Égoutter et garder au chaud.

Faire chauffer le beurre dans une casserole. Incorporer la farine. Faire cuire 2 minutes. Ajouter le reste de bouillon et le lait, puis les assaisonnements.

Laisser mijoter jusqu'à épaississement. Verser sur les choux de Bruxelles et servir.

Choux de Bruxelles bonne femme

Choux de Bruxelles bonne femme

4 portions

450 g	(*1 lb*) choux de Bruxelles	
115 g	(*4 oz*) bacon	
15 mL	(*1 c. à table*) farine	
250 mL	(*1 tasse*) bouillon de poulet	
125 mL	(*½ tasse*) oignons, en petits dés	

Apprêter les choux de Bruxelles. Les blanchir 10 à 12 minutes dans de l'eau bouillante salée.

Découper le bacon en dés. Faire frire jusqu'à tendre. Ne garder que 15 mL (*1 c. à table*) de graisse au fond de la poêle.

Saupoudrer de farine et faire cuire 2 minutes. Ajouter le bouillon, les oignons et les choux de Bruxelles.

Réduire le feu et laisser mijoter à feu doux jusqu'à épaississement.

Servir chaud.

Choux de Bruxelles aux pommes

6 portions

675 g	(*1 1/2 lb*) choux de Bruxelles
450 g	(*1 lb*) pommes, pelées, évidées, en tranches
30 mL	(*2 c. à table*) jus de citron
8	tranches de bacon, en dés
1	petit oignon, haché fin
500 mL	(*2 tasses*) crème sure

Faire cuire les choux de Bruxelles jusqu'à tendres. Tremper les pommes dans le jus de citron pour éviter qu'elles noircissent.

Faire sauter le bacon, ajouter l'oignon et laisser cuire jusqu'à tendre. Égoutter la graisse.

Égoutter les pommes, ajouter à l'oignon et faire cuire jusqu'à tendres.

Incorporer les choux de Bruxelles et la crème sure.

Laisser mijoter 5 minutes. Servir.

Chou-fleur, sauce aux crevettes

6 portions

1	chou-fleur
250 mL	(*1 tasse*) sauce Mornay (voir *Sauces*)
225 g	(*1/2 lb*) petites crevettes
125 mL	(*1/2 tasse*) crème sure
3 mL	(*1/2 c. à thé*) sel
1 mL	(*1/4 c. à thé*) poivre
60 mL	(*1/4 tasse*) amandes, effilées, grillées
125 mL	(*1/2 tasse*) chapelure
115 g	(*4 oz*) fromage cheddar, râpé

Préchauffer le four à 180°C (*350°F*).

Diviser le chou-fleur en bouquets. Faire blanchir 4 minutes. Égoutter et faire refroidir sous l'eau froide.

Graisser une cocotte. Y mettre les bouquets de chou-fleur. Mélanger la sauce Mornay, les crevettes, la crème sure et les assaisonnements. Verser sur le chou-fleur.

Parsemer d'amandes, puis de chapelure et de fromage. Faire cuire au four 20 minutes.

Feuilletés au maïs

8 portions

750 mL	(*3 tasses*) grains de maïs, frais
3	jaunes d'œufs, battus
60 mL	(*1/4 tasse*) farine
4 mL	(*3/4 c. à thé*) sel
1 mL	(*1/4 c. à thé*) poivre
3 mL	(*1/2 c. à thé*) poudre à pâte
3	blancs d'œufs, en neige ferme
1 L	(*4 tasses*) d'huile

Bien mélanger le maïs avec les jaunes d'œufs.

Tamiser la farine, le sel, le poivre et la poudre à pâte au-dessus du maïs. Incorporer les blancs d'œufs en repliant.

Faire chauffer l'huile à feu moyen, 180°C (*350°F*).

Y laisser tomber la pâte, 15 mL (*1 c. à table*) à la fois. Laisser dorer d'un côté, retourner pour faire dorer de l'autre côté.

Égoutter et servir.

Chou-fleur, sauce aux crevettes

Carottes aux pêches

4 portions

450 g	(*1 lb*) carottes miniatures, surgelées
375 mL	(*1½ tasse*) jus de pomme
45 mL	(*3 c. à table*) beurre
30 mL	(*2 c. à table*) cassonade
3	pêches, pelées, en tranches

Dans une casserole, faire cuire les carottes dans le jus de pomme jusqu'à tendres. Égoutter.

Faire chauffer le beurre dans une poêle. Ajouter la cassonade, remuer jusqu'à ce qu'elle soit fondue.

Faire revenir les pêches en tranches jusqu'à tendres. Ajouter les carottes.

Mélanger juste pour glacer. Servir.

Carottes et pomme au four

4 portions

6	carottes, émincées
1	pomme, pelée, évidée, en tranches
5 mL	(*1 c. à thé*) zeste de citron, râpé
8 mL	(*½ c. à table*) beurre, ramolli
45 mL	(*3 c. à table*) eau
	sel et poivre
125 mL	(*½ tasse*) fromage cheddar fort, râpé

Préchauffer le four à 200°C (*400°F*).

Mélanger les carottes émincées et la pomme avec le zeste de citron dans un plat graissé, de 750 mL (*3 tasses*), allant au four.

Couvrir de beurre, arroser d'eau, saler et poivrer.

Faire cuire au four, couvert, 20 à 25 minutes ou jusqu'à ce que les carottes soient tendres.

Ôter le couvercle, égoutter et parsemer de fromage.

Remettre au four, servir dès que le fromage est fondu.

Carottes en julienne à la sauce au cheddar

6 portions

450 g	(*1 lb*) carottes, en julienne
45 mL	(*3 c. à table*) beurre
45 mL	(*3 c. à table*) farine
180 mL	(*¾ tasse*) bouillon de poulet
125 mL	(*½ tasse*) crème épaisse
250 mL	(*1 tasse*) fromage cheddar moyen, râpé
5 mL	(*1 c. à thé*) sel
1 mL	(*¼ c. à thé*) poivre blanc

Faire cuire les carottes dans de l'eau bouillante salée, jusqu'à tendres. Disposer dans un bol et garder au chaud.

Faire chauffer le beurre dans une casserole. Incorporer la farine. Faire cuire 2 minutes. Ajouter le bouillon et la crème. Laisser mijoter 8 minutes.

Incorporer le fromage et les assaisonnements; laisser mijoter 4 minutes de plus.

Verser sur les carottes; servir chaud.

Carottes aux noix d'acajou

8 portions

8	carottes moyennes, en julienne
180 mL	(¾ *tasse*) jus d'orange
60 mL	(¼ *tasse*) beurre, fondu
10 mL	(*2 c. à thé*) miel
3 mL	(½ *c. à thé*) sel
1 mL	(¼ *c. à thé*) poivre blanc
15 mL	(*1 c. à table*) jus de citron
1 mL	(¼ *c. à thé*) zeste de citron
125 mL	(½ *tasse*) noix d'acajou, grossièrement hachées

Faire cuire les carottes dans du jus d'orange jusqu'à tendres. Égoutter.

Faire fondre le beurre dans une poêle.

Ajouter le miel, le sel, le poivre, le jus et le zeste de citron.

Incorporer les carottes et mélanger pour bien enrober.

Ajouter les noix d'acajou et servir.

Carottes aux noix d'acajou

Ratatouille

8 portions

60 mL	(*¼ tasse*) huile d'olive
2	oignons, en dés
2	gousses d'ail, hachées fin
2	aubergines moyennes, en dés
3	courgettes, tranchées
2	poivrons verts, tranchés
750 mL	(*3 tasses*) tomates, épépinées et hachées
5 mL	(*1 c. à thé*) basilic
5 mL	(*1 c. à thé*) cerfeuil
5 mL	(*1 c. à thé*) sel
10 mL	(*2 c. à thé*) persil, haché

Préchauffer le four à 180°C (*350°F*).

Faire chauffer l'huile dans une casserole.

Ajouter les légumes, les tomates et les assaisonnements. Bien mélanger.

Mettre dans une cocotte. Couvrir et faire cuire au four 40 à 45 minutes.

Servir chaud ou froid.

1

Dans une casserole, faire sauter les légumes dans l'huile.

2

Ajouter les tomates et les assaisonnements; bien mélanger.

3

Mettre le mélange dans une cocotte et faire cuire au four, 45 minutes.

4

Servir chaud ou froid.

Gratin d'aubergine et de crevettes

4 portions

1	grosse aubergine, pelée
60 mL	(*¼ tasse*) beurre
500 mL	(*2 tasses*) petites crevettes
500 mL	(*2 tasses*) sauce Mornay (voir *Sauces*)
80 mL	(*⅓ tasse*) fromage parmesan, râpé
5 mL	(*1 c. à thé*) sel
1 mL	(*¼ c. à thé*) poivre
80 mL	(*⅓ tasse*) chapelure

Préchauffer le four à 180°C (*350°F*).

Trancher l'aubergine sur la longueur.

Faire chauffer le beurre dans une poêle. Y faire revenir l'aubergine. Disposer dans une cocotte. Couvrir de crevettes et napper de sauce.

Parsemer de fromage, d'assaisonnements et de chapelure. Arroser avec le beurre fondu de la poêle.

Faire cuire au four 30 minutes.

Endives à la crème de tomate

Endives à la crème de tomate

8 portions

8	endives
45 mL	(*3 c. à table*) beurre
45 mL	(*3 c. à table*) farine
250 mL	(*1 tasse*) crème légère
250 mL	(*1 tasse*) tomates, épépinées et hachées
3 mL	(*½ c. à thé*) thym
3 mL	(*½ c. à thé*) basilic
3 mL	(*½ c. à thé*) cerfeuil
1 mL	(*¼ c. à thé*) poivre
5 mL	(*1 c. à thé*) sel

Préchauffer le four à 180°C (*350°F*).

Faire blanchir les endives 4 à 5 minutes dans de l'eau bouillante salée. Mettre dans une cocotte.

Faire chauffer le beurre dans une poêle. Ajouter la farine et faire cuire 2 minutes. Incorporer la crème. Laisser mijoter jusqu'à épaississement.

Ajouter les tomates et les assaisonnements. Laisser mijoter 3 minutes. Verser sur les endives.

Faire cuire au four sans couvrir 35 minutes. Servir chaud.

Choux-raves à la crème sure

6 portions

675 g	(1½ lb)	choux-raves
1 mL	(¼ c. à thé)	sel
3 mL	(½ c. à thé)	basilic
250 mL	(1 tasse)	crème sure

Éplucher et découper les choux-raves en dés.

Faire cuire dans de l'eau bouillante salée jusqu'à tendres. Réduire en purée.

Incorporer les assaisonnements et la crème sure. Servir chaud.

Rondelles d'oignons frits

6 portions

2		gros oignons
500 mL	(2 tasses)	farine
10 mL	(2 c. à thé)	poudre à pâte
3 mL	(½ c. à thé)	sel
1 mL	(¼ c. à thé)	poivre blanc
1		œuf
125 mL	(½ tasse)	lait
1 L	(4 tasses)	huile

Trancher les oignons en rondelles de 1 cm (¼ po) d'épaisseur.

Tamiser 250 mL (1 tasse) de farine, la poudre à pâte et les assaisonnements.

Battre l'œuf dans le lait. Y incorporer la farine en fouettant. Fariner les rondelles d'oignons avec le reste de farine, puis les tremper dans la pâte.

Faire chauffer l'huile à 180°C (360°F).

Y plonger les rondelles d'oignons. Les laisser dorer de tous côtés.

Égoutter sur une serviette de papier et servir chaud.

Petits pois gourmet

4 portions

8		tranches de bacon, en dés
45 mL	(3 c. à table)	oignon, haché fin
284 g	(10 oz)	petits pois, surgelés
60 mL	(¼ tasse)	bouillon de poulet
60 mL	(¼ tasse)	crème sure
60 mL	(¼ tasse)	fromage parmesan, râpé

Faire sauter le bacon dans une poêle. Y faire revenir l'oignon jusqu'à tendre.

Égoutter le surplus de graisse. Ajouter les petits pois et le bouillon de poulet.

Laisser mijoter jusqu'à ce que les petits pois soient tendres, mais pas en purée. Égoutter le liquide.

Ajouter la crème sure et le parmesan. Mélanger pour bien enrober. Servir.

Friture de champignons et de pois mange-tout

6 portions

45 mL	(*3 c. à table*) huile
225 g	(*8 oz*) pois mange-tout
225 g	(*8 oz*) champignons, en tranches
115 g	(*4 oz*) pousses de bambou
3 mL	(*½ c. à thé*) sel
10 mL	(*2 c. à thé*) poudre de curry
125 mL	(*½ tasse*) bouillon de poulet
5 mL	(*1 c. à thé*) fécule de maïs
15 mL	(*1 c. à table*) eau

Faire chauffer l'huile dans un wok ou dans une poêle.

Ajouter les pois mange-tout, les champignons et les pousses de bambou. Faire revenir 3 minutes.

Ajouter le sel et le curry et faire cuire 1 minute de plus. Ajouter le bouillon de poulet.

Mélanger la fécule de maïs avec l'eau.

Ajouter aux légumes. Faire cuire 1 minute. Servir chaud.

1

Dans un wok ou dans une poêle, faire frire dans l'huile les pois mange-tout, les champignons et les pousses de bambou, pendant 3 minutes. Ajouter le sel et la poudre de curry et faire cuire encore 1 minute.

2

Ajouter le bouillon de poulet.

3

Diluer la fécule de maïs dans l'eau et l'ajouter aux légumes.

4

Faire cuire 1 minute et servir chaud.

Soufflé au crabe et aux épinards

8 portions

284 g	(*10 oz*) épinards
4	œufs, blancs et jaunes séparés
30 mL	(*2 c. à table*) beurre
30 mL	(*2 c. à table*) farine
80 mL	(*1/3 tasse*) crème épaisse
5 mL	(*1 c. à thé*) sel
1 mL	(*1/4 c. à thé*) poivre
280 g	(*10 oz*) chair de crabe, cuite
80 mL	(*1/3 tasse*) fromage parmesan, râpé

Préchauffer le four à 190°C (*375°F*).

Faire cuire à l'étuvée les épinards et les hacher finement. Battre les blancs d'œufs en neige ferme.

Faire chauffer le beurre dans une casserole. Incorporer la farine. Laisser cuire 2 minutes.

Ajouter la crème, les assaisonnements, les épinards et la chair de crabe.

Retirer du feu. Incorporer en fouettant les jaunes d'œufs et le fromage. Ajouter les blancs en neige en repliant. Verser dans un moule à soufflé légèrement graissé.

Faire cuire au four 30 à 35 minutes.

Petits pois à la menthe

8 portions

1 L	(*4 tasses*) petits pois, frais ou surgelés
45 mL	(*3 c. à table*) beurre
10 mL	(*2 c. à thé*) menthe, écrasée
3 mL	(*1/2 c. à thé*) sel
1 mL	(*1/4 c. à thé*) poivre

Faire cuire les petits pois 3 à 5 minutes dans de l'eau bouillante salée. (Diminuer le temps de cuisson pour les petits pois surgelés.) Égoutter.

Incorporer le beurre et la menthe. Saler et poivrer. Servir.

Chou rouge aux graines de carvi

6 portions

1/2	chou rouge, moyen
125 mL	(*1/2 tasse*) eau bouillante
15 mL	(*1 c. à table*) jus de citron
15 mL	(*1 c. à table*) beurre
30 mL	(*2 c. à table*) cassonade
125 mL	(*1/2 tasse*) jus d'ananas
15 mL	(*1 c. à table*) vinaigre
15 mL	(*1 c. à table*) fécule de maïs
5 mL	(*1 c. à thé*) graines de carvi, concassées

Trancher le chou. Le faire bouillir 12 minutes dans l'eau et le jus de citron. Égoutter. Incorporer le beurre.

Dissoudre la cassonade dans le jus d'ananas et ajouter le vinaigre. Incorporer la fécule de maïs.

Verser sur le chou et laisser cuire jusqu'à épaississement de la sauce.

Ajouter les graines de carvi, mélanger et servir.

Chou rouge aux graines de carvi et Petits pois à la menthe

Courgettes à la provençale

6 portions

45 mL	(*3 c. à table*) beurre
3	courgettes, en julienne
2	gousses d'ail, hachées fin
1	oignon, tranché
750 mL	(*3 tasses*) tomates, épépinées et hachées
5 mL	(*1 c. à thé*) sel
1 mL	(*¼ c. à thé*) poivre
5 mL	(*1 c. à thé*) cerfeuil
3 mL	(*½ c. à thé*) basilic
125 mL	(*½ tasse*) vin blanc, sucré

Faire chauffer le beurre dans une grande poêle.

Y faire revenir les courgettes, l'ail et l'oignon jusqu'à tendres.

Ajouter les tomates, les assaisonnements et le vin. Réduire le feu.

Laisser mijoter à feu doux jusqu'à évaporation complète du liquide.

Servir comme plat d'accompagnement ou sur du riz.

Courgettes à la provençale

Courge spaghetti à la cannelle

8 portions

1	courge spaghetti
180 mL	(*¾ tasse*) cassonade
5 mL	(*1 c. à thé*) cannelle, moulue
60 mL	(*¼ tasse*) beurre

Faire cuire la courge entière au four à 180°C (*350°F*) pendant 1¼ heure.

Avec une fourchette, gratter la pulpe de la courge. Disposer la courge dans une cocotte légèrement graissée. Saupoudrer de cassonade et de cannelle. Parsemer de noisettes de beurre. Remettre au four 15 minutes de plus. Servir très chaud.

Tomates à la provençale

Tomates à la provençale

4 portions

4	tomates
15 mL	(*1 c. à table*) huile d'olive
30 mL	(*2 c. à table*) beurre
1	gousse d'ail, hachée fin
30 mL	(*2 c. à table*) oignon, haché fin
1 mL	(*¼ c. à thé*) sel
1 mL	(*¼ c. à thé*) poivre
3 mL	(*½ c. à thé*) cerfeuil
15 mL	(*1 c. à table*) persil, haché
80 mL	(*⅓ tasse*) fromage parmesan, râpé

Couper les tomates en deux. Épépiner et retirer la pulpe; réserver.

Faire chauffer l'huile dans une poêle. Y mettre les tomates, la tranche dans l'huile.

Faire cuire jusqu'à ce que les côtés soient caramélisés. Retirer de la poêle et disposer sur une plaque à biscuits.

Ajouter le beurre dans la poêle. Y faire sauter l'ail et l'oignon jusqu'à tendres.

Incorporer les assaisonnements et la pulpe des tomates.

Faire revenir 1 minute.

Farcir les tomates de ce mélange. Parsemer de fromage.

Faire dorer sous le gril environ 2 minutes. Servir chaud ou froid.

Beignets aux pommes de terre et aux amandes

6 portions

4	œufs
60 mL	(*¼ tasse*) crème épaisse
500 mL	(*2 tasses*) pommes de terre, en purée
½	recette de pâte à choux (voir *Desserts*)
375 mL	(*1½ tasse*) amandes, moulues
1 L	(*4 tasses*) huile

Mélanger 1 œuf, la crème et les pommes de terre.

Bien incorporer à la pâte à choux.

Façonner en petites boulettes ou croquettes.

Battre le reste des œufs.

Y tremper les beignets d'œuf; les rouler dans les amandes.

Faire chauffer l'huile à 180°C (*350°F*). Faire dorer les beignets dans l'huile. Servir chaud.

Pommes de terre parisiennes

Pommes de terre parisiennes

6 portions

6	pommes de terre, moyennes
45 mL	(*3 c. à table*) beurre
125 mL	(*½ tasse*) sauce demi-glace (voir *Sauces*)
1 mL	(*¼ c. à thé*) thym
1 mL	(*¼ c. à thé*) cerfeuil
15 mL	(*1 c. à table*) persil, haché
1	pincée de poivre

Peler les pommes de terre. Les découper en boules avec une cuillère à melon.

Faire bouillir 5 minutes dans de l'eau bouillante salée. Égoutter.

Faire chauffer le beurre dans une poêle. Y faire dorer les pommes de terre. Napper de sauce demi-glace et ajouter les assaisonnements.

Laisser mijoter 5 minutes avant de servir.

Pommes de terre et brocoli à la cocotte

6 portions

675 g	(*1½ lb*) pommes de terre
60 mL	(*¼ tasse*) beurre
45 mL	(*3 c. à table*) farine
625 mL	(*2½ tasses*) lait
3 mL	(*½ c. à thé*) sel
1 mL	(*¼ c. à thé*) poivre
450 g	(*1 lb*) brocoli
125 mL	(*½ tasse*) fromage parmesan, râpé

Préchauffer le four à 180°C (*350°F*).

Laver et éplucher les pommes de terre. Les couper en tranches très minces.

Faire chauffer le beurre dans une casserole. Saupoudrer de farine et faire cuire 2 minutes.

Ajouter le lait et les assaisonnements. Laisser mijoter jusqu'à ébullition. Retirer du feu.

Dans une grande cocotte graissée, alterner des couches de pommes de terre, de sauce et de brocoli; terminer par une couche de sauce. Parsemer de parmesan.

Couvrir et faire cuire au four 15 minutes. Ôter le couvercle et poursuivre la cuisson 5 minutes de plus. Sortir du four. Laisser refroidir 5 minutes. Servir.

Pommes de terre et brocoli à la cocotte

Pommes de terre à la crème et petits pois

4 portions

4	grosses pommes de terre
375 mL	(*1½ tasse*) crème épaisse
250 mL	(*1 tasse*) petits pois, frais ou surgelés
5 mL	(*1 c. à thé*) sel
1 mL	(*¼ c. à thé*) poivre

Éplucher et couper les pommes de terre en tranches. Faire bouillir 10 minutes. Porter la crème à ébullition.

Disposer les pommes de terre dans une casserole. Ajouter les petits pois et les assaisonnements.

Napper de crème et laisser mijoter jusqu'à réduction de la moitié du liquide.

Les pommes de terre devraient épaissir la crème.

Pommes de terre chantilly

6 portions

250 mL	(*1 tasse*) crème épaisse
250 mL	(*1 tasse*) fromage havarti, râpé
10 mL	(*2 c. à thé*) sel
1 L	(*4 tasses*) pommes de terre chaudes, en purée

Préchauffer le four à 200°C (*400°F*).

Fouetter la crème en mousse ferme. Y incorporer le fromage et le sel en repliant.

Mettre la purée de pommes de terre dans une cocotte.

Couvrir de crème. Faire dorer au four 15 à 20 minutes.

Pommes de terre Maître d'hôtel

4 portions

6	pommes de terre moyennes
500 mL	(*2 tasses*) lait
3 mL	(*½ c. à thé*) sel
1 mL	(*¼ c. à thé*) poivre blanc
30 mL	(*2 c. à table*) persil, haché
5 mL	(*1 c. à thé*) basilic

Faire cuire les pommes de terre 10 minutes dans de l'eau bouillante salée. Égoutter.

Éplucher et couper en tranches de 1 cm (*¼ po*) d'épaisseur. Disposer dans une grosse casserole.

Porter le lait à ébullition. Verser sur les pommes de terre. Laisser mijoter jusqu'à ce que la sauce épaississe.

Parsemer d'assaisonnements. Mettre dans un bol et servir immédiatement.

Pommes de terre chantilly et Pommes de terre Maître d'hôtel

Pommes de terre au vin et à la crème

4 portions

450 g	(*1 lb*) pommes de terre, épluchées et émincées
30 mL	(*2 c. à table*) beurre
1	oignon, haché fin
125 mL	(*1/2 tasse*) bouillon de poulet
125 mL	(*1/2 tasse*) crème épaisse
125 mL	(*1/2 tasse*) vin blanc
5 mL	(*1 c. à thé*) sel
3 mL	(*1/2 c. à thé*) poivre

Préchauffer le four à 190°C (*375°F*).

Disposer les pommes de terre dans une cocotte graissée.

Faire fondre le beurre et y faire revenir l'oignon jusqu'à tendre. Répartir sur les pommes de terre.

Mélanger le bouillon de poulet, la crème, le vin, le sel et le poivre.

Verser sur les pommes de terre. Faire cuire au four 35 à 40 minutes. Servir.

Pommes de terre mojo

6 portions

6	grosses pommes de terre
3 mL	(*1/2 c. à thé*) thym
3 mL	(*1/2 c. à thé*) basilic
3 mL	(*1/2 c. à thé*) origan
5 mL	(*1 c. à thé*) sel
3 mL	(*1/2 c. à thé*) poivre
8 mL	(*1 1/2 c. à thé*) paprika
1 mL	(*1/4 c. à thé*) poivre de Cayenne
3 mL	(*1/2 c. à thé*) assaisonnements au chili
375 mL	(*1 1/2 tasse*) farine
1	œuf
80 mL	(*1/3 tasse*) lait
60 mL	(*1/4 tasse*) huile

Préchauffer le four à 230°C (*450°F*).

Laver et brosser les pommes de terre. Découper en gros morceaux. Mélanger les assaisonnements dans la farine.

Mélanger l'œuf et le lait.

Tremper les morceaux de pommes de terre dans le lait; les enrober de farine assaisonnée et les disposer sur une plaque à biscuits. Arroser d'huile.

Faire dorer au four 20 à 25 minutes, jusqu'à tendres. Servir chaud.

Pommes de terre soufflées

8 portions

8	pommes de terre
2 L	(*8 tasses*) d'huile

Mettre 1 L (*4 tasses*) d'huile dans une casserole. Faire chauffer à 160°C (*325°F*).

Mettre le reste de l'huile dans une autre casserole et la faire chauffer à 190°C (*375°F*).

Éplucher les pommes de terre et les couper en tranches de 0,3 cm (*1/8 po*) d'épaisseur. Les laver, puis les assécher.

Faire frire quelques tranches de pommes de terre dans l'huile la moins chaude jusqu'à ce qu'elles flottent à la surface.

Les plonger immédiatement dans l'huile plus chaude ce qui les fera gonfler. Laisser dorer. Égoutter, assaisonner au goût et servir chaud.

Pommes de terre mojo

Croquettes de pommes de terre

6 portions

450 g	(*1 lb*) pommes de terre
30 mL	(*2 c. à table*) beurre
4	œufs
60 mL	(*¼ tasse*) crème épaisse, chaude
250 mL	(*1 tasse*) farine
3 mL	(*½ c. à thé*) sel
3 mL	(*½ c. à thé*) poivre
3 mL	(*½ c. à thé*) paprika
3 mL	(*½ c. à thé*) thym
3 mL	(*½ c. à thé*) poudre de curry
500 mL	(*2 tasses*) chapelure
1 L	(*4 tasses*) huile

Éplucher et faire bouillir les pommes de terre. Les écraser et les passer à travers un tamis, ou les réduire en purée au robot culinaire pour éliminer les grumeaux.

Ajouter le beurre, 1 jaune d'œuf et la crème; mélanger jusqu'à consistance lisse.

Diviser en boules. Laisser refroidir. Façonner en cigares.

Mélanger la farine et les assaisonnements. Battre le reste des œufs. Rouler les pommes de terre dans la farine, puis les tremper dans les œufs et les enrober de chapelure.

Faire chauffer l'huile. Y faire dorer les croquettes.

1

Ajouter le beurre, 1 jaune d'œuf et la crème aux pommes de terre en purée et mélanger jusqu'à consistance lisse.

2

Diviser en boules et faire refroidir.

3

Façonner en cigares.

4

Tremper les croquettes panées dans l'huile bouillante jusqu'à ce qu'elles soient dorées.

Crêpes aux pommes de terre et à la ciboulette

8 portions

Crêpes

2	œufs
3	pommes de terre moyennes, épluchées et râpées
30 mL	(*2 c. à table*) farine
80 mL	(*1/3 tasse*) ciboulette, hachée fin
1 mL	(*1/4 c. à thé*) poivre
3 mL	(*1/2 c. à thé*) sel
	huile à friture

Sauce

500 mL	(*2 tasses*) crème sure
250 mL	(*1 tasse*) bacon, cuit et émietté
125 mL	(*1/2 tasse*) ciboulette, hachée fin

Dans un bol, mélanger les œufs, les pommes de terre et la farine.

Ajouter la ciboulette et les assaisonnements. Bien mélanger.

Faire chauffer un peu d'huile dans une grande poêle. Y laisser tomber la pâte par grosses cuillerées. Faire dorer chacun des côtés. Servir avec la sauce.

Pour faire la sauce, bien mélanger tous les ingrédients.

Crêpes aux pommes de terre et à la ciboulette

Nids de pommes de terre

6 portions

8	pommes de terre moyenne
1 L	(*4 tasses*) huile

Éplucher et râper les pommes de terre. En disposer un peu dans un petit tamis ou panier. Appuyer un second tamis sur le premier pour obliger les pommes de terre à se creuser au milieu.

Faire chauffer l'huile à 190°C (*375°F*).

Faire dorer les pommes de terre en plongeant les tamis dans l'huile chaude. Enlever le tamis du dessus.

Pour sortir les nids lorsqu'ils sont cuits, retourner le premier tamis.

Remplir d'une garniture de votre choix accompagnant le plat principal.

Gratin dauphinois

6 portions

675 g	(1½ lb) pommes de terre crues
30 mL	(2 c. à table) farine
45 mL	(3 c. à table) beurre
3 mL	(½ c. à thé) sel
1 mL	(¼ c. à thé) poivre
250 mL	(1 tasse) lait
250 mL	(1 tasse) crème épaisse
125 mL	(½ tasse) fromage parmesan, râpé

Préchauffer le four à 190°C (375°F).

Éplucher les pommes de terre et les couper en tranches très fines.

Disposer dans une cocotte. Saupoudrer de farine. Parsemer de noisettes de beurre et d'assaisonnements.

Arroser avec le lait et la crème. Parsemer de fromage.

Faire cuire au four 40 minutes ou jusqu'à ce que les pommes de terre soient tendres.

Pommes de terre à la marjolaine

6 portions

6	grosses pommes de terre, épluchées et en dés
375 mL	(1½ tasse) sauce demi-glace (voir *Sauces*)
15 mL	(1 c. à table) marjolaine, hachée

Faire bouillir les pommes de terre.

Dans une poêle, faire chauffer la sauce demi-glace.
Ajouter les pommes de terre et la marjolaine.

Laisser mijoter à feu doux jusqu'à évaporation presque complète du liquide. Servir immédiatement.

Pommes de terre à la lyonnaise

4 portions

4	grosses pommes de terre
45 mL	(3 c. à table) beurre
1	gros oignon, en tranches
5 mL	(1 c. à thé) sel
3 mL	(½ c. à thé) poivre

Éplucher et couper les pommes de terre en dés. Les faire bouillir 10 minutes.

Faire chauffer le beurre dans une grande poêle. Y faire dorer l'oignon et les pommes de terre.

Saler et poivrer. Servir chaud.

Croquettes de patates douces à la guimauve

8 portions

8	patates douces
3	œufs
125 mL	(½ tasse) crème légère
30 mL	(2 c. à table) beurre
45 mL	(3 c. à table) cassonade
1 mL	(¼ c. à thé) cannelle
16 à 20	grosses guimauves
500 mL	(2 tasses) chapelure
1 L	(4 tasses) huile

Éplucher les patates douces, les couper en dés, les faire bouillir jusqu'à la consistance d'une purée molle.

Incorporer 1 œuf, 60 mL (¼ tasse) de crème, le beurre, le sucre et la cannelle. Laisser refroidir.

Façonner le mélange de patates douces autour des guimauves.

Mélanger les œufs avec le reste de crème. Tremper les croquettes dans ce mélange, puis les enrober de chapelure.

Faire chauffer l'huile à 190°C (375°F). Y faire frire les croquettes jusqu'à ce qu'elles soient dorées. Servir chaud.

Délices de Timothée

Délices de Timothée

6 portions

6	pommes de terre, froides
	huile végétale
	sel assaisonné
180 mL	(¾ *tasse*) fromage cheddar moyen, râpé
180 mL	(¾ *tasse*) fromage havarti, râpé
4	tranches de bacon, cuit et émietté
125 mL	(½ *tasse*) crème sure

Couper les pommes de terre en quartiers et faire dorer peu à peu dans 2 cm (¾ po) d'huile chaude.

Disposer les pommes de terre sur une plaque à biscuits; saupoudrer légèrement de sel assaisonné; parsemer de fromages râpés et de bacon émietté.

Mettre au four, sous le gril, jusqu'à ce que les fromages soient fondus.

Servir chaud avec la crème sure à part.

Pommes de terre et tomates au four

8 portions

115 g	(¼ lb) bacon
2	gousses d'ail, hachées fin
1	oignon, en dés
2	branches de céleri, en dés
1	poivron vert, en dés
90 g	(3 oz) champignons, en tranches
675 g	(1½ lb) tomates, hachées et épépinées
5 mL	(1 c. à thé) origan
5 mL	(1 c. à thé) thym
5 mL	(1 c. à thé) basilic
5 mL	(1 c. à thé) sel
3 mL	(½ c. à thé) poivre
675 g	(1½ lb) pommes de terre, épluchées et en tranches
225 g	(½ lb) courgettes, en tranches
500 mL	(2 tasses) fromage havarti, râpé

Préchauffer le four à 180°C (350°F).

Découper le bacon en dés et le faire sauter dans une grande poêle avec l'ail, l'oignon, le céleri, le poivron vert et les champignons. Égoutter l'excès de graisse.

Ajouter les tomates et les assaisonnements. Laisser mijoter 10 minutes.

Dans une grande casserole graissée, alterner des couches de pommes de terre, de sauce et de courgettes en terminant par une couche de sauce. Couvrir et faire cuire au four 1 heure.

Ôter le couvercle, parsemer de fromage et poursuivre la cuisson 10 minutes de plus.

Pommes de terre Anna

6 portions

8	pommes de terre, épluchées
1 mL	(¼ c. à thé) sel
1 mL	(¼ c. à thé) poivre
160 mL	(⅔ tasse) beurre, fondu

Préchauffer le four à 200°C (400°F).

Découper les pommes de terre en tranches de 0,5 cm (¼ po) d'épaisseur. Les rincer sous l'eau froide.

Disposer par couches dans une cocotte. Assaisonner.

Arroser de beurre fondu. Faire cuire au four 30 minutes.

Retourner sur un plat de service rond. Servir chaud.

Pommes de terre en purée dorées

8 portions

8	pommes de terre moyennes
15 mL	(1 c. à table) oignon, haché fin
30 mL	(2 c. à table) beurre
80 mL	(⅓ tasse) crème épaisse
80 mL	(⅓ tasse) vin blanc
375 mL	(1½ tasse) fromage cheddar fort, râpé
	sel et poivre

Éplucher et découper les pommes de terre en quartiers. Faire cuire dans de l'eau bouillante salée jusqu'à tendres. Égoutter et réduire en purée.

Faire sauter les oignons hachés dans le beurre, à feu moyen, jusqu'à tendres.

Incorporer aux pommes de terre en purée, avec la crème et le vin; battre jusqu'à consistance légère.

Incorporer le fromage, assaisonner au goût et servir immédiatement.

Pommes de terre aux fines herbes

8 portions

8	pommes de terre au four, chaudes
45 mL	(*3 c. à table*) beurre
45 mL	(*3 c. à table*) crème sure
3 mL	(*½ c. à thé*) thym, séché
1 mL	(*¼ c. à thé*) cerfeuil, séché
5 mL	(*1 c. à thé*) ciboulette, hachée
	sel et poivre
250 mL	(*1 tasse*) fromage suisse, râpé
3 mL	(*½ c. à thé*) paprika

Préchauffer le four à 230°C (*450°F*).

Découper un chapeau aux pommes de terre. Vider la chair à la cuillère et la réduire en purée.

Incorporer à cette purée le beurre, la crème sure, les fines herbes et les assaisonnements.

Remplir les pommes de terre de ce mélange, parsemer de fromage, saupoudrer de paprika et faire chauffer au four jusqu'à ce que le fromage soit fondu.

Pommes de terre au fromage bleu

6 portions

6	pommes de terre au four, chaudes
180 mL	(*¾ tasse*) fromage bleu, émietté
60 mL	(*¼ tasse*) lait
30 mL	(*2 c. à table*) beurre

Préchauffer le four à 230°C (*450°F*).

Découper un chapeau aux pommes de terre, retirer la chair à la cuillère et la réduire en purée.

Incorporer le fromage bleu, le lait et le beurre aux pommes de terre en purée.

Farcir les pommes de terre de ce mélange et mettre au four jusqu'à ce qu'elles soient chaudes et dorées.

Pommes de terre au fromage bleu

Concombres marinés

3 L (12 tasses)

1 kg	(2¼ lb)	concombres
45 mL	(3 c. à table)	sel
1 L	(4 tasses)	vinaigre
750 mL	(3 tasses)	sucre
10 mL	(2 c. à thé)	graines de céleri
10 mL	(2 c. à thé)	graines de moutarde
5 mL	(1 c. à thé)	macis
5 mL	(1 c. à thé)	gingembre
5 mL	(1 c. à thé)	curcuma

Trancher les concombres. Saler et laisser reposer 1 heure.

Bien égoutter dans une gaze.

Faire bouillir 10 minutes le vinaigre, le sucre et les assaisonnements.

Entasser les tranches de concombres dans les bocaux stérilisés. Couvrir de saumure en laissant un espace de tête. Fermer hermétiquement.

Faire tremper 15 minutes dans un bain d'eau à 77°C (170°F).

Cornichons marinés

4 L (16 tasses)

40		cornichons
1,7 L	(7 tasses)	eau
500 mL	(2 tasses)	vinaigre
125 mL	(½ tasse)	sel, non iodé
6		brins d'aneth
12		gousses d'ail
90 mL	(6 c. à table)	épices à marinade
6		oignons, en grosses tranches

Laver et gratter les concombres avec soin. Retirer l'extrémité.

Mélanger l'eau, le vinaigre et le sel dans une grande casserole. Porter à ébullition.

Déposer 1 brin d'aneth, 2 gousses d'ail, 15 mL (1 c. à table) d'épices à marinade et 1 tranche d'oignon dans les bocaux.

Entasser les concombres. Couvrir de saumure bouillante en laissant un espace de tête de 1,2 cm (½ po); fermer hermétiquement.

Immerger les bocaux dans de l'eau bouillante 10 minutes.

Betteraves marinées

3 L (12 tasses)

2,2 kg	(5 lb)	betteraves
30 mL	(2 c. à table)	épices à marinade
10 mL	(2 c. à thé)	moutarde sèche
625 mL	(2½ tasses)	vinaigre
125 mL	(½ tasse)	jus de citron
30 mL	(2 c. à table)	sel
250 mL	(1 tasse)	sucre
8		tranches d'oignon, épaisses

Faire cuire les betteraves dans de l'eau bouillante jusqu'à tendres. Éplucher.

Mélanger les épices à marinade, la moutarde, le vinaigre, le jus de citron, le sel et le sucre. Porter à ébullition; laisser bouillir 5 minutes. Retirer du feu et laisser refroidir.

Trancher les betteraves. Mettre une tranche d'oignon dans chaque bocal stérilisé. Remplir de betteraves. Couvrir de saumure en laissant 1,2 cm (½ po) d'espace de tête. Fermer hermétiquement.

Attendre 30 jours avant de servir.

Champignons marinés

3 L (12 tasses)

1 kg	(2¼ lb) de champignons, très petits
2	oignons, en dés
750 mL	(3 tasses) vinaigre
3	gousses d'ail, hachées fin
15 mL	(1 c. à table) sel
30 mL	(2 c. à table) origan

Stériliser les bocaux.

Laver, peler et équeuter les champignons. Les entasser dans les bocaux.

Mettre un morceau d'oignon dans chaque bocal.

Faire bouillir le vinaigre, l'ail, le sel et l'origan pendant 5 minutes. Verser sur les champignons en laissant un espace de tête de 1,2 cm (½ po). Fermer hermétiquement.

Attendre 30 jours avant de servir.

Marinades de betteraves, de champignons (et de légumes)

Ketchup aux tomates

1 L (4 tasses)

1,4 kg	*(3 lb)* tomates
3 mL	*(½ c. à thé)* gingembre
3 mL	*(½ c. à thé)* piment de la Jamaïque
3 mL	*(½ c. à thé)* macis
3 mL	*(½ c. à thé)* cannelle
3 mL	*(½ c. à thé)* clous de girofle
5 mL	*(1 c. à thé)* poivre
1 mL	*(¼ c. à thé)* poivre de Cayenne
15 mL	*(1 c. à table)* sel
250 mL	*(1 tasse)* vinaigre
160 mL	*(⅔ tasse)* cassonade

Laver, hacher et faire cuire les tomates 10 minutes. Passer à travers un tamis.

Dissoudre les assaisonnements dans le vinaigre.

Ajouter aux tomates. Incorporer la cassonade. Porter à ébullition. Laisser mijoter 1 à 1½ heure, jusqu'à très épais. Verser dans des bocaux stérilisés, chauds. Fermer hermétiquement.

Immerger les bocaux 30 minutes dans un bain d'eau à 77°C *(170°F)*.

Sauce chili

3 L (12 tasses)

2 L	*(8 tasses)* tomates, pelées et hachées
250 mL	*(1 tasse)* oignons, hachés fin
375 mL	*(1½ tasse)* poivrons verts, hachés fin
2	gousses d'ail, hachées fin
5 mL	*(1 c. à thé)* moutarde sèche
60 mL	*(¼ tasse)* sel
1 mL	*(¼ c. à thé)* clous de girofle, concassés
3 mL	*(½ c. à thé)* piment de la Jamaïque
5 mL	*(1 c. à thé)* basilic
5 mL	*(1 c. à thé)* cannelle
250 mL	*(1 tasse)* vinaigre
250 mL	*(1 tasse)* cassonade

Dans une grande casserole, mélanger les tomates, les oignons, les poivrons verts et l'ail.

Dissoudre les assaisonnements dans le vinaigre. Ajouter aux tomates. Incorporer le sucre.

Porter à ébullition; amener à un faible bouillonnement. Laisser mijoter jusqu'à épaississement.

Verser dans des bocaux stérilisés. Fermer hermétiquement.

Immerger 30 minutes dans un bain d'eau à 77°C *(170°C)*.

Relish sucrée

1,5 L (6 tasses)

2	gros concombres, en petits dés
2	oignons, hachés fin
30 mL	*(2 c. à table)* sel
2	pommes, épluchées, évidées, en dés
5 mL	*(1 c. à thé)* graines de moutarde
5 mL	*(1 c. à thé)* graines de céleri
250 mL	*(1 tasse)* sucre
500 mL	*(2 tasses)* vinaigre

Mélanger les concombres et les oignons. Saler.

Laisser mariner 2 heures. Bien égoutter.

Incorporer les pommes.

Dans une casserole, dissoudre les assaisonnements et le sucre dans le vinaigre. Porter à ébullition.

Réduire à un léger bouillon pendant 3 minutes.

Entasser le mélange de concombres dans les bocaux stérilisés. Couvrir de vinaigre. Fermer hermétiquement.

Immerger 15 minutes dans un bain d'eau à 82°C *(180°F)*.

Attendre 4 semaines avant de servir.

Pommes sauvages épicées

4 L (16 tasses)

2,2 kg	(5 lb)	pommes sauvages
1,2 L	(5 tasses)	sucre
750 mL	(3 tasses)	vinaigre
500 mL	(2 tasses)	eau
5 mL	(1 c. à thé)	sel
4 mL	(¾ c. à thé)	piment de la Jamaïque
4 mL	(¾ c. à thé)	clous de girofle, entiers
1 mL	(¼ c. à thé)	gingembre
1 mL	(¼ c. à thé)	macis
15 mL	(1 c. à table)	cannelle
5		gouttes de colorant alimentaire rouge

Laver les pommes. Enlever la tige. Percer le cœur des pommes avec une brochette en bois.

Mélanger le sucre, le vinaigre, l'eau et les assaisonnements dans une casserole.

Faire cuire les pommes en petites quantités pendant 7 minutes. Disposer dans les bocaux stérilisés.

Ajouter le colorant alimentaire au sirop. Verser sur les pommes. Fermer hermétiquement.

Immerger 20 minutes dans un bain d'eau à 77°C (170°F).

Beurre aux pommes

Beurre aux pommes

1 L (4 tasses)

1 L	(4 tasses)	jus de pomme
1 L	(4 tasses)	pommes, épluchées, évidées et en dés
180 mL	(¾ tasse)	sucre
3 mL	(½ c. à thé)	cannelle, moulue
1 mL	(¼ c. à thé)	clous de girofle, moulus
1 mL	(¼ c. à thé)	gingembre, moulu

Faire chauffer le jus de pomme dans une grande casserole. Laisser réduire à 500 mL (2 tasses).

Ajouter les pommes. Porter à ébullition; réduire le feu et laisser mijoter 30 minutes ou jusqu'à ce que les pommes soient très tendres.

Passer à travers un tamis ou mélanger au robot culinaire jusqu'à consistance lisse.

Ajouter les autres ingrédients dans une casserole. Porter à ébullition. Réduire le feu; laisser mijoter environ 1 heure ou jusqu'à épaississement.

Verser dans des bocaux stérilisés. Fermer hermétiquement.

Les pâtes alimentaires

Les pâtes alimentaires ne se résument pas tout simplement au spaghetti à la sauce tomate. En fait, les pâtes ont fait leur apparition bien avant les tomates, qui ont été découvertes par les Européens au XVIe siècle, lors d'une de leurs incursions en Amérique du Sud. La légende raconte que Marco Polo a rapporté les pâtes de ses voyages en Orient, mais il est fort probable qu'elles aient été introduites au pays bien avant.

Vous trouverez un grand nombre de recettes de pâtes alimentaires dans ce chapitre, mais seules quelques-unes d'entre elles s'apprêtent avec des tomates. Les pâtes se marient merveilleusement bien avec la plupart des ingrédients : viandes, fruits de mer, légumes, fromages. Vous découvrirez sûrement certaines recettes que vous vous empresserez d'adopter.

Lorsque vous aurez préparé différents plats de pâtes, vous vous rendrez compte, avec étonnement, que vous pourrez improviser avec les ingrédients que vous avez sous la main et créer ainsi vos propres recettes.

Et pourquoi ne pas faire vos pâtes vous-même ? Lorsque vous aurez bien maîtrisé la recette de base de pâtes alimentaires de ce chapitre, vous pourrez la modifier en ajoutant des fines herbes fraîches, des épinards ou de la purée de tomate. Vous obtiendrez ainsi, par le fait même, des pâtes de couleur.

Abaissez votre pâte et découpez-la selon la forme que vous aurez choisie. Vous pouvez facilement faire des lasagnes ou des fettuccine… et pourquoi pas faire vos propres ravioli ?

Il est aussi possible de trouver, sur le marché, plusieurs sortes de pâtes alimentaires ayant des formes et des noms exotiques. N'hésitez pas à les essayer.

Fettuccine primavera

Fettuccine primavera

8 portions

115 g	(¼ *lb*) brocoli, en bouquets
115 g	(¼ *lb*) chou-fleur, en bouquets
60 mL	(¼ *tasse*) beurre
1	petit oignon, en petits dés
1	petite carotte, en petits dés
90 g	(*3 oz*) champignons, en tranches
60 mL	(¼ *tasse*) farine
750 mL	(*3 tasses*) crème légère
30 mL	(*2 c. à table*) piments doux rôtis, en petits dés
125 mL	(½ *tasse*) fromage parmesan, râpé
5 mL	(*1 c. à thé*) poivre noir, concassé
450 g	(*1 lb*) fettuccine

Faire blanchir le brocoli et le chou-fleur dans de l'eau bouillante. Égoutter et réserver.

Faire chauffer le beurre dans une casserole; y faire revenir l'oignon, la carotte et les champignons jusqu'à tendres.

Saupoudrer de farine et mélanger. Laisser cuire 2 minutes. Ajouter la crème, le brocoli et le chou-fleur.

Amener à faible ébullition. Laisser mijoter 15 minutes.

Incorporer les piments doux rôtis, le parmesan et le poivre.

Faire cuire les nouilles «al dente» dans de l'eau bouillante salée. Égoutter.

Disposer dans un grand plat de service; napper de sauce et servir.

Pâte de base

8 portions

1 L	(*4 tasses*) farine
3 mL.	(*½ c. à thé*) sel
4	œufs
80 mL	(*⅓ tasse*) eau, froide

A petite vitesse, tamiser la farine et le sel dans le bol du mélangeur.

Ajouter les œufs, un à la fois. Mélanger légèrement après chaque addition.

Incorporer lentement l'eau pour obtenir une pâte ferme. Pétrir la pâte 10 minutes. Diviser en trois.

Envelopper la pâte dans un linge humide et la laisser reposer au moins 30 minutes.*

Pour abaisser la pâte, la déposer sur une surface légèrement farinée. L'aplatir avec le rouleau à pâte une première fois, droit devant vous. La tourner d'un quart de tour et recommencer l'opération.

Procéder ainsi jusqu'à ce que la pâte ait une épaisseur de 0,3 cm (*⅛ po*).

Découper et farcir selon les indications de la recette.

* Il est possible de faire congeler la pâte à cette étape-ci. Si tel est le cas, pour emploi, la faire dégeler au réfrigérateur toute la nuit et la laisser 1 heure à la température ambiante avant de l'abaisser.

Nouilles et tomates farcies au fromage

6 portions

225 g	(*½ lb*) penne
6	tomates
5 mL	(*1 c. à thé*) basilic
3 mL	(*½ c. à thé*) cerfeuil
3 mL	(*½ c. à thé*) origan
1 mL	(*¼ c. à thé*) poivre
3 mL	(*½ c. à thé*) sel
115 g	(*¼ lb*) fromage mozzarella, râpé
115 g	(*¼ lb*) fromage cheddar, râpé
125 mL	(*½ tasse*) fromage parmesan, râpé
90 g	(*3 oz*) beurre

Préchauffer le four à 180°C (*350°F*).

Faire cuire les nouilles «al dente» dans de l'eau bouillante salée. Égoutter et réserver.

Plonger les tomates dans de l'eau bouillante 1 minute. Égoutter et éplucher. Découper le dessus des tomates.

Enlever la pulpe avec précaution et la garder pour un autre plat. Parsemer l'intérieur des tomates d'assaisonnements et y entasser la mozzarella et le cheddar.

Faire cuire au four jusqu'à ce que les tomates aient ramolli et que les fromages aient fondu.

Disposer les nouilles sur un grand plat graissé allant au four.

Couvrir de tomates. Saupoudrer de parmesan et de noisettes de beurre.

Remettre 5 minutes au four. Servir.

Ragoût de pâtes

2 L (8 tasses)

225 g	(*½ lb*) bœuf, haché
225 g	(*½ lb*) veau, haché
115 g	(*¼ lb*) bacon, haché
1	oignon, haché fin
1	carotte, hachée fin
115 g	(*4 oz*) champignons, en tranches
1	gousse d'ail, hachée fin
1	bouquet garni
5 mL	(*1 c. à thé*) sel
1 L	(*4 tasses*) purée de tomate
375 mL	(*1½ tasse*) eau

Faire dorer le bœuf, le veau et le bacon.

Ajouter les légumes et faire revenir jusqu'à tendres.

Incorporer l'ail, le bouquet garni, le sel, la purée de tomate et l'eau. Laisser mijoter à petit feu 2 heures.

Écumer et jeter la graisse qui s'élève à la surface.

Servir sur des nouilles cuites de votre choix.

Nouilles et tomates farcies au fromage

Fettuccine à ma façon

8 portions

450 g	(*1 lb*) fettuccine
450 g	(*1 lb*) grosses crevettes, tranchées en deux
2	petits oignons, en dés
125 mL	(*½ tasse*) champignons, en tranches
1	poivron vert, en dés
60 mL	(*¼ tasse*) huile
60 mL	(*¼ tasse*) tomates, épépinées et hachées
30 mL	(*2 c. à table*) olives noires, en tranches
250 mL	(*1 tasse*) crème épaisse
125 mL	(*½ tasse*) fromage parmesan, râpé
10 mL	(*2 c. à thé*) poivre noir

Faire cuire les fettuccine «al dente» dans de l'eau bouillante salée.

Faire sauter les crevettes, les oignons, les champignons et le poivron vert dans l'huile, jusqu'à tendres. Ajouter les tomates et les olives et mélanger pour réchauffer.

Incorporer la crème, le fromage et le poivre.

Laisser mijoter jusqu'à épaississement.

Mélanger les nouilles à la sauce et servir immédiatement.

Fettuccine niagara

Fettuccine niagara

8 portions

450 g	(*1 lb*) fettuccine
45 mL	(*3 c. à table*) beurre
250 mL	(*1 tasse*) pommes, en dés
45 mL	(*3 c. à table*) farine
500 mL	(*2 tasses*) crème épaisse
60 mL	(*¼ tasse*) vin blanc (*très sucré*)
250 mL	(*1 tasse*) petites crevettes
250 mL	(*1 tasse*) pêches ou abricots, en dés

Faire cuire les fettuccine «al dente» dans de l'eau bouillante salée. Égoutter et réserver.

Dans une casserole, faire chauffer le beurre. Y faire revenir les pommes jusqu'à tendres.

Saupoudrer de farine et mélanger pour obtenir un roux. Ajouter la crème et le vin. Laisser mijoter 5 minutes. Incorporer les crevettes et les pêches.

Verser la sauce sur les nouilles. Servir immédiatement.

Fettuccine aux pétoncles et au sherry

8 portions

450 g	(*1 lb*) fettuccine
450 g	(*1 lb*) petits pétoncles
1	oignon, haché fin
250 mL	(*1 tasse*) champignons, en tranches
125 mL	(*½ tasse*) beurre
500 mL	(*2 tasses*) sauce béchamel (voir *Sauces*)
125 mL	(*½ tasse*) sherry
1	jaune d'œuf, battu
125 mL	(*½ tasse*) persil frais, haché

Faire cuire les fettuccine «al dente» dans de l'eau bouillante salée. Égoutter et réserver.

Faire sauter les pétoncles, l'oignon et les champignons dans le beurre.

Ajouter la béchamel et le sherry. Incorporer le jaune d'œuf en fouettant et laisser mijoter 5 minutes.

Disposer les nouilles dans les assiettes et napper de sauce. Garnir de persil.

Fettuccine aux pétoncles et au sherry

Fettuccine au poulet fumé

8 portions

1	petit oignon, haché fin
225 g	(*½ lb*) poulet fumé, désossé et en dés
45 mL	(*3 c. à table*) huile d'olive
375 mL	(*1½ tasse*) tomates, épluchées, épépinées, en purée
250 g	(*8 oz*) mascarpone (*fromage à la crème*)
1	pincée de basilic sucré
450 g	(*1 lb*) fettuccine, cuits et chauds

Faire sauter l'oignon et le poulet dans l'huile. Ajouter les tomates et laisser mijoter jusqu'à évaporation presque complète du liquide.

Parsemer de mascarpone et de basilic.

Verser sur les nouilles et servir.

Cannelloni

8 portions

½	recette de pâte de base
180 mL	(¾ *tasse*) fromage parmesan, râpé
250 mL	(*1 tasse*) fromage ricotta
125 mL	(½ *tasse*) fromage mozzarella, râpé
125 mL	(½ *tasse*) fromage cheddar blanc, râpé
225 g	(*8 oz*) beurre
15 mL	(*1 c. à table*) persil, haché
5 mL	(*1 c. à thé*) basilic
5 mL	(*1 c. à thé*) thym
5 mL	(*1 c. à thé*) origan
5 mL	(*1 c. à thé*) sel
2	œufs
125 mL	(½ *tasse*) chapelure
80 mL	(⅓ *tasse*) farine
500 mL	(*2 tasses*) crème épaisse
500 mL	(*2 tasses*) bouillon de poulet (voir *Soupes*)

Abaisser la pâte selon les instructions de la recette de base. Découper en rectangles de 15 x 10 cm (*6 x 4 po*).

Faire cuire 1 minute dans de l'eau bouillante. Égoutter et disposer sur un linge.

Préchauffer le four à 180°C (*350°F*).

Bien mélanger les fromages, la moitié du beurre, les assaisonnements, les œufs et la chapelure.

Disposer la garniture sur les pâtes. Rouler et souder les bords.

Disposer dans une grande cocotte graissée.

Faire fondre le reste de beurre dans une casserole. Saupoudrer de farine et mélanger. Faire cuire 2 minutes sans laisser brunir.

Ajouter la crème et le bouillon. Laisser mijoter jusqu'à épaississement.

Verser la sauce sur les pâtes et faire dorer au four, soit environ 30 minutes.

Fusilli au fromage et aux tomates

8 portions

60 mL	(¼ *tasse*) huile d'olive
340 g	(¾ *lb*) tomates, épluchées, épépinées et hachées
10 mL	(*2 c. à thé*) origan
5 mL	(*1 c. à thé*) cerfeuil
5 mL	(*1 c. à thé*) thym
5 mL	(*1 c. à thé*) sel
1 mL	(¼ *c. à thé*) poivre
450 g	(*1 lb*) fusilli
60 mL	(¼ *tasse*) fromage romano, râpé
225 g	(½ *lb*) fromage mozzarella, râpé

Faire chauffer l'huile; ajouter les tomates et faire cuire. Les réduire en purée; ajouter les assaisonnements.

Faire cuire les nouilles «al dente» dans de l'eau bouillante salée. Égoutter.

Mélanger à la sauce chaude. Incorporer les fromages et servir.

Gnocchi

6 portions

3	pommes de terre moyennes, en purée et chaudes
250 mL	(*1 tasse*) farine
1	œuf
5 mL	(*1 c. à thé*) sel
1 mL	(¼ *c. à thé*) poivre

Mettre les pommes de terre chaudes dans le bol du mélangeur. Incorporer la farine un peu à la fois.

Ajouter l'œuf, le sel et le poivre. Battre jusqu'à consistance lisse.

Pétrir en une pâte lisse et molle. Si la pâte est collante, ajouter un peu de farine. Abaisser la pâte en rectangle. Découper des carrés de 2 cm (¾ *po*).

Avec une fourchette farinée, appuyer fermement sur chaque morceau de pâte.

Faire cuire immédiatement ou congeler si désiré.

Pour faire cuire les gnocchi, les plonger dans de l'eau bouillante légèrement salée, quelques-uns à la fois.

Faire cuire 5 minutes, égoutter et servir avec une sauce de votre choix : alfredo, Mornay, aux tomates ou bolognaise.

Fusilli au prosciutto, sauce à la moutarde

Fusilli au prosciutto, sauce à la moutarde

8 portions

450 g	(*1 lb*) fusilli
60 mL	(*¼ tasse*) huile d'olive
500 mL	(*2 tasses*) purée de tomate
8 mL	(*1½ c. à thé*) moutarde sèche
250 mL	(*1 tasse*) crème légère
450 g	(*1 lb*) prosciutto
125 mL	(*½ tasse*) fromage parmesan, râpé

Faire cuire les nouilles «al dente» dans de l'eau bouillante salée.

Faire chauffer l'huile dans une casserole. Ajouter la purée de tomate et la moutarde; laisser mijoter jusqu'à très épais.

Ajouter la crème et le prosciutto haché. Laisser mijoter 8 minutes.

Verser sur les nouilles. Parsemer de fromage parmesan et servir.

Lasagnes farcies aux fruits de mer

8 portions

450 g	(*1 lb*) lasagnes
250 mL	(*1 tasse*) petites crevettes
250 mL	(*1 tasse*) saumon, cuit, en flocons
180 mL	(*¾ tasse*) fromage parmesan, râpé
2	œufs
250 mL	(*1 tasse*) fromage ricotta
125 mL	(*½ tasse*) chapelure
80 mL	(*⅓ tasse*) beurre
80 mL	(*⅓ tasse*) farine
250 mL	(*1 tasse*) crème légère
250 mL	(*1 tasse*) bouillon de poulet (voir *Soupes*)
250 mL	(*1 tasse*) fromage romano, râpé

Préchauffer le four à 180°C (*350°F*).

Faire cuire les nouilles «al dente» dans de l'eau bouillante salée. Les rincer sous l'eau froide et égoutter.

Mélanger les crevettes, le saumon, le fromage parmesan, les œufs, le ricotta et la chapelure.

Étaler chacune des lasagnes à plat, couvrir de garniture et rouler. Les disposer dans une cocotte graissée.

Faire chauffer le beurre dans une casserole. Ajouter la farine et mélanger pour obtenir un roux. Ne pas laisser brunir. Faire cuire 2 minutes.

Ajouter la crème et le bouillon de poulet. Laisser mijoter jusqu'à épaississement. Verser sur les nouilles; parsemer de romano.

Faire cuire au four 30 minutes ou jusqu'à coloration dorée.

Lasagnes verdi au fromage

6 portions

450 g	(*1 lb*) lasagnes, aux épinards
60 mL	(*¼ tasse*) beurre
340 g	(*¾ lb*) fromage ricotta
4	œufs
125 mL	(*½ tasse*) chapelure
225 g	(*½ lb*) fromage mozzarella, râpé
225 g	(*½ lb*) fromage cheddar moyen, râpé
5 mL	(*1 c. à thé*) cerfeuil
5 mL	(*1 c. à thé*) basilic
5 mL	(*1 c. à thé*) sel
500 mL	(*2 tasses*) sauce tomate (voir *Sauces*)
250 mL	(*1 tasse*) sauce tomate, chaude

Préchauffer le four à 200°C (*400°F*).

Faire cuire les nouilles «al dente» dans de l'eau bouillante salée. Rincer sous l'eau froide. Égoutter.

Au robot culinaire, mélanger le beurre, le ricotta, les œufs et la chapelure.

Mettre dans un bol et y incorporer la mozzarella, le cheddar et les assaisonnements.

Graisser une grosse cocotte. Tapisser d'une couche de nouilles. Couvrir d'une mince couche de sauce tomate et d'une mince couche de mélange au fromage. Répéter jusqu'à ce que toute la garniture soit utilisée en terminant par une couche de fromage.

Faire cuire au four 30 minutes ou jusqu'à coloration dorée. Sortir du four et servir en nappant chaque portion de 45 mL (*3 c. à table*) de sauce tomate chaude.

Macaroni au gruyère et au parmesan

8 portions

450 g	(*1 lb*) macaroni, en coudes
30 mL	(*2 c. à table*) beurre
250 mL	(*1 tasse*) fromage gruyère, râpé
250 mL	(*1 tasse*) fromage parmesan, râpé
60 mL	(*¼ tasse*) crème épaisse
5 mL	(*1 c. à thé*) sel
3 mL	(*½ c. à thé*) poivre blanc

Faire cuire les macaroni «al dente» dans de l'eau bouillante salée. Égoutter.

Incorporer le beurre, les fromages, la crème et les assaisonnements. Bien mélanger et servir immédiatement.

Ma lasagne

10 portions

Sauce

1 kg	(2¼ lb) bœuf, haché
450 g	(1 lb) saucisse italienne, en dés
3	oignons, en petits dés
1	poivron vert, en petits dés
115 g	(4 oz) champignons, en tranches
2	branches de céleri, en petits dés
30 mL	(2 c. à table) huile d'olive
500 mL	(2 tasses) tomates, épluchées, épépinées et hachées
125 mL	(½ tasse) pâte de tomate
10 mL	(2 c. à thé) sel
5 mL	(1 c. à thé) poivre
5 mL	(1 c. à thé) ail, en poudre
5 mL	(1 c. à thé) romarin
5 mL	(1 c. à thé) origan
5 mL	(1 c. à thé) basilic
5 mL	(1 c. à thé) thym

450 g	(1 lb) lasagnes
450 g	(1 lb) fromage cottage
675 g	(1½ lb) fromage mozzarella, râpé
450 g	(1 lb) fromage cheddar, râpé
250 mL	(1 tasse) fromage parmesan, râpé

Ma lasagne

Sauce : faire revenir les viandes et les légumes dans de l'huile chaude.

Ajouter les tomates et la pâte de tomate; laisser mijoter 15 minutes. Ajouter les assaisonnements, réduire le feu et laisser mijoter 2 heures.

Faire cuire les nouilles «al dente» dans de l'eau bouillante salée.

Préchauffer le four à 180°C (350°F).

Graisser une cocotte ou un plat de 37 x 25 x 5 cm (15 x 10 x 2 po) allant au four.

Alterner des couches de lasagnes, de fromage cottage, de sauce et de cheddar et mozzarella râpés, en terminant par une couche de fromage.

Parsemer de fromage parmesan. Faire cuire au four 45 à 50 minutes. Sortir du four, trancher et servir.

Poivrons farcis aux nouilles

6 portions

340 g	(*¾ lb*) macaroni
6	poivrons doux
30 mL	(*2 c. à table*) beurre
500 mL	(*2 tasses*) sauce tomate (voir *Sauces*)
5 mL	(*1 c. à thé*) basilic
500 mL	(*2 tasses*) fromage mozzarella, râpé
125 mL	(*½ tasse*) fromage parmesan, râpé

Faire cuire les macaroni «al dente» dans de l'eau bouillante salée. Égoutter et laisser refroidir.

Préchauffer le four à 180°C (*350°F*).

Couper le dessus des poivrons. Hacher fin les calottes et les faire sauter dans le beurre jusqu'à tendres.

Ajouter la sauce tomate et le basilic; laisser mijoter 5 minutes.

Mélanger la sauce avec les nouilles. Bien entasser les nouilles dans les poivrons.

Parsemer de mozzarella et de parmesan. Couvrir de papier d'aluminium sans serrer.

Faire cuire au four 25 minutes ou jusqu'à ce que les poivrons soient tendres. Servir immédiatement.

1

Couper le dessus des poivrons.

2

Hacher fin les calottes et les faire sauter dans du beurre. Ajouter la sauce tomate et le basilic, et laisser mijoter 5 minutes.

3

Mélanger la sauce avec les nouilles cuites et bien entasser dans les poivrons. Parsemer de fromages.

4

Faire cuire au four 25 minutes ou jusqu'à ce que les poivrons soient tendres.

Linguine au prosciutto et au saumon fumé

8 portions

450 g	(*1 lb*) linguine
30 mL	(*2 c. à table*) beurre
1	petit oignon, en petits dés
115 g	(*1/4 lb*) prosciutto
80 mL	(*1/3 tasse*) sherry
500 mL	(*2 tasses*) tomates, pelées, épépinées et hachées
5 mL	(*1 c. à thé*) sel
5 mL	(*1 c. à thé*) paprika
5 mL	(*1 c. à thé*) basilic
3 mL	(*1/2 c. à thé*) poivre
115 g	(*1/4 lb*) saumon fumé
125 mL	(*1/2 tasse*) crème épaisse

Faire cuire les linguine «al dente» dans de l'eau bouillante salée.

Faire chauffer le beurre et y faire revenir l'oignon. Découper le prosciutto en tranches. Faire réchauffer.

Ajouter le sherry et les tomates; laisser mijoter 15 minutes. Écraser les tomates et ajouter les assaisonnements.

Découper le saumon en dés et l'additionner à la sauce. Incorporer la crème. Mélanger les nouilles à la sauce et servir immédiatement.

Linguine au prosciutto et au saumon fumé

Linguine et écrevisses à la diable

6 portions

450 g	(*1 lb*) linguine
3	gousses d'ail, hachées fin
1	oignon, haché fin
125 mL	(*1/2 tasse*) huile d'olive
4	tomates, hachées
1	pincée de basilic sucré
3 mL	(*1/2 c. à thé*) sel
5 mL	(*1 c. à thé*) poivre noir
10 mL	(*2 c. à thé*) poivre de Cayenne
5 mL	(*1 c. à thé*) persil, haché
125 mL	(*1/2 tasse*) vin blanc
450 g	(*1 lb*) queues d'écrevisses, cuites
60 mL	(*1/4 tasse*) fromage parmesan, râpé

Faire cuire les linguine «al dente» dans de l'eau bouillante salée.

Faire sauter l'ail et l'oignon dans l'huile. Ajouter les tomates, le basilic, le sel, le poivre, le poivre de Cayenne, le persil et le vin. Laisser mijoter 5 minutes. Ajouter les queues d'écrevisse et poursuivre la cuisson 5 minutes de plus.

Servir les linguine dans les assiettes, napper de sauce et parsemer de fromage parmesan.

Linguine du pêcheur

8 portions

60 mL	(*¼ tasse*) huile d'olive	
1	oignon moyen, en petits dés	
1	oignon vert, haché	
1	branche de céleri, en dés	
2	gousses d'ail, écrasées	
225 g	(*8 oz*) crevettes, décortiquées et déveinées	
225 g	(*8 oz*) petits pétoncles	
500 mL	(*2 tasses*) tomates, pelées, épépinées et hachées	
15 mL	(*1 c. à table*) basilic	
15 mL	(*1 c. à table*) origan	
15 mL	(*1 c. à table*) persil	
5 mL	(*1 c. à thé*) sel	
5 mL	(*1 c. à thé*) poivre	
1 kg	(*2¼ lb*) linguine, cuits	

Faire chauffer l'huile dans une casserole.

Y faire revenir les légumes et l'ail jusqu'à tendres.

Ajouter les crevettes et les pétoncles et faire cuire 5 minutes. Incorporer les tomates, assaisonner et laisser mijoter 15 minutes.

Verser sur les linguine chauds et servir.

Macaroni au fromage à l'ancienne

8 portions

450 g	(*1 lb*) macaroni, en coudes	
45 mL	(*3 c. à table*) beurre	
45 mL	(*3 c. à table*) farine	
1 L	(*4 tasses*) crème épaisse	
1	pincée de muscade	
5 mL	(*1 c. à thé*) sel	
3 mL	(*½ c. à thé*) poivre	
250 mL	(*1 tasse*) fromage cheddar fort, râpé	
500 mL	(*2 tasses*) fromage cheddar moyen, râpé	
250 mL	(*1 tasse*) chapelure	

Faire cuire les macaroni «al dente» dans de l'eau bouillante salée. Égoutter et réserver.

Préchauffer le four à 180°C (*350°F*).

Faire chauffer le beurre dans une casserole.

Ajouter la farine, remuer et faire cuire 2 minutes sans laisser brunir.

Ajouter la crème et mélanger. Incorporer les assaisonnements. Réduire le feu et laisser mijoter jusqu'à épaississement. Mélanger les fromages et en ajouter 375 mL (*1½ tasse*) à la sauce.

Beurrer une casserole; couvrir le fond avec la moitié de la chapelure.

Ajouter les macaroni. Napper de sauce. Parsemer avec le reste de fromages et de chapelure.

Faire dorer au four; servir.

Panzerotti

4 portions

45 mL	(*3 c. à table*) beurre	
1	petit oignon, haché fin	
125 mL	(*½ tasse*) poivron vert, haché fin	
1	branche de céleri, hachée fin	
2	gousses d'ail, écrasées	
250 mL	(*1 tasse*) poulet cuit, haché	
250 mL	(*1 tasse*) tomates, pelées, épépinées et hachées	
5 mL	(*1 c. à thé*) sel	
10 mL	(*2 c. à thé*) basilic	
250 mL	(*1 tasse*) fromage ricotta	
1	recette de pâte de base	
750 mL	(*3 tasses*) huile	

Faire chauffer le beurre dans une casserole.

Y faire sauter les légumes et l'ail jusqu'à tendres.

Ajouter le poulet et les tomates. Laisser mijoter jusqu'à très épais.

Incorporer les assaisonnements. Retirer du feu et laisser refroidir, puis incorporer le ricotta.

Abaisser la pâte en suivant les instructions de la recette de base. Découper en carrés de 10 cm (*4 po*).

Garnir chaque carré, replier en deux et souder les bords.

Faire chauffer l'huile à 180°C (*350°F*). Y faire dorer les pâtes de tous côtés.

Penne au feta, sauce aux tomates et au veau

Penne au feta, sauce aux tomates et au veau

8 portions

60 mL	(¼ *tasse*) huile
675 g	(1½ *lb*) veau, en tranches fines
2	gousses d'ail, hachées fin
1	petit oignon, haché fin
1	poivron vert, en petits dés
2	branches de céleri, hachées fin
115 g	(*4 oz*) champignons, en tranches
5 mL	(*1 c. à thé*) sel
3 mL	(½ *c. à thé*) poivre
1 mL	(¼ *c. à thé*) origan
1 mL	(¼ *c. à thé*) basilic
1 mL	(¼ *c. à thé*) thym
500 mL	(*2 tasses*) tomates, écrasées
225 g	(½ *lb*) penne
125 mL	(½ *tasse*) fromage feta, émietté

Faire chauffer l'huile dans une grande poêle. Y faire dorer le veau. Retirer de la poêle et réserver.

Faire sauter dans la poêle l'ail, l'oignon, le poivron, le céleri et les champignons jusqu'à tendres.

Ajouter les assaisonnements et les tomates; réduire le feu et laisser mijoter 15 minutes.

Incorporer le veau et laisser mijoter encore 10 minutes.

Entre-temps, faire cuire les penne «al dente» dans de l'eau bouillante salée. Égoutter.

Disposer les nouilles sur un plat de service, napper de sauce. Parsemer de feta émietté.

Penne et faisan

8 portions

45 mL	*(3 c. à table)*	beurre
45 mL	*(3 c. à table)*	farine
60 mL	*(¼ tasse)*	sherry
375 mL	*(1½ tasse)*	crème épaisse
5 mL	*(1 c. à thé)*	sel
1 mL	*(¼ c. à thé)*	poivre
450 g	*(1 lb)*	chair de faisan, cuite et en dés
115 g	*(¼ lb)*	prosciutto, en dés
450 g	*(1 lb)*	penne
90 mL	*(3 oz)*	parmesan, râpé

Faire chauffer le beurre dans une casserole. Ajouter la farine et remuer. Faire cuire 2 minutes sans laisser brunir.

Ajouter le sherry et la crème. Laisser mijoter jusqu'à épaississement.

Incorporer les assaisonnements, la chair de faisan et le prosciutto. Laisser mijoter encore 5 minutes.

Faire cuire les nouilles «al dente» dans de l'eau bouillante salée. Égoutter.

Disposer sur un plateau. Napper de sauce et parsemer de fromage. Servir.

Penne aux quatre fromages

8 portions

125 mL	*(½ tasse)*	fromage ricotta, émietté
125 mL	*(½ tasse)*	fromage gruyère, râpé
125 mL	*(½ tasse)*	fromage gouda, râpé
125 mL	*(½ tasse)*	fromage romano, râpé
60 mL	*(¼ tasse)*	crème épaisse
5 mL	*(1 c. à thé)*	sel
3 mL	*(½ c. à thé)*	poivre, fraîchement moulu
10 mL	*(2 c. à thé)*	persil, en flocons
450 g	*(1 lb)*	penne
45 mL	*(3 c. à table)*	beurre

Mélanger les fromages.

Ajouter la crème, le sel et le poivre. Parsemer de persil et mélanger.

Faire cuire les penne «al dente» dans de l'eau bouillante salée. Bien égoutter.

Incorporer le beurre et la sauce au fromage.
Servir immédiatement.

Penne au saumon fumé et aux pois mange-tout

4 portions

115 g	*(4 oz)*	pois mange-tout, sans les fils
225 g	*(8 oz)*	penne
60 mL	*(¼ tasse)*	beurre
60 mL	*(¼ tasse)*	farine
250 mL	*(1 tasse)*	bouillon de poulet (voir *Soupes*)
250 mL	*(1 tasse)*	crème épaisse
90 g	*(3 oz)*	saumon fumé, en dés
15 mL	*(1 c. à table)*	persil, en flocons
125 mL	*(½ tasse)*	fromage romano, râpé

Faire blanchir les pois mange-tout 30 secondes dans de l'eau bouillante.

Faire cuire les penne «al dente» dans de l'eau bouillante salée. Égoutter et réserver.

Dans une petite casserole, faire fondre le beurre. Ajouter la farine et remuer pour obtenir un roux.

Incorporer le bouillon de poulet et la crème. Laisser mijoter 10 minutes, en remuant de temps à autre.

Ajouter le saumon fumé et les pois mange-tout.
Verser sur les penne.

Parsemer de persil. Servir accompagné de fromage râpé.

Penne au saumon fumé et aux pois mange-tout

Rigatoni à la vodka

8 portions

450 g	(*1 lb*) rigatoni
30 mL	(*2 c. à table*) beurre
1	petit oignon, haché fin
1	gousse d'ail, hachée fin
30 mL	(*2 c. à table*) farine
500 mL	(*2 tasses*) crème légère
60 mL	(*¼ tasse*) vodka
60 mL	(*¼ tasse*) pâte de tomate
5 mL	(*1 c. à thé*) sel
5 mL	(*1 c. à thé*) poivre blanc
5 mL	(*1 c. à thé*) basilic sucré
125 mL	(*½ tasse*) fromage romano, râpé

Faire cuire les rigatoni «al dente» dans de l'eau bouillante salée.

Dans une casserole, faire fondre le beurre. Y faire sauter l'oignon et l'ail jusqu'à tendres.

Ajouter la farine et mélanger pour obtenir un roux.

Incorporer la crème, la vodka, la pâte de tomate et les assaisonnements. Laisser mijoter 8 minutes.

Mélanger les nouilles à la sauce et servir avec le romano.

Rigatoni au bœuf, aux tomates et aux champignons

8 portions

450 g	(*1 lb*) rigatoni
30 mL	(*2 c. à table*) beurre
30 mL	(*2 c. à table*) huile
115 g	(*4 oz*) champignons, en tranches
225 g	(*½ lb*) bœuf, en tranches fines
500 mL	(*2 tasses*) tomates, pelées, épépinées et hachées
5 mL	(*1 c. à thé*) sel
5 mL	(*1 c. à thé*) origan
5 mL	(*1 c. à thé*) basilic
3 mL	(*½ c. à thé*) poivre noir

Faire cuire les rigatoni «al dente» dans de l'eau bouillante salée.

Faire chauffer le beurre et l'huile; y faire revenir les champignons et le bœuf, jusqu'à tendres.

Ajouter les tomates et les assaisonnements. Laisser mijoter jusqu'à épaississement.

Verser sur les rigatoni et servir.

Rotini à la bolognaise

8 portions

115 g	(*¼ lb*) bacon pas trop maigre, en dés
1	oignon, en dés
1	branche de céleri, en dés
1	carotte, en dés
450 g	(*1 lb*) bœuf maigre, haché
450 g	(*1 lb*) tomates, pelées, épépinées et hachées
180 mL	(*6 oz*) sherry
500 mL	(*2 tasses*) bouillon de bœuf (voir *Soupes*)
1	feuille de laurier
10 mL	(*2 c. à thé*) thym
10 mL	(*2 c. à thé*) origan
10 mL	(*2 c. à thé*) sel
450 g	(*1 lb*) rotini
60 mL	(*¼ tasse*) fromage parmesan, râpé

Dans une grande poêle, faire frire le bacon.

Ajouter l'oignon, le céleri et la carotte; faire revenir jusqu'à tendres.

Ajouter le bœuf et faire dorer. Incorporer les tomates, le sherry, le bouillon et les assaisonnements.

Porter à ébullition puis réduire le feu. Laisser mijoter 1 heure ou jusqu'à consistance suffisamment épaisse.

Faire cuire les rotini «al dente» dans de l'eau bouillante salée. Égoutter.

Verser dans un grand bol. Napper de sauce. Parsemer de fromage et servir.

Ravioli au ricotta

8 portions

750 mL	(*3 tasses*) fromage ricotta
2	œufs
3 mL	(*½ c. à thé*) sel
1 mL	(*¼ c. à thé*) poivre
3 mL	(*½ c. à thé*) basilic
180 mL	(*¾ tasse*) fromage parmesan, râpé
1	recette de pâte de base

Mélanger le ricotta et les œufs. Ajouter les assaisonnements et le parmesan. Bien mélanger.

Préparer la pâte de base. Abaisser et découper en bandes de 15 cm (*6 po*) de largeur.

Disposer, le long des bandes de pâte, 10 mL (*2 c.à thé*) du mélange de ricotta sur la pâte tous les 9 cm (*3½ po*). Replier la pâte par-dessus la garniture; souder les bords et entre les cuillerées de farce en appuyant avec une fourchette. Découper les raviolis ainsi préparés.

Faire cuire les ravioli «al dente» dans de l'eau bouillante salée, quelques-uns à la fois, environ 20 minutes.

Servir avec une sauce aux tomates ou au fromage de votre choix.

Ravioli au ricotta

Spaghetti au marsala

4 portions

½	recette de pate de base
45 mL	(*3 c. à table*) beurre
45 mL	(*3 c. à table*) farine
250mL	(*1 tasse*) crème épaisse
125 mL	(*½ tasse*) marsala (*vin*)
125 mL	(*½ tasse*) parmesan, râpé

Préparer et abaisser la pâte selon les instructions de la recette de base. Découper la pâte en spaghetti et les faire cuire «al dente» dans de l'eau bouillante salée.

Faire chauffer le beurre dans une casserole. Ajouter la farine et remuer pour obtenir un roux. Faire cuire 2 minutes.

Ajouter la crème et le vin. Laisser mijoter jusqu'à léger épaississement.

Incorporer le fromage et poursuivre la cuisson jusqu'à épaississement.

Verser sur les nouilles; servir.

Spaghetti à la carbonara

8 portions

15 mL	(*1 c. à table*) sel
450 g	(*1 lb*) spaghetti
340 g	(*¾ lb*) bacon, en dés
340 g	(*¾ lb*) champignons, frais
6	gousses d'ail, hachées fin
2	oignons, en petits dés
60 mL	(*¼ tasse*) huile d'olive
3	œufs
60 mL	(*¼ tasse*) crème épaisse
15 mL	(*1 c. à table*) poivre noir, concassé
225 g	(*½ lb*) fromage parmesan, râpé

Faire cuire les spaghetti «al dente» dans de l'eau bouillante salée.

Entre-temps, faire sauter le bacon, les champignons, l'ail et les oignons dans l'huile, jusqu'à tendres. Égoutter l'huile.

Mélanger les œufs, la crème, le poivre noir et le parmesan. Incorporer le bacon et le mélange aux champignons.

Égoutter les spaghetti et bien mélanger à la sauce. Servir.

Spaghetti au prosciutto et au gorgonzola

8 portions

450 g	(*1 lb*) spaghetti
30 mL	(*2 c. à table*) huile d'olive
225 g	(*½ lb*) prosciutto, en dés
375 mL	(*1½ tasse*) crème épaisse
225 g	(*½ lb*) fromage gorgonzola
90 g	(*3 oz*) fromage romano, râpé

Faire cuire les spaghetti «al dente» dans de l'eau bouillante salée. Égoutter; réserver.

Faire chauffer l'huile. Y faire réchauffer le prosciutto. Ajouter la crème et porter à ébullition.

Incorporer le gorgonzola en l'émiettant et mélanger jusqu'à épaississement.

Verser la sauce sur les nouilles. Parsemer de romano.

Spaghetti aux filets de doré et aux fines herbes

8 portions

450 g	(*1 lb*) spaghetti
45 mL	(*3 c. à table*) huile d'olive
450 g	(*1 lb*) filets de doré
45 mL	(*3 c. à table*) beurre
60 mL	(*¼ tasse*) farine
750 mL	(*3 tasses*) crème épaisse
3 mL	(*½ c. à thé*) basilic
3 mL	(*½ c. à thé*) cerfeuil
10 mL	(*2 c. à thé*) persil, haché
5 mL	(*1 c. à thé*) romarin
5 mL	(*1 c. à thé*) sel
1 mL	(*¼ c. à thé*) poivre
250 mL	(*1 tasse*) fromage ricotta
60 mL	(*¼ tasse*) fromage parmesan, râpé

Faire cuire les spaghetti «al dente» dans de l'eau bouillante salée. Égoutter. Réserver.

Préchauffer le four à 180°C (*350°F*).

Mettre les nouilles dans une grande cocotte graissée.

Faire chauffer l'huile dans une poêle et y faire revenir les filets de doré 1½ minute de chaque côté. Étaler les filets sur les nouilles.

Faire chauffer le beurre dans une casserole. Saupoudrer de farine et mélanger pour obtenir un roux. Faire cuire 2 minutes. Réduire le feu. Ajouter la crème et les assaisonnements. Laisser mijoter jusqu'à léger épaississement. Ajouter le ricotta et laisser mijoter jusqu'à ce qu'il soit fondu. Verser la sauce sur le poisson et les nouilles. Parsemer de parmesan. Faire gratiner au four.

Tortellini

8 portions

280 g	(*10 oz*) fromage ricotta
90 g	(*3 oz*) fromage parmesan, râpé
2	œufs
15 mL	(*1 c. à table*) persil, haché
5 mL	(*1 c. à thé*) origan
5 mL	(*1 c. à thé*) thym
5 mL	(*1 c. à thé*) basilic
5 mL	(*1 c. à thé*) sel
3 mL	(*½ c. à thé*) poivre noir, concassé
1	recette de pâte de base

Réduire le ricotta en crème au robot culinaire.

Ajouter le parmesan et les œufs et mélanger. Incorporer les assaisonnements.

Abaisser la pâte selon les indications dans la recette de pâte de base.

Découper en cercles de 2,5 cm (*1 po*) de diamètre. Disposer 8 mL (*1½ c. à thé*) de mélange de fromage sur chaque cercle. Replier en deux; souder les bords et façonner en tortellini.

Les plonger dans de l'eau bouillante salée, quelques-uns à la fois. Les sortir dès qu'ils remontent à la surface.

Servir avec une sauce tomate, au fromage ou à la crème de votre choix.

1

Abaisser la pâte.

2

Découper en cercles de 2,5 cm (*1 po*) de diamètre et disposer 8 mL (*1½ c. à thé*) de mélange au fromage sur chaque cercle.

3

Replier en deux, souder les bords et façonner en tortellini.

4

Faire cuire en les plongeant dans de l'eau bouillante salée, quelques-uns à la fois. Les sortir dès qu'ils remontent à la surface.

Tortellini à la marinara

Tortellini à la marinara

	10 portions
1 kg	(*2¼ lb*) tortellini
675 g	(*1½ lb*) moules ou de palourdes kiwi
450 g	(*1 lb*) crevettes moyennes
15 mL	(*1 c. à table*) huile
1	gousse d'ail, écrasée
750 mL	(*3 tasses*) tomates, pelées, épépinées et hachées fin
30 mL	(*2 c. à table*) pâte de tomate
60 mL	(*¼ tasse*) sherry
675 g	(*1½ lb*) petits pétoncles
125 mL	(*½ tasse*) fromage parmesan, râpé

Faire cuire les tortellini 10 minutes dans de l'eau salée bouillante, ou selon les indications.

Faire cuire les moules dans de l'eau bouillante salée jusqu'à ce qu'elles s'ouvrent. Égoutter et jeter celles qui ne sont pas ouvertes.

Détacher la chair et jeter les coquilles. Décortiquer et déveiner les crevettes.

Faire chauffer l'huile. Y faire revenir l'ail. Ajouter les tomates, la pâte de tomate et le sherry.

Porter à ébullition et réduire le feu. Laisser mijoter 20 minutes.

Incorporer les fruits de mer et poursuivre la cuisson 15 minutes de plus.

Verser la sauce sur les tortellini, parsemer de parmesan et servir.

Salade de tortellini

8 portions

½	recette de tortellini
1	oignon, en dés
1	poivron vert, haché
2	branches de céleri, en dés
115 g	(*4 oz*) champignons, en tranches
500 mL	(*2 tasses*) tomates, hachées
250 mL	(*1 tasse*) huile d'olive
80 mL	(*⅓ tasse*) vinaigre
5 mL	(*1 c. à thé*) origan
5 mL	(*1 c. à thé*) basilic
5 mL	(*1 c. à thé*) thym
5 mL	(*1 c. à thé*) sel
3 mL	(*½ c. à thé*) poivre

Préparer les tortellini et les faire cuire suivant les indications de la recette. Égoutter et laisser refroidir.

Mélanger les légumes et les tomates.

Mélanger l'huile, le vinaigre et les assaisonnements.

Mélanger les légumes et les tortellini. Verser la vinaigrette sur la salade.

Salade de tortellini

Gratin de tortellini

8 portions

115 g	(*¼ lb*) bacon, tranché et en dés
750 mL	(*3 tasses*) purée de tomate
5 mL	(*1 c. à thé*) cerfeuil
5 mL	(*1 c. à thé*) thym
5 mL	(*1 c. à thé*) origan
5 mL	(*1 c. à thé*) sel
250 mL	(*1 tasse*) crème épaisse
1	recette de tortellini
500 mL	(*2 tasses*) fromage mozzarella, râpé
250 mL	(*1 tasse*) cheddar moyen, râpé

Faire revenir le bacon dans une casserole. Égoutter l'excès de graisse.

Ajouter la purée de tomate et les assaisonnements. Laisser mijoter et faire réduire à 500 mL (*2 tasses*). Incorporer la crème.

Faire cuire les tortellini suivant les indications de la recette. Bien égoutter.

Préchauffer le four à 180°C (*350°F*).

Disposer les tortellini dans une grande cocotte graissée. Couvrir de sauce; parsemer des fromages. Faire gratiner au four 15 minutes. Servir.

Curry de tortellini aux crevettes

6 portions

125 mL	(*½ tasse*)	beurre
450 g	(*1 lb*)	petites crevettes, décortiquées et déveinées
115 g	(*4 oz*)	champignons, en tranches
15 mL	(*1 c. à table*)	poudre de curry
60 mL	(*¼ tasse*)	farine
250 mL	(*1 tasse*)	bouillon de poulet (voir *Soupes*)
500 mL	(*2 tasses*)	crème épaisse
10 mL	(*2 c. à thé*)	sel
½		recette de tortellini
500 mL	(*2 tasses*)	fromage mozzarella, râpée

Faire chauffer le beurre dans une casserole. Y faire revenir les crevettes et les champignons. Retirer et réserver.

Ajouter le curry et la farine; mélanger en un roux. Faire cuire 2 minutes. Incorporer le bouillon de poulet, la crème et le sel; réduire le feu et laisser mijoter jusqu'à épaississement. Remettre les crevettes et les champignons dans la casserole.

Faire cuire les tortellini selon les indications de la recette.

Préchauffer le four à 200°C (*400°F*).

Égoutter les tortellini et les mettre dans une grande casserole graissée. Napper de sauce. Parsemer de fromage et faire gratiner au four. Servir.

Soupe aux tortellini et aux fruits de mer

8 portions

60 mL	(*¼ tasse*)	huile
1		oignon, haché fin
1		poivron vert, haché fin
2		branches de céleri, hachées fin
1		gousse d'ail, hachée fin
750 mL	(*3 tasses*)	tomates, hachées
2 L	(*8 tasses*)	bouillon de poisson (voir *Soupes*)
5 mL	(*1 c. à thé*)	sel
15 mL	(*1 c. à table*)	persil, haché
5 mL	(*1 c. à thé*)	basilic
5 mL	(*1 c. à thé*)	origan
5 mL	(*1 c. à thé*)	thym
5 mL	(*1 c. à thé*)	paprika
125 mL	(*½ tasse*)	marsala (*vin*)
450 g	(*1 lb*)	vivaneau, en tranches
450 g	(*1 lb*)	crevettes, décortiquées et déveinées
24		palourdes
24		moules
½		recette de tortellini, cuits

Dans une grande casserole, faire chauffer l'huile.

Y faire revenir l'oignon, le poivron vert, le céleri et l'ail jusqu'à tendres.

Ajouter les tomates, le bouillon de poisson, les assaisonnements et le vin; porter à ébullition.

Réduire le feu et laisser mijoter 40 minutes.

Ajouter le vivaneau et les crevettes et poursuivre la cuisson 10 minutes.

Ajouter les palourdes et les moules et poursuivre la cuisson 5 minutes.

Incorporer les tortellini. Retirer du feu, attendre 3 minutes et servir.

Salade de coquilles aux fruits de mer

8 portions

450 g	(*1 lb*) coquilles
1	oignon, en petits dés
1	poivron vert, en petits dés
1	branche de céleri, en petits dés
225 g	(*½ lb*) petites crevettes, cuites
225 g	(*½ lb*) chair de crabe, cuite
225 g	(*½ lb*) saumon, cuit
250 mL	(*1 tasse*) mayonnaise
10 mL	(*2 c. à thé*) basilic
250 mL	(*1 tasse*) tomates, pelées, épépinées et hachées

Faire cuire les pâtes «al dente» dans de l'eau bouillante salée. Rincer sous l'eau froide et égoutter.

Mélanger les pâtes, les légumes et les fruits de mer. Incorporer la mayonnaise, le basilic, et les tomates; bien mélanger. Servir.

Salade de coquilles aux fruits de mer

Salade de coquilles et d'artichauts

8 portions

450 g	(*1 lb*) coquilles
6	artichauts
125 mL	(*½ tasse*) huile d'olive
45 mL	(*3 c. à table*) jus de citron
5 mL	(*1 c. à thé*) basilic sucré
5 mL	(*1 c. à thé*) sel
3 mL	(*½ c. à thé*) poivre
250 mL	(*1 tasse*) tomates pelées, épépinées et hachées

Faire cuire les pâtes «al dente» dans de l'eau bouillante salée. Égoutter et rincer sous l'eau froide.

Laver, parer et couper les artichauts en quartiers.

Enlever le cœur. Faire bouillir les quartiers d'artichauts dans de l'eau salée jusqu'à tendres. Égoutter et laisser refroidir.

Mélanger l'huile, le jus de citron et les assaisonnements avec les tomates.

Incorporer les nouilles aux artichauts et verser sur la préparation aux tomates.

Vermicelles au pistou

8 portions

450 g	(*1 lb*)	vermicelles
60 mL	(*¼ tasse*)	feuilles de basilic
90 g	(*3 oz*)	fromage romano, râpé
60 mL	(*¼ tasse*)	persil, haché
2		gousses d'ail
15 mL	(*1 c. à table*)	noix de pin
30 mL	(*2 c. à table*)	huile d'olive
30 mL	(*2 c. à table*)	bouillon de bœuf (voir *Soupes*)

Faire cuire les vermicelles
«al dente» dans de l'eau
bouillante salée. Égoutter.

Piler le basilic, le romano,
le persil, l'ail et les noix de pin
en une pâte lisse.

Incorporer l'huile et le bouillon de
bœuf. Verser sur les nouilles.

Vermicelles à la Edmonton

8 portions

450 g	(*1 lb*)	vermicelles
60 mL	(*¼ tasse*)	huile d'olive
1		oignon moyen, en petits dés
1		poivron vert, en petits dés
1		branche de céleri, en petits dés
2		gousses d'ail, écrasées
1 L	(*4 tasses*)	tomates, pelées, épépinées et hachées
15 mL	(*1 c. à table*)	basilic
15 mL	(*1 c. à table*)	origan
5 mL	(*1 c. à thé*)	poivre noir
10 mL	(*2 c. à thé*)	sel
450 g	(*1 lb*)	poulet, cuit et en dés
250 g	(*8 oz*)	kolbassa (saucisse polonaise), en dés
125 mL	(*½ tasse*)	fromage parmesan, râpé

Faire cuire les vermicelles
«al dente» dans de l'eau
bouillante salée.

Faire chauffer l'huile dans
une casserole. Y faire sauter
les légumes et l'ail jusqu'à tendres.

Ajouter les tomates,
les assaisonnements, le poulet
et la saucisse. Laisser mijoter
20 minutes.

Verser sur les nouilles et servir,
accompagné de parmesan râpé.

Vermicelles aux pommes

8 portions

1 kg	(*2¼ lb*)	pommes, pelées, évidées et en dés
60 mL	(*¼ tasse*)	huile
1		branche de céleri, hachée fin
1 L	(*4 tasses*)	tomates, écrasées
5 mL	(*1 c. à thé*)	sel
5 mL	(*1 c. à thé*)	basilic
1 mL	(*¼ c. à thé*)	poivre de Cayenne
5 mL	(*1 c. à thé*)	thym
5 mL	(*1 c. à thé*)	origan
450 g	(*1 lb*)	vermicelles

Réduire les pommes en purée au
robot culinaire.

Faire chauffer l'huile dans
une casserole. Y faire revenir
le céleri jusqu'à tendre.

Ajouter les tomates et
les assaisonnements.
Laisser mijoter 10 minutes

Ajouter les pommes en purée.
Réduire le feu, laisser mijoter
40 minutes jusqu'à très épais.

Faire cuire les vermicelles
«al dente» dans de l'eau
bouillante salée. Égoutter.
Mélanger avec la sauce et servir.

Ravioli panés

8 portions

45 mL	(*3 c. à table*) beurre
375 mL	(*1½ tasse*) poulet, déchiqueté
250 mL	(*1 tasse*) fromage ricotta ou fromage à la crème
2	œufs
5 mL	(*1 c. à thé*) sel
5 mL	(*1 c. à thé*) basilic
3 mL	(*½ c. à thé*) poivre
1	recette de pâte de base
1 L	(*4 tasses*) chapelure
10 mL	(*2 c. à thé*) sel
3 mL	(*½ c. à thé*) poivre
5 mL	(*1 c. à thé*) thym
1 mL	(*¼ c. à thé*) origan
750 mL	(*3 tasses*) huile

Faire chauffer le beurre dans une poêle. Bien y faire revenir le poulet. Le retirer de la poêle et le laisser refroidir. Mélanger le fromage et le poulet froid.

Ajouter les œufs et les assaisonnements.

Préparer la pâte selon les instructions de la recette. Découper et abaisser.

Découper en bandes de 12 cm (*5 po*) de largeur. Disposer, le long des bandes, 10 mL (*2 c. à thé*) de garniture tous les 9 cm (*3½ po*).

Replier la pâte par-dessus la garniture. Souder les bords et entre les cuillerées de farce en appuyant avec une fourchette. Couper chacun des ravioli ainsi formés.

Mélanger la chapelure et les assaisonnements.

Ravioli panés

Rouler chaque ravioli dans la chapelure assaisonnée.

Faire chauffer l'huile à 180°C (*350°F*).

Y plonger quelques ravioli à la fois.

Faire cuire environ 2½ minutes.

Servir avec une sauce tomate.

Le riz

Le riz est le principal féculent utilisé par les deux-tiers de la population mondiale. Il n'est donc pas étonnant qu'il soit l'objet de multiples recettes. Dans ce chapitre, vous découvrirez quelques-unes de mes préparations favorites à base de riz. Plusieurs d'entre elles peuvent être servies comme plat principal lors d'un repas léger.

Une des façons les plus faciles de varier une recette de riz est de remplacer l'eau de cuisson par un liquide différent, comme le jus de fruit, le bouillon de poulet ou de bœuf, le jus de légumes, etc.

Le riz blanc

Le riz blanc est un riz traité dont on a enlevé l'écorce de son. Que vous achetiez du riz à grains courts, moyens ou longs, la technique de base de cuisson pour ce riz demeure la même : ajoutez 250 mL (*1 tasse*) de riz à 750 mL (*3 tasses*) d'eau bouillante salée. Vous obtiendrez ainsi 750 mL (*3 tasses*) de riz cuit.

Le riz pré-cuit ou à cuisson rapide est un riz qui a été déshydraté après la cuisson.

Le riz Basmati

Ce riz odorant et savoureux nous vient d'Inde ou du Pakistan; il peut être acheté dans les épiceries asiatiques ou les épiceries spécialisées. Vous pouvez le préparer comme le riz blanc, mais il a un tel goût qu'il ne retire que peu d'avantage à être combiné à d'autres condiments ou ingrédients.

Le riz sauvage

Le riz sauvage n'est pas vraiment un riz, mais les graines d'une graminée qui croît en Amérique du Nord. Il est récolté à la main, en général par les autochtones natifs de la région et, de par ce fait, est d'un coût assez élevé. Mais son remarquable goût de noisette vaut bien les quelques sous dépensés en plus. Pour le préparer, faites cuire 250 mL (*1 tasse*) de riz sauvage dans 1,5 L (*6 tasses*) d'eau bouillante salée pendant 50 à 60 minutes.

Riz au fromage avec fruits et noix

Riz au fromage avec fruits et noix

	6 portions
1 L	(*4 tasses*) bouillon de bœuf (voir *Soupes*)
500 mL	(*2 tasses*) riz brun
45 mL	(*3 c. à table*) beurre
115 g	(*4 oz*) champignons, émincés
125 mL	(*1/2 tasse*) pommes, pelées et en dés
125 mL	(*1/2 tasse*) abricots, séchés, en tranches
5 mL	(*1 c. à thé*) sel
5 mL	(*1 c. à thé*) thym
125 mL	(*1/2 tasse*) noix d'acajou
500 mL	(*2 tasses*) fromage cheddar, râpé

Porter le bouillon de bœuf à ébullition.

Ajouter le riz, couvrir et faire cuire, à feu doux, 45 minutes. Égoutter; garder au chaud.

Faire fondre le beurre et y faire revenir les champignons. Ajouter les pommes et les abricots et faire revenir jusqu'à tendres.

Assaisonner avec le sel et le thym. Mélanger au riz, ajouter les noix d'acajou.

Incorporer le fromage, mélanger jusqu'à ce qu'il soit fondu. Servir.

Tomates farcies au riz

8 portions

8	grosses tomates
500 mL	(*2 tasses*) riz, cuit et refroidi
5 mL	(*1 c. à thé*) basilic
5 mL	(*1 c. à thé*) sel
1 mL	(*¼ c. à thé*) poivre
30 mL	(*2 c. à table*) ciboulette, hachée
45 mL	(*3 c. à table*) jus de citron
60 mL	(*¼ tasse*) huile
250 mL	(*1 tasse*) fromage cheddar, râpé

Préchauffer le four à 200°C (*400°F*).

Couper le dessus des tomates et les vider de leur pulpe avec une cuillère, sans briser la peau.

Mélanger le riz avec les assaisonnements, la pulpe de tomate, le jus de citron et l'huile.

Remplir les tomates de ce mélange. Parsemer de fromage.

Faire cuire au four 20 minutes.

1

Couper le dessus des tomates et les vider de leur pulpe.

2

Mélanger le riz avec les assaisonnements, la pulpe de tomate, le jus de citron et l'huile.

3

Farcir les tomates avec ce mélange.

4

Parsemer de fromage et faire cuire au four 20 minutes.

Riz à l'orange

6 portions

45 mL	(*3 c. à table*)	beurre
125 mL	(*½ tasse*)	céleri, en dés
125 mL	(*½ tasse*)	oignons verts, hachés
375 mL	(*1½ tasse*)	riz, non cuit
1 L	(*4 tasses*)	bouillon de poulet
500 mL	(*2 tasses*)	jus d'orange
10 mL	(*2 c. à thé*)	zeste d'orange, râpé
3 mL	(*½ c. à thé*)	sel
250 mL	(*1 tasse*)	raisins secs, sans pépins
250 mL	(*1 tasse*)	amandes, grillées

Préchauffer le four à 180°C (*350°F*).

Faire fondre le beurre dans une casserole allant au four.

Y faire revenir le céleri, les oignons et le riz jusqu'à ce que le riz soit doré.

Ajouter le bouillon, le jus d'orange, le zeste d'orange, le sel et les raisins secs.

Couvrir et faire cuire au four 35 minutes.

Sortir du four et incorporer les amandes. Servir chaud.

Riz à l'orange

Riz aux tomates, au poulet et au cheddar fort

6 portions

60 mL	(*¼ tasse*)	beurre
60 mL	(*¼ tasse*)	oignons, en petits dés
60 mL	(*¼ tasse*)	céleri, en petits dés
60 mL	(*¼ tasse*)	poivron vert, en petits dés
115 g	(*4 oz*)	champignons, en tranches
250 mL	(*1 tasse*)	tomates, hachées
375 mL	(*1½ tasse*)	sauce tomate (voir *Sauces*)
450 g	(*1 lb*)	poulet, cuit et en dés
1 L	(*4 tasses*)	riz, cuit
500 mL	(*2 tasses*)	fromage cheddar fort, émietté

Préchauffer le four à 200°C (*400°F*).

Faire chauffer le beurre dans une poêle. Y faire revenir les oignons, le céleri, le poivron vert et les champignons jusqu'à tendres.

Ajouter les tomates et la sauce tomate. Laisser mijoter 7 minutes. Mettre le poulet et le riz dans un bol. Incorporer la sauce.

Verser dans une cocotte légèrement graissée. Parsemer de cheddar.

Faire cuire au four 20 à 30 minutes.

Riz au poulet à la florentine

8 portions

284 g	(*10 oz*)	épinards
4		œufs
250 mL	(*1 tasse*)	crème épaisse
3 mL	(*½ c. à thé*)	poivre noir
5 mL	(*1 c. à thé*)	paprika
5 mL	(*1 c. à thé*)	sel
5 mL	(*1 c. à thé*)	ail, haché fin
1		petit oignon, haché fin
1 L	(*4 tasses*)	riz à grains longs, cuit
450 g	(*1 lb*)	poulet, cuit et en dés
125 mL	(*½ tasse*)	fromage parmesan, râpé
12		tranches de tomate

Préchauffer le four à 180°C (*350°F*).

Équeuter et hacher les épinards. Les faire cuire à l'étuvée 5 minutes.

Battre les œufs avec la crème et ajouter les assaisonnements, l'ail et l'oignon.

Tapisser d'épinards le fond et les côtés d'une grande casserole légèrement graissée.

Étaler une couche de riz sur les épinards; couvrir de poulet. Verser le mélange aux œufs sur le poulet; parsemer de fromage. Couvrir de tranches de tomates.

Faire cuire au four 45 à 55 minutes ou jusqu'à ce que le fromage soit fondu et doré. Servir chaud.

Riz Cajun

8 à 10 portions

115 g	(*¼ lb*)	gésiers de poulet
115 g	(*¼ lb*)	cœurs de poulet
115 g	(*¼ lb*)	foies de poulet
125 mL	(*½ tasse*)	beurre
1 kg	(*2¼ lb*)	saucisse piquante
1		oignon espagnol, en dés
1		poivron vert, en dés
3		branches de céleri, en dés
6		oignons verts, hachés
115 g	(*4 oz*)	jambon
1 kg	(*2¼ lb*)	riz, cuit
5 mL	(*1 c. à thé*)	poivre de Cayenne
10 mL	(*2 c. à thé*)	sel
5 mL	(*1 c. à thé*)	poivre
5 mL	(*1 c. à thé*)	paprika

Faire bouillir les abats de poulet dans de l'eau salée jusqu'à ce qu'ils soient cuits. Égoutter et réserver le bouillon et les abats.

Dans une grande poêle, faire frire la saucisse dans le beurre. Ajouter l'oignon espagnol, le poivron vert et le céleri et faire sauter jusqu'à tendres.

Incorporer les oignons verts et laisser mijoter 10 minutes.

Hacher le jambon, les abats de poulet et la saucisse et les ajouter aux légumes.

Ajouter 250 mL (*1 tasse*) de bouillon réservé. Laisser mijoter 15 minutes. Incorporer le riz et les assaisonnements en repliant. Servir.

Curry de riz à l'indienne

8 portions

30 mL	(*2 c. à table*)	beurre
2		oignons, en dés
3		branches de céleri, en dés
10 mL	(*2 c. à thé*)	sel
30 mL	(*2 c. à table*)	poudre de curry
2 L	(*8 tasses*)	bouillon de poulet
1 L	(*4 tasses*)	riz à grains longs
250 mL	(*1 tasse*)	raisins secs, sans pépins
375 mL	(*1½ tasse*)	petits pois, blanchis
250 mL	(*1 tasse*)	amandes, effilées et grillées

Faire chauffer le beurre dans une casserole. Y faire revenir les oignons et le céleri jusqu'à tendres.

Ajouter le sel et la poudre de curry; faire sauter 2 minutes.

Ajouter le bouillon et porter à ébullition. Incorporer le riz, couvrir et laisser mijoter jusqu'à ce qu'il soit cuit, environ 20 minutes.

Égoutter, incorporer les raisins secs, les petits pois et les amandes.

Servir chaud ou froid, en tant que salade.

Curry de riz à l'indienne

Trois riz aux champignons, aux haricots verts et aux amandes

4 portions

750 mL	(*3 tasses*) haricots verts, en morceaux
250 mL	(*1 tasse*) riz à grains longs, cuit et chaud
250 mL	(*1 tasse*) riz brun, cuit et chaud
125 mL	(*1/2 tasse*) riz sauvage, cuit et chaud
60 mL	(*1/4 tasse*) beurre
500 mL	(*2 tasses*) petits champignons
250 mL	(*1 tasse*) amandes, effilées et grillées
5 mL	(*1 c. à thé*) thym
5 mL	(*1 c. à thé*) origan
3 mL	(*1/2 c. à thé*) poivre
5 mL	(*1 c. à thé*) sel

Blanchir les haricots verts 7 minutes.

Mettre le riz dans un bol et garder au chaud.

Faire fondre le beurre dans une poêle. Y faire revenir les champignons et les haricots verts jusqu'à tendres.

Incorporer au riz avec les amandes et les assaisonnements.

Servir chaud.

Salade de riz aux poivrons

6 portions

6	poivrons verts
500 mL	(*2 tasses*) petites crevettes
500 mL	(*2 tasses*) riz, cuit et refroidi
60 mL	(*1/4 tasse*) oignons, en petits dés
60 mL	(*1/4 tasse*) céleri, en petits dés
115 g	(*4 oz*) bacon, cuit et émietté
5 mL	(*1 c. à thé*) basilic
5 mL	(*1 c. à thé*) sel
1 mL	(*1/4 c. à thé*) poivre
250 mL	(*1 tasse*) mayonnaise
6	grosses crevettes, décortiquées, déveinées, cuites et refroidies
6	tomates cerise

Trancher le dessus des poivrons verts. Les nettoyer de leurs côtes et de leurs pépins. Découper les calottes en dés.

Mélanger les dés de poivron vert, les petites crevettes, le riz, les légumes, le bacon, les assaisonnements et la mayonnaise.

Farcir les poivrons de ce mélange.

Garnir de crevettes et de tomates cerise.

Riz aux gombos et au jambon

8 portions

450 g	(*1 lb*) gombos
2 L	(*8 tasses*) bouillon de poulet
750 mL	(*3 tasses*) riz à grains longs
5 mL	(*1 c. à thé*) sel
1 mL	(*1/4 c. à thé*) poivre
450 g	(*1 lb*) jambon, en dés
750 mL	(*3 tasses*) sauce Mornay (voir *Sauces*)
500 mL	(*2 tasses*) fromage havarti, râpé

Découper les gombos en dés et les faire blanchir 3 minutes.

Porter le bouillon à ébullition. Ajouter le riz, couvrir et laisser mijoter 20 minutes. Égoutter.

Préchauffer le four à 200°C (*400°F*).

Dans un bol, mélanger le riz, les gombos, les assaisonnements, le jambon et la sauce Mornay.

Verser dans une cocotte légèrement beurrée.

Parsemer de fromage.

Faire cuire au four 20 minutes.

Trois riz aux amandes

6 portions

500 mL	(*2 tasses*) riz à grains longs, cuit et chaud
500 mL	(*2 tasses*) riz brun, cuit et chaud
250 mL	(*1 tasse*) riz sauvage, cuit et chaud
30 mL	(*2 c. à table*) beurre
115 g	(*4 oz*) champignons, en tranches
3 mL	(*½ c. à thé*) basilic
1 mL	(*¼ c. à thé*) poivre
5 mL	(*1 c. à thé*) sel
250 mL	(*1 tasse*) amandes, effilées, grillées

Mettre les riz dans un bol. Garder au chaud.

Faire chauffer le beurre dans une poêle. Y faire revenir les champignons jusqu'à tendres.

Ajouter les assaisonnements. Incorporer au riz.

Parsemer d'amandes. Servir immédiatement.

Trois riz aux amandes

Risi e bisi

6 portions

10 mL	(*2 c. à thé*) beurre
4	tranches de bacon, en dés
1	petit oignon, haché fin
375 mL	(*1½ tasse*) riz à grains longs
750 mL	(*3 tasses*) bouillon de poulet (voir *Soupes*)
500 mL	(*2 tasses*) petits pois, frais ou surgelés
3 mL	(*½ c. à thé*) muscade
60 mL	(*¼ tasse*) fromage parmesan râpé
45 mL	(*3 c. à table*) sherry

Faire chauffer le beurre dans une poêle. Y faire revenir le bacon et l'oignon jusqu'à tendres.

Ajouter le riz et faire cuire 1 minute, en remuant.

Ajouter le bouillon de poulet et faire cuire à feu doux 20 minutes, ou jusqu'à ce que le riz soit tendre. Incorporer les petits pois, la muscade, le fromage et le sherry.

Poursuivre la cuisson 3 minutes de plus et servir.

Riz délicieux

8 portions

125 mL	(*½ tasse*)	huile d'olive
1 kg	(*2¼ lb*)	agneau, en dés
1		oignon, en petits dés
115 g	(*4 oz*)	champignons, en tranches
2		branches de céleri, en petits dés
250 mL	(*1 tasse*)	pommes, en dés
125 mL	(*½ tasse*)	abricots, séchés et en dés
750 mL	(*3 tasses*)	riz à grains longs
250 mL	(*1 tasse*)	riz brun
125 mL	(*½ tasse*)	raisins secs, sultana
2 L	(*8 tasses*)	bouillon de poulet (voir *Soupes*)
10 mL	(*2 c. à thé*)	sel
5 mL	(*1 c. à thé*)	cannelle
3 mL	(*½ c. à thé*)	clous de girofle, moulus
60 mL	(*¼ tasse*)	noix de pin

Préchauffer le four à 190°C (*375°F*).

Dans une grande poêle, faire chauffer l'huile. Y faire dorer l'agneau. Retirer et réserver.

Dans la poêle, faire revenir l'oignon, les champignons, le céleri, les pommes et les abricots jusqu'à tendres.

Mettre le riz dans une grande casserole; couvrir avec l'agneau, les légumes, les fruits revenus et les raisins secs.

Porter à ébullition le bouillon de poulet et les assaisonnements. Verser sur le riz. Parsemer de noix de pins.

Faire cuire au four, au niveau le plus bas, 30 minutes. Sortir du four, couvrir et laisser reposer 5 minutes avant de servir.

Riz au fromage et à la ciboulette

6 portions

1,5 L	(*6 tasses*)	bouillon de poulet
500 mL	(*2 tasses*)	riz à grains longs
500 mL	(*2 tasses*)	sauce Mornay (voir *Sauces*)
45 mL	(*3 c. à table*)	ciboulette, hachée
500 mL	(*2 tasses*)	fromage cheddar, râpé

Porter le bouillon à ébullition. Ajouter le riz. Couvrir et laisser mijoter 20 minutes.

Égoutter. Réserver.

Préchauffer le four à 180°C (*350°F*).

Mettre le riz dans une cocotte légèrement graissée. Napper de sauce.

Parsemer de ciboulette. Couvrir de fromage.

Faire cuire au four 15 à 20 minutes ou jusqu'à légère coloration.

Riz pilaf

6 à 8 portions

8		tranches de bacon, en morceaux de 1 cm (*½ po*)
1		oignon, haché fin
1		branche de céleri, émincée
1		carotte, hachée fin
1		poivron vert, en dés
60 mL	(*¼ tasse*)	beurre
750 mL	(*3 tasses*)	riz, cuit et chaud

Faire sauter le bacon jusqu'à ce qu'il soit tendre, mais non croustillant; bien égoutter.

Faire sauter les légumes dans le beurre chaud, jusqu'à tendres.

Bien mélanger le bacon, les légumes et le riz et servir.

Gratin de riz au brocoli

Gratin de riz au brocoli

6 portions

500 mL	(*2 tasses*) brocoli, en bouquets
250 mL	(*1 tasse*) sauce Mornay (voir *Sauces*)
750 mL	(*3 tasses*) riz, cuit
60 mL	(*¼ tasse*) fromage cheddar doux, râpé
60 mL	(*¼ tasse*) fromage havarti, râpé
30 mL	(*2 c. à table*) fromage parmesan, râpé
30 mL	(*2 c. à table*) chapelure

Préchauffer le four à 150°C (*300°F*).

Faire cuire le brocoli «al dente» dans de l'eau bouillante salée, soit environ 3 minutes. Égoutter. Réserver.

Mélanger la sauce Mornay, le riz et les fromages. Incorporer le brocoli en repliant.

Déposer à la cuillère dans un moule de 20 x 20 cm (*8 x 8 po*), graissé, allant au four.

Parsemer de chapelure et faire cuire au four 35 à 45 minutes.

Les sauces

Certains chefs cuisiniers français évaluent le cuisinier par ses sauces. Il est vrai que les sauces jouent un rôle particulièrement important dans la cuisine française.

Selon moi, chaque cuisinier devrait avoir un répertoire de sauces de base pouvant être adaptées selon les besoins.

Les sauces peuvent être chaudes ou froides, mais il y a définitivement une majorité de sauces qui sont chaudes. Ces dernières sont habituellement élaborées à partir d'une sauce brune de base (base pour les sauces espagnole et à la tomate, par exemple) ou à partir d'une sauce blanche de base, comprenant la béchamel et le velouté.

La **sauce brune** de base ou la **sauce espagnole** est faite à partir d'os de bœuf brunis, de consommé brun, de roux brun, de légumes et d'herbes aromatiques. Le tout doit mijoter longtemps, puis être filtré et dégraissé. La recette de sauce espagnole de ce chapitre peut servir de base pour plusieurs autres sauces.

La **sauce blanche** de base ou **béchamel** est faite à partir d'un roux blanc auquel on ajoute de la crème ou du lait, et que l'on laisse mijoter à feu doux jusqu'à consistance désirée. Elle est utilisée comme base pour la **sauce suprême** (voir la recette) et plusieurs autres sauces.

En plus de ces deux sauces, je vous conseille de bien maîtriser les recettes de **sauce tomate** et de **sauce hollandaise**. Des variantes sur ces 4 sauces vous permettront de modifier indéfiniment vos recettes.

Sauce créole

Sauce créole

	750 mL (3 tasses)
2	gousses d'ail, hachées fin
60 mL	(*1/4 tasse*) huile d'olive
1	oignon moyen, haché fin
2	poivrons verts, hachés fin
375 mL	(*1 1/2 tasse*) champignons, hachés fin
4	grosses tomates, pelées, épépinées et en dés
3 mL	(*1/2 c. à thé*) sel
1	pincée de poivre
3	gouttes de sauce aux piments forts
60 mL	(*1/4 tasse*) oignons verts, hachés
30 mL	(*2 c. à table*) persil, haché

Dans une casserole, faire revenir l'ail dans l'huile pendant 1 minute. Ajouter l'oignon, les poivrons et les champignons et faire sauter jusqu'à tendres.

Incorporer les tomates et laisser mijoter jusqu'à ce que la sauce soit réduite et plus épaisse.

Saler, poivrer et ajouter la sauce aux piments forts. Juste avant de servir, incorporer les oignons verts et le persil.

Sauce au champagne

430 mL (1¾ tasse)

45 mL	*(3 c. à table)*	beurre
45 mL	*(3 c. à table)*	farine
125 mL	*(½ tasse)*	bouillon de poulet (voir *Soupes*)
125 mL	*(½ tasse)*	crème épaisse
125 mL	*(½ tasse)*	champagne

Faire fondre le beurre dans une casserole. Ajouter la farine et mélanger pour obtenir un roux.

Ajouter le bouillon de poulet, la crème et le champagne. Fouetter tous les ingrédients.

Laisser mijoter 10 minutes à feu moyen.

Sauce au vin blanc 1

430 mL (1¾ tasse)

45 mL	*(3 c. à table)*	beurre
45 mL	*(3 c. à table)*	farine
125 mL	*(½ tasse)*	bouillon de poulet (voir *Soupes*)
125 mL	*(½ tasse)*	crème épaisse
125 mL	*(½ tasse)*	vin blanc

Dans une casserole, faire chauffer le beurre. Ajouter la farine. Laisser cuire 2 minutes.

Ajouter les liquides et laisser mijoter jusqu'à épaississement.

Sauce au vin blanc 2

500 mL (2 tasses)

20 mL	*(4 c. à thé)*	beurre
20 mL	*(4 c. à thé)*	farine
375 mL	*(1½ tasse)*	bouillon de poulet (voir *Soupes*)
125 mL	*(½ tasse)*	vin blanc
1		jaune d'œuf

Dans une casserole, faire chauffer le beurre. Ajouter la farine et faire cuire 2 minutes.

Ajouter le bouillon de poulet et le vin. Laisser mijoter 5 minutes.

Retirer du feu et incorporer le jaune d'œuf en fouettant.

Velouté de poulet

1 L (4 tasses)

125 mL	*(½ tasse)*	beurre
125 mL	*(½ tasse)*	farine
1 L	*(4 tasses)*	bouillon de poulet

Dans une casserole, faire fondre le beurre. Ajouter la farine et mélanger pour obtenir un roux.

Ajouter le bouillon de poulet et mélanger.

Laisser mijoter 30 minutes.

Sauce crémeuse aux champignons et au parmesan

625 mL (2½ tasses)

375 mL	(*1½ tasse*) champignons, en tranches
20 mL	(*4 c. à thé*) beurre
20 mL	(*4 c. à thé*) farine tout usage
180 mL	(*¾ tasse*) bouillon de poulet (voir *Soupes*)
180 mL	(*¾ tasse*) crème épaisse
30 mL	(*2 c. à table*) fromage parmesan, râpé
	sel et poivre

À feu vif, faire sauter les champignons dans le beurre, jusqu'à tendres.

Saupoudrer de farine et faire cuire 2 minutes en remuant.

Incorporer graduellement le bouillon et la crème; faire chauffer jusqu'à ébullition.

Incorporer le parmesan; assaisonner au goût.

Sauce crémeuse aux champignons et au parmesan

Sauce suprême

250 mL (1 tasse)

250 mL	(*1 tasse*) velouté de poulet
250 mL	(*1 tasse*) crème épaisse
30 mL	(*2 c. à table*) beurre froid

A feu vif, faire réduire le velouté de poulet à 125 mL (*½ tasse*).

Incorporer la crème en fouettant et faire encore réduire jusqu'à ce que la sauce épaississe et qu'il en reste 250 mL (*1 tasse*).

À feu moyen, en fouettant, ajouter peu à peu le beurre en noisettes.

Sauce espagnole

1,5 L (6 tasses)

2 kg	*(4½ lb)*	os de bœuf ou de veau
1		oignon, en dés
4		carottes, en dés
3		branches de céleri, en dés
3		feuilles de laurier
3		gousses d'ail
10 mL	*(2 c. à thé)*	sel
125 mL	*(½ tasse)*	farine
3 L	*(12 tasses)*	eau
1		bouquet garni
250 mL	*(1 tasse)*	purée de tomate
180 mL	*(¾ tasse)*	poireaux, hachés
3		brins de persil

Préchauffer le four à 230°C (*450°F*).

Mettre les os, l'oignon, les carottes, le céleri, les feuilles de laurier, l'ail et le sel sur une plaque à rôtir.

Faire cuire au four 45 à 50 minutes jusqu'à ce que les os soient bien dorés, mais non brûlés.

Saupoudrer de farine et poursuivre la cuisson 15 minutes.

Mettre les ingrédients dans une cocotte. Déglacer la plaque à rôtir avec un peu d'eau et verser le mélange dans la cocotte. Ajouter les ingrédients qui restent.

Porter à ébullition. Réduire le feu et laisser mijoter 3 à 4 heures ou jusqu'à ce que la sauce soit à moitié réduite.

Écumer la mousse en surface.

Filtrer la sauce une première fois, puis la filtrer de nouveau à travers une gaze. Utiliser selon les besoins.

Sauce demi-glace

430 mL (1¾ tasse)

750 mL	*(3 tasses)*	sauce espagnole
310 mL	*(1¼ tasse)*	bouillon de bœuf (voir *Soupes*)
60 mL	*(¼ tasse)*	sherry

Mélanger la sauce espagnole et le bouillon de bœuf.

Laisser mijoter jusqu'à ce que la sauce soit réduite des deux-tiers.

Ajouter le sherry et utiliser selon les besoins.

Sauce chasseur

500 mL (2 tasses)

30 mL	*(2 c. à table)*	beurre
115 g	*(4 oz)*	champignons, en tranches
15 mL	*(1 c. à table)*	échalotes, hachées
3 mL	*(½ c. à thé)*	sel
60 mL	*(¼ tasse)*	vin blanc
250 mL	*(1 tasse)*	sauce demi-glace
125 mL	*(½ tasse)*	sauce tomate

Faire chauffer le beurre dans une casserole; y faire revenir les champignons, les échalotes et le sel jusqu'à évaporation presque complète du liquide.

Ajouter le vin, la sauce demi-glace et la sauce tomate. Laisser mijoter 20 minutes, en remuant de temps en temps.

Utiliser selon les besoins.

Sauce aux champignons au vin rouge ou au madère

625 mL (2½ tasses)

500 mL	(*2 tasses*) sauce espagnole
250 mL	(*1 tasse*) vin rouge ou de madère
375 mL	(*1½ tasse*) champignons, en tranches
15 mL	(*1 c. à table*) beurre
10 mL	(*2 c. à thé*) farine tout usage

Faire bouillir la sauce espagnole jusqu'à ce qu'elle soit réduite de moitié.

Incorporer le vin rouge ou le madère et laisser mijoter 5 minutes.

Faire sauter les champignons dans le beurre, à feu vif.

Saupoudrer de farine; bien mélanger. Incorporer les champignons à la sauce; laisser mijoter 5 minutes.

Sauce aux champignons au vin rouge ou au madère

Sauce italienne

750 mL (3 tasses)

8	tranches de bacon, en dés
1	petit oignon, en petits dés
115 g	(*4 oz*) champignons, en tranches
2	branches de céleri, en petits dés
1	poivron vert, en petits dés

750 mL	(*3 tasses*) sauce tomate
60 mL	(*¼ tasse*) sherry

Faire sauter le bacon dans une casserole.

Ajouter l'oignon, les champignons, le céleri et le poivron vert. Faire cuire jusqu'à tendres. Égoutter la graisse.

Incorporer la sauce tomate et le sherry. Laisser mijoter 10 minutes et utiliser selon les besoins.

Sauce béchamel

310 mL (1¼ tasse)

30 mL	*(2 c. à table)*	beurre
30 mL	*(2 c. à table)*	farine
250 mL	*(1 tasse)*	lait
1 mL	*(¼ c. à thé)*	sel
1 mL	*(¼ c. à thé)*	poivre blanc
1		pincée de muscade

Faire fondre le beurre dans une casserole.

Saupoudrer de farine et mélanger.

Ajouter le lait progressivement et mélanger.

Laisser mijoter jusqu'à épaississement.

Incorporer les assaisonnements et poursuivre la cuisson encore 2 minutes.

1 Faire fondre le beurre dans une casserole et ajouter la farine.

2 Mélanger pour obtenir un roux.

3 Ajouter le lait, mélanger et laisser mijoter jusqu'à épaississement.

4 Ajouter les assaisonnements et poursuivre la cuisson encore 2 minutes.

Sauce Mornay

310 mL (1¼ tasse)

30 mL	*(2 c. à table)* beurre
30 mL	*(2 c. à table)* farine
125 mL	*(½ tasse)* bouillon de poulet (voir *Soupes*)
125 mL	*(½ tasse)* crème épaisse
1 mL	*(¼ c. à thé)* sel
1 mL	*(¼ c. à thé)* poivre blanc
60 mL	*(¼ tasse)* fromage parmesan, râpé

Dans une casserole, faire fondre le beurre, saupoudrer de farine et mélanger pour obtenir un roux.

Ajouter le bouillon de poulet, la crème et les assaisonnements.

Laisser mijoter en remuant, jusqu'à épaississement.

Incorporer le fromage et poursuivre la cuisson encore 2 minutes.

Sauce Teriyaki

Sauce Teriyaki

500 mL (2 tasses)

80 mL	*(⅓ tasse)* cassonade
5 mL	*(1 c. à thé)* gingembre, moulu
250 mL	*(1 tasse)* bouillon de bœuf
80 mL	*(⅓ tasse)* sauce soja
30 mL	*(2 c. à table)* fécule de maïs
60 mL	*(¼ tasse)* vin blanc

Dissoudre la cassonade et le gingembre dans le bouillon et la sauce soja.

Porter à ébullition.

Mélanger la fécule de maïs au vin.

Incorporer au bouillon. Laisser mijoter jusqu'à épaississement.

Sauce barbecue

750 mL (3 tasses)

250 mL	(*1 tasse*)	oignons, hachés
80 mL	(*1/3 tasse*)	huile
500 mL	(*2 tasses*)	sauce tomate
160 mL	(*2/3 tasse*)	eau
80 mL	(*1/3 tasse*)	jus de citron
80 mL	(*1/3 tasse*)	cassonade
20 mL	(*4 c. à thé*)	sauce anglaise
20 mL	(*4 c. à thé*)	moutarde préparée
15 mL	(*1 c. à table*)	sel
3 mL	(*1/2 c. à thé*)	sauce aux piments forts

Mélanger tous les ingrédients.

Laisser mijoter à feu doux 15 minutes. Retirer du feu.

Sauce barbecue au vin

375 mL (1 1/2 tasse)

30 mL	(*2 c. à table*)	oignon, haché
15 mL	(*1 c. à table*)	beurre
60 mL	(*1/4 tasse*)	vin blanc
60 mL	(*1/4 tasse*)	ketchup
1		pincée de poivre noir
3 mL	(*1/2 c. à thé*)	origan
3 mL	(*1/2 c. à thé*)	cumin
30 mL	(*2 c. à table*)	cassonade
284 mL	(*10 oz*)	tomates, en conserve, hachées
1		pincée de sel
15 mL	(*1 c. à table*)	fécule de maïs
45 mL	(*3 c. à table*)	eau

Faire sauter les oignons dans le beurre jusqu'à tendres.

Ajouter le vin, le ketchup, le poivre, l'origan, le cumin, la cassonade et les tomates.

Porter la sauce à légère ébullition. Laisser mijoter 20 minutes et ajouter le sel.

Mélanger la fécule de maïs à l'eau et incorporer à la sauce. Faire cuire en remuant continuellement, jusqu'à consistance désirée.

Sauce au curry

375 mL (1 1/2 tasse)

30 mL	(*2 c. à table*)	beurre
30 mL	(*2 c. à table*)	farine
10 mL	(*2 c. à thé*)	poudre de curry
160 mL	(*2/3 tasse*)	bouillon de poulet (voir *Soupes*)
125 mL	(*1/2 tasse*)	crème épaisse

Faire chauffer le beurre dans une casserole. Ajouter la farine et la poudre de curry.

Mélanger en une pâte lisse. Faire cuire 2 minutes.

Incorporer le bouillon et réduire le feu. Laisser mijoter doucement 3 minutes.

Ajouter la crème et laisser mijoter encore 2 minutes. Utiliser selon les besoins.

Sauce barbecue et Sauce barbecue au vin

Sauce hollandaise

180 mL (¾ tasse)

125 mL	*(½ tasse)* beurre
2	jaunes d'œufs, battus
10 mL	*(2 c. à thé)* jus de citron
1	pincée de poivre de Cayenne

Faire fondre le beurre pour qu'il soit très chaud.

Mettre les jaunes d'œufs dans un bain marie, à feu doux.

Ajouter lentement le jus de citron. Bien l'incorporer.

Retirer du feu et ajouter le beurre chaud en fouettant doucement.

Incorporer le poivre de Cayenne et servir immédiatement.

 Mettre les jaunes d'oeufs dans un bain-marie, à feu doux, et ajouter lentement le jus de citron.

 Incorporer le beurre chaud en fouettant doucement.

 Ajouter le poivre de Cayenne.

 La sauce est prête.

Sauce au pistou simple, Sauce béarnaise et Sauce hollandaise

Sauce au pistou simple

500 mL (2 tasses)

375 mL	(1½ tasse) feuilles de basilic, fraîches
6	gousses d'ail
80 mL	(⅓ tasse) noix de pin, grillées
160 mL	(⅔ tasse) fromage parmesan, râpé
5 mL	(1 c. à thé) sel
3 mL	(½ c. à thé) poivre
180 mL	(¾ tasse) huile d'olive

Bien combiner tous les ingrédients au robot culinaire.

Mélanger à des pâtes chaudes.

Sauce béarnaise

180 mL (¾ tasse)

45 mL	(3 c. à table) vin blanc
15 mL	(1 c. à table) feuilles d'estragon, séchées
3 mL	(½ c. à thé) jus de citron
125 mL	(½ tasse) beurre
3	jaunes d'œufs

Mélanger le vin, l'estragon et le jus de citron dans une petite casserole. Faire réduire à feu vif, jusqu'à 30 mL (2 c. à thé).

Dans une autre casserole, faire fondre le beurre et porter presque au point d'ébullition.

Au mélangeur ou au robot culinaire, travailler les jaunes d'œufs.

Laisser tourner l'appareil et verser le beurre en un mince filet. Arrêter l'appareil; ajouter le mélange au vin; combiner au mélangeur.

Sauce à la moutarde et au miel

330 mL (1 1/3 tasse)

160 mL	(*2/3 tasse*) mayonnaise (voir *Vinaigrettes*)
80 mL	(*1/3 tasse*) miel
80 mL	(*1/3 tasse*) moutarde de Dijon

Bien mélanger tous les ingrédients.

Mettre au réfrigérateur.

Sauce crémeuse au raifort

430 mL (1 3/4 tasse)

125 mL (*1/2 tasse*) crème sure
250 mL	(*1 tasse*) fromage à la crème
60 mL	(*1/4 tasse*) raifort, râpé

Bien mélanger tous les ingrédients.

Laisser refroidir avant d'utiliser.

Sauce aux fines herbes

125 mL (1/2 tasse)

125 mL	(*1/2 tasse*) mayonnaise (voir *Vinaigrettes*)
5 mL	(*1 c. à thé*) feuilles de basilic, séchées
5 mL	(*1 c. à thé*) cerfeuil, séché (*facultatif*)
5 mL	(*1 c. à thé*) ciboulette, hachée
5 mL	(*1 c. à thé*) persil, haché

Mélanger les ingrédients en fouettant, jusqu'à consistance lisse.

Sauce crémeuse au chili

180 mL (3/4 tasse)

60 mL	(*1/4 tasse*) sauce chili, (voir *Légumes*)
125 mL	(*1/2 tasse*) vinaigrette française (voir *Vinaigrettes*)
5 mL	(*1 c. à thé*) paprika
5 mL	(*1 c. à thé*) sel assaisonné
3 mL	(*1/2 c. à thé*) assaisonnement au chili
5 mL	(*1 c. à thé*) jus de citron
5 mL	(*1 c. à thé*) sauce anglaise

Mélanger les ingrédients en fouettant, jusqu'à consistance lisse.

Sauce à la liqueur d'orange

180 mL (3/4 tasse)

125 mL	(*1/2 tasse*) marmelade d'oranges
60 mL	(*1/4 tasse*) liqueur d'orange ou brandy
30 mL	(*2 c. à table*) eau

Mélanger tous les ingrédients dans une casserole.

Porter à ébullition, réduire le feu et laisser mijoter 5 minutes en remuant jusqu'à épaississement.

Sauce au miel et à l'ail

250 mL (1 tasse)

250 mL	(*1 tasse*) miel, liquide
15 mL	(*1 c. à table*) ail, en poudre ou haché fin

Faire chauffer le miel dans une casserole ou au micro-ondes.

Incorporer l'ail en fouettant.

Sauce aux fines herbes, Sauce à la liqueur d'orange, Sauce au miel et à l'ail, Sauce crémeuse au chili

Sauce tomate

625 à 750 mL (2½ à 3 tasses)

60 mL	(¼ tasse) beurre
2	carottes, en dés
2	branches de céleri, en dés
2	gousses d'ail, hachées fin
1	oignon, en dés
3	feuilles de laurier
5 mL	(1 c. à thé) thym
5 mL	(1 c. à thé) origan
5 mL	(1 c. à thé) basilic
15 mL	(1 c. à table) sel
5 mL	(1 c. à thé) poivre
1,4 kg	(3 lb) tomates, pelées, épépinées et hachées

Faire chauffer le beurre et y faire revenir les carottes, le céleri, l'ail et l'oignon jusqu'à tendres.

Ajouter les assaisonnements et les tomates. Laisser mijoter 2 heures.

Filtrer la sauce. Remettre sur le feu et laisser mijoter jusqu'à la consistance désirée.

Sauce tomate

Sauce Cherbourg

875 mL (3½ tasses)

90 mL	(6 c. à table) beurre
45 mL	(3 c. à table) farine
250 mL	(1 tasse) bouillon de poulet (voir *Soupes*)
250 mL	(1 tasse) crème légère
375 mL	(1½ tasse) queues d'écrevisses ou de chair de crevettes, cuites
1 mL	(¼ c. à thé) sel
1	pincée de poivre blanc
1	pincée de paprika

Faire chauffer la moitié du beurre dans une casserole.

Ajouter la farine et faire cuire 2 minutes sans laisser brunir.

Ajouter le bouillon de poulet et la crème. Réduire le feu et laisser mijoter doucement 15 minutes ou jusqu'à ce que la sauce épaississe.

Réduire en purée le reste de beurre avec 125 mL (½ tasse) de queues d'écrevisses. Enlever la sauce du feu; fouetter. Ajouter les fruits de mer qui restent et les assaisonnements.

Servir avec des fruits de mer, du poisson, du poulet ou sur des nouilles.

Sauce épicée cajun

560 mL (2¼ tasses)

30 mL	*(2 c. à table)* huile
30 mL	*(2 c. à table)* oignon, haché fin
30 mL	*(2 c. à table)* poivron vert, haché fin
2	gousses d'ail, hachées fin
250 mL	*(1 tasse)* ketchup
250 mL	*(1 tasse)* purée de tomate
125 mL	*(½ tasse)* eau
15 mL	*(1 c. à table)* sauce anglaise
3 mL	*(½ c. à thé)* sauce Tabasco
5 mL	*(1 c. à thé)* paprika
3 mL	*(½ c. à thé)* origan
3 mL	*(½ c. à thé)* thym
5 mL	*(1 c. à thé)* sel

Dans une casserole, faire chauffer l'huile. Y faire revenir l'oignon, le poivron vert et l'ail jusqu'à tendres.

Ajouter le reste des ingrédients.

Porter à ébullition. Laisser mijoter doucement 20 minutes.

Coulis aux framboises

Coulis aux framboises

750 mL (3 tasses)

1 kg	*(2¼ lb)* framboises
15 mL	*(1 c. à table)* fécule de maïs
45 mL	*(3 c. à table)* sherry
60 mL	*(¼ tasse)* sucre

Au robot culinaire, réduire les framboises en purée. Filtrer. Jeter la pulpe et les pépins.

Mélanger 750 mL *(3 tasses)* de jus de framboises avec la fécule de maïs, le sherry et le sucre. Faire chauffer à feu doux jusqu'à épaississement.

Utiliser selon les besoins.

Le fromage

Il existe plusieurs centaines de variétés de fromages de par le monde, dont plus de 400 se retrouvent en France ! Alors pourquoi toujours se limiter aux mêmes sortes ? Ce n'est cependant pas une raison pour mésestimer les fromages de fabrication locale. Certains sont tout simplement délicieux et tellement moins coûteux que les variétés importées !

Le fromage peut être une aventure en soi, et une des façons les plus agréables de le déguster est d'organiser un « vins et fromages ». Prévoyez alors 170 g (*6 oz*) de fromage par personne.

Le fromage demeure un ingrédient de cuisson excellent. Ce chapitre vous donnera une petite idée des différentes façons de l'utiliser dans tous les plats, de la soupe au dessert.

N'oubliez pas, par contre, lorsque vous cuisinez avec du fromage, qu'une cuisson trop élevée lui donnera une texture filandreuse, voire même dure.

Conservation du fromage

Tous les fromages devraient être gardés à une température variant entre 2°C et 4°C (*36°F et 40°F*). Les fromages à pâte molle se gardent au moins 14 jours au réfrigérateur, s'ils sont bien enveloppés. La mozzarella est un fromage qui est définitivement meilleur jeune. Donc, ne l'achetez que lorsque vous en avez besoin.

Les fromages à pâte dure peuvent se garder jusqu'à 90 jours, s'ils sont bien enveloppés. Une couche de moisi en surface ne présente aucun danger; il suffit de la gratter tout simplement.

Il est préférable de ne pas congeler le fromage. Si vous ne pouvez faire autrement, divisez-le en portions de 225 g (*1/2 lb*) que vous envelopperez soigneusement. Vous devrez le consommer en dedans de 90 jours en prenant soin de le laisser dégeler au réfrigérateur.

Évitez également de congeler le gâteau au fromage, car il aurait tendance à s'émietter.

Scones au cheddar

12 portions

500 mL	(*2 tasses*) farine tout usage
60 mL	(*1/4 tasse*) poudre à pâte
3 mL	(*1/2 c. à thé*) sucre
1 mL	(*1/4 c. à thé*) sel
60 mL	(*1/4 tasse*) saindoux
180 mL	(*2/3 tasse*) lait
500 mL	(*2 tasses*) fromage cheddar moyen, en petits dés
1	œuf

Préchauffer le four à 200°C (*400°F*).

Mélanger la farine, la poudre à pâte, le sucre et le sel. Incorporer le saindoux pour obtenir une texture grumeleuse.

Ajouter le lait en une seule fois; mélanger à la fourchette jusqu'à l'obtention d'une pâte lisse.

Mettre la pâte sur une surface légèrement farinée et incorporer le fromage en pétrissant doucement.

Abaisser la pâte à environ 2,5 cm (*1 po*) d'épaisseur et la découper en 12 carrés.

Disposer sur une plaque à biscuits non graissée.

Battre l'œuf et en badigeonner la pâte. Faire cuire au four pendant 15 minutes ou jusqu'à légère coloration.

Torsades au fromage

Torsades au fromage

8 portions

1	paquet de pâte feuilletée de 398 g (*14 oz*), surgelée et dégelée
1	œuf, battu
60 mL	(*1/4 tasse*) fromage romano, râpé

Préchauffer le four à 230°C (*450°F*).

Abaisser la pâte à 0,5 cm (*1/4 po*) d'épaisseur sur une surface légèrement farinée.

Badigeonner d'œuf battu et parsemer de fromage. Découper, en diagonale, des bandes de 1 cm (*1/2 po*) de largeur et de la longueur désirée.

Tourner les lanières en torsades, disposer sur une plaque à biscuits non graissée et appuyer sur les extrémités pour éviter qu'elles ne se déroulent.

Faire cuire au four 8 à 10 minutes ou jusqu'à brun doré.

Soupe aux pommes de terre et au fromage

4 à 6 portions

250 mL	(*1 tasse*) pommes de terre, grossièrement râpées
625 mL	(*2½ tasses*) bouillon de poulet (voir *Soupes*)
250 mL	(*1 tasse*) crème épaisse
250 mL	(*1 tasse*) fromage brick, râpé
22 mL	(*1½ c. à table*) beurre
30 mL	(*2 c. à table*) farine tout usage
	sel et poivre
60 mL	(*¼ tasse*) oignons verts, hachés
4	tranches de bacon, cuites et émiettées

Faire mijoter les pommes de terre dans du bouillon jusqu'à tendres. Ne pas égoutter. Les réduire en purée. Incorporer la crème et le fromage en fouettant.

Faire fondre le beurre dans une petite casserole; saupoudrer de farine et mélanger jusqu'à consistance lisse.

Ajouter à la soupe en fouettant. Assaisonner.

Laisser mijoter 4 à 5 minutes ou jusqu'à léger épaississement.

Garnir d'oignons et de bacon et servir.

Crêpes à la manicotti

6 portions

1	paquet de fromage à la crème de 250 g (*8 oz*), à température ambiante
125 mL	(*½ tasse*) fromage cottage en morceaux
125 mL	(*½ tasse*) fromage cheddar moyen, grossièrement râpé
125 mL	(*½ tasse*) fromage havarti, grossièrement râpé
22 mL	(*1½ c. à table*) beurre, ramolli
1	œuf
45 mL	(*3 c. à table*) persil, haché
45 mL	(*3 c. à table*) oignons verts, hachés
3 mL	(*½ c. à thé*) sel
12	crêpes de 20 cm (*8 po*) (voir *Pains*)
500 mL	(*2 tasses*) sauce tomate (voir *Sauces*)
125 mL	(*½ tasse*) fromage romano, râpé

Préchauffer le four à 180°C (*350°F*).

Combiner les fromages, le beurre et l'œuf; battre pour bien mélanger.

Incorporer le persil, les oignons et le sel.

Déposer 45 à 60 mL (*3 à 4 c. à table*) du mélange sur chaque crêpe; rouler et disposer dans un plat de 32 x 22 cm (*13 x 9 po*) allant au four.

Napper de sauce tomate et parsemer de romano.

Faire cuire au four 25 à 30 minutes.

Galettes de pommes de terre au fromage

6 à 8 portions

1	paquet de fromage à la crème de 250 g (*8 oz*), à température ambiante
45 mL	(*3 c. à table*) farine tout usage
2	œufs
1 mL	(*¼ c. à thé*) sel
750 mL	(*3 tasses*) pommes de terre, crues, râpées
500 mL	(*2 tasses*) crème sure, séparée
250 mL	(*1 tasse*) fromage havarti, en dés
60 mL	(*¼ tasse*) margarine
450 g	(*1 lb*) bacon, cuit et émietté

Combiner le fromage à la crème et la farine; fouetter pour bien mélanger. Ajouter les œufs et le sel; mélanger jusqu'à consistance lisse.

Au mélangeur ou au robot culinaire, avec une lame en acier, réduire les pommes de terre en purée.

Ajouter au mélange de fromage à la crème en fouettant. Incorporer 250 mL (*1 tasse*) de crème sure et le fromage en dés.

Laisser tomber par cuillerées sur une plaque chauffante ou dans une casserole légèrement graissée, à température moyenne. Laisser dorer, retourner et faire dorer l'autre côté. Ajouter de la margarine au besoin.

Napper avec le reste de crème sure, parsemer de bacon et servir chaud.

Fondue au fromage

4 portions

180 mL	(¾ *tasse*) fromage havarti, râpé
180 mL	(¾ *tasse*) fromage cheddar fort, râpé
180 mL	(¾ *tasse*) fromage suisse, râpé
15 mL	(*1 c. à table*) fécule de maïs
5 mL	(*1 c. à thé*) paprika
375 mL	(1½ *tasse*) vin blanc sec
60 mL	(¼ *tasse*) brandy
	sel et poivre
	pain croûté, en cubes
	brocoli, chou-fleur, courgettes, poivrons rouges ou champignons, de la grosseur d'une bouchée

Bien mélanger les fromages, la fécule de maïs et le paprika.

Verser le vin dans un caquelon à fondue et porter à ébullition à feu moyen.

Incorporer le fromage, un peu à la fois, en laissant chaque portion fondre entièrement avant d'en rajouter.

Faire cuire en remuant continuellement, jusqu'à très chaud et consistance lisse.

Ajouter le brandy, mélanger et assaisonner au goût.

Déposer sur le réchaud à fondue, au-dessus de la flamme.

Servir le pain et les légumes comme accompagnement.

1

Verser le vin dans le caquelon à fondue et porter à ébullition à feu moyen. Incorporer le mélange de fromages un peu à la fois.

2

Laisser entièrement fondre chaque portion avant d'en rajouter.

3

Ajouter le brandy en remuant continuellement jusqu'à ce que le mélange soit chaud et bien lisse.

4

Déposer le caquelon sur le réchaud à fondue; servir avec du pain et des légumes.

Fondue au fromage en cubes

8 portions

1 kg	(*2¼ lb*) fromage havarti, en cubes
250 mL	(*1 tasse*) farine tout usage
3	œufs, bien battus
500 mL	(*2 tasses*) chapelure
15 mL	(*1 c. à table*) sel assaisonné
1	pincée de basilic, séché
1	pincée d'origan, séché
500 à 750 mL	(*2 à 3 tasses*) huile végétale

Tremper chaque cube de fromage dans la farine, dans l'œuf puis dans un mélange de chapelure, de sel et de fines herbes (s'assurer que le fromage soit bien enrobé après chaque étape). Laisser reposer à la température ambiante 30 minutes.

Faire chauffer l'huile dans le caquelon à fondue.

Enfiler chaque morceau de fromage sur une brochette et le tremper dans l'huile très chaude.

Servir avec un assortiment de sauces. Si désiré, faire cuire aussi du bœuf ou du poulet en cubes et des fruits de mer.

Note : les brochettes en métal deviennent très chaudes lorsqu'elles sont plongées dans l'huile bouillante. Il ne faut pas les porter immédiatement à la bouche; elle peuvent causer de sérieuses brûlures.

Welsh rarebit

6 portions

60 mL	(*¼ tasse*) beurre
60 mL	(*¼ tasse*) farine tout usage
250 mL	(*1 tasse*) crème épaisse
1 mL	(*¼ c. à thé*) moutarde sèche
1 mL	(*¼ c. à thé*) sauce anglaise
125 mL	(*½ tasse*) bière
500 mL	(*2 tasses*) fromage cheddar, râpé
	sel et poivre
6	tranches de pain, grillées

Faire fondre le beurre; saupoudrer de farine et bien mélanger.

Ajouter la crème et laisser mijoter en remuant, jusqu'à épaississement. Incorporer la moutarde, la sauce anglaise et la bière. Ajouter le fromage graduellement, en remuant constamment. Saler et poivrer.

Lorsque tout le fromage est fondu, verser le mélange sur les tranches de pain grillées et servir.

Pain grillé à l'indienne

6 portions

500 mL	(*2 tasses*) lait
15 mL	(*1 c. à table*) fécule de maïs
625 mL	(*2½ tasses*) fromage gruyère, râpé, ou fromage suisse
1 mL	(*¼ c. à thé*) poudre de curry
2	échalotes, hachées fin (*facultatif*)
2	oignons verts, hachés fin
15 mL	(*1 c. à table*) sauce au chutney
6	tranches de pain, grillées
15 mL	(*1 c. à table*) ciboulette, hachée

Faire chauffer 375 mL (*1½ tasse*) de lait dans une casserole jusqu'à légère ébullition.

Mélanger la fécule de maïs dans les 125 mL (*½ tasse*) de lait qui restent, jusqu'à consistance lisse. Verser dans le lait chaud et laisser mijoter, en remuant, jusqu'à léger épaississement.

Incorporer le fromage, la poudre de curry, les échalotes, les oignons verts et le chutney; laisser mijoter 2 à 3 minutes .

Verser sur les tranches de pain grillées, parsemer de ciboulette et servir.

Pain grillé à l'indienne

Lasagnes de Bob

8 portions

6	lasagnes
1 kg	(*2¼ lb*) bœuf maigre, haché
500mL	(*2 tasses*) sauce tomate (voir *Sauces*)
375 mL	(*1½ tasse*) fromage cottage, en grains
180 mL	(*¾ tasse*) crème sure
375 mL	(*1½ tasse*) fromage brick, râpé
375 mL	(*1½ tasse*) fromage mozzarella, râpé

Préchauffer le four à 220°C (*425°F*).

Faire cuire les lasagnes selon le mode d'emploi sur l'emballage; égoutter; réserver.

Faire cuire le bœuf haché jusqu'à ce qu'il ne soit plus rosé; égoutter; incorporer à la sauce tomate.

Étaler une mince couche de sauce à la viande dans un moule de 32 x 22 cm (*13 x 9 po*).

Couvrir de 3 lasagnes, de la moitié de la sauce à la viande et de la moitié du fromage cottage.

Répéter ces couches. Napper de crème sure, parsemer des fromages et faire dorer au four 35 à 40 minutes.

Pizza

6 portions

45 mL	(*3 c. à table*) huile végétale
2	gousses d'ail, hachées fin
1	petit oignon, haché fin
1	branche de céleri, hachée fin
½	poivron vert, haché fin
6	tomates moyennes, pelées, épépinées et en dés
1 mL	(*¼ c. à thé*) origan, séché
1 mL	(*¼ c. à thé*) thym, séché
1 mL	(*¼ c. à thé*) basilic, séché
3 mL	(*½ c. à thé*) sel
1 mL	(*¼ c. à thé*) poivre
15 mL	(*1 c. à table*) sauce anglaise
15 mL	(*1 c. à table*) vin rouge (*facultatif*)
80 mL	(*⅓ tasse*) pâte de tomate
½	recette de pâte à pizza (voir *Pains*)

Garnitures sèches : pepperoni, jambon, crabe, oignons, mélange à tacos.

Fromages râpés : mozzarella, brick, monterey jack ou un mélange des trois.

Garnitures humides : tomates, poivrons verts, champignons, ananas, crevettes.

Sauce : faire sauter les légumes dans de l'huile, à feu moyen, jusqu'à tendres.

Incorporer les assaisonnements, le vin et la pâte de tomate. Laisser mijoter 10 minutes.

Préparation : préchauffer le four à 230°C (*450°F*).

Abaisser la pâte à pizza.

Étaler une mince couche de sauce sur la pâte à pizza.

Parsemer de garnitures sèches de votre choix, puis de fromage râpé.

Disposer les garnitures humides de votre choix sur le dessus.

Faire cuire au four 15 à 20 minutes ou jusqu'à ce que la pâte soit dorée et que le fromage fasse des bulles.

Pain au jambon et au fromage suisse

1 gros pain

1 L	(*4 tasses*) farine
5 mL	(*1 c. à thé*) sel
1	sachet de levure
310 mL	(*1¼ tasse*) lait
45 mL	(*3 c. à table*) beurre
450 g	(*1 lb*) jambon, en tranches fines
1 L	(*4 tasses*) fromage suisse, râpé
1	œuf
30 mL	(*2 c. à table*) lait

Réserver 250 mL (*1 tasse*) de farine. Mélanger le reste de farine, le sel et la levure dans un grand bol. Faire tiédir le lait et le beurre. Ajouter le mélange de lait chaud au mélange de farine. Incorporer suffisamment de farine réservée pour obtenir une pâte lisse. Pétrir sur une surface légèrement farinée, environ 10 minutes, jusqu'à ce que la pâte soit lisse et non collante. Mettre la pâte dans un bol graissé et la tourner pour bien l'enrober de beurre. Couvrir le bol et laisser reposer la pâte environ 30 minutes jusqu'au double de son volume. Donner un coup de poing dans la pâte, puis l'abaisser en un rectangle de 0,3 cm (*⅛ po*) d'épaisseur. Couvrir de tranches de jambon et parsemer de fromage. Rouler la pâte serrée et la disposer sur une plaque à biscuits graissée, pli en dessous. Replier les extrémités en dessous. Couvrir et laisser lever au double du volume. Préchauffer le four à 180°C (*350°F*).

Bien mélanger l'œuf et le lait. Badigeonner le pain de ce mélange et faire cuire au four 40 à 45 minutes ou jusqu'à ce que la croûte soit bien dorée. Laisser refroidir sur une grille.

Huîtres à la florentine

Huîtres à la florentine

6 à 8 portions

1	sac d'épinards de 284 g (*10 oz*), haché
60 mL	(*¼ tasse*) beurre
30 mL	(*2 c. à table*) jus de citron
15 mL	(*1 c. à table*) sauce anglaise
32	huîtres
250 mL	(*1 tasse*) sauce Mornay (voir *Sauces*)
125 mL	(*½ tasse*) fromage cheddar fort, râpé
125 mL	(*½ tasse*) fromage suisse, râpé
125 mL	(*½ tasse*) fromage bleu, émietté

A feu vif, faire sauter les épinards dans du beurre, jusqu'à tendres, soit 2 à 3 minutes. Incorporer le jus de citron et la sauce anglaise.

Ouvrir les huîtres, les égoutter et jeter la coquille plate du dessus.

Mélanger les fromages râpés.

Sur chaque huître, déposer un peu du mélange aux épinards et un peu de sauce.

Parsemer de fromages râpés et mettre au four, sous le gril, environ 3 minutes ou jusqu'à ce que le fromage soit fondu. Servir chaud.

Pyrohy

4 à 6 douzaines

Pâte

1 L	(*4 tasses*) farine tout usage
3 mL	(*1/2 c. à thé*) sel
1	œuf, bien battu
250 mL	(*1 tasse*) eau tiède

Garniture

10	pommes de terre, bouillies et en purée
500 mL	(*2 tasses*) fromage fondu, râpé
60 mL	(*1/4 tasse*) crème sure
4	tranches de bacon, cuit et émietté
6	oignons verts, en tranches
60 mL	(*1/4 tasse*) champignons, en tranches, sautés au beurre

Crème

60 mL	(*1/4 tasse*) beurre
2	gros oignons espagnol, en dés
500 mL	(*2 tasses*) crème sure
250 mL	(*1 tasse*) bacon, cuit et émietté

Pâte : mélanger la farine et le sel dans un bol creux. Ajouter l'œuf et suffisamment d'eau pour obtenir une pâte lisse.

Pétrir la pâte sur une surface farinée jusqu'à ce qu'elle soit lisse (*Une pâte trop pétrie durcit*).

Disposer la pâte dans un bol graissé et la tourner pour bien l'enrober de graisse. Couvrir le bol et laisser reposer la pâte 10 à 15 minutes.

Garniture : bien mélanger tous les ingrédients.

Abaisser la pâte sur une surface légèrement farinée. Découper en carrés de 7,5 cm (*3 po*) de côté.

Déposer une cuillerée de garniture au milieu de chaque carré et replier en triangle; pincer les bords pour souder.

Laisser tomber quelques pyrohy à la fois dans une grande casserole remplie d'eau bouillante.

Remuer doucement avec une cuillère de bois pour éviter que la pâte ne colle. Laisser dans l'eau bouillante jusqu'à ce que la pâte gonfle et remonte à la surface. Enlever avec une écumoire; bien égoutter.

Crème : Faire sauter à feu doux les oignons dans du beurre, jusqu'à tendres.

Ajouter les pyrohy et bien mélanger. Servir avec de la crème sure et du bacon émietté.

Gratin de légumes (pour un buffet)

15 à 18 portions

1	petit chou-fleur
1	brocoli
225 g	(*1/2 lb*) petits champignons
1	oignon, tranchés
3	petites courgettes, tranchées
3	carottes, tranchées
3	branches de céleri, tranchées
2	poivrons verts, tranchés
2	poivrons rouges, tranchés
2	poivrons jaunes, tranchés
225 g	(*1/2 lb*) pois mange-tout
500 mL	(*2 tasses*) chapelure
1 L	(*4 tasses*) sauce Mornay (voir *Sauces*)
250 mL	(*1 tasse*) fromage suisse, râpé
250 mL	(*1 tasse*) fromage cheddar moyen, râpé
250 mL	(*1 tasse*) fromage havarti, râpé

Préchauffer le four à 190°C (*375°F*).

Apprêter le brocoli et le chou-fleur en bouchées. Mélanger tous les légumes.

Étaler uniformément la chapelure au fond d'un moule de 32 x 22 cm (*13 x 9 po*), graissé, allant au four.

Ajouter les légumes mélangés; couvrir de sauce Mornay. Parsemer de fromage et faire cuire au four, sans couvrir, 45 minutes ou jusqu'à ce que les légumes soient tendres.

Poivrons verts farcis

Poivrons verts farcis

6 portions

6	gros poivrons verts
450 g	(*1 lb*) bœuf maigre, haché
1	petit oignon, haché fin
1	branche de céleri, hachée fin
2	carottes moyennes, hachées fin
15 mL	(*1 c. à table*) assaisonnement au chili
5 mL	(*1 c. à thé*) paprika
3 mL	(*½ c. à thé*) origan, séché
3 mL	(*½ c. à thé*) basilic, séché
3 mL	(*½ c. à thé*) thym, séché
5 mL	(*1 c. à thé*) sel
250 mL	(*1 tasse*) sauce tomate (voir *Sauces*)
250 mL	(*1 tasse*) riz, cuit
250 mL	(*1 tasse*) fromage edam, râpé

Préchauffer le four à 180°C (*350°F*).

Découper le dessus des poivrons verts et enlever les pépins. Blanchir les poivrons 5 minutes dans de l'eau bouillante; égoutter.

Faire revenir le bœuf dans une poêle antiadhésive jusqu'à ce qu'il ne soit plus rosé. Ajouter les légumes, les assaisonnements et la moitié de la sauce tomate; porter à ébullition. Incorporer le riz.

Farcir les poivrons de ce mélange; napper du reste de la sauce tomate. Couvrir et faire cuire au four 45 minutes.

Enlever le couvercle et poursuivre la cuisson 15 minutes.

Parsemer de fromage, laisser reposer jusqu'à ce qu'il soit fondu et servir.

Gâteau au fromage à la noix de coco

6 à 8 portions

2	paquets de fromage à la crème de 250 g (*8 oz*) chacun, à température ambiante
180 mL	(*¾ tasse*) sucre
30 mL	(*2 c. à table*) farine tout usage
180 mL	(*¾ tasse*) crème à fouetter
15 mL	(*1 c. à table*) crème de noix de coco (*facultatif*)
60 mL	(*¼ tasse*) rhum à la noix de coco ou rhum foncé
4	œufs, blancs et jaunes séparés
125 mL	(*½ tasse*) noix de coco, en flocons
1	abaisse de pâte brisée de 22 cm (*9 po*) de diamètre, non cuite

Préchauffer le four à 160°C (*320°F*).

Battre le fromage à la crème et 125 mL (*½ tasse*) de sucre jusqu'à consistance lisse. Incorporer en fouettant la farine, la crème épaisse, la crème à la noix de coco et le rhum. Ajouter les jaunes d'œufs, un à la fois, en battant après chaque addition. Incorporer la noix de coco.

Battre les blancs d'œufs en mousse. Ajouter graduellement 50 mL (*¼ tasse*) de sucre et fouetter en neige ferme. Incorporer au mélange de fromage en repliant.

Verser dans l'abaisse et faire cuire au four 60 minutes. Éteindre le four et entrouvrir la porte légèrement.

Après 30 minutes, sortir le gâteau et le laisser refroidir sur une grille au moins 4 heures.

Tarte aux pommes et au cheddar

pour 6 portions

Pâte à tarte

500 mL	(*2 tasses*) farine tout usage
3 mL	(*½ c. à thé*) sel
60 mL	(*¼ tasse*) beurre, froid
60 mL	(*¼ tasse*) saindoux, froid
1	œuf
60 mL	(*¼ tasse*) eau, froide

Garniture

4	grosses pommes Granny Smith, pelées, évidées et en tranches
125 mL	(*½ tasse*) raisins secs
250 mL	(*1 tasse*) fromage cheddar moyen, grossièrement râpé
80 mL	(*⅓ tasse*) pacanes, en morceaux
125 mL	(*½ tasse*) sucre
5 mL	(*1 c. à thé*) cannelle

Préchauffer le four à 200°C (*400°F*).

Pâte : au mélange de farine et de sel, incorporer le beurre et le saindoux en morceaux afin d'obtenir un mélange grumeleux. Verser le liquide peu à peu et travailler à la fourchette jusqu'à l'obtention d'une pâte lisse. Façonner en boule, envelopper d'une pellicule de plastique et mettre au réfrigérateur. (Avant d'abaisser la pâte, la laisser ramollir à la température ambiante).

Abaisser environ les ⅔ de la pâte et tapisser un moule à tarte de 22 cm (*9 po*) de diamètre.

Garniture : mélanger les pommes, les raisins secs, le fromage et les pacanes dans un grand bol.

Combiner le sucre et la cannelle. En saupoudrer les pommes et bien mélanger.

Déposer le mélange à la cuillère dans l'abaisse. Abaisser la pâte qui reste et l'étendre sur la garniture. Découper le bord en gardant 2,5 cm (*1 po*) de plus.

Glisser ce bord sous le bord du fond de tarte, puis souder les bords ensemble en appuyant fermement avec une fourchette ou en pinçant la pâte entre les doigts.

Pratiquer quelques petites fentes sur le dessus pour permettre à la vapeur de s'échapper.

Faire cuire au four environ 40 minutes ou jusqu'à ce que les pommes soient tendres et la pâte dorée.

Pain au fromage et à l'ail

2 pains

250 mL	(*1 tasse*) lait
30 mL	(*2 c. à table*) sucre
10 mL	(*2 c. à thé*) sel
15 mL	(*1 c. à table*) beurre
5 mL	(*1 c. à thé*) sucre
250 mL	(*1 tasse*) eau, tiède
1	sachet de levure active
1,2 L	(*5 tasses*) farine
15 mL	(*1 c. à table*) ail, haché fin
250 mL	(*1 tasse*) fromage cheddar, râpé
250 mL	(*1 tasse*) fromage monterey jack, râpé

Dans une casserole, mélanger le lait, 30 mL (*2 c. à table*) de sucre, le sel et le beurre. Faire chauffer jusqu'à ce que le beurre soit fondu. Laisser tiédir. Dans un grand bol, dissoudre 5 mL (*1 c. à thé*) de sucre dans l'eau tiède; saupoudrer de levure et laisser reposer 10 minutes ou jusqu'à la formation de bulles en surface. Ajouter à la levure le mélange de lait, 250 mL (*1 tasse*) de farine, l'ail et les fromages. Bien mélanger en battant environ 3 minutes. Ajouter graduellement suffisamment de farine afin d'obtenir une pâte lisse. Pétrir la pâte sur une surface légèrement farinée environ 10 minutes, jusqu'à ce qu'elle soit lisse et non collante. Disposer dans un bol graissé et la rouler pour bien l'enrober de graisse. Couvrir le bol et laisser la pâte lever au double de son volume, environ 1 heure. Préchauffer le four à 180°C (*350°F*). Abaisser la pâte d'un coup de poing. La façonner en 2 pains et déposer dans des moules à pain de 20 x 10 cm (*8 x 4 po*) graissés. Laisser reposer jusqu'à ce qu'elle double de volume.

Pain au fromage et à l'ail

Faire cuire au four 45 minutes ou jusqu'à ce que la pâte soit dorée et que les pains sonnent creux lorsqu'on tape en dessous. Démouler et laisser refroidir sur une grille.

Cœur à la crème

6 à 8 portions

2	paquets de fromage à la crème de 250 g (*8 oz*) chacun, à température ambiante
30 mL	(*2 c. à table*) beurre, ramolli
375 mL	(*1½ tasse*) fromage cottage, en grains
125 mL	(*½ tasse*) crème épaisse
80 mL	(*⅓ tasse*) sucre à glacer
1 L	(*4 tasses*) fraises fraîches

Au mélangeur ou au robot culinaire, avec une lame en acier, combiner le fromage à la crème, le beurre, le cottage, la crème et le sucre à glacer jusqu'à consistance lisse.

Verser le mélange dans un moule en forme de cœur de 1 L (*4 tasses*), tapissé d'une double épaisseur de gaze légèrement humide. Déposer le moule sur une assiette afin de récupérer ce qui s'en écoulera. Mettre le moule au réfrigérateur 24 à 48 heures jusqu'à ce que le fromage soit bien pris.

Démouler le cœur sur un plateau, entourer de fraises.

Les sandwichs

On attribue à John Montagu, 4e comte de Sandwich, le crédit d'avoir inventé le sandwich, apparemment pour éviter de devoir quitter la table de jeux lorsque la chance était avec lui.

Bien qu'il lui ait donné son nom, il semble que, depuis l'invention du pain, les hommes aient mangé toutes sortes de sandwichs.

Chaque cuisine de par le monde a ses propres variantes, qu'elles soient appelées pizza, donair ou rouleau impérial.

Ce chapitre vous propose non seulement des recettes de sandwichs faits avec du pain blanc, mais aussi des suggestions de garnitures pour farcir des pains pitas, des tortillas, des tacos ou encore pour tartiner des tranches d'un bon pain aux noix fait maison.

Par contre, vous ne trouverez pas de recettes pour sandwichs miniatures raffinés que l'on sert à ces dames à l'heure du thé, ou des conseils pour composer un plateau de canapés.

J'ai préféré me concentrer sur des sandwichs qui peuvent, à eux seuls, tenir lieu de dîner ou de souper. Certains d'entre eux sont tellement surprenants que vous voudrez les servir lors d'occasions spéciales afin d'impressionner vos amis.

Sandwichs bacon, tomate et basilic

Sandwichs bacon, tomate et basilic

4 portions

12	tranches de tomate
5 mL	(*1 c. à thé*) sel
5 mL	(*1 c. à thé*) basilic
3 mL	(*½ c. à thé*) poivre
8	tranches de bacon
4	pains kaiser
4	tranches de fromage cheddar

Parsemer les tranches de tomates d'assaisonnements.

Faire frire le bacon et jeter la graisse.

Séparer les pains en deux. Sur une moitié de chaque pain, disposer 3 tranches de tomate. Couvrir de 2 tranches de bacon cuit et d'une tranche de fromage. Disposer sur une plaque à biscuits et mettre au four, sous le gril, jusqu'à ce que le fromage soit fondu. Couvrir avec l'autre moitié du pain. Servir avec une salade de pommes de terre.

Pitas farcis au poulet et aux noix d'acajou

4 portions

750 mL	(*3 tasses*) poulet, cuit et en dés
250 mL	(*1 tasse*) noix d'acajou
250 mL	(*1 tasse*) mayonnaise
30 mL	(*2 c. à table*) oignons, hachés fin
30 mL	(*2 c. à table*) poivron vert, haché fin
30 mL	(*2 c. à table*) piments doux rôtis, hachés fin
4	pains pitas
375 mL	(*1½ tasse*) luzerne

Bien mélanger le poulet, les noix d'acajou, la mayonnaise, l'oignon, le poivron vert et les piments doux rôtis.

Farcir les pains pitas de ce mélange et de luzerne.

Sandwichs au poulet

6 portions

6	petits pains croûtés
30 mL	(*2 c. à table*) beurre, fondu
500 mL	(*2 tasses*) poulet, désossé et cuit
60 mL	(*¼ tasse*) oignons, en petits dés
60 mL	(*¼ tasse*) céleri, en petits dés
60 mL	(*¼ tasse*) poivron vert, en petits dés
125 mL	(*½ tasse*) mayonnaise
1 mL	(*¼ c. à thé*) sel
1	pincée de poivre
1	pincée de paprika
250 mL	(*1 tasse*) fromage cheddar, râpé
250 mL	(*1 tasse*) fromage suisse, râpé

Découper le dessus des petits pains. En retirer la mie. Badigeonner l'intérieur de beurre et faire dorer sous le gril.

Mélanger le poulet, les légumes, la mayonnaise et les assaisonnements.

Farcir les pains de ce mélange. Parsemer de fromage.

Mettre au four, sous le gril, 2 minutes de plus.

Remettre la tranche de pain sur le dessus. Servir immédiatement.

Petits pains au poulet barbecue

6 portions

15 mL	(*1 c. à table*) huile
125 mL	(*½ tasse*) oignons, hachés fin
180 mL	(*¾ tasse*) eau
60 mL	(*¼ tasse*) sauce tomate
60 mL	(*¼ tasse*) ketchup
3 mL	(*½ c. à thé*) sel
3 mL	(*½ c. à thé*) paprika
3 mL	(*½ c. à thé*) origan
3 mL	(*½ c. à thé*) thym
3 mL	(*½ c. à thé*) poivre
3 mL	(*½ c. à thé*) assaisonnement au chili
450 g	(*1 lb*) poulet, cuit et en dés
6	pains kaiser

Faire chauffer l'huile dans une poêle. Y faire revenir les oignons jusqu'à tendres.

Ajouter l'eau, la sauce tomate, le ketchup et les assaisonnements. Laisser mijoter 20 minutes.

Ajouter le poulet et laisser mijoter 5 minutes.

Trancher les petits pains; les farcir du mélange de poulet et servir.

Sandwichs au bœuf barbecue

6 portions

15 mL	(*1 c. à table*) huile
125 mL	(*½ tasse*) oignons, en petits dés
180 mL	(*¾ tasse*) eau
15 mL	(*1 c. à table*) sauce anglaise
60 mL	(*¼ tasse*) sauce tomate
60 mL	(*¼ tasse*) ketchup
3 mL	(*½ c. à thé*) sel
1 mL	(*¼ c. à thé*) poivre
1 mL	(*¼ c. à thé*) assaisonnement au chili
1 mL	(*¼ c. à thé*) paprika
450 g	(*1 lb*) bœuf, cuit et en lamelles
6	gros pains kaiser

Faire chauffer l'huile dans la poêle. Y faire revenir les oignons jusqu'à tendres.

Ajouter l'eau, la sauce anglaise, la sauce tomate, le ketchup et les assaisonnements.

Réduire le feu et laisser mijoter 20 minutes ou jusqu'à très épais.

Ajouter le bœuf et poursuivre la cuisson 5 minutes de plus.

Couper les pains en deux. Farcir de bœuf et de sauce. Servir très chaud.

1

Dans une poêle, faire sauter les oignons dans l'huile, jusqu'à tendres.

2

Ajouter l'eau, la sauce anglaise, la sauce tomate, le ketchup et les assaisonnements. Diminuer le feu et laisser mijoter 20 minutes.

3

Ajouter le bœuf et laisser mijoter encore 5 minutes.

4

Trancher les pains en deux et les garnir avec le bœuf et la sauce.

Baguettes au poulet

6 portions

500 mL	(*2 tasses*) fromage à la crème
1	œuf
5 mL	(*1 c. à thé*) paprika
5 mL	(*1 c. à thé*) basilic
1 mL	(*¼ c. à thé*) poivre
1 mL	(*¼ c. à thé*) sel
750 mL	(*3 tasses*) poulet, en petits dés
250 mL	(*1 tasse*) noix de pin
1	baguette

Préchauffer le four à 180°C (*350°F*).

Réduire en crème le fromage à la crème, l'œuf et les assaisonnements. Ajouter le poulet et les noix de pin en repliant.

Trancher les extrémités de la baguette et évider l'intérieur sans briser la croûte.

Farcir de garniture et envelopper bien serré dans du papier d'aluminium.

Faire cuire au four 20 minutes. Sortir du four, trancher et servir avec une salade d'épinards.

Sandwichs Oscar au poulet

4 portions

15 mL	(*1 c. à table*) beurre
4	poitrines de poulet de 90 g (*3 oz*) chacune
4	tranches de pain de seigle, épaisses
225 g	(*½ lb*) chair de crabe
12	pointes d'asperges, blanchies
250 mL	(*1 tasse*) sauce béarnaise (voir *Sauces*)

Faire chauffer le beurre dans une poêle. Y faire cuire les poitrines de poulet.

Disposer une poitrine de poulet sur chaque tranche de pain. Couvrir de chair de crabe et de pointes d'asperges.

Napper de 60 mL (*¼ tasse*) de sauce. Faire griller au four 1 minute.

Sandwichs au poulet gratinés

4 portions

2	pains kaiser
4	poitrines de poulet de 90 g (*3 oz*) chacune
250 mL	(*1 tasse*) bacon, en dés
60 mL	(*¼ tasse*) oignons, en petits dés
60 mL	(*¼ tasse*) céleri, en petits dés
60 mL	(*¼ tasse*) poivron vert, en petits dés
125 mL	(*½ tasse*) tomates, hachées
4	tranches de fromage cheddar

Séparer les pains en deux.

Faire griller le poulet au four, jusqu'à ce qu'il soit cuit.

Faire revenir le bacon jusqu'à croustillant. Égoutter l'excès de graisse.

Ajouter les légumes et faire cuire jusqu'à tendres.

Disposer une poitrine de poulet sur chaque demi-pain. Couvrir du mélange de légumes revenus, puis de fromage.

Mettre au four, sous le gril, 2 minutes. Servir immédiatement.

Sandwichs aux pommes

6 portions

750 mL	(*3 tasses*) pommes, pelées et en dés
45 mL	(*3 c. à table*) miel
125 mL	(*½ tasse*) mayonnaise
3 mL	(*½ c. à thé*) cannelle, moulue
1	pain aux pommes, au raisins secs et aux noix (voir *Pains*)
375 mL	(*1½ tasse*) fromage cheddar moyen, râpé

Mélanger les pommes, le miel, la mayonnaise et la cannelle.

Trancher le pain. Couvrir chaque tranche du mélange aux pommes. Disposer sur une plaque à biscuits.

Parsemer de fromage.

Mettre au four, sous le gril, jusqu'à ce que le fromage fonde. Servir immédiatement.

Sandwichs au crabe et à l'avocat

Sandwichs au crabe et à l'avocat

6 portions

250 mL	(*1 tasse*) mayonnaise
60 mL	(*¼ tasse*) sucre de confiserie
450 g	(*1 lb*) chair de crabe
2	avocats, en dés
250 mL	(*1 tasse*) raisins rouges, sans pépins
125 mL	(*½ tasse*) noix de Grenoble, en morceaux
1	pain à la banane

Mélanger la mayonnaise et le sucre.

Ajouter la chair de crabe, les raisins rouges et les noix de Grenoble.

Incorporer la mayonnaise. Couper le pain en tranches épaisses.

Couvrir de garniture au crabe. Servir.

Croque-monsieur

4 portions

340 g	(*12 oz*) jambon, en tranches
4	tranches de gruyère de 60 g (*2 oz*) chacune
8	tranches de pain, sans la croûte
80 mL	(*⅓ tasse*) beurre

Préchauffer le four à 220°C (*425°F*).

Mettre 90 g (*3 oz*) de jambon et 1 tranche de fromage entre 2 tranches de pain. Beurrer l'extérieur du sandwich.

Faire cuire au four 5 minutes ou jusqu'à ce qu'il soit doré.

Découper en quartiers et servir avec une salade de pommes de terre.

Sandwichs au crabe Monte Cristo

4 portions

8	tranches de pain blanc
500 mL	(*2 tasses*) chair de crabe
15 mL	(*1 c. à table*) oignon, haché fin
15 mL	(*1 c. à table*) céleri, haché fin
125 mL	(*½ tasse*) mayonnaise
1 mL	(*¼ c. à thé*) paprika
1 mL	(*¼ c. à thé*) poivre
1 mL	(*¼ c. à thé*) sel
4	tranches de fromage suisse
2	œufs
80 mL	(*⅓ tasse*) lait
45 mL	(*3 c. à table*) beurre

Découper les croûtes du pain. Mélanger la chair de crabe, l'oignon, le céleri, la mayonnaise et les assaisonnements. Répartir cette garniture entre 4 tranches de pain.

Couvrir d'une tranche de fromage, puis d'une tranche de pain.

Mélanger l'œuf et le lait. Faire chauffer le beurre dans une grande poêle.

Tremper les sandwichs dans ce mélange d'œufs et de lait.

Faire dorer dans le beurre. Servir immédiatement.

Po-boy aux crevettes à la créole

1 portion

1	baguette de 25 cm (*10 po*)
15 mL	(*1 c. à table*) beurre
115 g	(*4 oz*) crevettes, décortiquées et déveinées
1 mL	(*¼ c. à thé*) sel
1	pincée de poivre de Cayenne
1	pincée de paprika
1	pincée d'ail, en poudre
1	pincée de thym
1	pincée d'origan
1	pincée de poivre
60 mL	(*¼ tasse*) fromage, râpé
125 mL	(*½ tasse*) salade, déchiquetée

Couper la baguette en deux sur la longueur.

Dans une poêle, faire chauffer le beurre. Y faire revenir les crevettes jusqu'à ce qu'elles soient roses. Parsemer d'assaisonnements.

Disposer le mélange sur une moitié de baguette. Parsemer de fromage.

Faire griller 2 minutes. Couvrir de laitue, puis de l'autre moitié de baguette.

Po-boy aux crevettes à la créole

Sandwichs aux tomates au beurre à l'ail

2 à 4 portions

1	baguette de 30 cm *(12 po)*
125 mL	*(½ tasse)* oignons, en petits dés
125 mL	*(½ tasse)* poivron vert, en petits dés
500 mL	*(2 tasses)* tomates, pelées, épépinées et hachées
60 mL	*(¼ tasse)* beurre à l'ail
500 mL	*(2 tasses)* fromage cheddar, râpé

Trancher le pain en deux sur la longueur.

Dans une poêle, à feu doux, faire revenir les oignons, le poivron vert et les tomates dans le beurre à l'ail.

Étaler sur les demi-baguettes.

Parsemer de fromage. Faire griller 2 minutes. Servir chaud.

Sandwichs aux tomates au beurre à l'ail

Pitas au poulet au curry

4 portions

250 mL	*(1 tasse)* poulet, cuit et désossé
1	oignon, en petits dés
½	poivron vert, en petits dés
125 mL	*(½ tasse)* noix de pin
125 mL	*(½ tasse)* mayonnaise
5 mL	*(1 c. à thé)* poudre de curry
4	pains pitas
250 mL	*(1 tasse)* luzerne
8	tomates cerise

Découper le poulet en cubes. Mélanger avec l'oignon, le poivron vert, les noix de pin, la mayonnaise et la poudre de curry.

Farcir les pains avec ce mélange et la luzerne.

Garnir avec les tomates.

Sandwichs hawaïens au poulet

Sandwichs hawaïens au poulet

	4 portions
15 mL	(*1 c. à table*) cassonade
1 mL	(*¼ c. à thé*) gingembre, moulu
15 mL	(*1 c. à thé*) sauce soja
4	poitrines de poulet de 90 g (*3 oz*) chacune
4	tranches d'ananas
4	pains kaiser
30 mL	(*2 c. à table*) moutarde de Dijon
4	tranches de fromage suisse

Mélanger le sucre, le gingembre et la sauce soja.

Faire griller au four, sous le gril, les poitrines de poulet et les tranches d'ananas, 2½ à 3 minutes de chaque côté, tout en les badigeonnant de sauce.

Trancher les pains en deux.

Tartiner un demi-pain de moutarde. Couvrir d'une poitrine de poulet, d'une tranche d'ananas et d'une tranche de fromage.

Mettre sous le gril pour faire fondre le fromage. Couvrir de l'autre moitié de pain et servir.

Sandwichs à l'indienne

4 portions

125 g	(*4 oz*) fromage à la crème
60 mL	(*¼ tasse*) mangues, en dés
5 mL	(*1 c. à thé*) poudre de curry
184 g	(*6,5 oz*) saumon, en conserve et égoutté
2	bagels
4	tranches d'orange de 0,5 cm (*¼ po*) d'épaisseur

Préchauffer le four à 200°C (*400°F*).

Mélanger le fromage à la crème et la mangue.

Incorporer la poudre de curry, puis le saumon.

Couper chaque bagel en deux, garnir de mélange au saumon puis d'une tranche d'orange.

Disposer sur une plaque à biscuits. Mettre au four 6 minutes.

Sandwichs à l'indienne

Sandwichs au homard

4 portions

225 g	(*½ lb*) chair de homard, en dés grossiers
60 mL	(*¼ tasse*) mayonnaise
10 mL	(*2 c. à thé*) jus de citron
5 mL	(*1 c. à thé*) raifort, doux
2	pains kaiser
8	tranches de tomate
500 mL	(*2 tasses*) fromage cheddar, râpé

Mélanger la chair de homard, la mayonnaise, le jus de citron et le raifort.

Découper les pains en deux. Couvrir chaque moitié de garniture, de deux tranches de tomate, puis de fromage.

Faire griller 2 minutes. Servir avec une bisque de homard.

Sandwichs Milwaukee

4 portions

8	tranches de pain, beurrées
450 g	(*1 lb*) poulet, cuit et tranché
170 g	(*6 oz*) fromage roquefort, émietté
5 mL	(*1 c. à thé*) paprika

Entre deux tranches de pain beurrées des deux côtés, étaler 115 g (*4 oz*) de poulet et 42 g (*1½ oz*) de fromage.

Saupoudrer de paprika.

Faire dorer à feu moyen. Servir chaud.

Sandwichs Milwaukee

Saag paratha

4 portions

4	pains pitas
45 mL	(*3 c. à table*) beurre
500 mL	(*2 tasses*) poulet, désossé, cuit et en dés
284 g	(*10 oz*) épinards, hachés
10 mL	(*2 c. à thé*) poudre de curry
3 mL	(*½ c. à thé*) sel
250 mL	(*1 tasse*) feta, en dés

Couper les pitas en deux.

Faire chauffer le beurre dans une poêle. Y faire revenir le poulet et les épinards 2 minutes.

Saupoudrer de poudre de curry et de sel.

Ajouter le feta et faire revenir encore 1 minute.

Farcir les pitas de ce mélange. Servir avec une salade de riz froide ou une soupe Mulligatawny (voir *Soupes*).

Croissant aux crevettes

1 portion

125 mL	(*½ tasse*) petites crevettes
15 mL	(*1 c. à table*) oignon, haché fin
15 mL	(*1 c. à table*) poivron vert, haché fin
15 mL	(*1 c. à table*) céleri, haché fin
20 mL	(*4 c. à thé*) mayonnaise
1	croissant
60 mL	(*¼ tasse*) luzerne
1	feuille de laitue
2	tomates cerise

Mélanger les crevettes, l'oignon, le poivron vert, le céleri et la mayonnaise.

Diviser le croissant en deux. Farcir de mélange aux crevettes.

Garnir de luzerne et de tomates cerise.

Sandwich au saumon fumé

1 portion

1	œuf dur, haché
5 mL	(*1 c. à thé*) oignon, haché fin
5 mL	(*1 c. à thé*) céleri, haché fin
1	pincée de sel
1	pincée de poivre
15 mL	(*1 c. à table*) mayonnaise
1	tranche de pain de seigle brun
90 g	(*3 oz*) saumon fumé
3	rondelles d'oignon
15 mL	(*1 c. à table*) caviar rouge
3 mL	(*½ c. à thé*) ciboulette, hachée fin

Mélanger l'œuf, l'oignon, le céleri, les assaisonnements et la mayonnaise. Étaler sur le pain.

Couvrir de saumon fumé. Garnir de rondelles d'oignon.

Parsemer de caviar et de ciboulette.

Sandwichs au bœuf haché

8 portions

20 mL	(*4 c. à thé*) huile
1	oignon, haché fin
1	poivron vert, haché fin
2	gousses d'ail, hachées fin
115 g	(*4 oz*) champignons, en tranches
675 g	(*1½ lb*) bœuf maigre, haché
10 mL	(*2 c. à thé*) sel
5 mL	(*1 c. à thé*) poivre
3 mL	(*½ c. à thé*) poivre de Cayenne
10 mL	(*2 c. à thé*) assaisonnement au chili
5 mL	(*1 c. à thé*) basilic
15 mL	(*1 c. à table*) sauce anglaise
45 mL	(*3 c. à table*) farine
125 mL	(*½ tasse*) tomates, écrasées
80 mL	(*⅓ tasse*) eau
30 mL	(*2 c. à table*) pâte de tomate
8	pains kaiser, grillés
500 mL	(*2 tasses*) fromage cheddar moyen, râpé

Faire chauffer l'huile. Y faire revenir l'oignon, le poivron vert, l'ail et les champignons. Ajouter le bœuf et bien faire cuire. Égoutter le surplus de graisse.

Parsemer des assaisonnements et saupoudrer de farine. Laisser mijoter 3 minutes.

Ajouter les tomates, l'eau et la pâte de tomate. Laisser mijoter 15 minutes ou jusqu'à très épais.

Farcir les demi-pains de ce mélange; couvrir de fromage, puis de l'autre demi-pain. Servir.

Sandwichs weiner schnitzel

4 portions

1	œuf
60 mL	(¼ tasse) lait
4	escalopes de veau de 60 g (2 oz) chacune, aplaties
60 mL	(¼ tasse) farine
125 mL	(½ tasse) chapelure
30 mL	(2 c. à table) beurre
45 mL	(3 c. à table) compote de pommes
45 mL	(3 c. à table) mayonnaise
4	pains kaiser
4	feuilles de laitue

Mélanger l'œuf et le lait. Enrober le veau de farine, puis le tremper dans le mélange au lait et le rouler dans la chapelure.

Faire chauffer le beurre dans une grande poêle et y faire revenir le veau 2½ minutes de chaque côté.

Mélanger la compote de pommes et la mayonnaise.

Couper les pains en deux. Étaler la mayonnaise aux pommes sur les demi-pains.

Couvrir d'une tranche de veau et d'une feuille de salade. Refermer le petit pain et servir.

Sandwichs weiner schnitzel

Tacos

8 portions

450 g	(*1 lb*) bœuf maigre, haché
2	gousses d'ail, hachées fin
1	petit oignon, haché fin
5 mL	(*1 c. à thé*) sauce anglaise
5 mL	(*1 c. à thé*) sel
10 mL	(*2 c. à thé*) assaisonnement au chili
1 mL	(*¼ c. à thé*) poivre de Cayenne
125 mL	(*½ tasse*) huile
8	coquilles à tortillas
250 mL	(*1 tasse*) sauce enchilada (voir *Enchiladas*)
¼	tête de laitue, déchiquetée
2	tomates, en dés
500 mL	(*2 tasses*) fromage cheddar fort, émietté

Faire revenir le bœuf avec l'ail et l'oignon. Égoutter le surplus de graisse.

Ajouter la sauce anglaise et les assaisonnements et bien mélanger.

Faire chauffer l'huile et y mettre les coquilles à tortillas à frire. Pendant la cuisson, les replier en forme de pochette. Les retirer et bien les égoutter.

Garnir avec le mélange à la viande. Couvrir avec 15 mL (*1 c. à table*) de sauce, la laitue, les tomates et le fromage.

Club-sandwich classique

1 portion

2	tranches de bacon
3	tranches de pain
5 mL	(*1 c. à thé*) mayonnaise
4	tranches de tomate
2	feuilles de laitue
1	poitrine de poulet de 90 g (*3 oz*) grillée et en tranches

Faire frire le bacon. Faire griller le pain. En beurrer 2 tranches et étaler la mayonnaise sur la troisième tranche.

Sur une tranche de pain, disposer les tomates, le bacon et une feuille de laitue. Couvrir d'une tranche de pain.

Garnir de poitrine de poulet et d'une feuille de laitue. Couvrir de la dernière tranche de pain.

Découper en quatre. Servir avec des croustilles.

Pain de Timothée

4 portions

4	baguettes de 30 cm (*12 po*) de longueur
60 mL	(*¼ tasse*) moutarde de Dijon
1	oignon, en tranches
1	poivron vert, en tranches
115 g	(*4 oz*) champignons, en tranches
30 mL	(*2 c. à table*) beurre
4	saucisses fumées de 60 g (*2 oz*) chacune
450 g	(*1 lb*) rôti de bœuf, cuit, en tranches fines
115 g	(*4 oz*) fromage cheddar moyen, râpé
115 g	(*4 oz*) fromage havarti, râpé

Trancher le pain en deux sur la longueur. Le tartiner de moutarde.

Faire sauter l'oignon, le poivron vert et les champignons dans du beurre jusqu'à tendres. Disposer sur les demi-baguettes.

Trancher les saucisses fumées sur la longueur. Les faire rapidement revenir dans la poêle.

Disposer sur les légumes. Couvrir de rôti de bœuf et de fromages.

Mettre au four, sous le gril, 2 minutes; servir immédiatement.

Tortillas

12 à 16 tortillas

500 mL	*(2 tasses)*	farine de maïs
250 mL	*(1 tasse)*	farine
5 mL	*(1 c. à thé)*	sel
5 mL	*(1 c. à thé)*	beurre
80 mL	*(⅓ tasse)*	eau
15 mL	*(1 c. à table)*	huile

Tamiser ensemble les ingrédients secs. Incorporer le beurre en morceaux.

Ajouter juste assez d'eau pour obtenir une pâte ferme. Laisser reposer 30 minutes.

Préchauffer le four à 180°C (*350°F*).

Diviser la pâte en portions égales. Façonner en boules. Abaisser en minces rondelles.

Graisser légèrement les ronds de pâte et les faire cuire au four jusqu'à ce que la pâte soit sèche, mais qu'elle puisse se plier.

Préparer la pâte, la pétrir jusqu'à ce qu'elle soit ferme et la façonner en boule; laisser reposer 30 minutes.

Façonner en boules et étendre en rondelles minces.

Graisser légèrement les rondelles.

Faire cuire au four jusqu'à ce que la pâte soit sèche, mais puisse encore se plier.

Sandwich tropical

8 portions

1	papaye
1	mangue
30 mL	(*2 c. à table*) miel
125 mL	(*½ tasse*) mayonnaise
250 mL	(*1 tasse*) petites crevettes
8	tranches de pain aux bananes
250 mL	(*1 tasse*) fromage monterey jack, râpé

Peler et couper en dés la papaye et la mangue.

Mélanger avec le miel et la mayonnaise. Incorporer les crevettes.

Couvrir chaque tranche de pain aux bananes de ce mélange. Disposer sur une plaque à biscuits. Parsemer de fromage.

Mettre au four, sous le gril, jusqu'à ce que le fromage soit fondu.

Sandwichs whaler

6 portions

6	pains kaiser
30 mL	(*2 c. à table*) beurre
2	œufs
125 mL	(*½ tasse*) lait
6	queues de morue de 90 g (*3 oz*) chacune
250 mL	(*1 tasse*) farine
500 mL	(*2 tasses*) chapelure
1 L	(*4 tasses*) huile
180 mL	(*⅔ tasse*) sauce tartare (voir *Sauces*)

Trancher les pains et les beurrer.

Mélanger les œufs et le lait.

Fariner la morue. La tremper dans le mélange d'œufs, puis la rouler dans la chapelure.

Faire chauffer l'huile. Y faire dorer la morue 3 minutes.

Étaler 30 mL (*2 c. à table*) de sauce tartare sur chaque pain. Couvrir d'une queue de morue frite.

Servir avec une chaudrée de palourdes.

Croissants au thon grillés

4 portions

4	croissants
500 mL	(*2 tasses*) thon, égoutté, en flocons
60 mL	(*¼ tasse*) oignons, hachés fin
60 mL	(*¼ tasse*) céleri, haché fin
125 mL	(*½ tasse*) mayonnaise
15 mL	(*1 c. à table*) moutarde de Dijon
250 mL	(*1 tasse*) fromage cheddar, râpé
250 mL	(*1 tasse*) fromage suisse, râpé

Trancher les croissants en deux.

Mélanger le thon, les oignons, le céleri, la mayonnaise et la moutarde.

Farcir les croissants de ce mélange. Parsemer de fromages et faire gratiner 2 minutes.

Servir avec une soupe bien crémeuse.

Croissants au thon grillés

Sandwichs du chef

4 portions

8	tranches de pain de seigle
340 g	(*12 oz*) dinde cuite, en tranches fines
170 g	(*6 oz*) jambon, en tranches fines
12	tranches de bacon, cuit
12	tranches de tomate
4	tranches de fromage suisse
4	tranches de cheddar fort
	beurre, ramolli

Entre deux tranches de pain, mettre 90 g (*3 oz*) de dinde, 45 g (*1½ oz*) de jambon, 3 tranches de bacon, 3 tranches de tomate, 1 tranche de fromage suisse et 1 tranche de cheddar fort.

Beurrer l'extérieur des sandwichs et faire griller sur les deux côtés.

Servir avec une soupe à l'oignon gratinée.

Sandwichs du chef

Sandwichs Monte Cristo

4 portions

8	tranches de pain blanc, sans croûte
225 g	(*8 oz*) dinde, cuite, en tranches fines
225 g	(*8 oz*) jambon, en tranches fines
8	tranches de fromage suisse
4	œufs
60 mL	(*¼ tasse*) lait
	margarine

Entre deux tranches de pain blanc, disposer 60 g (*2 oz*) de dinde, 60 g (*2 oz*) de jambon et 2 tranches de fromage.

Dans un grand plat peu profond, battre les œufs et le lait avec une fourchette. Tremper les deux côtés du sandwich dans ce mélange.

Dans une poêle à frire, faire fondre la margarine à feu moyen. Y faire dorer les sandwichs des deux côtés.

Servir chaud avec un mélange de fruits frais.

Sandwichs Reuben, sauce à la moutarde

4 portions

Sandwichs

8	tranches de pain de seigle
340 g	(¾ *lb*) bœuf salé, en tranches fines
180 mL	(¾ *tasse*) choucroute, égouttée
8	tranches de fromage suisse

Sauce à la moutarde

60 mL	(¼ *tasse*) mayonnaise
30 mL	(2 *c. à table*) moutarde de Dijon
15 mL	(1 *c. à table*) raifort, préparé

Entre deux tranches de pain, mettre environ 85 g (*3 oz*) de bœuf salé, 45 mL (*3 c. à table*) de choucroute et 2 tranches de fromage.

Beurrer l'extérieur des sandwichs et les faire griller au four des deux côtés.

Servir avec une sauce à la moutarde et des pommes de terre frites.

Pour préparer la sauce à la moutarde, bien mélanger tous les ingrédients de la sauce.

Sandwichs Reuben, sauce à la moutarde

Sandwichs spéciaux

4 portions

2	mangues
8	tranches de prosciutto, très minces
4	tranches de pain aux courgettes et aux noix (voir *Pains*)
8	tranches de fromage monterey jack

Peler les mangues et les diviser en 4. Envelopper chaque morceau de mangue d'une tranche de prosciutto.

Disposer 2 tranches de mangues enveloppées sur une tranche de pain. Couvrir d'une tranche de fromage.

Disposer sur une plaque à pâtisserie. Faire griller jusqu'à ce que le fromage fonde. Servir immédiatement.

Sandwichs au bifteck et au fromage

4 portions

2	gros oignons, en tranches
1	poivron vert, en tranches
	beurre
250 mL	(*1 tasse*) champignons, en tranches
450 g	(*1 lb*) surlonge, tranché très mince
4	pains de 20 cm (*8 po*)
8	tranches de fromage fondu

A feu moyen, faire sauter les oignons et le poivron vert dans le beurre jusqu'à tendres. Garder au chaud.

Faire revenir les champignons à feu vif, dans un peu de beurre. Garder au chaud avec le mélange d'oignons.

Faire revenir le surlonge à feu vif, dans un peu de beurre, jusqu'au degré de cuisson désiré.

Trancher les pains sur la longueur.

Disposer 115 g (*4 oz*) de viande sur la base de chaque pain, couvrir avec le quart du mélange aux légumes et deux tranches de fromage.

Faire fondre le fromage sous le gril. Faire griller l'autre moitié de pain et en couvrir le sandwich.

Tartinade au jambon

750 mL (3 tasses)

250 g	(*8 oz*) de fromage à la crème
60 mL	(*¼ tasse*) mayonnaise
1 mL	(*¼ tasse*) sauce Tabasco
30 mL	(*2 c. à table*) moutarde préparée
5 mL	(*1 c. à thé*) oignon, haché fin
280 g	(*10 oz*) jambon, haché fin
3 mL	(*½ c. à thé*) assaisonnement au chili
3 mL	(*½ c. à thé*) paprika

Mélanger le fromage à la crème et la mayonnaise.

Ajouter le reste des ingrédients et bien mélanger.

Utiliser comme trempette avec des légumes ou comme préparation pour sandwichs.

Tartinade aux crevettes et au crabe

750 mL (3 tasses)

250 g	(*8 oz*) fromage à la crème
125 mL	(*½ tasse*) crème sure
115 g	(*4 oz*) chair de crabe, cuite et hachée
115 g	(*4 oz*) chair de crevette, cuite et hachée
15 mL	(*1 c. à table*) oignon, haché fin
5 mL	(*1 c. à thé*) paprika
3 mL	(*½ c. à thé*) poivre
3 mL	(*½ c. à thé*) sel
45 mL	(*3 c. à table*) sauce chili

Mélanger le fromage à la crème et la crème sure.

Incorporer les fruits de mer, l'oignon et les assaisonnements.

Ajouter la sauce chili et bien mélanger.

Sandwichs des îles Fidji

Sandwichs des îles Fidji

8 portions

250 mL	(*1 tasse*) noix de coco, râpée
60 mL	(¼ *tasse*) crème de noix de coco
1	boîte d'ananas en morceaux de 398 mL (*14 oz*), égoutté
250 mL	(*1 tasse*) mayonnaise
450 g	(*1 lb*) chair de crabe, déchiqueté
1	boîte de mandarines de 284 mL (*10 oz*), égouttées
2	bananes, en tranches
1	pain aux bananes et aux noix (voir *Pains*), en 8 tranches épaisses
250 mL	(*1 tasse*) fromage suisse, râpé
250 mL	(*1 tasse*) de fromage cheddar doux, râpé

Mélanger la noix de coco, la crème de noix de coco et les morceaux d'ananas. Ajouter la mayonnaise et bien mélanger.

Incorporer avec précaution le crabe, les mandarines et les tranches de bananes.

Garnir généreusement chaque tranche de pain aux bananes et aux noix du mélange au crabe.

Parsemer de fromages râpés et mettre sous le gril jusqu'à ce que le fromage soit fondu.

Servir avec une salade romaine avec oranges, ou avec une soupe au brocoli et au fromage.

Les pains

Vous avez sûrement déjà entendu le dicton « L'homme ne peut vivre que de pain ».

Aussi vrai que cela puisse être, il est également vrai que les repas seraient ennuyeux sans cette variété de pains et autres produits de boulangerie qui nous sont offerts.

Je vous suggère, dans ce chapitre, une sélection limitée, mais facilement utilisable, des meilleures recettes de pains et muffins. Vous y trouverez des pains à consommer tous les jours, incluant le pain de blé entier et les petits pains individuels. Vous découvrirez également quelques recettes qui ajouteront une note spéciale à des repas bien particuliers.

Des recettes de muffins aggrémenteront vos brunchs du dimanche matin et des pains aux fruits et aux noix calmeront les appétits entre les repas.

Certaines recettes ajouteront même un brin d'authenticité à vos repas cajun ou autres.

Conseils pour la cuisson du pain

1 Lorsque la recette nécessite des œufs ou du lait, laissez d'abord ces ingrédients se réchauffer à la température de la pièce.

2 Si la surface de votre pain brunit trop rapidement, avant que l'intérieur ne soit cuit, couvrez-la d'une feuille de papier d'aluminium et poursuivez la cuisson.

3 Mesurez soigneusement vos ingrédients. Ce n'est pas le moment de tenter des expériences, à moins que vous ne sachiez exactement à quels résultats vous attendre.

4 Utilisez de la farine tout usage, sauf si une autre sorte de farine est spécifiée dans la recette.

5 Souvenez-vous que la levure est un produit vivant. Un peu de sucre l'aidera à gonfler plus rapidement, mais une eau trop chaude, au-dessus de 55°C (*130°F*), l'anéantira.

Muffins au bacon

Muffins au bacon

12 à 16 muffins

450 g	(*1 lb*) bacon
375 mL	(*1 1/2 tasse*) farine
15 mL	(*1 c. à table*) poudre à pâte
125 mL	(*1/2 tasse*) beurre
1	œuf, battu
125 mL	(*1/2 tasse*) crème épaisse
250 mL	(*1 tasse*) fromage cheddar fort, râpé
3	oignons verts, tranchés
15 mL	(*1 c. à table*) graines de carvi

Préchauffer le four à 200°C (*400°F*).

Faire frire le bacon. Garder 15 mL (*1 c. à table*) de graisse, égoutter le reste. Découper le bacon en dés ou l'emietter.

Dans un bol, tamiser la farine et la poudre à pâte.

Incorporer le beurre en le coupant.

Ajouter l'œuf et la crème et mélanger.

Ajouter le bacon, le fromage et les oignons verts; mélanger.

Graisser 12 moules à muffins avec la graisse de bacon réservée.

Remplir de pâte aux ¾. Parsemer de graines de carvi.

Faire cuire au four 15 à 20 minutes ou jusqu'à brun doré. Servir chaud.

Pain français

2 pains

30 mL	(*2 c. à table*) levure sèche active
625 mL	(*2½ tasses*) eau tiède
1,9 L	(*7½ tasses*) farine, tamisée
10 mL	(*2 c. à thé*) sel
1	blanc d'œuf, légèrement battu
15 mL	(*1 c. à table*) eau froide

Dans un bol, faire ramollir la levure dans l'eau tiède. Laisser reposer 10 minutes.

Dans un autre bol, mélanger 500 mL (*2 tasses*) de farine avec le sel. Ajouter à l'eau et bien mélanger.

Ajouter le reste de farine, 250 mL (*1 tasse*) à la fois. Bien incorporer après chaque addition. Pétrir au robot culinaire 20 à 25 minutes (*pas moins*). La pâte devrait être lisse et élastique. Mettre la pâte dans un bol légèrement graissé.

Couvrir le bol et laisser la pâte lever au double de son volume, soit 1¼ à 1½ heure. L'abaisser d'un coup de poing, couvrir de nouveau le bol et laisser la pâte lever une deuxième fois pendant 1 heure.

Mettre la pâte sur une surface farinée. La diviser en deux. Abaisser chaque moitié en deux rectangles de 40 x 35 cm (*16 x 14 po*). Rouler la pâte comme pour un gâteau roulé. Souder les extrémités. Disposer sur une plaque à biscuits, le pli en dessous.

Mélanger le blanc d'œuf et l'eau froide. En badigeonner le pain. Le couvrir d'un linge et le laisser doubler de volume.

Préchauffer le four à 190°C (*375°F*).

Mettre un plat peu profond rempli d'eau sur la grille du bas du four.

Faire cuire le pain 20 minutes sur la grille du milieu.

Le badigeonner du mélange de blanc d'œuf et d'eau et poursuivre la cuisson 20 minutes de plus.

Pain blanc

3 pains

250 mL	(*1 tasse*) lait
80 mL	(*⅓ tasse*) sucre
80 mL	(*⅓ tasse*) beurre
15 mL	(*1 c. à table*) sel
60 g	(*2 oz*) levure sèche active
3 L	(*12 tasses*) farine tout usage
750 mL	(*3 tasses*) eau tiède
2	œufs

Faire tiédir le lait. Incorporer le sucre, le beurre et le sel. Parsemer la levure et laisser reposer 10 minutes.

Mettre la farine dans un grand bol. Incorporer lentement les liquides. Ajouter les œufs et mélanger; pétrir 10 minutes ou jusqu'à la formation d'une boule lisse.

Couvrir et laisser doubler de volume. Abaisser d'un coup de poing, façonner en pains et diviser en 3 portions égales.

Disposer dans des moules à pain graissés. Laisser doubler de volume au moins.

Faire cuire au four 40 à 45 minutes, à 180°C (*350°F*).

Démouler et laisser refroidir sur une grille.

Pain au son d'avoine

2 pains

500 mL	(*2 tasses*) lait, chaud
60 mL	(*¼ tasse*) cassonade, bien tassée
15 mL	(*1 c. à table*) sel
30 mL	(*2 c. à table*) beurre
500 mL	(*2 tasses*) son d'avoine
15 mL	(*1 c. à table*) levure sèche active
125 mL	(*½ tasse*) eau, tiède
1,2 L	(*5 tasses*) farine
1	blanc d'œuf, légèrement battu
15 mL	(*1 c. à table*) eau, froide

Verser le lait chaud dans un grand bol; incorporer la cassonade, le sel, le beurre et le son d'avoine. Laisser refroidir.

Dans un petit bol, faire ramollir la levure dans de l'eau tiède, 10 minutes. Combiner le mélange de son d'avoine, la levure et 500 mL (*2 tasses*) de farine en une pâte lisse.

Continuer d'ajouter de la farine, 250 mL (*1 tasse*) à la fois, en mélangeant après chaque addition. Pétrir la pâte 8 minutes. La mettre dans un bol légèrement graissé.

Couvrir le bol et laisser lever la pâte au double de son volume, soit 1¼ à 1½ heure. Donner un coup de poing dans la pâte et la laisser lever une autre fois.

Préchauffer le four à 190°C (*375°F*).

Mettre la pâte sur une surface farinée. La diviser en deux et la façonner en pains. Disposer dans 2 moules à pain de 22 cm (*9 po*) et laisser lever 1 heure.

Badigeonner avec le blanc d'œuf mélangé à de l'eau froide. Faire cuire 35 à 40 minutes.

Pain de maïs

1 pain

2	œufs
500 mL	(*2 tasses*) babeurre
5 mL	(*1 c. à thé*) poudre à pâte
500 mL	(*2 tasses*) semoule de maïs
5 mL	(*1 c. à thé*) sel
5 mL	(*1 c. à thé*) sucre

Préchauffer le four à 230°C (*450°F*).

Graisser un moule carré de 22 cm (*9 po*) de côté.

Mélanger les œufs et le babeurre.

Dans un bol, tamiser tous les ingrédients secs.

Les incorporer au premier mélange jusqu'à consistance lisse.

Placer dans un moule et faire cuire au four 25 minutes.

Découper en carrés et servir très chaud.

Petits pains à l'ancienne

Petits pains à l'ancienne

24 petits pains

30 g	(*1 oz*) levure
250 mL	(*1 tasse*) eau, tiède
45 mL	(*3 c. à table*) sucre
45 mL	(*3 c. à table*) beurre
5 mL	(*1 c. à thé*) sel
1	œuf
750 mL	(*3 tasses*) farine

Dans un grand bol, dissoudre la levure dans de l'eau tiède additionnée de sucre. Laisser reposer 10 minutes.

Ajouter le beurre, le sel et l'œuf. Incorporer la farine. Pétrir en une pâte lisse.

Couvrir et laisser doubler de volume. Donner un coup pour l'abaisser et façonner en petits pains.

Disposer sur une plaque à biscuits et faire cuire 15 minutes ou jusqu'à brun doré.

Pain aux bananes et aux noix

2 pains

4	œufs
375 mL	(1½ *tasse*) sucre
250 mL	(1 *tasse*) beurre, fondu
5 mL	(1 c. à thé) d'extrait d'amande
4	bananes moyennes, bien mûres et écrasées
625 mL	(2½ *tasses*) farine
12 mL	(2½ c. à thé) poudre à pâte
5 mL	(1 c. à thé) bicarbonate de soude
5 mL	(1 c. à thé) sel
250 mL	(1 *tasse*) noix de coco, râpée
250 mL	(1 *tasse*) noix de Grenoble, grossièrement hachées
250 mL	(1 *tasse*) cerises au marasquin, en moitiés.

Préchauffer le four à 180°C (*350°F*).

Bien battre les œufs. Ajouter graduellement, en fouettant, le sucre, le beurre fondu et l'extrait d'amande. Incorporer les bananes écrasées.

Dans un grand bol, mélanger la farine, la poudre à pâte, le bicarbonate de soude et le sel.

Ajouter le mélange aux œufs et bien remuer. En repliant, incorporer la noix de coco, les noix de Grenoble et les cerises.

Verser la pâte dans deux moules graissés de 20 x 10 cm (*8 x 4 po*) et faire cuire au four 1 heure ou jusqu'à ce qu'un cure-dents, inséré au milieu, en ressorte sec. Sortir du four, laisser reposer dans les moules 10 minutes, puis renverser sur une grille et laisser refroidir complètement.

1

Incorporer les bananes en purée au mélange aux œufs.

2

Ajouter le mélange aux bananes au mélange de farine et bien mélanger.

3

Verser la pâte dans des moules à pain graissés.

4

Renverser les pains cuits sur des grilles et laisser refroidir complètement.

Pain à la citrouille

2 pains

250 mL	(*1 tasse*) huile
250 mL	(*1 tasse*) miel
500 mL	(*2 tasses*) sucre
4	œufs, battus
875 mL	(*3½ tasses*) farine
5 mL	(*1 c. à thé*) poudre à pâte
5 mL	(*1 c. à thé*) sel
3 mL	(*½ c. à thé*) clous de girofle, moulus
3 mL	(*½ c. à thé*) muscade
3 mL	(*½ c. à thé*) piment de la Jamaïque
10 mL	(*2 c. à thé*) cannelle
500 mL	(*2 tasses*) pulpe de citrouille, en purée
375 mL	(*1½ tasse*) noix de Grenoble, en morceaux

Préchauffer le four à 160°C (*325°F*).

Mélanger l'huile, le miel, le sucre et les œufs.

Tamiser ensemble tous les ingrédients secs. Incorporer à l'huile sucrée.

Ajouter la pulpe de citrouille; bien mélanger.

Ajouter les noix de Grenoble.

Verser la pâte dans deux moules à pain de 22 cm (*9 po*), bien graissés.

Faire cuire aufour 1¼ heure. Sortir du four et laisser reposer 10 minutes. Renverser sur une grille et laisser refroidir.

Pain au beurre d'arachide

Pain au beurre d'arachide

1 pain

60 mL	(*4 c. à table*) beurre d'arachide
45 mL	(*3 c. à table*) beurre
30 mL	(*2 c. à table*) sucre
1	œuf
250 mL	(*1 tasse*) farine
3 mL	(*½ c. à thé*) sel
5 mL	(*1 c. à thé*) poudre à pâte
125 mL	(*½ tasse*) lait

Préchauffer le four à 180°C (*350°F*).

Réduire en crème le beurre d'arachide, le beurre et le sucre. Ajouter l'œuf, puis la farine, le sel et la poudre à pâte. Incorporer lentement le lait.

Verser dans un moule à pain graissé. Faire cuire au four 45 à 50 minutes. Démouler sur une grille pour faire refroidir.

Pain aux courgettes et aux noix

2 pains

125 mL	(*½ tasse*) beurre
125 mL	(*½ tasse*) huile
430 mL	(*1¾ tasse*) sucre
2	œufs
5 mL	(*1 c. à thé*) extrait de vanille
125 mL	(*½ tasse*) crème épaisse
375 mL	(*1½ tasse*) farine de blé entier
250 mL	(*1 tasse*) farine tout usage
3 mL	(*½ c. à thé*) poudre à pâte
5 mL	(*1 c. à thé*) bicarbonate de soude
3 mL	(*½ c. à thé*) cannelle
3 mL	(*½ c. à thé*) clous de girofle, moulus
3 mL	(*½ c. à thé*) muscade
500 mL	(*2 tasses*) courgettes, en petits dés
250 mL	(*1 tasse*) noix de Grenoble, hachées

Préchauffer le four à 180°C (*350°F*).

Réduire le beurre en crème. Le mélanger à l'huile et au sucre. Ajouter les œufs, la vanille et la crème. Réserver.

Mélanger tous les ingrédients secs. Les incorporer au premier mélange. Ajouter les courgettes et les noix.

Verser dans 2 moules à pain.

Faire cuire au four 30 à 35 minutes.

Retourner sur une grille et laisser refroidir avant de servir.

Pain de blé entier au miel

2 pains

60 mL	(*¼ tasse*) cassonade, bien tassée
60 mL	(*¼ tasse*) miel
15 mL	(*1 c. à table*) sel
30 mL	(*2 c. à table*) shortening
375 mL	(*1½ tasse*) eau bouillante
5 mL	(*1 c. à thé*) sucre
60 mL	(*¼ tasse*) eau chaude
15 mL	(*1 c. à table*) levure sèche active
1,5 L	(*6 tasses*) farine de blé entier
60 mL	(*¼ tasse*) beurre, fondu

Mélanger la cassonade, le miel, le sel et le shortening dans le bol du mélangeur. Y verser l'eau bouillante et mêler jusqu'à dissolution complète. Laisser tiédir.

Dissoudre 5 mL (*1 c. à thé*) de sucre dans 60 mL (*¼ tasse*) d'eau. Y saupoudrer la levure et laisser reposer 10 minutes. Ajouter à l'eau sucrée.

Incorporer lentement la farine. Pétrir au malaxeur 10 minutes. Couvrir et laisser lever au double de son volume, soit 1½ à 2 heures. Abaisser d'un coup de poing.

Disposer la pâte dans 2 moules à pain de 22 cm (*9 po*) bien graissés. Laisser lever de nouveau pendant 1 à 1½ heure. Entre-temps, faire chauffer le four à 190°C (*375°F*).

Faire cuire au four 25 à 30 minutes. Retourner sur une grille. Badigeonner de beurre fondu.

Pain aux pommes

1 pain

125 mL	(*½ tasse*) shortening
250 mL	(*1 tasse*) sucre
2	œufs
500 mL	(*2 tasses*) farine
5 mL	(*1 c. à thé*) sel
5 mL	(*1 c. à thé*) bicarbonate de soude
5 mL	(*1 c. à thé*) poudre à pâte
5 mL	(*1 c. à thé*) extrait de vanille
30 mL	(*2 c. à table*) crème épaisse
500 mL	(*2 tasses*) pommes, pelées et en dés

Préchauffer le four à 180°C (*350°F*).

Réduire le shortening et le sucre en un mélange très léger. Ajouter en même temps les œufs et la crème.

Incorporer en petites quantités la farine, le sel, le bicarbonate de soude et la poudre à pâte. Ajouter la farine et bien mélanger. Incorporer les pommes. Verser la pâte dans un moule à pain graissé.

Faire cuire au four 55 à 60 minutes.

Renverser sur une grille et laisser refroidir.

Pain aux pommes, aux raisins secs et aux noix

Pain aux pommes, aux raisins secs et aux noix

1 pain

500 mL	(*2 tasses*) farine, tamisée
5 mL	(*1 c. à thé*) bicarbonate de soude
5 mL	(*1 c. à thé*) poudre à pâte
3 mL	(*½ c. à thé*) sel
125 mL	(*½ tasse*) beurre
250 mL	(*1 tasse*) sucre
2	œufs
30 mL	(*2 c. à table*) crème sure
5 mL	(*1 c. à thé*) extrait de vanille
125 mL	(*½ tasse*) noix de Grenoble, hachées
250 mL	(*1 tasse*) pommes, pelées et en dés
125 mL	(*½ tasse*) raisins de Smyrne

Préchauffer le four à 180°C (*350°F*).

Tamiser la farine, le bicarbonate de soude, la poudre à pâte et le sel.

Dans un autre bol, mélanger le beurre et le sucre. Incorporer les œufs, un à la fois.

Ajouter la crème sure et la vanille au mélange de beurre et réduire en crème. Ajouter le mélange de farine et bien mélanger.

Incorporer les noix de Grenoble, les pommes et les raisins secs.

Verser dans un moule à pain graissé et faire cuire au four 30 à 35 minutes. Vérifier la cuisson.

Petits pains Parker House

3 à 4 douzaines de petits pains

30 mL	(*2 c. à table*) sucre
60 mL	(*¼ tasse*) eau tiède
15 mL	(*1 c. à table*) levure
500 mL	(*2 tasses*) lait
5 mL	(*1 c. à thé*) sel
45 mL	(*3 c. à table*) beurre
1,6 L	(*6½ tasses*) farine
1	œuf, battu
60 mL	(*¼ tasse*) crème épaisse

Mélanger 5 mL (*1 c. à thé*) de sucre dans l'eau. Ajouter la levure et laisser reposer 10 minutes.

Dans une casserole, mélanger le lait, le reste de sucre, le sel et le beurre.

Faire chauffer sans laisser bouillir. Laisser refroidir puis mettre dans le bol du mélangeur.

Incorporer la levure et 750 mL (*3 tasses*) de farine. Battre 2 minutes. Laisser lever 1 heure. Incorporer l'œuf et le reste de la farine. Pétrir au mélangeur 8 minutes. Couvrir et laisser lever.

Sur une surface farinée, abaisser la pâte au tiers de son épaisseur. Découper avec un emporte-pièce des cercles de 7 cm (*3 po*) de diamètre.

Pratiquer au milieu une fente d'environ 0,3 cm (*⅛ po*) de profondeur.

Replier et souder les extrémités. Mettre sur une plaque à biscuits à 0,3 cm (*⅛ po*) d'intervalle. Laisser doubler de volume.

Préchauffer le four à 220°C (*425°F*).

Badigeonner avec la crème. Faire cuire 15 à 17 minutes ou jusqu'à brun doré.

Pain à l'abricot

1 pain

160 mL	(*⅔ tasse*) lait
20 mL	(*4 c. à thé*) beurre
20 mL	(*4 c. à thé*) sucre
4 mL	(*¾ c. à thé*) sel
10 mL	(*2 c. à thé*) levure sèche active
20 mL	(*4 c. à thé*) eau
1	œuf, battu
810 mL	(*3¼ tasses*) farine

Faire chauffer le lait sans le laisser bouillir. Ajouter le beurre, le sucre et le sel. Bien faire dissoudre et laisser refroidir.

Faire gonfler la levure dans l'eau. Ajouter le lait refroidi, puis l'œuf.

Incorporer lentement la farine. Pétrir 8 minutes au mélangeur. Laisser doubler de volume. Abaisser d'un coup de poing.

Laisser encore doubler de volume. Abaisser d'un coup de poing, puis étendre au rouleau à une épaisseur de 0,5 cm (*¼ po*).

Couvrir de garniture. Rouler comme pour un gâteau roulé. Souder les extrémités et les bords. Couvrir et laisser de nouveau lever au double du volume.

Préchauffer le four à 180°C (*350°F*).

Faire cuire au four 25 à 30 minutes. Laisser refroidir.

Garniture

250 mL	(*1 tasse*) abricots, séchés
250 mL	(*1 tasse*) eau
125 mL	(*½ tasse*) miel
1 mL	(*¼ c. à thé*) cannelle

Faire tremper les abricots dans l'eau 1 heure. Porter à ébullition.

Ajouter le miel et la cannelle.

Écraser avec une fourchette. Amener à un faible bouillon.

Laisser mijoter en une pâte épaisse jusqu'à évaporation presque complète du liquide.

Muffins épicés à la crème sure

12 muffins

500 mL	(*2 tasses*)	farine
10 mL	(*2 c. à thé*)	cannelle
3 mL	(*½ c. à thé*)	piment de la Jamaïque
3 mL	(*½ c. à thé*)	muscade
3 mL	(*½ c. à thé*)	sel
5 mL	(*1 c. à thé*)	bicarbonate de soude
3		œufs
125 mL	(*½ tasse*)	beurre
500 mL	(*2 tasses*)	cassonade, bien tassée
250 mL	(*1 tasse*)	crème sure

Préchauffer le four à 180°C (*350°F*).

Tamiser la farine, les épices, le sel et le bicarbonate de soude. Réduire en crème le beurre, les œufs et le sucre.

Incorporer la crème sure en repliant. Ajouter avec précaution, en fouettant, le mélange d'ingrédients secs.

Graisser un moule pour 12 muffins. Remplir chaque cavité aux ⅔.

Faire cuire au four 25 à 30 minutes. Laisser refroidir 5 minutes avant de servir.

Muffins aux bleuets

Muffins aux bleuets

12 muffins

375 mL	(*1½ tasse*)	farine, tamisée
10 mL	(*2 c. à thé*)	poudre à pâte
3 mL	(*½ c. à thé*)	sel
180 mL	(*¾ tasse*)	sucre
60 mL	(*¼ tasse*)	beurre
160 mL	(*⅔ tasse*)	lait
5 mL	(*1 c. à thé*)	extrait de vanille blanche
250 mL	(*1 tasse*)	bleuets*

Préchauffer le four à 180°C (*350°F*).

Tamiser les ingrédients secs.

Incorporer le beurre en morceaux. Ajouter le lait et la vanille. Battre 3 minutes au mélangeur. Incorporer les bleuets.

Graisser légèrement 1 moule à 12 muffins ou tapisser chaque cavité d'un moule en papier.

Remplir chaque cavité aux ⅔.

Faire cuire au four 30 à 35 minutes ou jusqu'à brun doré.

*Si vous utilisez des bleuets surgelés, ne pas les faire décongeler avant et réduire la quantité à 125 mL (½ tasse). Il est préférable, cependant, d'utiliser des bleuets frais.

Muffins épicés aux pommes

12 muffins

500 mL	(*2 tasses*) farine
15 mL	(*1 c. à table*) poudre à pâte
5 mL	(*1 c. à thé*) cannelle
1 mL	(*¼ c. à thé*) muscade
1 mL	(*¼ c. à thé*) clous de girofle, moulus
1 mL	(*¼ c. à thé*) piment de la Jamaïque
160 mL	(*⅔ tasse*) cassonade, bien tassée
250 mL	(*½ tasse*) céréales aux noix et raisins
2	œufs
160 mL	(*⅔ tasse*) lait
60 mL	(*¼ tasse*) huile
250 mL	(*1 tasse*) pommes, pelées, évidées, en dés

Préchauffer le four à 180˚C (*350˚F*).

Tamiser la farine, la poudre à pâte et les épices. Mélanger avec le sucre et les céréales.

Battre les œufs, le lait et l'huile. Incorporer aux ingrédients secs. Mélanger 2 minutes. Ajouter les pommes.

Graisser légèrement un moule à 12 muffins. Remplir chaque cavité de pâte, aux ¾.

Faire cuire au four 15 à 20 minutes.

Muffins à la marmelade

12 muffins

125 mL	(*½ tasse*) marmelade
30 mL	(*2 c. à table*) jus de citron
180 mL	(*¾ tasse*) lait
5 mL	(*1 c. à thé*) extrait de vanille blanche
180 mL	(*¾ tasse*) sucre
60 mL	(*¼ tasse*) beurre
2	œufs
625 mL	(*2½ tasses*) farine
5 mL	(*1 c. à thé*) poudre à pâte
5 mL	(*1 c. à thé*) bicarbonate de soude
5 mL	(*1 c. à thé*) sel

Préchauffer le four à 180˚C (*350˚F*).

Mélanger la marmelade, le jus de citron, le lait et la vanille. Dans un grand bol, réduire en crème le sucre et le beurre. Ajouter les œufs.

Dans un autre bol, tamiser la farine, la poudre à pâte, le bicarbonate de soude et le sel.

Incorporer en repliant au mélange en crème, en alternant avec le mélange de marmelade. N'ajouter que le ⅓ de la quantité à la fois.

Graisser un moule à 12 muffins. Remplir chaque cavité aux ⅔.

Faire cuire au four 30 à 35 minutes. Vérifier la cuisson. Laisser refroidir 5 minutes avant de démouler.

Muffins à l'avoine

12 muffins

250 mL	(*1 tasse*) farine
5 mL	(*1 c. à thé*) poudre à pâte
5 mL	(*1 c. à thé*) bicarbonate de soude
3 mL	(*½ c. à thé*) sel
250 mL	(*1 tasse*) raisins secs
250 mL	(*1 tasse*) avoine
250 mL	(*1 tasse*) crème épaisse
80 mL	(*⅓ tasse*) huile
45 mL	(*3 c. à table*) sirop de maïs
1	œuf
60 mL	(*¼ tasse*) cassonade, bien tassée
3 mL	(*½ c. à thé*) extrait de vanille

Préchauffer le four à 190˚C (*375˚F*).

Dans un bol, mélanger la farine, la poudre à pâte, le bicarbonate de soude, le sel et les raisins secs.

Dans un petit bol, faire tremper l'avoine dans la crème pendant 5 minutes.

Ajouter l'huile, le sirop de maïs, l'œuf, le sucre et la vanille.

Verser sur les ingrédients secs. Battre 2 minutes. La pâte devrait être grumeleuse.

Graisser 1 moule à 12 muffins. Remplir les cavités aux ⅔.

Faire cuire au four 20 à 25 minutes.

Muffins aux carottes

Muffins aux carottes

3 douzaines

500 mL	(*2 tasses*) farine
180 mL	(*¾ tasse*) sucre
5 mL	(*1 c. à thé*) poudre à pâte
5 mL	(*1 c. à thé*) bicarbonate de soude
3 mL	(*½ c. à thé*) sel
5 mL	(*1 c. à thé*) cannelle
1	pincée de piment de la Jamaïque
1	pincée de muscade
1	pincée de clous de girofle, moulus
2	œufs
125 mL	(*½ tasse*) huile
250 mL	(*1 tasse*) carottes, râpées
250 mL	(*1 tasse*) pommes, pelées et en petits dés
125 mL	(*½ tasse*) noix
125 mL	(*½ tasse*) raisins secs

Préchauffer le four à 200°C (*400°F*).

Tamiser la farine, le sucre, la poudre à pâte, le bicarbonate de soude et les épices.

Battre les œufs en un mélange mousseux. Ajouter l'huile, les carottes, les pommes, les noix et les raisins secs.

Incorporer aux ingrédients secs en repliant. Mélanger 2 minutes.

Graisser 3 moules de 12 muffins. Remplir les cavités aux ¾.

Faire cuire au four 20 à 25 minutes.

Laisser reposer 5 minutes. Démouler.

Pâte à crêpes

16 à 18 crêpes

250 mL	(*1 tasse*)	farine
1 mL	(*¼ c. à thé*)	sel
30 mL	(*2 c. à table*)	huile
250 mL	(*1 tasse*)	lait
60 mL	(*¼ tasse*)	eau ou eau de Seltz
1		œuf

Tamiser la farine et le sel.

Mélanger l'huile, le lait et l'eau.

Battre les œufs et ajouter au liquide. Incorporer les ingrédients secs. Battre en une pâte lisse et liquide.

Pour faire cuire les crêpes, étendre environ 45 mL (*3 c. à table*) de pâte à crêpe dans une poêle à crêpes légèrement beurrée.

Faire cuire à feu moyen environ 1½ minute. Retourner et faire cuire l'autre côté 1 minute.

Pâte à gaufres

16 à 18 gaufres

500 mL	(*2 tasses*)	farine
3 mL	(*½ c. à thé*)	sel
30 mL	(*2 c. à table*)	poudre à pâte
15 mL	(*1 c. à table*)	sucre
250 mL	(*1 tasse*)	lait
250 mL	(*1 tasse*)	crème épaisse
3		œufs
20 mL	(*4 c. à thé*)	beurre, fondu

Tamiser la farine, le sel, la poudre à pâte et le sucre.

Dans un bol, battre ensemble le lait, la crème, les œufs et le beurre en un mélange mousseux.

Ajouter lentement les ingrédients secs pour obtenir une pâte épaisse.

Faire cuire dans un moule à gaufres bien graissé.

Galettes

12 galettes

375 mL	(*1½ tasse*)	farine
13 mL	(*2½ c. à thé*)	poudre à pâte
4 mL	(*¾ c. à thé*)	sel
1		œuf, battu
310 mL	(*1¼ tasse*)	lait
45 mL	(*3 c. à table*)	huile

Tamiser la farine, la poudre à pâte et le sel.

Mélanger l'œuf, le lait et l'huile. Ajouter lentement les ingrédients secs. Mélanger jusqu'à consistance lisse.

Faire cuire dans une poêle chaude graissée; retourner une seule fois pendant la cuisson.

Crêpes Suzette garnies

8 portions

16	crêpes

Garniture

1	paquet de 250 g (*8 oz*) de fromage à la crème, à température ambiante
60 mL	(*¼ tasse*) crème épaisse
250 mL	(*1 tasse*) sucre à glacer
125 mL	(*½ tasse*) pacanes, hachées (*facultatif*)

Sauce

125 mL	(*½ tasse*) beurre
125 mL	(*½ tasse*) sucre
250 mL	(*1 tasse*) jus d'orange
80 mL	(*⅓ tasse*) Grand Marnier
20 mL	(*4 c. à thé*) fécule de maïs
20 mL	(*4 c. à thé*) jus de citron
1	boîte de mandarines de 284 mL (*10 oz*), égouttées

Garniture : battre le fromage à la crème, la crème épaisse et le sucre à glacer jusqu'à consistance lisse. Incorporer les noix. Étaler environ 30 mL (*2 c. à table*) de ce mélange sur chaque crêpe et les rouler. Garder la garniture au réfrigérateur si elle n'est pas utilisée immédiatement.

Sauce : dans une casserole à fond épais, faire fondre le beurre. Incorporer le sucre à feu doux et remuer jusqu'à ce que le sucre devienne brun doré. Ajouter le jus d'orange et le Grand Marnier. Mélanger la fécule de maïs au jus de citron et verser dans la sauce. Laisser mijoter en remuant, jusqu'à épaississement. Disposer 2 crêpes dans chaque assiette. Garnir de quelques quartiers de mandarines et arroser de sauce chaude. Servir immédiatement.

1

Incorporer les pacanes hachées au mélange de fromage à la crème.

2

Déposer environ 30 mL (*2 c. à table*) de garniture sur chaque crêpe et rouler.

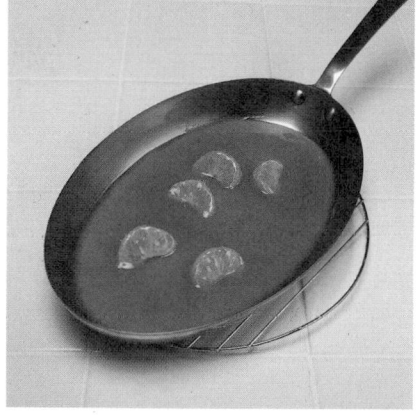

3

Préparer la sauce et laisser mijoter en remuant, jusqu'à épaississement. Incorporer les mandarines; en garder quelques-unes pour garnir.

4

Arroser les crêpes avec la sauce chaude et garnir avec les tranches de mandarines réservées.

Pâte à pizza

*4 pizzas de 20 cm (8 po) ou
2 pizzas de 35 cm (14 po)*

5 mL	(*1 c. à thé*) sucre
250 mL	(*1 tasse*) eau tiède
1	sachet de levure sèche active ou 15 mL (*1 c. à table*)
30 mL	(*2 c. à table*) beurre, fondu et refroidi
750 mL	(*3 tasses*) farine tout usage
1	pincée de sel

Dans un grand bol, dissoudre le sucre dans l'eau tiède.

Parsemer la levure en surface et laisser reposer 10 minutes jusqu'à formation de mousse. Incorporer le beurre.

Mélanger environ la moitié de la farine et une pincée de sel dans le mélange de levure. Incorporer progressivement suffisamment de farine pour obtenir une pâte légèrement collante.

Pétrir la pâte sur une surface légèrement farinée jusqu'à ce qu'elle soit lisse et élastique, soit 5 minutes.

Mettre la pâte dans un bol graissé et laisser reposer 15 minutes.

Donner un coup de poing dans la pâte; la diviser en deux. Abaisser chaque moitié en un cercle de 28 cm (*11 po*) de diamètre. Disposer sur une tôle à pizza de 35 cm (*14 po*), graissée. Laisser reposer 15 minutes.

Avec le bout des doigts, presser la pâte du milieu vers le bord jusqu'à ce que le moule soit entièrement recouvert. Étaler la sauce et garnir.

Pouding Yorkshire

12 portions

3	œufs
250 mL	(*1 tasse*) lait chaud, non bouilli, refroidi
250 mL	(*1 tasse*) farine
3 mL	(*1/2 c. à thé*) sel
1 mL	(*1/4 c. à thé*) poivre
1 mL	(*1/4 c. à thé*) muscade
60 mL	(*1/4 tasse*) graisse de bœuf

Préchauffer le four à 230°C (*450°F*).

Fouetter les œufs dans le lait.

Dans un autre bol, tamiser les ingrédients secs. Y ajouter le mélange de lait et mélanger en une pâte lisse.

Faire chauffer la graisse de bœuf. Verser dans un moule à 12 muffins. Remplir la moitié des cavités de pâte.

Faire cuire au four 30 minutes.

Servir avec un rôti de bœuf.

Brioches

16 à 20 brioches

125 mL	(*1/2 tasse*) lait chaud, non bouilli, refroidi
125 mL	(*1/2 tasse*) beurre
90 mL	(*1/3 tasse + 2 c. à thé*) sucre
60 mL	(*1/4 tasse*) eau tiède
30 mL	(*2 c. à table*) levure
930 mL	(*3¾ tasses*) farine
1	œuf, blanc et jaune séparés
4	œufs, battus

Réduire en crème le beurre et 80 mL (*1/3 tasse*) de sucre.

Dans un petit bol, mélanger 5 mL (*1 c. à thé*) de sucre dans l'eau. Ajouter la levure et laisser ramollir 15 minutes. Mélanger la levure, le mélange crémeux, la farine, le jaune d'œuf et les œufs battus. Battre 2 minutes.

Couvrir et laisser doubler de volume. Abaisser d'un coup de poing. Battre 2 minutes.

Couvrir de papier d'aluminium graissé et mettre au réfrigérateur 8 heures ou plus.

Abaisser d'un coup de poing et mettre sur une surface farinée. Diviser et façonner en 16 ou 20 petits pains de même grosseur. Disposer dans un moule à muffins bien graissé ou un moule à brioche. Couvrir et laisser doubler de volume.

Préchauffer le four à 220°C (*425°F*).

Battre les blancs d'œufs avec 15 mL (*1 c. à table*) de sucre. Badigeonner les brioches de ce mélange.

Faire cuire au four 15 à 20 minutes ou jusqu'à brun doré.

Brioches à la cannelle

Brioches à la cannelle

12 grosses brioches ou 24 petites

250 mL	(*1 tasse*)	sucre
60 mL	(*¼ tasse*)	eau, chaude
30 mL	(*2 c. à table*)	levure
4		œufs, battus
310 mL	(*1¼ tasse*)	lait chaud, non bouilli, refroidi
250 mL	(*1 tasse*)	beurre, fondu
1,7 L	(*7 tasses*)	farine
30 mL	(*2 c. à table*)	cannelle
500 mL	(*2 tasses*)	pacanes, hachées
500 mL	(*2 tasses*)	raisins secs
500 mL	(*2 tasses*)	cassonade

Dissoudre 5 mL (*1 c. à thé*) de sucre dans l'eau. Parsemer de levure. Laisser lever 10 minutes.

Dans un grand bol, réduire en crème les œufs, le lait, le sucre et la moitié du beurre.

Incorporer en fouettant la farine, 250 mL (*1 tasse*) à la fois, et bien mélanger après chaque addition. Ajouter la levure. Pétrir 8 minutes au mélangeur. Couvrir. Laisser doubler de volume.

Préchauffer le four à 160°C (*325°F*).

Abaisser la pâte à 0,3 cm (*⅛ po*) d'épaisseur.

Badigeonner de beurre. Saupoudrer de cannelle. Parsemer de pacanes, de raisins secs et de cassonade.

Rouler serré comme pour un gâteau roulé. Trancher en rondelles de 3 cm (*1¼ po*) d'épaisseur.

Disposer tous les 5 cm (*2 po*) sur une plaque à biscuits graissée. Laisser doubler de volume.

Faire cuire au four 25 à 30 minutes ou jusqu'à brun doré.

Les desserts

Presque tout le monde a un faible pour une petite douceur ou une sucrerie particulière. Si certains sont attirés par le chocolat, d'autres le sont par la crème glacée et plusieurs se délectent avec les desserts à base de fruits.

Ce chapitre vous propose des desserts pour tous les goûts. J'en privilégie certains et j'espère qu'ils deviendront les préférés des jeunes qui ne les ont encore jamais goûtés, telle ma recette de pouding au riz qui a fait partie de mon répertoire lorsque je travaillais comme chef cuisinier dans un petit hôtel à Jasper, en Alberta. Les clients de l'hôtel en consommaient chaque jour des quantités incroyables.

Vous trouverez aussi des recettes de glaces, de sorbets et de crèmes glacées qui apportent une touche rafraîchissante et légère à la fin d'un repas riche ou copieux.

Quelques recettes de bonbons vous permettront de faire vos propres sucreries plutôt que de les acheter. Non seulement vous en tirerez un plus grand plaisir, mais les amateurs de ces friandises les apprécieront d'autant plus.

Vous remarquerez sans aucun doute qu'un grand nombre de recettes de ce chapitre sont à base de chocolat. Cela s'explique peut-être par le fait que j'ai grandi aux chutes Niagara au Canada, l'endroit où les coupes au beurre d'arachide Reese ont été créées. C'est également à cet endroit que la compagnie de chocolat Hershey faisait sa merveilleuse démonstration de fabrication de chocolat.

Que d'heures passées à regarder ce spectacle ! C'est du reste depuis ce temps que le chocolat me fascine. Et je ne suis probablement pas le seul !

D'abord consommé par les Aztèques, le chocolat fut introduit en Europe par les conquérants espagnols. Au cours de son histoire il fut reconnu comme nourriture, mais aussi comme stimulant, aphrodisiaque, monnaie d'échange et substance sacrée.

Les Hollandais ont raffiné le cacao en poudre et ont découvert les merveilles du beurre au chocolat qui a été rapidement présenté sous forme de tablette de chocolat. Le chocolat était de retour en Amérique du Nord; il a contribué à l'édification de plusieurs fortunes : Hershey, Cadbury, Mars, Fry, etc.

J'espère que vous essaierez plusieurs de ces recettes et, qu'ainsi, vous contribuerez à perpétuer la merveilleuse tradition du chocolat.

Les tartes, les gâteaux et les biscuits

Rien n'est plus gratifiant que les sourires et les éloges de vos parents et amis qui viennent de déguster votre tarte ou gâteau maison.

Malheureusement aujourd'hui, bien des gens semblent avoir perdu le goût de préparer des petites gâteries pour ceux qu'ils aiment. J'espère que vous n'êtes pas de ce nombre, ou que vous laisserez tomber vos réticences pour essayer quelques-unes des recettes de ce chapitre.

N'oubliez pas que l'art de la boulange en est un des plus précis. Il serait donc préférable de suivre ces quelques règles élémentaires :

1 Lisez toujours votre recette au complet avant de la commencer.

2 Préparez et graissez à l'avance tous vos moules ou plats à tarte. Sortez tous les ingrédients nécessaires pour qu'ils soient à la température ambiante.

3 Allumez votre four longtemps à l'avance. Faites vérifier votre cuisinière chaque année pour vous assurer que votre four donne bien la température qu'il indique.

4 Suivez à la lettre les instructions concernant les mélanges. Assurez-vous d'incorporer les ingrédients correctement.

5 Fouettez les blancs d'œufs en neige ferme avant de les replier dans le mélange. Ne mélangez pas trop la préparation.

6 Une préparation trop battue est la principale cause de la dureté d'une croûte de tarte. Coupez le beurre ou le shortening dans la farine jusqu'à l'obtention d'un mélange grossier et grumeleux. Vous obtiendrez ainsi une pâte plus feuilletée. Et si vous désirez qu'elle soit encore plus légère, ajoutez un œuf ou un peu de vinaigre.

La cuisson avec les fruits

Les fruits frais donnent un goût incomparable, mais ils doivent être manipulés avec soin.

Afin de les empêcher de brunir (cause reliée à l'oxydation par les enzymes des tanins dans le fruit), badigeonnez-les avec un produit acide, tel que le jus de citron, ou ajoutez un antioxydant comme le sucre ou le sel.

Bombe choco-moka-menthe

8 portions

30 mL	(*2 c. à table*) gélatine, non aromatisée
750 mL	(*3 tasses*) café, chaud
115 g	(*4 oz*) chocolat, non sucré
180 mL	(*¾ tasse*) sucre
1	pincée de sel
3 mL	(*½ c. à thé*) extrait de menthe
500 mL	(*2 tasses*) crème à fouetter

Ramollir la gélatine dans le café chaud. Faire fondre le chocolat au bain-marie.

Ajouter le café, le sucre, le sel et l'extrait de menthe. Faire refroidir au réfrigérateur sans laisser prendre.

Fouetter la crème en mousse ferme. Incorporer au mélange de chocolat en repliant.

Verser dans un moule de 2 L (*8 tasses*).

Mettre au réfrigérateur 3 heures.

Démouler et servir avec une sauce au fudge au chocolat.

Médaillons au chocolat à la menthe

24 à 30 médaillons

60 mL	(*¼ tasse*) beurre
450 g	(*1 lb*) sucre à glacer
45 mL	(*3 c. à table*) crème à fouetter
5 mL	(*1 c. à thé*) d'extrait de menthe
170 g	(*6 oz*) chocolat mi-sucré
30 mL	(*2 c. à table*) beurre, fondu

Dans un bol, réduire le beurre en crème, ajouter la moitié du sucre, la crème et l'extrait de menthe.

Battre jusqu'à consistance très lisse. Incorporer lentement le reste du sucre.

Très rapidement, façonner des boules de 1 cm (*½ po*) de diamètre et les aplatir.

Coller un cure-dents sur le côté de chaque feuilleté. Laisser sécher 1 heure.

Au bain-marie, faire fondre le chocolat. Ajouter le beurre fondu et mélanger.

Tremper chaque médaillon dans le chocolat. Mettre sur une plaque à biscuits tapissée de papier ciré.

Mettre au réfrigérateur jusqu'à utilisation.

Fondue au chocolat

375 mL (1½ tasse)

225 g	(*8 oz*) chocolat, mi-sucré
125 mL	(*½ tasse*) crème à fouetter
45 mL	(*3 c. à table*) jus d'orange frais
5 mL	(*1 c. à thé*) zeste d'orange, râpé

Au bain-marie, faire fondre le chocolat. Ajouter la crème, le jus et le zeste d'orange. Bien mélanger.

Verser dans un caquelon à fondue et mettre au-dessus d'une flamme. Servir.

Tremper des morceaux de fruits comme : fraises, bananes, oranges, pêches, kiwis, etc. ou de la guimauve.

Fondue au chocolat

Bavarois au chocolat à la liqueur à la crème irlandaise

6 à 8 portions

20 mL	*(4 c. à thé)* gélatine, non aromatisée
125 mL	*(½ tasse)* eau froide
115 g	*(4 oz)* chocolat mi-sucré
500 mL	*(2 tasses)* eau bouillante
125 mL	*(½ tasse)* sucre
80 mL	*(⅓ tasse)* liqueur à la crème irlandaise
180 mL	*(¾ tasse)* crème épaisse

Ramollir la gélatine dans de l'eau froide.

Au bain-marie, faire fondre le chocolat.

Ajouter la gélatine, l'eau bouillante, le sucre et la liqueur à la crème irlandaise. Laisser refroidir sans laisser prendre.

Fouetter la crème.

Ajouter au mélange de chocolat refroidi, en repliant. Verser dans un moule. Laisser prendre 3 à 4 heures.

Démouler et garnir de crème fouettée, de copeaux de chocolat et de fruits frais. Servir.

 Faire fondre le chocolat au bain-marie. Ajouter la gélatine diluée, l'eau bouillante, le sucre et la liqueur à la crème irlandaise.

 Fouetter la crème et l'ajouter au mélange de chocolat refroidi, en repliant.

 Verser dans un moule et laisser reposer 3 à 4 heures.

 Démouler et garnir.

Crème au chocolat et à la pêche

6 portions

160 mL	(²⁄₃ *tasse*) jus de pêche, en conserve
80 mL	(¹⁄₃ *tasse*) cacao, en poudre
60 mL	(¹⁄₄ *tasse*) beurre
60 mL	(¹⁄₄ *tasse*) sucre
1	œuf
3 mL	(¹⁄₂ *c. à thé*) extrait de vanille
250 mL	(*1 tasse*) farine
5 mL	(*1 c. à thé*) poudre à pâte
250 mL	(*1 tasse*) pêches en conserve, tranchées

Porter à ébullition 125 mL (¹⁄₂ *tasse*) de jus de pêche. Ajouter le cacao et bien mélanger. Laisser refroidir.

Réduire en crème le beurre, le sucre et le reste de jus de pêche. Ajouter l'œuf et la vanille et bien mélanger.

Tamiser la farine et la poudre à pâte.

Ajouter lentement au mélange de crème. Incorporer le mélange de cacao et les pêches tranchées.

Mettre dans 6 ramequins légèrement graissés.

Faire chauffer une poêle contenant 80 mL (¹⁄₃ *tasse*) d'eau. Disposer les ramequins dans l'eau.

Couvrir et faire cuire 20 minutes. Retourner dans des assiettes à dessert.

Servir avec une sauce au fudge au chocolat.

Crème au chocolat et à la pêche

Gâteau au chocolat à l'orange

8 à 10 portions

115 g	(*4 oz*) chocolat mi-sucré
15 mL	(*1 c. à table*) cacao, en poudre
30 mL	(*2 c. à table*) poudre à pâte
500 mL	(*2 tasses*) farine à pâtisserie, tamisée
125 mL	(*½ tasse*) beurre
250 mL	(*1 tasse*) sucre
160 mL	(*⅔ tasse*) jus d'orange
3	blancs d'œufs, en neige ferme

Préchauffer le four à 180°C (*350°F*).

Au bain-marie, faire fondre le chocolat.

Dans un bol, tamiser le cacao, la poudre à pâte et la farine.

Dans un autre bol, réduire le beurre et le sucre en une crème très légère.

Ajouter les ingrédients secs et le jus d'orange en alternant, le ⅓ à la fois.

Incorporer, en fouettant, le chocolat fondu. Ajouter les blancs d'œufs, en repliant. Graisser légèrement et fariner deux moules à gâteaux de 22 cm (*9 po*).

Faire cuire au four 20 à 25 minutes. Laisser refroidir 5 minutes. Renverser sur des grilles.

Couvrir d'un glaçage au chocolat.

Mousse au chocolat

Mousse au chocolat

4 portions

330 mL	(*1⅓ tasse*) chocolat mi-sucré
80 mL	(*⅓ tasse*) café noir
15 mL	(*1 c. à table*) beurre
30 mL	(*2 c. à table*) liqueur Triple Sec
4	œufs
310 mL	(*1¼ tasse*) crème à fouetter

Faire fondre le chocolat au bain-marie. Ajouter le café. Retirer du feu. Incorporer le beurre et le Triple Sec.

Séparer les œufs. Ajouter les jaunes d'œufs au mélange, un à la fois, en les mélangeant au chocolat chaud.

Fouetter les blancs d'œufs en neige ferme et ajouter au mélange de chocolat en repliant.

Verser dans des coupes.

Fouetter la crème et en garnir chaque portion.

Bouchées au chocolat et aux noix

24 à 30 bouchées

450 g	(*1 lb*) chocolat sucré
60 g	(*2 oz*) beurre, fondu
125 mL	(*1/2 tasse*) noix d'acajou, en morceaux
125 mL	(*1/2 tasse*) pacanes, en morceaux
125 mL	(*1/2 tasse*) noix de Grenoble, en morceaux
125 mL	(*1/2 tasse*) arachides, non salées

Au bain-marie, faire fondre le chocolat.

Ajouter le beurre et mélanger jusqu'à ce qu'il soit fondu. Incorporer les noix.

Laisser tomber par cuillerées sur une plaque à biscuits tapissée de papier ciré.

Faire durcir au réfrigérateur.

Fraises au chocolat à l'orange

Fraises au chocolat à l'orange

20 fraises

90 g	(*3 oz*) chocolat mi-sucré
15 mL	(*1 c. à table*) beurre, fondu
10 mL	(*2 c. à thé*) liqueur Triple Sec
20	fraises moyennes, avec les queues

Au bain-marie, faire fondre le chocolat.

Retirer du feu. Incorporer le beurre et le Triple Sec.

Laver et assécher les fraises.

Les tremper dans le chocolat aux ¾. Disposer sur une plaque à biscuits tapissée de papier ciré.

Mettre au réfrigérateur. Les fruits doivent être consommés le même jour.

Pralines au chocolat

12 à 16 pralines

375 mL	(*1 1/2 tasse*)	cassonade foncée, bien tassée
180 mL	(*3/4 tasse*)	crème épaisse
60 mL	(*1/4 tasse*)	beurre
115 g	(*4 oz*)	chocolat, mi-sucré
250 mL	(*1 tasse*)	pacanes, en morceaux

Dans une casserole à fond épais, mélanger le sucre et la crème. Faire chauffer à 115°C (*240°F*) au thermomètre à sirop, en remuant continuellement.

Retirer du feu. Incorporer le beurre et le chocolat. Laisser refroidir à 43°C (*110°F*).

Ajouter les pacanes et mélanger.

Laisser tomber par cuillerées sur une plaque à biscuits légèrement graissée.

Laisser refroidir et durcir.

Quatre-quarts au chocolat

8 à 10 portions

125 mL	(*1/2 tasse*)	beurre
250 mL	(*1 tasse*)	shortening
500 mL	(*2 tasses*)	sucre
6		œufs
15 mL	(*1 c. à table*)	extrait de vanille
15 mL	(*1 c. à table*)	jus d'orange
15 mL	(*1 c. à table*)	jus de citron
500 mL	(*2 tasses*)	farine
250 mL	(*1 tasse*)	confiture d'abricots
280 g	(*10 oz*)	chocolat mi-sucré
30 mL	(*2 c. à table*)	beurre, fondu

Préchauffer le four à 160°C (*325°F*).

Réduire en crème le beurre, le shortening et le sucre jusqu'à consistance légère et mousseuse.

Incorporer en fouettant les œufs, un à la fois. Ajouter la vanille, les jus et la farine. Bien mélanger.

Verser dans un moule à pain de 28 x 18 cm (*11 x 7 po*) légèrement graissé.

Faire cuire au four 55 à 60 minutes. Sortir du four et laisser refroidir 5 minutes.

Démouler sur une grille. Laisser refroidir.

Faire chauffer la confiture dans une petite casserole. Réduire en une pâte lisse.

Faire fondre le chocolat et le beurre au bain-marie.

Badigeonner le gâteau refroidi de confiture. Verser le chocolat sur le gâteau.

Faire durcir au réfrigérateur.

Tarte au chocolat

8 portions

375 mL	(*1 1/2 tasse*)	gaufrettes au chocolat, écrasées
60 mL	(*1/4 tasse*)	sucre
90 mL	(*6 c. à table*)	beurre, fondu
150 g	(*5 oz*)	chocolat, mi-sucré
60 mL	(*1/4 tasse*)	crème épaisse
4		œufs, séparés et à température ambiante
5 mL	(*1 c. à thé*)	extrait de vanille

Préchauffer le four à 180°C (*350°F*).

Mélanger les gaufrettes avec 30 mL (*2 c. à table*) de sucre et le beurre fondu.

Presser dans un moule à tarte de 22 cm (*9 po*). Faire cuire au four 6 minutes, sur la grille du milieu. Sortir du four et laisser refroidir.

Au bain-marie, faire fondre le chocolat avec la crème.

Ajouter le reste de sucre et mélanger jusqu'à consistance lisse. Laisser refroidir.

Ajouter au mélange refroidi, en repliant, un jaune d'œuf à la fois. Bien mélanger après chaque addition. Ajouter la vanille.

Fouetter les blancs d'œufs en neige ferme. Incorporer les blancs d'œufs en repliant avec précaution.

Verser dans l'abaisse de tarte refroidie. Mettre au réfrigérateur 4 heures.

Tarte au chocolat

Pouding au riz

6 portions

375 mL	(*1½ tasse*) sucre
500 mL	(*2 tasses*) lait
5 mL	(*1 c. à thé*) extrait de vanille
500 mL	(*2 tasses*) crème épaisse
375 mL	(*1½ tasse*) riz, non étuvé
250 mL	(*1 tasse*) raisins secs
10 mL	(*2 c. à thé*) cannelle

Dissoudre le sucre dans le lait. Ajouter la vanille et la crème. Porter à ébullition.

Ajouter le riz. Couvrir et faire cuire à feu doux, environ 40 minutes.

Incorporer les raisins secs. Verser dans un moule peu profond.

Saupoudrer de cannelle et mettre au réfrigérateur.

Pouding au riz

Barres au chocolat Jennifer

12 à 16 barres

250 mL	(*1 tasse*) dattes, dénoyautées
125 mL	(*½ tasse*) raisins de Corinthe
125 mL	(*½ tasse*) arachides, non salées
250 mL	(*1 tasse*) beurre d'arachide, croquant
125 mL	(*½ tasse*) lait concentré, sucré
60 mL	(*¼ tasse*) sucre à glacer
225 g	(*8 oz*) chocolat, mi-sucré
30 mL	(*2 c. à table*) beurre, fondu

Hacher les dattes et les raisins secs. Incorporer les arachides, le beurre d'arachide, le lait et le sucre à glacer. Façonner en petits cigares.

Au bain-marie, faire fondre le chocolat et le beurre. Tremper les barres aux arachides dans le chocolat.

Disposer sur une plaque à biscuits tapissée d'un papier ciré. Mettre au réfrigérateur.

Soufflé au chocolat glacé

6 portions

45 mL	(*3 c. à table*) sucre
30 mL	(*2 c. à table*) gélatine, non aromatisée
115 g	(*4 oz*) chocolat, mi-sucré
1 mL	(*¼ c. à thé*) sel
6	blancs d'œufs
500 mL	(*2 tasses*) crème à fouetter
	copeaux de chocolat

Dans une casserole, mélanger le sucre et la gélatine. Ajouter le chocolat et faire fondre à feu doux.

Mélanger jusqu'à ce que le sucre soit bien fondu. Ajouter le sel et mélanger. Laisser refroidir.

Fouetter les blancs d'œufs en neige ferme. Fouetter la crème en mousse ferme. Ajouter les blancs d'œufs à la crème, en repliant.

Incorporer le mélange au chocolat en repliant. Verser dans un moule à soufflé de 2 L (*8 tasses*) ayant un col de papier d'aluminium de 15 cm (*6 po*).

Faire congeler 6 heures ou plus. Enlever le col de papier d'aluminium.

Garnir de copeaux de chocolat.

Zabaglione au chocolat

Zabaglione au chocolat

4 portions

6	jaunes d'œufs
125 mL	(*½ tasse*) sucre
60 g	(*2 oz*) chocolat mi-sucré
80 mL	(*⅓ tasse*) sherry
45 mL	(*3 c. à table*) crème épaisse

Au bain-marie, à feu doux, battre les jaunes d'œufs dans le sucre jusqu'à consistance mousseuse.

Faire fondre le chocolat dans un autre bain-marie. Ajouter le sherry et la crème.

Verser lentement le mélange au chocolat dans les œufs.

Fouetter continuellement jusqu'à ce que le mélange épaississe. Verser dans des coupes à dessert.

Servir chaud avec des fruits frais.

Barres Nanaïmo

12 à 16 barres

Première couche

125 mL	(*½ tasse*)	beurre
60 mL	(*¼ tasse*)	sucre
60 mL	(*¼ tasse*)	cacao
1		œuf, battu
375 mL	(*1½ tasse*)	biscuits Graham, émiettés
250 mL	(*1 tasse*)	noix de coco, râpée
125 mL	(*½ tasse*)	noix de Grenoble

Au bain-marie, faire fondre le beurre, le sucre et le cacao. Ajouter l'œuf, en repliant. Mélanger jusqu'à épaississement, puis retirer immédiatement du feu. Ajouter le reste des ingrédients, en repliant. Presser dans un moule carré de 22 cm (*9 po*).

Deuxième couche

125 mL	(*½ tasse*)	beurre
45 mL	(*3 c. à table*)	crème épaisse
30 mL	(*2 c. à table*)	mélange de pouding à la vanille
500 mL	(*2 tasses*)	sucre à glacer

Réduire en crème le beurre, la crème et le mélange à pouding. Ajouter le sucre en repliant. Battre jusqu'à consistance très légère. Verser sur la croûte à biscuits.

Troisième couche

250 mL	(*1 tasse*)	chocolat mi-sucré
15 mL	(*1 c. à table*)	beurre

Au bain-marie, faire fondre le chocolat. Ajouter le beurre en repliant. Laisser refroidir. Verser dans le moule, sur la deuxième couche. Mettre au réfrigérateur 2 heures. Découper et servir.

1 Préparer la croûte du biscuit et la presser dans un moule.

2 Verser le pouding sur la croûte à biscuit.

3 Faire fondre le chocolat au bain-marie, laisser refroidir et l'étaler sur la deuxième couche.

4 Mettre au réfrigérateur 2 heures; découper et servir.

Crème bavaroise au chocolat

8 portions

90 g	*(3 oz)* chocolat, mi-sucré
310 mL	*(1¼ tasse)* crème moitié-moitié
2	œufs, blancs et jaunes séparés
20 mL	*(4 c. à thé)* gélatine, non aromatisée
30 mL	*(2 c. à table)* sucre
250 mL	*(1 tasse)* crème à fouetter

Au bain-marie, faire fondre le chocolat. Dans un petit bol, mélanger la crème moitié-moitié avec les jaunes d'œufs. Ajouter le chocolat fondu.

Dans une casserole, mélanger la gélatine et le sucre. Mélanger jusqu'à un léger épaississement. Ajouter le mélange au chocolat. Faire refroidir au réfrigérateur sans laisser prendre.

Battre les blancs d'œufs en neige ferme. Fouetter la crème en mousse ferme. Ajouter les blancs d'œufs à la crème fouettée en repliant. Incorporer le mélange au chocolat en repliant avec précaution. Verser dans un moule de 1,5 L *(6 tasses)*. Mettre au réfrigérateur 3 heures. Démouler. Servir avec une sauce au fudge au chocolat.

Sauce au fudge au chocolat

250 mL (1 tasse)

125 mL	*(½ tasse)* sucre
22 mL	*(1½ c. à table)* cacao en poudre
80 mL	*(⅓ tasse)* eau

Sauce au fudge au chocolat

15 mL	*(1 c. à table)* beurre
3 mL	*(½ c. à thé)* extrait de vanille

Mélanger le sucre, le cacao et l'eau. Faire chauffer au stade de boule molle, soit à 120°C *(250°F)* au thermomètre à sirop. Incorporer le beurre et la vanille. Servir avec un dessert au choix.

Glaçage au beurre au chocolat

625 mL (2½ tasses)

90 g	*(3 oz)* chocolat, non sucré

60 mL	*(¼ tasse)* beurre
500 mL	*(2 tasses)* sucre à glacer
3 mL	*(½ c. à thé)* extrait de vanille

Faire fondre le chocolat au bain-marie.

Réduire en crème le beurre et 250 mL *(1 tasse)* de sucre.

Ajouter la vanille et le chocolat fondu. Incorporer le reste de sucre.

Si le glaçage est trop épais, le liquéfier avec un peu de lait jusqu'à consistance désirée.

Servir avec un dessert au choix.

Pouding aux pommes et aux pacanes

8 portions

250 mL	(*1 tasse*)	farine
5 mL	(*1 c. à thé*)	poudre à pâte
5 mL	(*1 c. à thé*)	cannelle
1 mL	(*¼ c. à thé*)	piment de la Jamaïque
1 mL	(*¼ c. à thé*)	macis
1 mL	(*¼ c. à thé*)	sel
60 mL	(*¼ tasse*)	beurre, ramolli
250 mL	(*1 tasse*)	sucre
1		œuf
500 mL	(*2 tasses*)	pommes, pelées, vidées et en dés
125 mL	(*½ tasse*)	pacanes, en morceaux

Préchauffer le four à 180°C (*350°F*).

Tamiser la farine, la poudre à pâte, la cannelle, le piment de la Jamaïque, le macis et le sel.

Dans un grand bol, réduire le beurre et le sucre en crème. Ajouter l'œuf. Incorporer lentement la farine, en fouettant. Ajouter les pommes et les pacanes.

Mélanger et verser dans un moule à gâteau carré de 22 cm (*9 po*). Faire cuire 40 à 45 minutes.

Servir avec un coulis aux framboises chaud (voir *Sauces*).

Beignets aux pommes

8 portions

250 mL	(*1 tasse*)	farine
10 mL	(*2 c. à thé*)	poudre à pâte
5 mL	(*1 c. à thé*)	sel
60 mL	(*¼ tasse*)	sucre
1 mL	(*¼ c. à thé*)	cannelle
125 mL	(*½ tasse*)	lait
1		œuf
10 mL	(*2 c. à thé*)	extrait de vanille
15 mL	(*1 c. à table*)	beurre, fondu
250 mL	(*1 tasse*)	pommes, en dés
1 L	(*4 tasses*)	huile
60 mL	(*¼ tasse*)	sucre à la cannelle*

Tamiser la farine, la poudre à pâte, le sel, le sucre et la cannelle.

Mélanger le lait, l'œuf, la vanille et le beurre. Incorporer au mélange de farine. Ajouter les pommes et mélanger.

Faire chauffer l'huile à 190°C (*375°F*). Laisser tomber des cuillerées de pâte à beignets dans l'huile. Laisser frire jusqu'à ce que le beignet soit doré de tous côtés.

Mettre sur un égouttoir. Saupoudrer chaud de sucre à la cannelle.

* Pour faire le sucre à la cannelle, mélanger 60 mL (¼ tasse) de sucre et 10 mL (2 c. à thé) de cannelle.

Flan aux pommes

8 portions

250 mL	(*1 tasse*)	farine, tamisée
125 mL	(*½ tasse*)	beurre, ramolli
15 mL	(*1 c. à table*)	sucre
3 mL	(*½ c. à thé*)	zeste de citron, râpé
1		pincée de sel
1		jaune d'œuf
15 mL	(*1 c. à table*)	eau glacée
250 mL	(*1 tasse*)	sucre
5 mL	(*1 c. à thé*)	cannelle
1 L	(*4 tasses*)	pommes, pelées et tranchées
125 mL	(*½ tasse*)	beurre, fondu

Tamiser la farine dans un bol. Incorporer le beurre ramolli en le coupant. Ajouter 15 mL (*1 c. à table*) de sucre, le zeste de citron, le sel et le jaune d'œuf.

Mélanger les ingrédients en une pâte en utilisant toute l'eau qui est nécessaire.

Façonner la pâte en une boule. Envelopper dans une pellicule de plastique et faire refroidir 1 heure.

Abaisser la pâte sur une surface farinée à environ 5 cm (*2 po*) de plus large que le moule à flan. Mettre dans le moule à flan. Presser contre les côtés et le fond.

Mettre au réfrigérateur 2 heures avant de l'utiliser.

Préchauffer le four à 200°C (*400°F*).

Mélanger 250 mL (*1 tasse*) de sucre avec la cannelle. En saupoudrer les pommes. Ajouter le beurre fondu et mélanger. Mettre les pommes dans le moule à flan préparé. Faire cuire au four 40 minutes.

Pizza aux pommes

Pizza aux pommes

	8 portions
¹/₂	recette de pâte à pizza (voir *Pains*)
1,5 L	(*6 tasses*) pommes, tranchées
30 mL	(*2 c. à table*) jus de citron
125 mL	(*¹/₂ tasse*) cassonade
6 mL	(*1¹/₄ c. à thé*) cannelle
60 mL	(*¹/₄ tasse*) beurre
125 mL	(*¹/₂ tasse*) chapelure
250 mL	(*1 tasse*) fromage cheddar, râpé
250 mL	(*1 tasse*) fromage mozzarella, râpé

Préchauffer le four à 230°C (*450°F*).

Faire la pâte à pizza selon les indications de la recette. Arroser les pommes de jus de citron.

Abaisser la pâte en un cercle de 37 cm (*15 po*) de diamètre et la mettre sur une plaque à biscuits graissée ou sur une tôle à pizza.

Disposer les pommes sur la pâte. Saupoudrer de sucre et de cannelle.

Couper le beurre dans la chapelure. Verser sur les pommes. Parsemer de fromage.

Faire cuire au four 20 minutes ou jusqu'à brun doré. Servir chaud.

Beignets à la banane

8 portions

2	œufs
45 mL	(*3 c. à table*) sucre
3 mL	(*1/2 c. à thé*) poudre à pâte
180 mL	(*3/4 tasse*) farine
4	bananes, mûres et écrasées
500 mL	(*2 tasses*) huile
5 mL	(*1 c. à thé*) cannelle
45 mL	(*3 c. à table*) sucre

Battre les œufs.

Tamiser 45 mL (*3 c. à table*) de sucre, la poudre à pâte et la farine. Mélanger aux œufs. Incorporer les bananes. Bien mélanger.

Faire chauffer l'huile à 180°C (*350°F*). Laisser tomber la pâte dans l'huile chaude par cuillerées. Faire cuire jusqu'à ce que les beignets soient brun doré.

Mélanger la cannelle et 45 mL (*3 c. à table*) de sucre et en saupoudrer les beignets.

Salade de pêches et de poires

6 portions

6	pêches Clingstone
6	poires rouges Bartlett
30 mL	(*2 c. à table*) jus de citron
180 mL	(*3/4 tasse*) sucre
500 mL	(*2 tasses*) eau
3 mL	(*1/2 c. à thé*) cannelle
125 mL	(*1/2 tasse*) gelée de groseille rouge
6	feuilles de laitue romaine

Peler et trancher les pêches. Vider et trancher les poires. Mettre les pêches et les poires dans un bol. Arroser de jus de citron. Faire refroidir.

Dans une casserole, faire dissoudre le sucre dans l'eau. Ajouter la cannelle et la gelée. Porter à ébullition, diminuer le feu et laisser mijoter jusqu'à ce qu'il ne reste que le tiers de la sauce. Laisser refroidir.

Verser la sauce sur les fruits. Disposer les fruits sur les feuilles de laitue et servir.

Cerises jubilée

6 portions

2	boîtes de 284 mL (*10 oz*) de cerises
60 mL	(*1/4 tasse*) cherry-brandy
30 mL	(*2 c. à table*) fécule de maïs
	crème glacée à la vanille

Égoutter les cerises, réserver le jus.

Faire chauffer les cerises dans une casserole. Les faire flamber au cherry-brandy.

Mélanger la fécule de maïs et 375 mL (*1 1/2 tasse*) de jus réservé. Mélanger aux cerises. Laisser mijoter jusqu'à épaississement.

Diviser en 6 et disposer sur une boule de crème glacée. Servir immédiatement.

Cerises jubilée et Salade de pêches et de poires

Pommes séchées

10 mL	(*2 c. à thé*) sel
2 L	(*8 tasses*) eau
30 mL	(*2 c. à table*) jus de citron
12	pommes

Mélanger le sel, l'eau et le jus de citron.

Peler et vider les pommes. Couper en rondelles.

Les mettre dans l'eau dès qu'elles sont coupées pour éviter qu'elles ne noircissent.

Sortir de l'eau et assécher. Disposer sur des plateaux en couches simples.

Mettre au four à 50°C (*120°F*) 5½ à 6 heures.

Emballer dans des contenants tapissés de papier ciré. Garder dans un endroit sec.

Note : suivre les mêmes indications pour les poires.

Pour réhydrater les fruits, les tremper 24 à 36 heures dans de l'eau sucrée. Amener doucement à ébullition, puis réduire le feu et laisser mijoter jusqu'à tendres.

Plum-pudding de Noël

8 portions

250 mL	(*1 tasse*) farine, tamisée
5 mL	(*1 c. à thé*) poudre à pâte
3 mL	(*½ c. à thé*) sel
1 mL	(*¼ c. à thé*) muscade
1 mL	(*¼ c. à thé*) piment de la Jamaïque
3 mL	(*½ c. à thé*) cannelle
125 mL	(*½ tasse*) beurre
375 mL	(*1½ tasse*) cassonade, bien tassée
2	œufs
5 mL	(*1 c. à thé*) essence de rhum
250 mL	(*1 tasse*) fruits confits mélangés
250 mL	(*1 tasse*) pommes, pelées, vidées et en dés
250 mL	(*1 tasse*) raisins secs
250 mL	(*1 tasse*) amandes, effilées et grillées
250 mL	(*1 tasse*) chapelure

Tamiser la farine, la poudre à pâte, le sel et les épices. Réserver.

Dans un bol, réduire en crème le beurre et le sucre jusqu'à consistance légère. Ajouter les œufs, un à la fois, en mélangeant bien après chaque addition. Ajouter l'essence de rhum. Incorporer les fruits confits, les pommes, les raisins secs et les amandes. Joindre la farine au mélange, puis la chapelure.

Verser dans un bol ou un moule de 1,5 L (*6 tasses*) bien graissé. Couvrir d'un papier ciré graissé. Replier le papier autour du bol et fixer à l'aide d'une ficelle.

Mettre le bol dans un bain d'eau bouillante sur la cuisinière. Laisser cuire à la vapeur 3 heures. Servir chaud avec une sauce au caramel et au rhum.

Confiture d'abricots et de cerises

2 L (8 tasses)

115 g	(*¼ lb*) abricots, séchés
1 L	(*4 tasses*) cerises Bing, en moitiés et dénoyautées
875 mL	(*3½ tasses*) sucre
5 mL	(*1 c. à thé*) zeste de citron, râpé
500 mL	(*2 tasses*) eau

Hacher les abricots. Les mélanger aux cerises. Saupoudrer de sucre; parsemer de zeste de citron et ajouter l'eau.

Mettre dans une grosse casserole. Porter lentement à ébullition. Laisser bouillir 20 minutes.

Verser dans des bocaux stérilisés. Fermer hermétiquement.

Fraises Romanoff

Fraises Romanoff

6 portions

60 mL	(¼ *tasse*) brandy à l'orange
60 mL	(¼ *tasse*) jus d'orange
30 mL	(2 *c. à table*) liqueur Triple Sec
450 g	(1 *lb*) fraises, lavées
125 mL	(½ *tasse*) crème à fouetter
20 mL	(4 *c. à thé*) sucre à glacer

Dans un petit bol, mélanger le brandy, le jus et le Triple Sec.

Couper les fraises en deux. Mettre dans le liquide. Laisser tremper 2 heures.

Fouetter la crème et le sucre à glacer.

Disposer les fraises dans des coupes à dessert.

Couvrir de crème fouettée.

Poires pochées Dianna

10 portions

1 L	(*4 tasses*) eau
375 mL	(*1½ tasse*) sucre
10 mL	(*2 c. à thé*) vanille
10	poires, pelées

Sauce Dianna

125 mL	(*½ tasse*) sucre
142 g	(*5 oz*) chocolat mi-sucré
60 mL	(*¼ tasse*) fromage bleu, émietté
1	paquet de fromage à la crème de 125 g (*4 oz*), à température ambiante
45 mL	(*3 c. à table*) liqueur à la crème irlandaise
	crème glacée à la vanille

Mélanger l'eau, le sucre et la vanille dans une grosse casserole ou dans une cocotte. Faire chauffer jusqu'à faible ébullition. Peler les poires, les vider avec une cuillère à melon et découper une fine tranche à la base de chacune pour qu'elles se tiennent droite. Plonger les poires dans le liquide qui mijote, en une simple couche et en ajoutant de l'eau si nécessaire pour recouvrir toutes les poires. Faire cuire jusqu'à ce que les poires soient tendres lorsqu'on les perce avec un couteau, soit environ 20 minutes. Égoutter et réserver 250 mL (*1 tasse*) du liquide de cuisson.

Sauce : mélanger le liquide de cuisson réservé, le sucre et le chocolat, à feu doux. Lorsque le chocolat est fondu et que le mélange est lisse et très chaud, incorporer les fromages et la liqueur. Fouetter pour bien mélanger; laisser refroidir. (Le mélange épaissira légèrement en refroidissant.) Disposer les poires sur des assiettes individuelles avec une boule de crème glacée. Arroser de sauce.

Peler les poires et découper une fine tranche à la base de chacune.

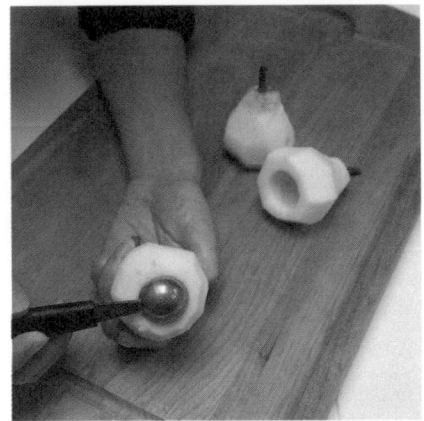

Vider les poires avec une cuillère à melon.

Plongez les poires dans le liquide qui mijote, en une simple couche, en ajoutant de l'eau si nécessaire pour recouvrir toutes les poires.

Pour préparer la sauce, faire fondre le mélange au chocolat jusqu'à ce qu'il soit lisse et très chaud, puis incorporer les fromages et la liqueur.

Poires pochées Dianna

Fraises au poivre

6 portions

45 mL	(*3 c. à table*)	beurre
45 mL	(*3 c. à table*)	cassonade
1 L	(*4 tasses*)	fraises, fraîches, tranchées
60 mL	(*¼ tasse*)	schnaps aux fraises
3 mL	(*½ c. à thé*)	poivre, fraîchement moulu
1 L	(*4 tasses*)	crème glacée à la vanille

Dans une poêle, faire chauffer le beurre et y faire caraméliser le sucre en prenant soin de ne pas le laisser brûler.

Ajouter les fraises et faire chauffer.

Ajouter le schnaps et flamber. Saupoudrer de poivre frais.

Déposer sur la crème glacée. Servir immédiatement.

Salade de melon

Salade de melon

6 à 8 portions

1		cantaloup
1		melon miel
1		melon brodé
250 mL	(*1 tasse*)	porto
15 mL	(*1 c. à table*)	poivre noir

Couper les melons et enlever les pépins. Avec une cuillère à melon, découper des petites boules.

Arroser de porto. Parsemer de poivre. Mélanger.

Mettre au réfrigérateur plusieurs heures. Servir.

Flip aux bananes et aux cerises

6 portions

90 g	(*3 oz*) gélatine à la cerise
500 mL	(*2 tasses*) eau bouillante
500 mL	(*2 tasses*) cerises, en conserve, égouttées
3	bananes, écrasées
60 mL	(*¼ tasse*) sucre à glacer
375 mL	(*1½ tasse*) crème à fouetter, fouettée

Mélanger la gélatine dans l'eau. Laisser refroidir jusqu'à ce qu'elle soit à moitié prise.

Incorporer les bananes et les cerises. Laiser refroidir jusqu'à ce qu'elle soit prise.

Mélanger le sucre à la crème fouettée.

Incorporer en repliant à la gélatine. Servir.

Pêches au Cointreau

Pêches au Cointreau

4 portions

4	pêches
60 mL	(*¼ tasse*) jus de citron
60 mL	(*¼ tasse*) sucre
180 mL	(*¾ tasse*) eau
8	clous de girofle
1	bâton de cannelle
60 mL	(*¼ tasse*) Cointreau

Préchauffer le four à 120°C (*250°F*).

Mettre les pêches dans un grand bol. Verser l'eau bouillante dessus. Laisser reposer 2 minutes. Peler.

Arroser ou frotter avec le jus de citron.

Dissoudre le sucre dans l'eau. Ajouter les clous de girofle, le bâton de cannelle et le Cointreau. Porter à ébullition.

Mettre les pêches dans une casserole. Verser le liquide sur les pêches. Faire cuire au four 20 minutes.

Sortir du four et servir ou enlever la cannelle et les clous de girofle et mettre au réfrigérateur avant de servir.

Confiture de cerises; Confiture de pêches; Gelée de raisin

Confiture de pêches

2 L (*8 tasses*)

16	pêches
30 mL	(*2 c. à table*) jus de citron
1,2 L	(*5 tasses*) sucre

Faire bouillir les pêches quelques-unes à la fois pendant 1 minute. Les peler. Les dénoyauter et les hacher. Arroser de jus de citron. Mélanger les pêches en morceaux avec le sucre. Porter à ébullition et écraser. Écumer. Laisser mijoter 25 minutes. Verser dans des bocaux stérilisés. Fermer hermétiquement.

Confiture de cerises

2 L (*8 tasses*)

1,5 L	(*6 tasses*) cerises, dénoyautées et coupées en deux
750 mL	(*3 tasses*) sucre
15 mL	(*1 c. à table*) jus de citron

Dans une grande casserole, écraser les cerises.

Ajouter le sucre et le jus de citron. Porter à ébullition. Laisser mijoter 30 minutes.

Verser dans des bocaux stérilisés. Fermer hermétiquement.

Gelée de raisin

2 L (*8 tasses*)

3 L	(*12 tasses*) raisins (rouges, bleus, verts)
180 mL	(¾ *tasse*) eau
500 mL	(*2 tasses*) sucre, fin

Dans une grande casserole, mettre les raisins dans l'eau. Porter à ébullition. Écraser les raisins pendant la cuisson. Laisser au réfrigérateur toute la nuit. Égoutter dans une passoire, puis dans une gaze. Mélanger 2 L (*8 tasses*) de jus au sucre. Porter à ébullition et laisser mijoter 40 minutes. Verser dans des bocaux stérilisés. Fermer hermétiquement.

Marmelade de pêches et de mandarines

2 L (8 tasses)

12	pêches
125 mL	(*½ tasse*) jus de citron
6	mandarines
875 mL	(*3½ tasses*) sucre

Peler et dénoyauter les pêches. Les couper en tranches. Les faire mariner dans le jus de citron.

Peler les mandarines. Enlever la membrane blanche. Couper le zeste en julienne.

Écraser les mandarines et les mélanger aux pêches.

Ajouter le sucre. Mettre dans une casserole et porter à ébullition à feu doux. Laisser mijoter 20 minutes.

Retirer du feu et mélanger.

Verser dans des bocaux stérilisés. Fermer hermétiquement.

Marmelade de pêches et de mandarines

Confiture de fraises

2 L (8 tasses)

1 L	(*4 tasses*) sucre, fin
2 L	(*8 tasses*) fraises, lavées et équeutées
30 mL	(*2 c. à table*) jus de citron

Dans une grande casserole, mélanger le sucre, les fraises et le jus de citron. Écraser avec un pilon à pommes de terre.

Mettre sur le feu et porter à ébullition.

Écumer. (La mousse contient les impuretés).

Porter à ébullition 30 à 35 minutes.

Verser dans des bocaux stérilisés. Bien nettoyer l'extérieur des bocaux et fermer hermétiquement.

Pommes confites

8 portions

500 mL	(*2 tasses*)	sucre
160 mL	(*²/₃ tasse*)	eau
60 mL	(*¹/₄ tasse*)	beurre
45 mL	(*3 c. à table*)	sirop de maïs
1 mL	(*¹/₄ c. à thé*)	colorant alimentaire rouge
8		pommes

Mettre le sucre et l'eau dans une grande casserole. Faire chauffer jusqu'à dissolution du sucre.

Ajouter le beurre, le sirop de maïs et le colorant alimentaire. Porter à 148°C (*300°F*) au thermomètre à sirop.

Mettre la casserole dans une autre casserole remplie d'eau bouillante (*bain-marie*).

Enfiler les pommes sur des bâtonnets. Les tremper dans le sucre candi.

Disposer sur une plaque à biscuits tapissée de papier ciré. Laisser durcir. Servir.

Pommes confites

Croustillant aux pommes

6 portions

6		grosses pommes, en tranches
15 mL	(*1 c. à table*)	jus de citron
125 mL	(*¹/₂ tasse*)	sucre
125 mL	(*¹/₂ tasse*)	biscuits Graham, émiettés
125 mL	(*¹/₂ tasse*)	noix d'acajou, en morceaux
5 mL	(*1 c. à thé*)	cannelle
30 mL	(*2 c. à table*)	beurre
80 mL	(*¹/₃ tasse*)	crème épaisse

Préchauffer le four à 180°C (*350°F*).

Trancher les pommes et les arroser de jus de citron pour éviter qu'elles ne noircissent. Mettre dans un moule à tarte de 23 cm (*9 po*) de diamètre.

Combiner le sucre, les biscuits Graham, les noix et la cannelle. Verser sur les pommes. Parsemer de noisettes de beurre.

Faire cuire au four 25 à 30 minutes. Servir chaud avec 15 mL (*1 c. à table*) de crème sur chaque portion.

Crème brûlée

Crème brûlée

6 à 8 portions

8	jaunes d'œufs
60 mL	(¼ tasse) sucre
20 mL	(4 c. à thé) fécule de maïs
1 L	(4 tasses) crème épaisse
3 mL	(½ c. à thé) cannelle
5 mL	(1 c. à thé) vanille
5 mL	(1 c. à thé) zeste de citron, râpé
500 mL	(2 tasses) cassonade, bien tassée

Dans une casserole, à feu doux, combiner les jaunes d'œufs, le sucre et la fécule de maïs jusqu'à consistance crémeuse. Incorporer lentement la crème. Ajouter la cannelle, la vanille et le zeste de citron. Laisser mijoter 10 minutes, en mélangeant continuellement.

Verser dans des moules; laisser prendre au réfrigérateur.

Faire caraméliser la cassonade.

Démouler la crème sur des plats de service. Napper de caramel et servir immédiatement.

Crème au caramel

6 portions

250 mL	(*1 tasse*)	lait
250 mL	(*1 tasse*)	crème épaisse
60 mL	(*¼ tasse*)	sucre
60 mL	(*¼ tasse*)	miel
4		jaunes d'œufs
4 mL	(*¾ c. à thé*)	extrait de vanille
1		pincée de sel

Préchauffer le four à 180°C (*350°F*).

Au bain-marie, faire chauffer le lait et la crème sans les laisser bouillir.

Dans une grande casserole, faire caraméliser* le sucre et le miel.

Ajouter le lait chaud. Laisser mijoter jusqu'à ce que le caramel soit bien homogène.

Dans un bol, fouetter les jaunes d'œufs. Incorporer lentement à la crème, un peu à la fois. Ajouter la vanille et le sel.

Verser le mélange dans des moules. Déposer les moules dans un bain d'eau et les couvrir d'un papier d'aluminium. Faire cuire au four 1 heure.

Démouler et servir.

Fudge au chocolat et aux noix

12 à 16 carrés

225 g	(*8 oz*)	chocolat, non sucré
750 mL	(*3 tasses*)	sucre
180 mL	(*¾ tasse*)	lait concentré, sucré
125 mL	(*½ tasse*)	sirop de maïs
45 mL	(*3 c. à table*)	cacao, en poudre
60 mL	(*¼ tasse*)	beurre
250 mL	(*1 tasse*)	noix de Grenoble, en morceaux

Au bain-marie, faire fondre le chocolat.

Dans une casserole à fond épais, mélanger le sucre, le lait, le sirop de maïs et le cacao.

Augmenter la température jusqu'à 114°C (*238°F*) au thermomètre à sirop. Faire cuire 5 minutes.

Retirer du feu et laisser refroidir jusqu'à 43°C (*110°F*). Incorporer le chocolat fondu, le beurre et les noix.

Verser dans un moule à gâteau carré de 20 cm (*8 po*), légèrement graissé.

Laisser refroidir complètement. Découper en carrés.

Pommes de terre candis de grand-mère

4 douzaines

250 mL	(*1 tasse*)	pommes de terre tièdes, en purée, non assaisonnées
3 mL	(*½ c. à thé*)	sel
15 mL	(*1 c. à table*)	vanille
2 L	(*8 tasses*)	sucre à glacer

Combiner les pommes de terre, le sel et la vanille.

Tamiser 250 mL (*1 tasse*) de sucre à la fois dans le mélange. Battre après chaque addition.

Bien pétrir. Façonner en petites boules.

Tremper les boules dans du chocolat fondu, si désiré.

* Caraméliser veut dire faire fondre le sucre jusqu'à brun doré.

Fudge au chocolat et aux noix et Pommes de terre candis de grand-mère

Rêve tropical

8 portions

15 mL	(*1 c. à table*) gélatine, non aromatisée
80 mL	(*1/3 tasse*) eau froide
250 mL	(*1 tasse*) pulpe de mangues*
250 mL	(*1 tasse*) pulpe de papayes*
125 mL	(*1/2 tasse*) sucre
30 mL	(*2 c. à table*) jus de citron
250 mL	(*1 tasse*) crème à fouetter

Faire ramollir la gélatine dans de l'eau froide.

Presser les mangues et les papayes à travers un tamis ou les passer au moulin. Incorporer le sucre et le jus de citron.

Faire chauffer la gélatine et l'eau dans une casserole. Ajouter les fruits. Porter à ébullition, laisser mijoter 2 minutes et retirer du feu.

Laisser refroidir sans que cela ne fige.

Fouetter la crème. Ajouter au mélange de fruits, en repliant. Verser dans des coupes à dessert ou des verres. Laisser refroidir 3 heures.

Servir avec de la crème fouettée ou garnir de fruits.

Il est possible de remplacer les fruits par d'autres, comme des kiwis, des fruits de la passion, des bananes, des caramboles, etc.

Biscuits au chocolat et aux amandes

12 à 18 biscuits

160 mL	(*2/3 tasse*) sucre
180 mL	(*3/4 tasse*) amandes blanchies, finement moulues
60 mL	(*1/4 tasse*) farine
1	œuf, légèrement battu
2	blancs d'œufs
60 mL	(*4 c. à table*) beurre, fondu
3 mL	(*1/2 c. à thé*) extrait de vanille blanche
15 mL	(*1 c. à table*) eau
115 g	(*4 oz*) chocolat, mi-sucré

Préchauffer le four à 230°C (*450°F*).

Mélanger le sucre, les amandes et la farine.

Ajouter l'œuf entier et les blancs d'œufs et bien mélanger. Incorporer le beurre, la vanille et l'eau.

Beurrer une plaque à biscuits. Avec une cuillère, y déposer 6 biscuits en les espaçant de 8 à 10 cm (*3 1/2 à 4 po*).

Faire cuire environ 5 minutes ou jusqu'à ce que le tour des biscuits soit doré.

Pendant qu'ils sont encore chauds, rouler les biscuits pour leur donner la forme d'un cigare. Laisser refoidir.

Faire fondre le chocolat au bain-marie. Tremper une des extrémités du biscuit dans le chocolat fondu. Laisser refroidir au réfrigérateur.

Crème à la vanille

8 portions

30 mL	(*2 c. à table*) farine
180 mL	(*3/4 tasse*) sucre
4	œufs
1 L	(*4 tasses*) lait chaud, mais non bouillant
10 mL	(*2 c. à thé*) extrait de vanille blanche

Tamiser la farine avec le sucre.

Au bain-marie, mélanger les œufs et ajouter le sucre. Incorporer lentement le lait chaud. Ajouter la vanille. Ne pas faire bouillir pour éviter les grumeaux.

Servir chaud ou froid avec des fruits ou dans un diplomate.

Streusel

8 portions

250 mL	(*1 tasse*) farine
125 mL	(*½ tasse*) cassonade
10 mL	(*2 c. à thé*) cannelle
125 mL	(*½ tasse*) beurre
1 kg	(*2¼ lb*) pommes, pelées, vidées et tranchées
60 mL	(*¼ tasse*) sucre
125 mL	(*½ tasse*) raisins secs
125 mL	(*½ tasse*) amandes, effilées et grillées
125 mL	(*½ tasse*) confiture d'abricots

Préchauffer le four à 200°C (*400°F*).

Tamiser la farine, la cassonade et la cannelle.

Incorporer le beurre en morceau jusqu'à obtenir une pâte grumeleuse.

Graisser légèrement un moule à gâteau de 20 x 10 cm (*8 x 4 po*).

Mélanger les pommes, le sucre, les raisins secs et les amandes. Disposer en une couche régulière dans une casserole. Parsemer de noisettes de confiture d'abricots.

Recouvrir du mélange de farine. Ne pas tasser.

Faire cuire 40 à 45 minutes ou jusqu'à brun doré.

Servir chaud avec de la crème anglaise chaude.

Streusel

Pâte à choux

24 choux ou 12 éclairs

250 mL	(*1 tasse*)	eau
60 mL	(*¼ tasse*)	beurre
1 mL	(*¼ c. à thé*)	sel
250 mL	(*1 tasse*)	farine, tamisée
4		œufs

Porter l'eau à ébullition. Ajouter le beurre et le sel. Incorporer la farine.

Faire cuire jusqu'à consistance d'une purée de pommes de terre.

Ajouter un œuf à la fois en battant bien après chaque addition. Utiliser au besoin.

Choux à la crème

24 choux à la crème

1		recette de pâte à choux
1		recette de crème à la vanille, cuite
125 mL	(*½ tasse*)	sucre à glacer

Préchauffer le four à 200°C (*400°F*).

Sur une plaque à biscuits légèrement graissée, laisser tomber 15 mL (*1 c. à table*) de pâte à choux, à 5 cm (*2 po*) de distance.

Faire cuire au four 25 minutes ou jusqu'à brun doré. Laisser refroidir.

Découper les choux en deux. Remplir de crème à la vanille. Saupoudrer de sucre à glacer.

Choux à la crème

Caramels à la cannelle

24 bonbons

330 mL	(*1⅓ tasse*)	miel
125 mL	(*½ tasse*)	beurre
375 mL	(*1½ tasse*)	crème épaisse
3 mL	(*½ c. à thé*)	cannelle, moulue

Mélanger tous les ingrédients dans une casserole.

Faire chauffer à 117°C (*244°F*) au thermomètre à sirop. Laisser cuire 2 minutes.

Verser dans un moule à gâteau de 20 cm (*8 po*), légèrement graissé. Laisser refroidir.

Découper en morceaux. Envelopper dans une pellicule de plastique.

Éclairs au chocolat

12 éclairs

1	recette de pâte à choux
170 g	(*6 oz*) chocolat, mi-sucré
30 mL	(*2 c. à table*) beurre, fondu
750 mL	(*3 tasses*) crème à fouetter, fouettée

Préchauffer le four à 200°C (*400°F*).

A l'aide d'une poche à pâtisserie, façonner la pâte à choux en bandes de 2,5 x 7 cm (*1 x 3 po*) sur une plaque à biscuits légèrement graissée.

Faire cuire 20 à 25 minutes ou jusqu'à brun doré. Laisser refroidir.

Au bain-marie, faire fondre le chocolat et ajouter le beurre.

Couper les éclairs en deux sur la longueur.

Farcir la base de l'éclair de crème fouettée.

Tremper la partie supérieure dans le chocolat, puis assembler.

Couper les éclairs en deux sur la longueur.

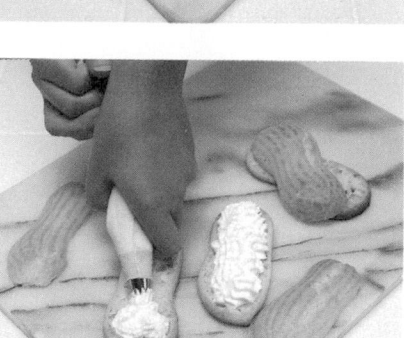
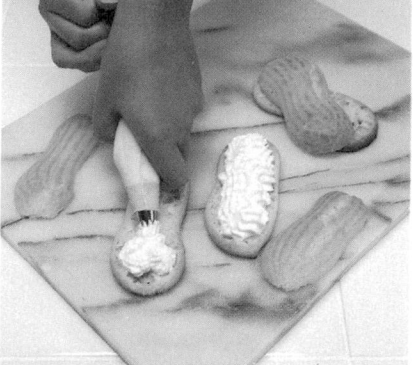

Farcir la base de l'éclair de crème fouettée.

Tremper la partie supérieure dans le chocolat.

4

Assembler.

Crème glacée à la banane et à la noix de coco

1,5 L (6 tasses)

1 L	(*4 tasses*) crème moitié-moitié
180 mL	(*¾ tasse*) sucre
4	bananes mûres
125 mL	(*½ tasse*) noix de coco, en flocons

Au bain-marie, faire chauffer la crème avec le sucre. Laisser refroidir.

Écraser les bananes et les mélanger avec la noix de coco. Ajouter à la crème refroidie.

Faire congeler selon le mode d'emploi de la sorbetière.

Crème glacée au café

1 L (4 tasses)

1 L	(*4 tasses*) crème moitié-moitié
45 mL	(*3 c. à table*) café instantané cristallisé
250 mL	(*1 tasse*) sucre
15 mL	(*1 c. à table*) extrait de vanille

Au bain-marie, faire chauffer la crème sans la laisser bouillir.

Ajouter le café, le sucre et la vanille. Laisser refroidir.

Faire congeler selon le mode d'emploi de la sorbetière.

Crème glacée des Tropiques

Crème glacée des Tropiques

1,5 L (6 tasses)

2	mangues
1	grosse papaye
4	fruits de la passion
60 mL	(*¼ tasse*) eau
1 L	(*4 tasses*) crème moitié-moitié
250 mL	(*1 tasse*) sucre
30 mL	(*2 c. à table*) jus de citron

Peler, puis trancher les mangues. Retirer la chair de la papaye à la cuillère et mélanger avec les mangues.

Détacher la chair des fruits de la passion (avec les pépins) et mélanger aux autres fruits.

Mettre les fruits dans une casserole, ajouter l'eau et faire cuire jusqu'à évaporation presque complète du liquide.

Ajouter la crème et le sucre.

Faire chauffer sans bouillir. Laisser refroidir puis ajouter le jus de citron.

Faire congeler selon le mode d'emploi de la sorbetière.

Crème glacée au chocolat

1,5 L (6 tasses)

250 mL	(*1 tasse*) sucre
1	pincée de sel
15 mL	(*1 c. à table*) cacao en poudre
60 mL	(*¼ tasse*) eau
60 g	(*2 oz*) chocolat non sucré
1 L	(*4 tasses*) crème moitié-moitié
5 mL	(*1 c. à thé*) extrait de vanille

Dissoudre le sucre, le sel et le cacao dans l'eau. Ajouter le chocolat et faire fondre au bain-marie. Ajouter lentement la crème moitié-moitié et laisser chauffer. Retirer du feu; laisser refroidir. Ajouter la vanille et faire congeler selon le mode d'emploi de la sorbetière.

Crème glacée surprise

1,5 L (6 tasses)

1	recette de crème glacée au chocolat
80 mL	(*⅓ tasse*) noix de Grenoble, hachées
80 mL	(*⅓ tasse*) pépites de chocolat
80 mL	(*⅓ tasse*) guimauves miniatures

Lorsque la crème glacée au chocolat est à moitié prise dans la sorbetière, ajouter les noix, les pépites de chocolat et les guimauves en repliant, puis laisser congeler.

Crème glacée surprise

Crème glacée à la vanille

1 L (4 tasses)

500 mL	(*2 tasses*) crème légère ou moitié-moitié
125 mL	(*½ tasse*) sucre
1	pincée de sel
4	jaunes d'œufs
10 mL	(*2 c. à thé*) extrait de vanille
250 mL	(*1 tasse*) crème épaisse

Combiner la crème légère, le sucre, le sel, les jaunes d'œufs et la vanille.

Faire cuire au bain-marie 25 à 30 minutes ou jusqu'à très épais. Laisser refroidir.

Incorporer la crème épaisse et faire congeler selon le mode d'emploi de la sorbetière.

Glace au citron

500 mL (2 tasses)

90 mL	*(6 c. à table)* sucre
250 mL	*(1 tasse)* eau
125 mL	*(1/2 tasse)* jus de citron

Combiner tous les ingrédients. Porter à ébullition; laisser bouillir 5 minutes.

Laisser refroidir et faire congeler dans une sorbetière selon le mode d'emploi ou verser le mélange dans un moule peu profond et mettre le moule au congélateur.

Mélanger une fois ou deux pendant la congélation. Lorsque la glace est à moitié prise, la réduire en purée avec le mélangeur, puis la remettre au congélateur et laisser prendre.

Glace à l'ananas

875 mL (3 1/2 tasses)

60 mL	*(1/4 tasse)* sucre
250 mL	*(1 tasse)* eau
500 mL	*(2 tasses)* jus d'ananas

Faire bouillir le sucre dans l'eau 5 minutes.

Ajouter le jus d'ananas et laisser bouillir 5 minutes. Faire refroidir.

Mettre dans une sorbetière et laisser prendre selon le mode d'emploi ou suivre les indications pour la glace au citron.

Glace au raisin

500 mL (2 tasses)

125 mL	*(1/2 tasse)* jus de raisin concentré
250 mL	*(1 tasse)* eau

Mélanger le jus de raisin et l'eau.

Faire congeler dans une sorbetière selon le mode d'emploi ou suivre les indications pour la glace au citron.

Sorbet à la lime

875 mL (3 1/2 tasses)

125 mL	*(1/2 tasse)* jus de lime
125 mL	*(1/2 tasse)* sucre
500 mL	*(2 tasses)* lait

Mélanger le jus de lime avec le sucre et laisser bouillir 2 minutes. Laisser refroidir.

Faire congeler dans une sorbetière, selon le mode d'emploi.

Sorbet aux framboises et à la mandarine

1,5 L (6 tasses)

375 mL	*(1 1/2 tasse)* jus de mandarine
375 mL	*(1 1/2 tasse)* jus de framboises
500 mL	*(2 tasses)* sucre
500 mL	*(2 tasses)* lait

Faire bouillir les jus avec le sucre, 7 minutes. Laisser refroidir.

Ajouter le lait et faire congeler dans une sorbetière, selon le mode d'emploi.

Glace au citron, glace au raisin et glace à l'ananas

Tourte aux amandes

2 tourtes de 22 cm (9 po)

Pâte

500 mL	*(2 tasses)*	farine à pâtisserie
10 mL	*(2 c. à thé)*	poudre à pâte
1 mL	*(¼ c. à thé)*	sel
125 mL	*(½ tasse)*	sucre
250 mL	*(1 tasse)*	beurre
1		œuf
5 mL	*(1 c. à thé)*	zeste de citron, râpé

Garniture

1 L	*(4 tasses)*	amandes, finement moulues
1 L	*(4 tasses)*	sucre à glacer
2		blancs d'œufs
125 mL	*(½ tasse)*	liqueur Amaretto
160 mL	*(⅔ tasse)*	confiture aux framboises

Pâte : tamiser les ingrédients secs dans un bol. Découper le beurre dans la farine et mélanger jusqu'à consistance grumeleuse. Fouetter l'œuf avec le zeste de citron. Incorporer à la pâte.

Diviser en deux parties égales. Abaisser sur une surface légèrement farinée, en deux cercles de 30 cm (*12 po*) de diamètre. Mettre dans 2 moules à tarte de 23 cm (*9 po*). Pincer les bords. Garder au réfrigérateur jusqu'à l'utilisation.

Préchauffer le four à 180°C (*350°F*).

Garniture : mélanger les amandes, le sucre, les blancs d'œufs et la liqueur.

Étaler la confiture de framboises dans chaque pâte à tarte.

Disposer le mélange aux amandes par-dessus. Couvrir les bords de papier d'aluminium. Faire cuire au four 55 à 60 minutes. Laisser refroidir au réfrigérateur avant de servir.

Meringue aux pêches

6 portions

1 L	*(4 tasses)*	pêches fraîches, en tranches
625 mL	*(2½ tasses)*	sucre
6		blancs d'œufs
3 mL	*(½ c. à thé)*	crème de tartre
5 mL	*(1 c. à thé)*	vanille blanche
5 mL	*(1 c. à thé)*	fécule de maïs

Préchauffer le four à 105°C (*225°F*).

Saupoudrer les pêches avec 125 mL (*½ tasse*) de sucre. Réserver.

Fouetter les blancs d'œufs et la crème de tartre en neige très ferme.

Ajouter le reste de sucre graduellement, en fouettant. Ajouter la vanille. Disposer cette meringue dans un moule à tarte de 23 cm (*9 po*) de diamètre, en lui donnant la forme d'une coquille. Faire cuire au four 15 à 20 minutes. Laisser refroidir et durcir.

Égoutter le liquide des pêches et réserver.

Verser les pêches sur le fond de meringue. Incorporer la fécule de maïs au jus de pêche réservé, en fouettant.

Faire chauffer dans une petite casserole jusqu'à épaississement. Verser sur les pêches et servir.

Tarte au fromage aux bleuets

8 portions

170 g	*(6 oz)*	fromage à la crème
2		œufs
30 mL	*(2 c. à table)*	crème épaisse
5 mL	*(1 c. à thé)*	zeste de citron, râpé
1 L	*(4 tasses)*	bleuets, frais ou surgelés
1		abaisse de pâte brisée (voir *Tarte aux pommes à l'ancienne*)
15 mL	*(1 c. à table)*	jus de citron
60 mL	*(¼ tasse)*	jus de pomme
250 mL	*(1 tasse)*	sucre
30 mL	*(2 c. à table)*	fécule de maïs

Préchauffer le four à 180°C (*350°F*).

Ramollir le fromage à la crème. Battre les œufs. Battre le fromage à la crème. Ajouter aux œufs. Ajouter la crème.

Incorporer en repliant 500 mL (*2 tasses*) de bleuets. Verser dans l'abaisse. Faire cuire au four 30 minutes. Sortir du four.

Dans une casserole, verser 500 mL (*2 tasses*) de bleuets, le jus de citron, le jus de pomme, le sucre et la fécule de maïs. Bien mélanger. Faire chauffer à feu doux jusqu'à épaississement.

Verser dans l'abaisse. Faire refroidir au réfrigérateur 3 heures.

Tarte aux pommes à l'ancienne

8 portions

Pâte

60 mL	(¼ *tasse*) eau
1	œuf
5 mL	(*1 c. à thé*) vinaigre
500 mL	(*2 tasses*) farine tout usage
60 mL	(¼ *tasse*) beurre, froid
60 mL	(¼ *tasse*) shortening, froid (*saindoux*)
3 mL	(½ *c. à thé*) sel

Garniture

5	pommes, pelées, évidées, tranchées
125 mL	(½ *tasse*) sucre
1 mL	(¼ *c. à thé*) piment de la Jamaïque
1 mL	(¼ *c. à thé*) cannelle
15 mL	(*1 c. à table*) beurre

Préchauffer le four à 200°C (*400°F*).

Mélanger l'eau, l'œuf et le vinaigre. Mettre la farine dans un bol. Couper le shortening et le beurre dans la farine. Saler. Incorporer le liquide en mélangeant jusqu'à consistance grumeleuse. Diviser en 2. Disposer sur une surface légèrement farinée. Abaisser en 2 cercles de 30 cm (*12 po*). Tapisser un moule à tarte de 23 cm (*9 po*) de diamètre avec une abaisse.

Mélanger les pommes, le sucre et les épices. Déposer dans l'abaisse. Parsemer de noisettes de beurre. Recouvrir de l'autre abaisse. Glisser les bords sous ceux de l'abaisse du fond. Pincer pour sceller. Pratiquer avec un petit couteau plusieurs fentes dans la pâte du dessus. Faire cuire au four 40 minutes.

Tarte aux bananes à la crème

2 tartes

2	abaisses de pâte brisée
750 mL	(*3 tasses*) lait
160 mL	(⅔ *tasse*) sucre
3	jaunes d'œufs
15 mL	(*1 c. à table*) farine
15 mL	(*1 c. à table*) beurre
15 mL	(*1 c. à table*) fécule de maïs
1,5 L	(*6 tasses*) bananes, en tranches
10 mL	(*2 c. à thé*) extrait de banane
250 mL	(*1 tasse*) crème épaisse

Préchauffer le four à 200°C (*400°F*).

Tapisser des moules à tarte, de 23 cm (*9 po*) chacun, avec une abaisse. Piquer les bords et le fond avec une fourchette. Faire cuire au four 8 à 10 minutes.

Faire chauffer le lait et le sucre. Ajouter les jaunes d'œufs, en fouettant. Dans un bol, mélanger la farine, le beurre et la fécule de maïs. Ajouter au lait et faire chauffer lentement jusqu'à épaississement. Ajouter les bananes et l'extrait de banane. Verser le mélange dans les abaisses. Mettre à refroidir au réfrigérateur. Fouetter la crème et garnir la tarte de rosettes de crème fouettée.

Tarte aux bananes à la crème

Gâteau de Noël aux fruits

12 à 16 portions

450 g	(*1 lb*) cerises au marasquin, en moitiés
450 g	(*1 lb*) ananas confits
450 g	(*1 lb*) fruits confits, mélangés
450 g	(*1 lb*) raisins secs, sans pépins
450 g	(*1 lb*) pacanes, en morceaux
1 L	(*4 tasses*) farine
8 mL	(*1½ c. à thé*) sel
3 mL	(*½ c. à thé*) poudre à pâte
10 mL	(*2 c. à thé*) cannelle
3 mL	(*½ c. à thé*) piment de la Jamaïque
3 mL	(*½ c. à thé*) muscade
250 mL	(*1 tasse*) beurre
500 mL	(*2 tasses*) cassonade, bien tassée
6	œufs
125 mL	(*½ tasse*) mélasse
20 mL	(*4 c. à thé*) essence de rhum
20 mL	(*4 c. à thé*) essence d'orange
250 mL	(*1 tasse*) miel liquide ou rhum

Préchauffer le four à 150°C (*300°F*).

Mélanger les fruits et les noix.

Tamiser la farine, le sel, la poudre à pâte et les épices. Prélever 500 mL (*2 tasses*) de farine et réserver. Mélanger le reste de farine avec le mélange de fruits.

Réduire le beurre et le sucre en crème. Ajouter les œufs, un à un, en mélangeant bien après chaque addition. Incorporer la mélasse et les essences.

Ajouter lentement la farine réservée.

Beurrer légèrement un moule à couronne ou un grand moule à pain. Y verser la moitié de la pâte. Couvrir avec la moitié des fruits farinés. Verser une couche de pâte, puis le reste des fruits. Terminer par une couche de pâte.

Faire cuire au four 3½ heures.

Sortir du four et laisser refroidir 10 minutes avant de démouler.

Lorsque le gâteau est encore chaud, le badigeonner avec du miel ou du rhum, jusqu'à ce qu'il ne reste plus de liquide.

Quatre-quarts

8 portions

250 mL	(*1 tasse*) shortening
125 mL	(*½ tasse*) beurre
750 mL	(*3 tasses*) sucre
6	œufs
750 mL	(*3 tasses*) farine
3 mL	(*½ c. à thé*) cannelle
3 mL	(*½ c. à thé*) poudre à pâte
3 mL	(*½ c. à thé*) sel
250 mL	(*1 tasse*) crème légère
10 mL	(*2 c. à thé*) extrait de vanille

Préchauffer le four à 160°C (*325°F*).

Réduire en crème le shortening, le beurre et le sucre.

Ajouter les œufs un à la fois; fouetter après chaque addition.

Tamiser la farine, la cannelle, la poudre à pâte et le sel. Ajouter au mélange, en repliant, par tiers, en alternant avec la crème.

Ajouter la vanille et mélanger.

Verser dans un moule à pain graissé et faire cuire au four 1¼ heure. Vérifier la cuisson.

Gâteau de Noël aux fruits

Baklava

12 portions

10	feuilles de pâte phyllo
180 mL	(*¾ tasse*) beurre, fondu
375 mL	(*1½ tasse*) amandes, effilées
250 mL	(*1 tasse*) miel
500 mL	(*2 tasses*) eau
500 mL	(*2 tasses*) sucre
10 mL	(*2 c. à table*) cannelle

Préchauffer le four à 180°C (*350°F*).

Étaler une feuille de phyllo dans un moule graissé.

Badigeonner de beurre. Couvrir avec 60 mL (*¼ tasse*) d'amandes. Recommencer ces étapes 7 fois.

Empiler les autres feuilles phyllo sur le dessus en les badigeonnant toutes de beurre.

Faire cuire au four 65 minutes.

Mélanger le miel, l'eau, le sucre et la cannelle, jusqu'à dissolution complète du sucre.

Porter à ébullition à feu moyen. Faire bouillir 3 minutes.

Verser sur la pâtisserie. La découper et la laisser s'imbiber de sirop.

Baklava

Croquants aux arachides

1,5 à 1,8 kg (3½ à 4 lb)

750 mL	(*3 tasses*) sucre
250 mL	(*1 tasse*) sirop de maïs
15 mL	(*1 c. à table*) beurre
125 mL	(*½ tasse*) eau
5 mL	(*1 c. à thé*) sel
1,2 L	(*5 tasses*) arachides, non salées
45 mL	(*3 c. à table*) bicarbonate de soude

Mélanger le sucre, le sirop de maïs, le beurre, l'eau et le sel dans une casserole.

Faire chauffer à 121°C (*250°F*) au thermomètre à sirop. Ajouter les arachides et faites chauffer à 149°C (*300°F*).

Ajouter le bicarbonate de soude et bien mélanger. Verser le mélange dans un moule graissé et abaisser à 0,5 cm (*¼ po*) d'épaisseur. Laisser refroidir.

Briser en morceaux.

Farfadets

Farfadets

36 farfadets

340 g	(¾ lb) chocolat mi-sucré
60 mL	(¼ tasse) miel
125 mL	(½ tasse) beurre
250 mL	(1 tasse) sucre
2	œufs
5 mL	(1 c. à thé) extrait de vanille
140 mL	(½ tasse + 1 c. à table) farine
1 mL	(¼ c. à thé) poudre à pâte
1	pincée de sel
45 mL	(3 c. à table) crème épaisse
60 mL	(¼ tasse) noix de Grenoble, en morceaux

Préchauffer le four à 180°C (350°F).

Au bain-marie, faire fondre la moitié du chocolat et incorporer le miel.

Réduire en crème la moitié du beurre et 60 mL (¼ tasse) de sucre jusqu'à consistance légère et mousseuse. Ajouter les œufs, un à la fois, puis 3 mL (½ c. à thé) de vanille. Incorporer le chocolat fondu.

Tamiser la farine, la poudre à pâte et le sel. Ajouter au mélange en crème.

Verser dans un moule à gâteau carré de 23 cm (9 po), légèrement beurré.

Faire cuire au four 20 à 25 minutes. Laisser refroidir.

Dans une casserole, mélanger le reste de sucre, le beurre et la crème. Porter à ébullition.

Ajouter le chocolat qui reste, les noix de Grenoble et la vanille. Mélanger jusqu'à ce que le chocolat soit fondu.

Verser sur les farfadets. Découper en carrés.

Glaçage au chocolat

625 mL (2½ tasses)

125 mL	(½ tasse) sirop de maïs léger
90 mL	(6 c. à table) eau
75 mL	(5 c. à table) beurre
1	paquet de pépites de chocolat de 300 g (10 oz)

Mélanger le sirop de maïs, l'eau et le beurre dans une casserole. Porter à ébullition rapide en remuant jusqu'à ce que le beurre soit fondu.

Retirer du feu, ajouter les pépites de chocolat et laisser refroidir à la température ambiante.

Verser sur le gâteau.

Gâteau au fromage à la new yorkaise

12 à 14 portions

Croûte

875 mL	(*3½ tasses*) biscuits Graham, écrasés
15 mL	(*1 c. à table*) cannelle
60 mL	(*¼ tasse*) beurre, fondu

Garniture

5	paquets de fromage à la crème de 250 g (*8 oz*), à température ambiante
500 mL	(*2 tasses*) sucre
375 mL	(*1½ tasse*) crème épaisse
30 mL	(*2 c. à table*) jus de citron
15 mL	(*1 c. à table*) extrait de vanille
4	œufs, à température ambiante
375 mL	(*1½ tasse*) crème sure

Croûte : combiner les biscuits, la cannelle et le beurre. Presser au fond et sur les côtés d'un moule démontable de 25 cm (*10 po*) de diamètre. Mettre à refroidir. Préchauffer le four à 160°C (*325°F*).
Garniture : battre le fromage à la crème et le sucre jusqu'à consistance lisse. Ajouter la crème, le jus de citron et la vanille; battre pour bien mélanger. Ajouter les œufs, un à la fois, en battant bien après chaque addition. Incorporer la crème sure. Verser le mélange dans la croûte préparée et faire cuire au four jusqu'à ce que le milieu soit pris, soit environ 90 minutes. Éteindre le four et entrouvrir légèrement la porte. Après environ 30 minutes, disposer sur une grille. Laisser refroidir toute la nuit. Servir accompagné de fruits frais ou d'une sauce aux fruits.

1 Mélanger les ingrédients de la croûte et les presser au fond et sur les côtés d'un moule démontable.

2 Pour faire la garniture, battre le fromage à la crème avec le sucre jusqu'à l'obtention d'un mélange lisse. Incorporer la crème, le jus de citron et la vanille.

3 Ajouter les œufs, un à la fois, en battant bien après chaque addition.

4 Verser le mélange dans la croûte à tarte préparée et faire cuire.

Gâteau au fromage à la new yorkaise

Gâteau au fromage moka-chocolat, à la menthe

Gâteau au fromage moka-chocolat, à la menthe

12 à 14 portions

Croûte

750 mL	(*3 tasses*) gaufrettes au chocolat, écrasées fin
5 mL	(*1 c. à thé*) cacao en poudre, non sucré
45 mL	(*3 c. à table*) beurre, fondu

Garniture

310 mL	(*1¼ tasse*) pépites de chocolat à la menthe
5	paquets de fromage à la crème de 250 g (*8 oz*), à température ambiante
375 mL	(*1½ tasse*) sucre
80 mL	(*⅓ tasse*) café fort
250 mL	(*1 tasse*) crème épaisse
4	œufs
250 mL	(*1 tasse*) crème sure

Préchauffer le four à 180°C (*350°F*).

Croûte : combiner les gaufrettes écrasées, le cacao et le beurre. Presser au fond et contre les côtés d'un moule démontable de 25 cm (*10 po*) de diamètre, graissé. Réserver.

Garniture : faire fondre les pépites de chocolat; réserver.

Battre le fromage à la crème et le sucre jusqu'à consistance lisse. Incorporer graduellement, en fouettant, le café et la crème.

Ajouter les œufs, un à la fois, en battant après chaque addition.

Incorporer la crème sure et le chocolat fondu.

Verser le mélange dans le moule préparé et faire cuire au four 75 minutes.

Éteindre le four et entrouvrir légèrement la porte. Après environ 30 minutes, disposer sur une grille. Laisser refroidir toute la nuit au réfrigérateur.

Gâteau Forêt Noire

10 à 12 portions

430 mL	(*1¾ tasse*) farine à pâtisserie
125 mL	(*½ tasse*) cacao, en poudre
5 mL	(*1 c. à thé*) bicarbonate de soude
3 mL	(*½ c. à thé*) sel
1 mL	(*¼ c. à thé*) poudre à pâte
125 mL	(*½ tasse*) beurre
310 mL	(*1¼ tasse*) sucre
2	œufs
60 mL	(*¼ tasse*) kirsch ou cherry-brandy
180 mL	(*¾ tasse*) eau tiède
750 mL	(*3 tasses*) crème à fouetter
750 mL	(*3 tasses*) cerises Bing
500 mL	(*2 tasses*) copeaux de chocolat

Préchauffer le four à 180°C (*350°F*).

Tamiser la farine, le cacao, le bicarbonate de soude, le sel et la poudre à pâte.

Réduire le beurre et le sucre en crème jusqu'à consistance légère. Ajouter les œufs, un à la fois.

Mélanger le kirsch et l'eau. Incorporer en repliant au mélange crémeux, en alternant avec la farine.

Beurrer légèrement et fariner 2 moules à gâteau de 23 cm (*9 po*) de diamètre. Diviser la pâte également entre les 2 moules.

Faire cuire au four 25 à 30 minutes. Sortir du four et laisser refroidir 10 minutes. Mettre au réfrigérateur.

Fouetter la crème. Disposer les cerises sur un des gâteaux. Le couvrir d'un peu de crème fouettée.

Gâteau Forêt Noire

Diviser le deuxième gâteau en deux. Déposer un demi-gâteau sur le premier. Couvrir d'un peu de crème fouettée, puis de l'autre moitié de gâteau.

Garnir avec le reste de crème fouettée et les copeaux de chocolat.

Note : il est possible de sucrer la crème fouettée en ajoutant 250 mL (1 tasse) de sucre à glacer.

Gâteau au chocolat allemand

8 à 10 portions

Gâteau

1 mL	(*¼ c. à thé*)	sel
5 mL	(*1 c. à thé*)	bicarbonate de soude
625 mL	(*2½ tasses*)	farine à pâtisserie
225 g	(*8 oz*)	chocolat allemand
125 mL	(*½ tasse*)	eau bouillante
250 mL	(*1 tasse*)	beurre
500 mL	(*2 tasses*)	sucre
4		jaunes d'œufs
5 mL	(*1 c. à thé*)	extrait de vanille
250 mL	(*1 tasse*)	crème épaisse
4		blancs d'œufs

Préchauffer le four à 180°C (*350°F*).

Tamiser le sel, le bicarbonate de soude et la farine. Faire fondre le chocolat dans l'eau bouillante.

Réduire le beurre et le sucre en crème jusqu'à consistance très légère. Ajouter les jaunes d'œufs, un à la fois.

Incorporer le chocolat fondu et la vanille. Ajouter la farine et la crème, par portions d'un tiers.

Fouetter les blancs d'œufs en neige ferme. Incorporer à la pâte en repliant avec précaution.

Beurrer légèrement 3 moules à gâteau ronds de 20 cm (*8 po*) de diamètre.

Faire cuire au four 35 à 40 minutes.

Laisser refroidir 10 minutes avant de démouler.

Garniture

310 mL	(*1¼ tasse*)	cassonade
125 mL	(*½ tasse*)	sucre
330 mL	(*1⅓ tasse*)	sirop de maïs
80 mL	(*⅓ tasse*)	beurre
250 mL	(*1 tasse*)	lait concentré
3 mL	(*½ c. à thé*)	extrait de vanille
500 mL	(*2 tasses*)	noix de Grenoble, en morceaux

Combiner les sucres et le sirop de maïs. Faire chauffer dans une casserole à fond épais.

Faire bouillir à 118°C (*245°F*) au thermomètre à sirop.

Ajouter le beurre, le lait, la vanille et les noix de Grenoble. Ramener à 118°C (*245°F*).

Verser la garniture sur chacun des gâteaux avant de les superposer.

Glaçage

250 mL	(*8 oz*)	chocolat, mi-sucré
125 mL	(*½ tasse*)	beurre

Faire fondre le chocolat au bain-marie.

Ajouter le beurre. Verser sur le gâteau et faire refroidir au réfrigérateur.

Servir lorsque le glaçage est pris.

Biscuits aux flocons d'avoine

4 douzaines

500 mL	(*2 tasses*)	farine
5 mL	(*1 c. à thé*)	poudre à pâte
5 mL	(*1 c. à thé*)	bicarbonate de soude
5 mL	(*1 c. à thé*)	sel
250 mL	(*1 tasse*)	shortening
250 mL	(*1 tasse*)	cassonade, bien tassée
250 mL	(*1 tasse*)	sucre
2		œufs
5 mL	(*1 c. à thé*)	extrait de vanille
625 mL	(*2½ tasses*)	flocons d'avoine, à cuisson rapide

Préchauffer le four à 180°C (*350°F*).

Tamiser la farine, le poudre à pâte, le bicarbonate de soude et le sel. Réserver.

Réduire en crème le shortening et les sucres jusqu'à consistance légère et mousseuse.

Ajouter les œufs, un à la fois, en mélangeant bien. Incorporer la vanille.

Incorporer progressivement les ingrédients secs au mélange crémeux. Ajouter les flocons d'avoine.

Façonner en boules et disposer sur une plaque à biscuits graissée, espacées de 5 cm (*2 po*).

Faire cuire 10 à 12 minutes.

Biscuits au beurre à l'ancienne

2 douzaines

430 mL	(*1¾ tasse*) farine
3 mL	(*½ c. à thé*) poudre à pâte
3 mL	(*½ c. à thé*) bicarbonate de soude
125 mL	(*½ tasse*) beurre
250 mL	(*1 tasse*) sucre
1	œuf
5 mL	(*1 c. à thé*) extrait de vanille
60 mL	(*¼ tasse*) lait

Préchauffer le four à 190°C (*375°F*).

Tamiser la farine, la poudre à pâte et le bicarbonate de soude. Réserver.

Réduire en crème le beurre et le sucre jusqu'à consistance très légère.

Ajouter l'œuf et bien mélanger; incorporer la vanille.

Ajouter graduellement les ingrédients secs au mélange crémeux. Incorporer lentement le lait.

Laisser tomber des cuillerées de pâte sur une plaque à biscuits, en les espaçant de 5 cm (*2 po*).

Faire cuire au four 8 à 10 minutes.

Biscuits au beurre à l'ancienne

Biscuits glacés

2 douzaines

125 mL	(*½ tasse*) beurre
160 mL	(*⅔ tasse*) sucre
1	œuf
500 mL	(*2 tasses*) farine
2 mL	(*⅓ c. à thé*) bicarbonate de soude
3 mL	(*½ c. à thé*) cannelle
3 mL	(*½ c. à thé*) muscade
1	pincée de sel

Préchauffer le four à 180°C (*350°F*).

Réduire le beurre et le sucre en crème. Ajouter l'œuf. Bien incorporer le reste des ingrédients et façonner en rouleaux. Envelopper dans du papier ciré.

Mettre au réfrigérateur 4 à 6 heures ou faire congeler. Ôter l'emballage et découper en 24 rondelles.

Faire cuire sur une plaque à biscuits légèrement beurrée, 15 minutes.

Les boissons

Préparer une bonne boisson est un art véritable; mais ce n'est pas nécessairement synonyme de compliqué.

On vous a probablement déjà servi, au restaurant, une boisson qui vous déplaisait parce que le barman avait mal dosé son mélange. Cet exemple suffit pour vous faire comprendre l'importance de toujours bien doser et bien mélanger les ingrédients pour obtenir d'excellents résultats.

Dans ce chapitre, vous trouverez les recettes de boissons les plus populaires, qu'elles soient alcoolisées ou non. N'oubliez pas cependant que la modération a bien meilleur goût !

Le vin dans la cuisine et à table

1   Cuisinez avec le même vin que celui que vous servirez avec le plat.

2   Méfiez-vous des vins identifiés comme vins pour la cuisine. Ils contiennent un fort pourcentage de sel qui donnera un goût salé à votre plat, masquant ainsi la saveur désirée.

3   Ne remplacez pas le vin par du jus de raisin dans les recettes. Même si l'alcool contenu dans le vin brûle, ce dernier conserve un goût différent.

4   Évitez de servir des vins avec des plats vinaigrés ou aigrelets comme les salades.

5   Les boissons contenant un fort pourcentage d'alcool sont utilisées pour faire flamber les plats, mais vous devez prendre certaines précautions. Ne versez pas l'alcool directement de la bouteille et faites flamber en inclinant le plat dans la direction opposée aux invités.

Vins assortis à la nourriture					
	Blanc	*Rosé*	*Rouge*	*Pétillant*	*Sherry*
Hors d'œuvre	sec demi-sec sucré	sec demi-sec	demi-sec	demi-sec	sec sucré Porto Madère
Pâtés terrines	sec demi-sec	sec demi-sec	très sec (avec le poisson) sec demi-sec		
Soupes	sec demi-sec sucré		demi-sec		sec demi-sec sucré Porto Madère
Poissons et fruits de mer	sec demi-sec	sec demi-sec	sec	sec demi-sec	
Volailles	sec demi-sec sucré	sec demi-sec	très sec sec demi-sec	sec demi-sec	
Gibier	sec		très sec sec demi-sec		
Bœuf	sec demi-sec	sec demi-sec	très sec sec demi-sec		
Agneau			très sec sec demi-sec		
Veau	sec demi-sec		très sec sec		
Porc	sec demi-sec	sec demi-sec	très sec sec demi-sec		
Desserts	demi-sec sucré	sucré		demi-sec sucré	demi-sec sucré Madère

Café moka; Café californien aux amandes

Café moka

6 portions

250 mL	(*1 tasse*) copeaux de chocolat mi-sucré
310 mL	(*1¼ tasse*) crème épaisse
750 mL	(*3 tasses*) café frais, chaud
80 mL	(*⅓ tasse*) miel
10 mL	(*2 c. à thé*) vanille
375 mL	(*1½ tasse*) crème à fouetter, fouettée

Faire fondre le chocolat au bain-marie. Ajouter la crème épaisse, le café, le miel et la vanille. Faire chauffer 5 minutes.

Verser dans 6 tasses. Garnir de crème fouettée.

Café Vandermint

1 portion

115 mL	(*4 oz*) café
7 mL	(*¼ oz*) crème de cacao
35 mL	(*1¼ oz*) liqueur de Vandermint
60 mL	(*¼ tasse*) crème épaisse
15 mL	(*1 c. à table*) copeaux de chocolat sucré

Verser le café et les liqueurs dans des tasses à café. Couvrir de crème fouettée et de copeaux de chocolat.

Café californien aux amandes

2 portions

1 mL	(*¼ c. à thé*) extrait d'amande
375 mL	(*1½ tasse*) café, chaud
2	boules de crème glacée au chocolat

Mélanger l'extrait de vanille et le café. Verser dans 2 tasses.

Couvrir d'une boule de crème glacée. Servir.

Café brûlot

4 portions

1	citron
1	orange
20	clous de girofle
4	bâtons de cannelle
90 mL	(*3 oz*) brandy
90 mL	(*3 oz*) Grand Marnier
1 L	(*4 tasses*) café fort, fraîchement fait

Râper le zeste de citron. Peler l'orange en une longue spirale. Mélanger les clous de girofle, le zeste de citron et les bâtons de cannelle dans un poêlon de table. Mettre au-dessus d'une flamme douce.

Réchauffer une louche au-dessus de la flamme. Verser le brandy et le Grand Marnier dans la louche chaude. Attacher la pelure d'orange à une fourchette. Maintenir la pelure au-dessus du poêlon.

Verser lentement les liqueurs sur la pelure pendant qu'elles flambent. Ajouter le café et laisser mijoter à feu doux 5 minutes. Égoutter à travers une passoire, verser dans des demi-tasses et servir.

Thé aux bleuets

Tisane

1 portion

170 mL	(*6 oz*) eau, froide
6 mL	(*1¼ c. à thé*) herbes ou épices pour le thé, parmi l'anis, le basilic, la cannelle, le trèfle, les clous de girofle, le pissenlit, le sureau, le fenouil, le gingembre, la ginseng, la lavande, le citron, la réglisse, la marjolaine, la menthe, la muscade, la framboise, la rose, le romarin, la salsepareille,

le sassafras, la fraise et le thé des bois

Faire bouillir l'eau dans une bouilloire, jusqu'au point d'ébullition.

Mettre le thé dans une théière préalablement chauffée. Remplir d'eau bouillante. Laisser infuser 3 à 5 minutes.

Égoutter à travers une passoire très fine. Servir.

Thé aux bleuets

1 portion

180 mL	(*6 oz*) thé chaud, fraîchement infusé
30 oz	(*1 oz*) liqueur Amaretto
30 mL	(*1 oz*) liqueur de bleuets

Verser le thé chaud sur les liqueurs dans un verre ballon.

Servir immédiatement.

Chocolat français

4 portions

43 g	(*1½ oz*) chocolat mi-sucré
45 mL	(*3 c. à table*) sirop de maïs
30 mL	(*2 c. à table*) eau
1 mL	(*¼ c. à thé*) extrait de vanille
250 mL	(*1 tasse*) crème légère
500 mL	(*2 tasses*) lait

Au bain-marie, faire fondre le chocolat. Ajouter le sirop de maïs, l'eau et la vanille.

Dans une casserole, faire chauffer la crème et le lait. Ajouter le mélange au chocolat en fouettant.

Servir chaud.

Lait fouetté au chocolat à la menthe

4 portions

125 mL	(*½ tasse*) sucre
500 mL	(*2 tasses*) lait
15 mL	(*1 c. à table*) cacao en poudre
5 mL	(*1 c. à thé*) extrait de menthe
500 mL	(*2 tasses*) crème glacée au chocolat

Faire complètement dissoudre le sucre dans le lait. Incorporer le cacao et l'extrait de menthe.

Ajouter la crème glacée en fouettant et servir très chaud.

Thé glacé au citron

6 à 8 portions

1,5 L	(*6 tasses*) eau
5 mL	(*1 c. à thé*) clous de girofle, moulus
5 mL	(*1 c. à thé*) cannelle
45 mL	(*3 c. à table*) thé noir
60 mL	(*4 c. à table*) jus de citron
125 mL	(*½ tasse*) sucre

Faire bouillir l'eau et ajouter tous les autres ingrédients. Laisser bouillir 3 minutes.

Passer dans une passoire fine. Faire refroidir. Servir sur de la glace.

Soda au raisin

1 portion

80 mL	(*⅓ tasse*) jus de raisin concentré, sucré
160 mL	(*⅔ tasse*) club soda

Dans un verre de 280 mL (*10 oz*), verser le jus de raisin sur 60 mL (*2 oz*) de glaçons concassés.

Verser le soda sur le jus. Servir.

Punch hawaïen

1 portion

125 mL	(*½ tasse*) jus de mangue
60 mL	(*¼ tasse*) jus d'orange
60 mL	(*¼ tasse*) jus d'ananas
1	tranche d'ananas frais
5 mL	(*1 c. à thé*) grenadine

Dans un verre de 280 mL (*10 oz*), verser les jus sur 60 mL (*2 oz*) de glaçons concassés.

Ajouter la grenadine. Garnir avec la tranche d'ananas.

Punch spécial

10 à 12 portions

1 L	(*4 tasses*) eau de Seltz
500 mL	(*2 tasses*) jus d'orange
500 mL	(*2 tasses*) jus d'ananas
500 mL	(*2 tasses*) jus de canneberge
500 mL	(*2 tasses*) jus de raisin blanc

Mélanger tous les ingrédients.

Servir sur des glaçons concassés, dans de grands verres.

Soda au raisin; Thé glacé au citron; Punch spécial

Black Russian

1 portion

20 mL	(*¾ oz*) vodka
20 mL	(*¾ oz*) liqueur de café
1	cerise au marasquin

Verser les liqueurs sur des glaçons dans un verre à whisky.

Garnir d'une cerise.

Cuba libre

1 portion

35 mL	(*1¼ oz*) rhum brun
115 mL	(*4 oz*) cola
1	quartier de lime

Verser le rhum et le cola dans un verre à gin rempli de glaçons.

Presser le quartier de citron et l'ajouter à la boisson.

Bâton de réglisse

1 portion

20 mL	(*¾ oz*) pernod
20 mL	(*¾ oz*) anisette
60 L	(*2 oz*) crème légère
1	blanc d'œuf

Mélanger les ingrédients et des glaçons dans le récipient du mélangeur, pendant 1 minute.

Filtrer et verser dans un verre à vin.

Soleil californien

1 portion

90 mL	(*3 oz*) jus d'orange frais
90 mL	(*3 oz*) vin rosé
30 mL	(*1 oz*) schnaps aux pêches

Verser le jus, le vin et le schnaps dans un shaker contenant des glaçons concassés.

Bien secouer, filtrer et verser dans une flûte à champagne.

Manhattan

1 portion

35 mL	(*1¼ oz*) whisky sec canadien
15 mL	(*½ oz*) vermouth sucré
15 mL	(*½ oz*) vermouth sec
1	cerise au marasquin

Verser le whisky et les vermouths sur des glaçons dans un verre à whisky.

Garnir d'une cerise.

Harvey Wallbanger

1 portion

35 mL	(*1¼ oz*) vodka
90 mL	(*3 oz*) jus d'orange
15 mL	(*½ oz*) Galliano

Dans un grand verre à moitié rempli de glaçons, verser la vodka et le jus.

Couvrir de Galliano.

Kir royal

1 portion

180 mL	*(6 oz)* champagne
15 mL	*(½ oz)* liqueur de mûres
15 mL	*(½ oz)* liqueur de cassis

Dans une flûte à champagne, verser le champagne, la liqueur de mûres et la liqueur de cassis. Brasser et servir.

Gin fizz

1 portion

3 mL	*(½ c. à thé)* sucre
30 mL	*(1 oz)* jus de citron
30 mL	*(1 oz)* jus de lime
35 mL	*(1¼ oz)* gin
60 mL	*(2 oz)* soda

Dissoudre le sucre dans les jus de fruits.

Verser les jus de fruits et le gin dans un shaker contenant des glaçons concassés. Mélanger.

Filtrer dans un verre à cocktail. Couvrir de soda. Servir.

Daiquiri

1 portion

3 mL	*(½ c. à thé)* sucre
30 mL	*(1 oz)* jus de citron
30 mL	*(1 oz)* jus de lime
35 mL	*(1¼ oz)* rhum
1	cerise au marasquin

Dissoudre le sucre dans les jus de fruits.

Verser les jus et le rhum dans un shaker.

Bien secouer et filtrer dans un verre à cocktail.

Garnir d'une cerise.

Kir royal; Gin fizz

Bloody Mary

1 portion

1	tranche de lime
3 mL	(*½ c. à thé*) sel de céleri
35 mL	(*1¼ oz*) vodka
90 mL	(*3 oz*) jus de tomate
1 mL	(*¼ c. à thé*) sauce anglaise
	quelques gouttes de sauce Tabasco
1	pincée de sel
1	pincée de poivre
1	bâton de céleri

Frotter le haut d'un verre à gin avec la tranche de lime, puis le tremper dans le sel de céleri. Le remplir de glaçons.

Y verser la vodka et le jus de tomate. Ajouter les sauces, le sel et le poivre.

Garnir d'un bâton de céleri.

Sangria

6 à 8 portions

1 L	(*4 tasses*) vin rouge
½	citron
6	pêches, pelées et en tranches
1	orange, en moitiés
½	lime
500 mL	(*2 tasses*) sherry sucré

Mélanger tous les ingrédients dans un broc. Faire refroidir 4 heures.

Servir très froid sur des glaçons.

Planters punch

1 portion

35 mL	(*1¼ oz*) rhum Myers
30 mL	(*1 oz*) jus d'orange
30 mL	(*1 oz*) jus d'ananas
15 mL	(*½ oz*) jus de lime
3 mL	(*½ c. à thé*) grenadine
1	tranche d'orange
1	cerise au marasquin

Verser le rhum et les jus de fruits dans un verre à collins à moitié rempli de glaçons concassés.

Laisser flotter la grenadine sur le dessus. Garnir d'une tranche d'orange et d'une cerise.

Zombie

1 portion

20 mL	(*¾ oz*) rhum léger
20 mL	(*¾ oz*) rhum Myers
20 mL	(*¾ oz*) rhum brun
30 mL	(*1 oz*) jus de citron
30 mL	(*1 oz*) jus d'orange
30 mL	(*1 oz*) jus de lime
3 mL	(*½ c. à thé*) grenadine
15 mL	(*1 c. à table*) cherry-brandy
1	cerise au marasquin

Verser les rhums et les jus sur des glaçons concassés, dans un verre à zombie.

Laisser flotter la grenadine et le cherry-brandy sur le dessus. Garnir d'une cerise.

Tequila Sunrise

1 portion

35 mL	(*1¼ oz*) tequila
60 mL	(*2 oz*) jus d'orange
30 mL	(*1 oz*) jus de citron
3 mL	(*½ c. à thé*) grenadine
15 mL	(*½ oz*) crème de cassis

Dans un verre à collins, mettre 60 mL (*2 oz*) de glaçons concassés.

Arroser de tequila, de jus d'orange et de jus de citron.

Couvrir de grenadine et de crème de cassis.

Sling

1 portion

35 mL	(*1¼ oz*) alcool*
30 mL	(*1 oz*) jus de lime
30 mL	(*1 oz*) jus de citron
60 mL	(*2 oz*) jus d'orange
15 mL	(*½ oz*) cherry-brandy
3 mL	(*½ c. à thé*) grenadine

Mélanger l'alcool et les jus dans un grand verre, à moitié rempli de glaçons concassés.

Laisser flotter le cherry-brandy et la grenadine sur le dessus.

Il existe trois principaux slings. Le Singapore, le Bombay et le Shanghaï. Le mélange reste le même, seul l'alcool diffère. Singapore : gin Bombay : rhum Shanghaï : whisky

Sling; Planters punch; Sangria

La cuisine au micro-ondes

Tous les fours à micro-ondes possèdent leur propre manuel d'instructions et ce dernier devrait être suivi à la lettre, pour votre propre sécurité. En cas de doute, vous devriez le consulter aussitôt.

Lorsque vous cuisinez au micro-ondes, il est primordial de n'utiliser que les articles conçus à cet effet. La majorité d'entre eux portent une étiquette lors de l'achat, confirmant leur usage possible dans ce type de four. Cependant, si vous n'êtes pas certain de pouvoir utiliser un récipient donné, faites le test suivant : remplissez à moitié une tasse graduée avec de l'eau et déposez-la dans le récipient. Mettez ensuite le récipient au four à intensité HAUTE pendant 30 secondes. Si le récipient reste froid, vous pouvez l'utiliser. Seules l'eau et la tasse graduée devraient être chaudes. Ne mettez jamais de métal dans votre four à moins que des explications spécifiques ne vous disent comment le faire de façon sécuritaire. N'utilisez jamais de papier d'aluminium. Le métal et le papier d'aluminium ne doivent jamais toucher la porte ou les parois du four.

La puissance électrique des fours à micro-ondes varie entre 350 et 750 watts. Les recettes de ce chapitre sont établies en fonction d'un four ayant une puissance de 600 watts.

Les légumes cuits au micro-ondes

	Quantité	Intensité	Minutes	Notes
Artichauts	1	HAUTE	4 à 4½	frais, avec eau
Asperges	450 g (1 lb)	MOYENNE	16	fraîches, coupées, avec eau
Asperges	225 g (½ lb)	HAUTE	8	surgelées, avec eau
Aubergines	1	HAUTE	6	fraîches, ou 1 L (4 tasses) en dés
Betteraves	450 g (1 lb)	HAUTE	15	fraîches, avec eau
Brocoli	450 g (1 lb)	HAUTE	8	frais, avec eau
Brocoli	300 g (10 oz)	HAUTE	10	surgelé, avec eau
Carottes	4	HAUTE	7	fraîches, entières, en dés, tranchées
Carottes	300 g (10 oz)	HAUTE	8	surgelées, avec eau
Champignons	450 g (1 lb)	HAUTE	7	frais, avec beurre
Choux	450 g (1 lb)	HAUTE	6	frais, coupé en deux
Choux de Bruxelles	225 g (½ lb)	HAUTE	5	frais, avec eau
Chou-fleur	1	HAUTE	7	entier, frais
Courges	450 g (1 lb)	HAUTE	8	fraîches, coupées en deux, avec beurre
Courgettes	450 g (1 lb)	HAUTE	8	fraîches, coupées en deux, avec beurre
Fèves	450 g (1 lb)	HAUTE	11	fraîches (incluant fèves de lima)
Fèves	450 g (1 lb)	HAUTE	15	surgelées (incluant fèves de lima)
Maïs (en épi)	6	HAUTE	7	frais, avec eau
Maïs (en épi)	4	HAUTE	11	surgelés, sans eau
Maïs (en grains)	300 g (10 oz)	HAUTE	6	surgelé, avec eau
Oignons	450 g (1 lb)	HAUTE	7	frais, avec beurre
Panais	450 g (1 lb)	HAUTE	7	frais, avec eau
Petits pois	900 g (2 lb)	HAUTE	7	frais, avec eau
Petits pois	300 g (10 oz)	HAUTE	7	surgelés, sans eau
Pommes de terre	1	HAUTE	3½	rôties (ajouter 3 min par pomme de terre en sus)

Viandes au micro-ondes

	Quantité	Intensité	Minutes
Bifteck de palette*	675 à 900 g (1½ à 2 lb)	MOYENNE	70 à 80
Bœuf à bouillir**	675 à 900 g (1½ à 2 lb)	HAUTE	20
		FAIBLE	60
Hamburgers	4 par 450 g (1 lb)	HAUTE	6
Hamburgers, surgelés	4 par 450 g (1 lb)	HAUTE	10
Rôti de côtes		MOYENNE	16 par 450 g (1 lb)
Rôti de palette	1,3 à 2,2 kg (3 à 5 lb)	MOYENNE	27 par 450 g (1 lb)
Rôti de faux-filet		MOYENNE	18 par 450 g (1 lb)
Rôti de pointe de surlonge	1,3 kg (3 lb)	MOYENNE	24 par 450 g (1 lb)

* Tous les rôtis doivent être cuits dans un sac conçu à cet effet, ou couverts. Les temps de cuisson indiqués ci-haut sont pour une viande cuite à point. Réduisez le temps de cuisson de 2 minutes par 450 g (1 lb) pour une viande saignante, et ajoutez 2 minutes par 450 g (1 lb) pour une viande bien cuite. L'utilisation d'un thermomètre à viande est recommandée. Laissez reposer la viande pendant 15 minutes avant de la découper.

** Le bœuf à bouillir est cuit en deux étapes, la première à HAUTE intensité, la deuxième à FAIBLE intensité.

Les volailles

	Intensité	Minutes
Demi-poulet	HAUTE	15
Poulet en 9 morceaux*	HAUTE	17
Poulet entier	MOYENNE-HAUTE	8 min par 450 g (1 lb)
Quart de poulet	HAUTE	13
Dinde entière**	MOYENNE	12 min par 450 g (1 lb)

* Lorsqu'il s'agit de morceaux de poulet, retournez-les deux fois pendant la cuisson.

** La dinde doit être cuite dans un sac à rôtir. Augmentez le temps de cuisson de 8 minutes par 450 g (1 lb) si la dinde n'est pas dans un sac à rôtir.

Le porc

	Intensité	Minutes
Rôti de côtes	MOYENNE	18 min par 450 g (1 lb)
Rôti de longe	MOYENNE	18 min par 450 g (1 lb)
Jambon cru	MOYENNE	17 min par 450 g (1 lb)
Jambon cuit	MOYENNE	11 min par 450 g (1 lb)

Note : les temps de cuisson indiqués pour les rôtis de côtes et de longe se réfèrent à des rôtis de 1,3 kg (3 lb) et plus, cuits dans un sac à rôtir. Ajoutez 1 minute de cuisson par 450 g (1 lb) lorsque le rôti n'est pas dans un sac. Laissez reposer 15 minutes avant de découper.

Les fruits de mer

	Quantité	Intensité	Minutes
Crevettes décortiquées	450 g (1 lb)	HAUTE	5 min
Homard entier	900 g (2 lb)	HAUTE	12 min
Palourdes, moules	6	HAUTE	4 min
Pattes de crabe	450 g (1 lb)	HAUTE	6 min
Pétoncles	450 g (1 lb)	HAUTE	6 min
Queues de homard	450 g (1 lb)	HAUTE	6 min

Note : les coquilles des palourdes ou des moules s'ouvriront lorsque les mollusques seront cuits.

Si vous doublez la quantité de pattes de crabe, augmentez le temps de cuisson de 50%.

Il ne faut faire cuire que 450 g (1 lb) de queues de homard à la fois.

Pour la cuisson d'un homard entier, ajoutez 125 mL (½ tasse) de liquide.

Rôti de côtes de bœuf

8 portions

30 mL	(*2 c. à table*)	sauce soja
30 mL	(*2 c. à table*)	sauce anglaise
5 mL	(*1 c. à thé*)	moutarde sèche
60 mL	(*¼ tasse*)	sherry
125 mL	(*½ tasse*)	bouillon de bœuf
1 mL	(*¼ c. à thé*)	poivre
1 mL	(*¼ c. à thé*)	paprika
3 mL	(*½ c. à thé*)	sel
2,2 kg	(*5 lb*)	rôti de côtes

Pour faire la sauce brune, mélanger la sauce soja, la sauce anglaise, la moutarde, le sherry, le bouillon et les assaisonnements.

Verser dans une casserole. Faire réduire au tiers, à feu doux.

Ficeler le rôti. Le disposer sur un trépied. Le mettre dans un plat à four à micro-ondes de 30 x 20 x 5 cm (*12 x 8 x 2 po*). Badigeonner de sauce. Couvrir de papier ciré. Faire cuire au micro-ondes 1¼ heure, à intensité MOYENNE en le badigeonnant de sauce toutes les 15 minutes. Laisser reposer 10 minutes. La viande sera cuite à point.

Pour une viande saignante, diminuer le temps de cuisson de 15 minutes. Pour une viande bien cuite, augmenter le temps de cuisson de 12 minutes. Le temps de repos demeure le même.

Si vous utilisez un thermomètre à viande, glissez-le au centre du rôti. Faire cuire jusqu'à 49°C (*120°F*) pour une viande saignante, jusqu'à 57°C (*135°F*) pour une viande moyenne et 68°C (*155°F*) pour une viande bien cuite.

Bœuf à la bordelaise

6 portions

1 kg	(*2¼ lb*)	bifteck de ronde, en tranches de 2,5 cm (*1 po*)
30 mL	(*2 c. à table*)	beurre
115 g	(*4 oz*)	petits champignons
30 mL	(*2 c. à table*)	moelle de bœuf, hachée fin
60 mL	(*¼ tasse*)	échalotes, hachées
30 mL	(*2 c. à table*)	fécule de maïs
125 mL	(*½ tasse*)	bordeaux (*vin*)
500 mL	(*2 tasses*)	sauce espagnole (voir *Sauces*)
15 mL	(*1 c. à table*)	persil, haché

Dans une casserole de 3 L (*12 tasses*) mettre le bœuf, le beurre, les champignons, la moelle et les échalotes.

Mélanger la fécule de maïs et le vin. Incorporer à la sauce espagnole. Verser sur le bœuf.

Couvrir et mettre au four à micro-ondes 25 minutes à intensité MOYENNE, en remuant aux 5 minutes. Réduire l'intensité à DEFROST; poursuivre la cuisson 10 minutes.

Laisser reposer 5 minutes. Parsemer de persil.

Bœuf au brocoli

4 portions

60 mL	(*4 c. à thé*)	sauce soja
125 mL	(*½ tasse*)	sherry
30 mL	(*2 c. à table*)	cassonade
3 mL	(*½ c. à thé*)	gingembre
5 mL	(*1 c. à thé*)	fécule de maïs
225 g	(*½ lb*)	bœuf cru, en tranches fines
225 g	(*½ lb*)	brocoli, en bouquets

Mélanger la sauce soja, le sherry, le sucre, le gingembre et la fécule de maïs.

Disposer le bœuf et le brocoli dans une cocotte de 2 L (*8 tasses*). Arroser de sauce et couvrir.

Faire cuire au micro-ondes à intensité HAUTE 4 minutes. Remuer et poursuivre la cuisson encore 4 minutes.

Laisser reposer à couvert, 5 minutes.

Escalopes de veau

6 portions

500 mL	(*2 tasses*) chapelure
60 mL	(*¼ tasse*) bacon, haché
5 mL	(*1 c. à thé*) zeste d'orange, râpé
30 mL	(*2 c. à table*) persil, haché
5 mL	(*1 c. à thé*) cerfeuil
3 mL	(*½ c. à thé*) sel
1 mL	(*¼ c. à thé*) poivre
1	œuf
6	escalopes de veau de 115 g (*4 oz*) chacune
80 mL	(*⅓ tasse*) beurre
60 mL	(*¼ tasse*) farine
1	oignon, haché fin
500 mL	(*2 tasses*) bouillon de poulet
5 mL	(*1 c. à thé*) paprika

Mélanger la chapelure, le bacon, le zeste d'orange, les assaisonnements et l'œuf.

Étaler sur les escalopes de veau et les rouler. Fixer avec un cure-dents.

Faire chauffer une plaque à rôtir à intensité HAUTE, 8 minutes. Mettre le beurre sur la plaque.

Faire dorer le veau 1 minute à intensité HAUTE. Le retourner et faire dorer l'autre côté. Enlever les rouleaux.

Mettre la farine sur la plaque. Faire cuire 1 minute à intensité MOYENNE.

Incorporer l'oignon, le bouillon et le paprika. Remettre les rouleaux sur la plaque.

Faire cuire au micro-ondes 40 minutes, à intensité MOYENNE.

Côtelettes d'agneau à l'orange

Côtelettes d'agneau à l'orange

4 portions

15 mL	(*1 c. à table*) zeste d'orange, râpé
160 mL	(*⅔ tasse*) bouillon de poulet
125 mL	(*½ tasse*) jus d'orange
80 mL	(*⅓ tasse*) brandy à l'orange
15 mL	(*1 c. à table*) fécule de maïs
15 mL	(*1 c. à table*) sucre
30 mL	(*2 c. à table*) vinaigre
8	côtelettes d'agneau, de 2,5 cm (*1 po*) d'épaisseur

Mélanger le zeste d'orange, le bouillon, le jus, le brandy et la fécule de maïs.

Dissoudre le sucre dans le vinaigre. Verser dans une cocotte de 2 L (*8 tasses*). Faire caraméliser au micro-ondes à intensité HAUTE, environ 4 minutes. Ajouter le mélange liquide. Disposer les côtelettes d'agneau dans le plat.

Couvrir et faire cuire au micro-ondes à intensité MOYENNE, 40 à 45 minutes. Laisser reposer 5 minutes.

Poulets de Cornouailles, sauce chasseur

4 portions

2	poulets de Cornouailles
30 mL	(*2 c. à table*) beurre
1 mL	(*¼ c. à thé*) sel
1 mL	(*¼ c. à thé*) poivre
1 mL	(*¼ c. à thé*) paprika
1 mL	(*¼ c. à thé*) cerfeuil

Sauce

60 mL	(*¼ tasse*) beurre
60 mL	(*¼ tasse*) oignons, hachés fin
250 mL	(*1 tasse*) champignons, en tranches
30 mL	(*2 c. à table*) farine
60 mL	(*¼ tasse*) sherry
250 mL	(*1 tasse*) bouillon de bœuf
250 mL	(*1 tasse*) tomates, pelées, épépinées et hachées
3 mL	(*½ c. à thé*) paprika
3 mL	(*½ c. à thé*) cerfeuil
3 mL	(*½ c. à thé*) sel
1 mL	(*¼ c. à thé*) poivre

Découper les poulets en deux. Les disposer dans un plat à micro-ondes de 30 x 20 x 5 cm (*12 x 8 x 2 po*).

Les badigeonner avec le beurre et les assaisonnements. Couvrir de papier ciré.

Faire cuire au micro-ondes 20 minutes à intensité MOYENNE. Laisser reposer pendant la cuisson de la sauce.

Sauce : faire chauffer le beurre dans une cocotte de 2 L (*8 tasses*). Ajouter les oignons et les champignons. Mélanger et mettre au micro-ondes 3 minutes, à intensité HAUTE.

Incorporer la farine; poursuivre la cuisson 1 minute, à intensité MOYENNE.

Incorporer le sherry, le bouillon, les tomates et les assaisonnements.

Faire cuire au micro-ondes, à intensité MOYENNE 6 minutes, en remuant toutes les minutes.

Ailes de poulet à la new yorkaise

2 à 3 portions

1 kg	(*2¼ lb*) ailes de poulet, sans les pointes
60 mL	(*¼ tasse*) huile
5 mL	(*1 c. à thé*) sauce aux piments forts
250 mL	(*1 tasse*) sauce épicée cajun (voir *Sauces*)

Disposer les ailes de poulet dans un plat allant au micro-ondes de 30 x 20 x 5 cm (*12 x 8 x 2 po*).

Badigeonner d'huile. Couvrir de papier ciré. Faire cuire au micro-ondes à intensité HAUTE, 5 minutes.

Mélanger la sauce aux piments avec la sauce épicée. En badigeonner les ailes. Couvrir de papier ciré. Poursuivre la cuisson encore 5 minutes à intensité HAUTE. Servir.

Poulet rôti, sauce au miel et à l'ail

4 portions

1 kg	(*2¼ lb*) poulet à rôtir
15 mL	(*1 c. à table*) beurre, fondu
5 mL	(*1 c. à thé*) sel
3 mL	(*½ c. à thé*) paprika
1 mL	(*¼ c. à thé*) poivre
250 mL	(*1 tasse*) sauce au miel et à l'ail (voir *Sauces*)

Disposer le poulet dans un plat de 30 x 20 x 5 cm (*12 x 8 x 2 po*) allant au micro-ondes.

Le badigeonner avec le beurre fondu. Assaisonner.

Couvrir de papier ciré. Insérer un thermomètre à viande dans la cuisse. Faire cuire au micro-ondes 1¼ heure à intensité MOYENNE-HAUTE ou jusqu'à 88°C (*190°F*) au thermomètre.

Vérifier la cuisson. Égoutter le jus de cuisson. Le garder si désiré.

Badigeonner plusieurs fois le poulet de sauce au miel et à l'ail et laisser reposer 10 minutes.

Poulet suprême aux cerises

Poulet suprême aux cerises

	6 portions
6	poitrines do poulet de 170 g (6 oz) chacune
500 mL	(2 tasses) bouillon de poulet
30 mL	(2 c. à table) sucre
80 mL	(⅓ tasse) sherry
375 mL	(1½ tasse) cerises en conserve, dénoyautées, avec leur jus
60 mL	(¼ tasse) jus d'orange
60 mL	(¼ tasse) confiture de groseilles rouges
1	pincée de cannelle
22 mL	(1½ c. à table) fécule de maïs
10 mL	(2 c. à table) zeste d'orange, râpé

Disposer les poitrines de poulet dans un plat à micro-ondes de 3 L (12 tasses). Arroser de bouillon de poulet.

Couvrir et faire cuire au micro-ondes à intensité MOYENNE-HAUTE, 10 minutes. Égoutter le bouillon.

Dans un bol, dissoudre le sucre dans le sherry. Ajouter 250 mL (1 tasse) de jus de cerise, le jus d'orange, la confiture, la cannelle et la fécule de maïs. Bien mélanger. Verser sur le poulet. Ajouter les cerises et le zeste d'orange.

Faire cuire au micro-ondes à intensité MOYENNE-HAUTE, 8 minutes. Laisser reposer 5 minutes.

Jambon à la cocotte

4 portions

15 mL	(*1 c. à table*) beurre
60 mL	(*¼ tasse*) oignons, en dés
60 mL	(*¼ tasse*) céleri, en dés
750 mL	(*3 tasses*) jambon, en dés
3	œufs, battus
250 mL	(*1 tasse*) lait
180 mL	(*¾ tasse*) biscuits salés, émiettés
500 mL	(*2 tasses*) fromage cheddar, râpé
3 mL	(*½ c. à thé*) poivre
3 mL	(*½ c. à thé*) paprika
3 mL	(*½ c. à thé*) basilic
3 mL	(*½ c. à thé*) sel

Dans une cocotte à micro-ondes de 3 L (*12 tasses*), mettre le beurre, les oignons et le céleri. Faire cuire au micro-ondes à intensité HAUTE, 1 minute.

Incorporer le jambon.

Mélanger les œufs, le lait, les biscuits salés, le fromage et les assaisonnements. Verser sur le jambon.

Couvrir et faire cuire à intensité MOYENNE-HAUTE, 15 à 16 minutes. Laisser reposer 5 minutes.

Rôti de porc

8 portions

2,2 kg	(*5 lb*) rôti de côtes de porc
15 mL	(*1 c. à table*) moutarde sèche
5 mL	(*1 c. à thé*) sel
3 mL	(*½ c. à thé*) poivre
5 mL	(*1 c. à thé*) romarin
5 mL	(*1 c. à thé*) sarriette
30 mL	(*2 c. à table*) sauce soja
15 mL	(*1 c. à table*) eau
5 mL	(*1 c. à thé*) sauce anglaise
45 mL	(*3 c. à table*) miel

Découper l'excès de graisse du rôti. Le frotter de moutarde sèche et assaisonner.

Disposer avec 125 mL (*½ tasse*) d'eau dans un sac de cuisson pour micro-ondes ou dans un plat à rôtir allant au four à micro-ondes. Couvrir de papier ciré.

Insérer le thermomètre à viande au milieu du rôti. Faire cuire au micro-ondes 1½ heure, à intensité MOYENNE.

Mélanger la sauce soja, l'eau, la sauce anglaise et le miel. Badigeonner le rôti de ce mélange pendant le temps de repos de 20 minutes.

Porc à la sauce aigre-douce

6 portions

1 kg	(*2¼ lb*) porc, désossé, en cubes de 2,5 cm (*1 po*)
1	oignon, en tranches
60 mL	(*¼ tasse*) sauce soja
15 mL	(*1 c. à table*) sauce anglaise
500 mL	(*2 tasses*) ananas en morceaux, avec le jus
3 mL	(*½ c. à thé*) sel
3 mL	(*½ c. à thé*) gingembre
125 mL	(*½ tasse*) cassonade
60 mL	(*¼ tasse*) vinaigre
60 mL	(*¼ tasse*) fécule de maïs
180 mL	(*¾ tasse*) châtaignes d'eau, égouttées et en dés
1	poivron vert, tranché
1,5 L	(*6 tasses*) riz, cuit, chaud

Dans une cocotte de 3 L (*12 tasses*) allant au four à micro-ondes, mettre le porc, l'oignon, la sauce soja, la sauce anglaise et le jus d'ananas. En réserver 60 mL (*¼ tasse*).

Saupoudrer de sel et de gingembre; bien mélanger. Couvrir et faire cuire au micro-ondes à intensité MOYENNE, 30 minutes. Mélanger après 15 minutes.

Dans un bol, mélanger la cassonade, le vinaigre, la fécule de maïs, l'ananas et les châtaignes d'eau. Verser sur le porc. Couvrir et faire cuire au micro-ondes 15 minutes, à intensité MOYENNE-HAUTE. À mi-chemin de la dernière cuisson, incorporer le poivron vert. Laisser reposer 8 minutes. Servir sur du riz chaud.

Porc et pois mange-tout aux amandes

4 portions

450 g	(*1 lb*) porc maigre, en tranches fines
45 mL	(*3 c. à table*) huile
500 mL	(*2 tasses*) pois mange-tout
500 mL	(*2 tasses*) yogourt nature
60 mL	(*¼ tasse*) sherry
15 mL	(*1 c. à table*) poudre de curry
250 mL	(*1 tasse*) amandes, effilées et grillées
1 L	(*4 tasses*) riz cuit, chaud

Mettre le porc dans une cocotte de 2 L (*8 tasses*). Verser l'huile sur la viande. Couvrir et faire cuire au micro-ondes à intensité MOYENNE, 5 minutes.

Ajouter les pois mange-tout et faire cuire 2 minutes à intensité MOYENNE-HAUTE.

Dans un petit bol, mélanger le yogourt, le sherry, la poudre de curry et les amandes. Verser sur le porc. Couvrir et faire cuire à intensité HAUTE, 3 minutes.

Laisser reposer 5 minutes. Verser sur le riz.

Porc et pois mange-tout aux amandes

Côtes levées barbecue cajun

2 portions

1 kg	(*2¼ lb*) côtes levées
5 mL	(*1 c. à thé*) sel
3 mL	(*½ c. à thé*) poivre
375 mL	(*1½ tasse*) sauce épicée cajun (voir *Sauces*)

Mettre les côtes levées dans une cocotte de 2 L (*8 tasses*). Saler et poivrer. Couvrir et faire cuire au micro-ondes à intensité HAUTE, 22 à 25 minutes. Égoutter l'excès de graisse. Verser la sauce sur les côtes levées.

Poursuivre la cuisson au micro-ondes, couvert, à intensité MOYENNE, encore 8 à 10 minutes.

Jambalaya

6 portions

125 mL	(*½ tasse*) huile
4	gousses d'ail, hachées fin
1	oignon, en dés
2	branches de céleri, en dés
1	poivron vert, en dés
250 mL	(*1 tasse*) riz, non cuit
450 g	(*1 lb*) saucisse italienne piquante, en dés
250 mL	(*1 tasse*) poulet, cuit, en dés
250 mL	(*1 tasse*) crevettes, décortiquées et déveinées
750 mL	(*3 tasses*) bouillon de poulet
250 mL	(*1 tasse*) tomates, pelées et hachées
125 mL	(*½ tasse*) oignons verts, hachés
3 mL	(*½ c. à thé*) poivre de Cayenne
1 mL	(*¼ c. à thé*) poivre
1 mL	(*¼ c. à thé*) thym
1 mL	(*¼ c. à thé*) origan
1 mL	(*¼ c. à thé*) basilic
5 mL	(*1 c. à thé*) sel
1 mL	(*¼ c. à thé*) paprika
45 mL	(*3 c. à table*) persil, haché

Dans une cocotte de 3 L (*12 tasses*) allant au four à micro-ondes, faire chauffer l'huile 30 secondes à intensité HAUTE.

Ajouter l'ail, l'oignon, le céleri et le poivron vert. Faire cuire au micro-ondes à intensité MOYENNE, 6 minutes.

Ajouter le riz et mélanger. Poursuivre la cuisson 4 minutes à intensité MOYENNE.

Ajouter la saucisse, le poulet et les crevettes. Arroser de bouillon; parsemer de tomates et d'oignons verts. Incorporer les assaisonnements.

Couvrir et faire cuire au micro-ondes à intensité MOYENNE, 30 minutes.

Sole Mornay farcie

6 portions

1	oignon, haché fin
60 mL	(*¼ tasse*) céleri, haché fin
125 mL	(*½ tasse*) beurre, fondu
1	œuf
1	pincée de thym
1	pincée de basilic
1	pincée de cerfeuil
1 mL	(*¼ c. à thé*) paprika
1 mL	(*¼ c. à thé*) poivre
3 mL	(*½ c. à thé*) sel
500 mL	(*2 tasses*) chapelure
6	filets de sole de 170 g (*6 oz*) chacun
500 mL	(*2 tasses*) sauce Mornay (voir *Sauces*)

Dans une cocotte de 1 L (*4 tasses*), faire cuire au micro-ondes, dans du beurre, sans couvrir, les oignons et le céleri, 1 minute à intensité HAUTE.

Mélanger l'œuf et les assaisonnements. Ajouter aux légumes et incorporer la chapelure.

Déposer la garniture sur les filets de sole et les rouler.

Les mettre dans un plat de 3 L (*12 tasses*) allant au four à micro-ondes, le pli dessous.

Arroser de sauce Mornay. Couvrir. Faire cuire au micro-ondes 12 à 15 minutes à intensité MOYENNE; en tourner d'un quart de tour aux 5 minutes. Laisser reposer 4 à 5 minutes.

Curry de crevettes

6 portions

80 mL	(*⅓ tasse*) huile
1	oignon, en dés
1	poivron vert, en dés
2	branches de céleri, en petits dés
1	gousse d'ail, hachée fin
500 mL	(*2 tasses*) tomates, hachées
80 mL	(*⅓ tasse*) pâte de tomate
250 mL	(*1 tasse*) bouillon de poulet
3 mL	(*½ c. à thé*) sel
30 mL	(*2 c. à table*) poudre de curry
1 kg	(*2¼ lb*) crevettes, décortiquées et déveinées

Dans une cocotte de 3 L (*12 tasses*) allant au four à micro-ondes, faire chauffer l'huile 30 secondes à intensité HAUTE. Incorporer l'oignon, le poivron vert, le céleri et l'ail. Faire cuire au micro-ondes 5 minutes à intensité MOYENNE.

Ajouter les tomates, la pâte de tomate, le bouillon de poulet et le sel. Bien mélanger.

Faire cuire au micro-ondes 2 minutes à intensité MOYENNE. Ajouter la poudre de curry et les crevettes. Mélanger et couvrir.

Poursuivre la cuisson 5 minutes à intensité MOYENNE.

Laisser reposer 3 minutes et servir.

Curry de crevettes

Salade chaude de pétoncles

4 portions

250 mL	(*1 tasse*) pétoncles, coupés en deux
15 mL	(*1 c. à table*) beurre, fondu
60 mL	(*¼ tasse*) vermouth blanc
30 mL	(*2 c. à table*) huile d'olive
1 mL	(*¼ c. à thé*) ail, haché fin
1	pincée de sel
1	pincée de poivre
1 L	(*4 tasses*) épinards, équeutés et lavés

Dans une petite casserole allant au four à micro-ondes, mélanger les pétoncles et le beurre. Couvrir et faire cuire au micro-ondes 1 minute à intensité HAUTE.

Ajouter le reste des ingrédients, sauf les épinards, couvrir et poursuivre la cuisson à intensité MOYENNE-HAUTE, 2 minutes. Laisser reposer 2 minutes. Diviser les épinards en 4 portions et napper chacune du mélange. Servir immédiatement.

Omelette à la Denver

Omelette à la Denver

	2 portions
45 mL	(*3 c. à table*) beurre
60 mL	(*¼ tasse*) jambon, haché fin
30 mL	(*2 c. à table*) oignons verts, hachés
45 mL	(*3 c. à table*) poivron vert, en dés
3	œufs, jaunes et blancs séparés
125 mL	(*½ tasse*) mayonnaise
30 mL	(*2 c. à table*) eau
125 mL	(*½ tasse*) fromage cheddar, râpé

Dans un petit bol allant au four à micro-ondes, mettre 15 mL (*1 c. à table*) de beurre, le jambon, les oignons et le poivron vert. Faire cuire au micro-ondes à intensité HAUTE, 1 ½ minute. Égoutter le beurre.

Fouetter les blancs d'œufs en neige molle. Bien mélanger les jaunes d'œufs, la mayonnaise et l'eau. Ajouter avec précaution aux blancs d'œufs, en repliant.

Dans un moule à tarte de 22 cm (*9 po*) allant au four à micro-ondes, faire fondre 30 mL (*2 c. à table*) de beurre à intensité HAUTE, 30 secondes. Incliner le moule pour le répartir sur toute la surface.

Verser le mélange d'œufs sur le beurre. Mettre au micro-ondes à intensité MOYENNE, 6 à 8 minutes.

Couvrir de garniture et parsemer de fromage. Remettre au micro-ondes 2 minutes. Replier rapidement en deux avec une spatule. Dresser sur un plat de service.

Quiche au bacon, au cheddar et à l'oignon

6 portions

½	recette de pâte à tarte (voir *Tarte aux pommes*)
4	œufs
125 mL	(*½ tasse*) fromage cheddar moyen, râpé
115 g	(*4 oz*) bacon, en dés et cuit
3	oignons verts, hachés
125 mL	(*½ tasse*) crème épaisse
1	pincée de paprika
1 mL	(*¼ c. à thé*) sel

Tapisser de pâte à tarte un moule à tarte allant au four à micro-ondes.

Badigeonner avec 1 œuf battu. Faire cuire au micro-ondes à intensité HAUTE, 4½ minutes.

Parsemer la moitié du fromage râpé sur la croûte. Recouvrir avec la moitié du bacon et la moitié des oignons verts.

Battre les œufs et la crème. Assaisonner.

Verser les œufs dans une casserole allant au four à micro-ondes et faire cuire à intensité MOYENNE-HAUTE, 7 à 8 minutes. Remuer toutes les minutes.

Verser dans la croûte à tarte. Parsemer avec le reste de fromage, le bacon et les oignons verts.

Faire cuire au micro-ondes à intensité MOYENNE-HAUTE, 6 à 7 minutes. Laisser reposer 5 minutes avant de servir.

Petit déjeuner au fromage et aux crevettes

4 portions

4	œufs
125 mL	(*½ tasse*) crème épaisse
1	pincée de poivre
1	pincée de paprika
1 mL	(*¼ c. à thé*) sel
250 mL	(*1 tasse*) petites crevettes
125 mL	(*½ tasse*) sauce tomate
125 mL	(*½ tasse*) fromage havarti, râpé
6	pointes de pain grillées*

Mélanger les œufs, la crème et les assaisonnements. Verser dans une casserole de 1,5 L (*6 tasses*) allant au four à micro-ondes. Couvrir d'une pellicule de plastique et faire cuire au micro-ondes 4 minutes à intensité HAUTE.

Retirer la pellicule de plastique, mélanger et couvrir de crevettes, de sauce et de fromage. Faire cuire au micro-ondes à intensité MOYENNE-HAUTE, 5 minutes. Entourer de pointes de pain grillées et laisser reposer 2 minutes.

* Pour obtenir des pointes de pain grillées, enlever la croûte des tranches de pain, les faire rôtir et les couper en diagonale.

Petit déjeuner au fromage et aux crevettes

Courgettes en casserole

4 portions

1	courgette, moyenne, en dés
500 mL	(*2 tasses*) tomates hachées, égouttées
1 mL	(*¼ c. à thé*) cerfeuil
1 mL	(*¼ c. à thé*) basilic
1 mL	(*¼ c. à thé*) origan
1 mL	(*¼ c. à thé*) thym
3 mL	(*½ c. à thé*) poivre
5 mL	(*1 c. à thé*) sel
250 mL	(*1 tasse*) crème sure
375 mL	(*1½ tasse*) fromage cheddar, moyen, râpé

Dans une casserole allant au four à micro-ondes de 3 L (*12 tasses*), mettre une couche de courgettes et une couche de tomates.

Assaisonner. Recouvrir de crème sure.

Parsemer de fromage. Couvrir et faire cuire au micro-ondes à intensité HAUTE, 10 minutes.

Laisser reposer 2 minutes.

Chou-fleur, sauce au beurre à l'orange

4 portions

1	chou-fleur, en bouquets
125 mL	(*½ tasse*) eau
80 mL	(*⅓ tasse*) jus d'orange
30 mL	(*2 c. à table*) vermouth sec
60 mL	(*¼ tasse*) beurre, non salé
	zeste de 2 oranges
1	pincée de muscade

Mettre le chou-fleur dans une casserole de 2 L (*8 tasses*) allant au four à micro-ondes. Ajouter l'eau.

Couvrir et faire cuire au micro-ondes 15 minutes, à intensité MOYENNE-HAUTE. Retourner les légumes après 7 minutes.

Entre-temps, verser le jus d'orange et le vermouth dans une casserole. Faire réduire au tiers.

Ajouter le beurre en fouettant. Ne pas faire chauffer.

Ajouter les zestes et la muscade.

Égoutter le chou-fleur. Dresser sur un plat de service.

Napper de sauce et servir.

Asperges en casserole

4 portions

450 g	(*1 lb*) asperges
4	œufs, durs, en tranches
250 mL	(*1 tasse*) biscuits salés, émiettés
250 mL	(*1 tasse*) fromage cheddar, râpé
1 mL	(*¼ c. à thé*) poivre
1 mL	(*¼ c. à thé*) sel
250 mL	(*1 tasse*) crème épaisse
250 mL	(*1 tasse*) amandes, effilées et grillées

Dans une casserole de 3 L (*12 tasses*), étaler les asperges, puis les œufs. Parsemer de biscuits salés et de fromage.

Assaisonner et arroser de crème. Couvrir.

Faire cuire au micro-ondes à intensité MOYENNE, 15 minutes.

Retirer le couvercle et laisser reposer 4 minutes. Parsemer d'amandes.

Courgettes en casserole; Asperges en casserole

Croquettes de pommes de terre

4 portions

375 mL	(*1½ tasse*)	crème légère
45 mL	(*3 c. à table*)	persil, haché
5 mL	(*1 c. à thé*)	sel
3 mL	(*½ c. à thé*)	poivre
1,5 L	(*6 tasses*)	pommes de terre, en tranches fines
1		oignon, en petits dés
500 mL	(*2 tasses*)	fromage havarti, râpé
60 mL	(*¼ tasse*)	beurre

Mélanger la crème, le persil, le sel et le poivre.

Étaler des couches de pommes de terre et d'oignons dans une casserole de 3 L (*12 tasses*) allant au four à micro-ondes.

Parsemer de fromage. Arroser de crème. Parsemer de noisettes de beurre.

Couvrir et faire cuire au micro-ondes à intensité HAUTE, 15 minutes.

Ôter le couvercle et faire cuire au micro-ondes à intensité HAUTE, 4 minutes. Laisser reposer 3 minutes.

Champignons à l'estragon

4 portions

450 g	(*1 lb*)	champignons
45 mL	(*3 c. à table*)	beurre
45 mL	(*3 c. à table*)	huile
3		gousses d'ail, hachées fin
10 mL	(*2 c. à thé*)	estragon, séché

Laver les champignons et les couper en deux.

Dans une casserole de 2 L (*8 tasses*) allant au four à micro-ondes, faire cuire le beurre, l'huile et l'ail, 1 minute, à intensité MOYENNE-HAUTE.

Incorporer les champignons. Faire cuire au micro-ondes 5 minutes à intensité MOYENNE-HAUTE. Remuer à chaque minute. Parsemer d'estragon et servir.

Riz espagnol

4 portions

60 mL	(*¼ tasse*)	beurre
1		oignon, en petits dés
1		poivron vert, en petits dés
250 mL	(*1 tasse*)	riz, non cuit
5 mL	(*1 c. à thé*)	sel
3 mL	(*½ c. à thé*)	paprika
3 mL	(*½ c. à thé*)	assaisonnement au chili
1 mL	(*¼ c. à thé*)	poivre
2		tomates, hachées
500 mL	(*2 tasses*)	bouillon de poulet

Faire chauffer le beurre dans une casserole de 1 L (*4 tasses*), 30 secondes, à intensité HAUTE.

Ajouter l'oignon et le poivron vert. Faire cuire au micro-ondes à intensité MOYENNE, 4 minutes.

Ajouter le riz, les assaisonnements, les tomates et le bouillon. Mélanger, couvrir et faire cuire au micro-ondes à intensité HAUTE, 15 minutes. Aérer avec une fourchette.

Riz pilaf aux amandes

4 portions

60 mL	(*¼ tasse*) beurre
1	oignon, en petits dés
60 mL	(*¼ tasse*) poivron vert, en petits dés
1	gousse d'ail, hachée fin
60 mL	(*¼ tasse*) piments rouges rôtis, en petits dés
125 mL	(*½ tasse*) champignons, en tranches
375 mL	(*1½ tasse*) riz à grains longs, non cuit
750 mL	(*3 tasses*) bouillon de poulet, chaud
250 mL	(*1 tasse*) amandes effilées, grillées

Dans une casserole de 2 L (*8 tasses*) allant au four à micro-ondes, mettre le beurre, l'oignon, le poivron vert, l'ail, les piments rôtis, les champignons et le riz.

Mélanger, couvrir et faire cuire au micro-ondes 5 minutes, à intensité MOYENNE. Remuer une fois et ajouter le bouillon de poulet.

Couvrir et faire cuire au micro-ondes à intensité MOYENNE, 14 minutes. Remuer une fois pendant la cuisson.

Ôter le couvercle et parsemer d'amandes. Remuer et laisser reposer 5 minutes.

Dans une cocotte allant au four à micro-ondes, mettre le beurre, l'oignon, le poivron vert, l'ail, les piments rôtis, les champignons et le riz. Mélanger, couvrir et faire cuire au micro-ondes 5 minutes, à intensité MOYENNE.

Remuer une fois, ajouter le bouillon de poulet, couvrir et faire cuire au micro-ondes à intensité MOYENNE, 14 minutes.

Remuer une fois pendant la cuisson.

Ôter le couvercle, parsemer d'amandes, remuer et laisser reposer 5 minutes.

Gâteau aux carottes

6 portions

250 mL	(*1 tasse*) farine
3 mL	(*½ c. à thé*) sel
5 mL	(*1 c. à thé*) cannelle
1 mL	(*¼ c. à thé*) piment de la Jamaïque
1 mL	(*¼ c. à thé*) muscade
5 mL	(*1 c. à thé*) poudre à pâte
60 mL	(*¼ tasse*) huile
60 mL	(*¼ tasse*) beurre
125 mL	(*½ tasse*) sucre
2	œufs
2	carottes, moyennes, râpées
1	pomme, râpée
125 mL	(*½ tasse*) raisins secs
125 mL	(*½ tasse*) noix de Grenoble, hachées

Tamiser la farine, le sel, les épices et la poudre à pâte.

Réduire en crème l'huile, le beurre et le sucre.

Ajouter les œufs, un à la fois. Ajouter au mélange de farine en repliant. Incorporer les carottes, les pommes, les raisins secs et les noix.

Verser dans un moule en verre de 25 x 15 cm (*10 x 6 po*) allant au four à micro-ondes. Faire cuire à intensité FAIBLE, 7 minutes, puis à intensité HAUTE, 4 minutes.

Vérifier la cuisson. Un cure-dents inséré au milieu doit en ressortir sec.

Piquer un peu partout sur la surface du gâteau avec une fourchette. Le retourner sur une grille, le laisser refroidir, puis le glacer.

Glaçage

60 mL	(*¼ tasse*) beurre
125 mL	(*½ tasse*) fromage à la crème
5 mL	(*1 c. à thé*) extrait de vanille
15 mL	(*1 c. à table*) zeste d'orange, râpé
500 mL	(*2 tasses*) sucre à glacer
30 mL	(*2 c. à table*) jus d'orange

Réduire en crème le beurre et le fromage.

Ajouter la vanille et le zeste d'orange.

Ajouter le sucre et le jus en fouettant.

Étaler sur le gâteau.

Tarte aux pommes

6 portions

Croûte

375 mL	(*1½ tasse*) biscuits Graham, émiettés
60 mL	(*¼ tasse*) beurre, fondu
60 mL	(*¼ tasse*) sucre
5 mL	(*1 c. à thé*) cannelle

Mélanger tous les ingrédients. Presser le mélange contre le fond et les parois d'un moule à tarte en verre de 22 cm (*9 po*) allant au four à micro-ondes.

Garniture

250 mL	(*1 tasse*) sucre
3 mL	(*½ c. à thé*) cannelle
3 mL	(*½ c. à thé*) muscade
5	grosses pommes, pelées, évidées, en tranches
125 mL	(*½ tasse*) raisins secs
125 mL	(*½ tasse*) pacanes

Mélanger le sucre et les épices. En saupoudrer les pommes en tranches. Incorporer les raisins secs et les pacanes. Verser dans la croûte à tarte.

Glaçage

125 mL	(*½ tasse*) beurre
250 mL	(*1 tasse*) farine
180 mL	(*¾ tasse*) cassonade

Couper le beurre dans la farine. Incorporer la cassonade. Parsemer la garniture de ce mélange. Mettre au micro-ondes à intensité HAUTE, 8 à 10 minutes. Faire tourner le plat d'un quart de tour toutes les 2 minutes pendant la cuisson. Laisser reposer 4 minutes.

Tarte surprise

6 portions

Croûte

310 mL	(*1 1/4 tasse*) biscuits Graham, émiettés
60 mL	(*1/4 tasse*) beurre, fondu
60 mL	(*1/4 tasse*) sucre

Mélanger tous les ingrédients. Presser contre le fond et les parois d'un moule à tarte en verre de 22 cm (*9 po*) allant au four à micro-ondes. Faire cuire au micro-ondes à intensité HAUTE, 1 1/2 minute. Faire refroidir au réfrigérateur.

Garniture

10 mL	(*2 c. à thé*) gélatine, non aromatisée
125 mL	(*1/2 tasse*) crème épaisse
225 g	(*8 oz*) chocolat mi-sucré
375 mL	(*1 1/2 tasse*) crème à fouetter
125 mL	(*1/2 tasse*) amandes, en morceaux, grillées
500 mL	(*2 tasses*) guimauves, miniatures

Diluer la gélatine dans la crème épaisse. Verser la crème et 170 g (*6 oz*) de chocolat dans une casserole de 2 L (*8 tasses*) allant au four à micro-ondes. Faire cuire au micro-ondes à intensité HAUTE, 4 minutes. Mélanger à chaque minute. Faire refroidir au réfrigérateur jusqu'à épaississement, sans laisser durcir. Briser le reste du chocolat en petits morceaux.

Fouetter la crème jusqu'à la formation de pics fermes et ajouter au chocolat fondu, en fouettant. Incorporer les amandes, les guimauves et le chocolat en morceaux.

Verser dans le moule à tarte. Faire refroidir au réfrigérateur 1 heure. Servir.

Tarte surprise

Tarte aux guimauves à la menthe

6 portions

Croûte

375 mL	(*1 1/2 tasse*) gaufrettes de chocolat, émiettées
60 mL	(*1/4 tasse*) beurre, fondu
60 mL	(*1/4 tasse*) sucre

Garniture

180 mL	(*3/4 tasse*) lait
750 mL	(*3 tasses*) guimauves miniatures
5 mL	(*1 c. à thé*) extrait de menthe
8	gouttes de colorant alimentaire vert
250 mL	(*1 tasse*) copeaux de chocolat

Bien mélanger tous les ingrédients de la croûte. Presser contre le fond et les parois d'un moule à tarte de 22 cm (*9 po*), en verre.

Mélanger le lait et les guimauves dans un bol de 2 L (*8 tasses*) allant au four à micro-ondes. Faire cuire au micro-ondes à intensité HAUTE, 2 minutes. Incorporer l'extrait de vanille et le colorant alimentaire. Verser dans le moule à tarte en repliant. Mettre au réfrigérateur 3 à 4 heures. Garnir de copeaux de chocolat.

Muffins aux bleuets

12 muffins

310 mL	(*1¼ tasse*) farine
15 mL	(*1 c. à table*) poudre à pâte
1 mL	(*¼ c. à thé*) sel
45 mL	(*3 c. à table*) beurre
180 mL	(*¾ tasse*) sucre
2	œufs
125 mL	(*½ tasse*) lait
5 mL	(*1 c. à thé*) vanille
250 mL	(*1 tasse*) bleuets (bien égouttés s'ils sont surgelés)

Tamiser la farine, la poudre à pâte et le sel.

Réduire en crème le beurre et le sucre. Ajouter les œufs, un à la fois. Bien mélanger après chaque addition.

Ajouter la farine peu à peu, un tiers à la fois, en repliant et en alternant avec le lait. Ajouter la vanille; incorporer les bleuets.

Verser dans des moules à muffins allant au four à micro-ondes.

Faire cuire au micro-ondes à intensité HAUTE, 3½ à 4 minutes pour 6 muffins. Doubler le temps de cuisson pour 12 muffins.

Muffins aux bananes

12 muffins

310 mL	(*1¼ tasse*) farine
15 mL	(*1 c. à table*) poudre à pâte
1	pincée de sel
250 mL	(*1 tasse*) sucre
80 mL	(*⅓ tasse*) beurre
2	œufs
45 mL	(*3 c. à table*) crème sure
180 mL	(*¾ tasse*) bananes, écrasées

Tamiser la farine, la poudre à pâte et le sel.

Réduire en crème le beurre et le sucre jusqu'à consistance légère.

Ajouter les œufs, un à la fois. Incorporer la crème sure et les bananes, puis la farine.

Remplir les moules à muffins allant au four à micro-ondes, aux trois quarts. Faire cuire aux micro-ondes à intensité MOYENNE, 3½ minutes pour 6 muffins*.

Vérifier la cuisson. Un cure-dents inséré au centre doit en ressortir sec.

Saupoudrer les muffins encore chauds de sucre à la cannelle**.

Pouding au caramel et aux noix

4 portions

30 mL	(*2 c. à table*) gélatine, non aromatisée
500 mL	(*2 tasses*) crème légère
125 mL	(*½ tasse*) sucre
4	jaunes d'œufs
180 mL	(*¾ tasse*) pépites au caramel
250 mL	(*1 tasse*) crème à fouetter, fouettée
180 mL	(*¾ tasse*) noix de Grenoble, en morceaux

Dissoudre la gélatine dans la crème légère. Incorporer en fouettant le sucre, les jaunes d'œufs et les pépites au caramel.

Faire cuire au micro-ondes à intensité HAUTE, 4½ minutes. Mélanger toutes les 1½ minutes.

Faire refroidir au réfrigérateur jusqu'à épaississement sans laisser durcir.

Ajouter en repliant la crème fouettée et les noix. Faire refroidir au réfrigérateur 1 heure.

* Note : doubler le temps de cuisson pour 12 muffins.

** Pour faire le sucre à la cannelle, mélanger 125 mL (*½ tasse*) de sucre et 10 mL (*2 c. à thé*) de cannelle.

Pouding au chocolat et à la menthe

Pouding au chocolat et à la menthe

	6 portions
30 mL	(*2 c. à table*) gélatine, non aromatisée
500 mL	(*2 tasses*) lait
125 mL	(*½ tasse*) sucre
1	pincée de sel
5	jaunes d'œufs
125 mL	(*½ tasse*) pépites de chocolat
125 mL	(*½ tasse*) bonbons à la menthe, écrasés

250 mL	(*1 tasse*) crème à fouetter, fouettée

Dissoudre la gélatine dans le lait. Incorporer en fouettant le sucre, le sel et les jaunes d'œufs.

Verser dans un moule de 2 L (*8 tasses*) allant au four à micro-ondes.

Faire cuire au micro-ondes à intensité HAUTE, 4½ minutes. Mélanger toutes les 1½ minutes.

Faire refroidir au réfrigérateur jusqu'à épaississement, sans laisser prendre.

Incorporer, en repliant, les pépites de chocolat, les bonbons et la crème fouettée.

Mettre au réfrigérateur 1 heure.

Index

*recette micro-ondes

recette micro-ondes

recette micro-ondes

445

recette micro-ondes

recette micro-ondes

Index micro-ondes